L'ENCYCLOPÉDIE DES CADEAUX

L'ENCYCLOPÉDIE DES CADEAUX

Ce volume est le soixante-septième de la collection
marabout service
La conception générale de l'ouvrage est de
Anne-Marie Seigner.
Le secrétariat de rédaction a été assuré par
Jeanne Cabel.
Enquêtes de Geneviève d'Anthouard, Geneviève
Barrachin, Djenane Chappat, Sophie Lannes,
Jeannette Malik, Janine Merlin, Claude-Pierre-Meslier,
Pierre Sels, Claude Vallier, Mireille Vincendon.
Les dessins ont été exécutés spécialement par
Luis Camps.
Les photographies inédites sont de
Jean-Louis Seigner.
La couverture est de Henri Lievens
(photographiée par Jean Lefèvre).
Sources de l'iconographie : voir p. 374.

Les collections Marabout sont éditées et imprimées par GERARD & Cº, 65, rue de Limbourg, VERVIERS (Belgique). — Le label Marabout, les titres des collections et la présentation des volumes sont déposés conformément à la loi. Correspondant général à **Paris :** L'INTER, 118, rue de Vaugirard, Paris VIᵉ. — Gérant exclusif et Distributeur général pour les **Amériques :** KASAN Lée, 226, EST, Christophe Colomb, Québec - P.Q., Canada. — Distributeur en **Suisse :** Editions SPES, 1, rue de la Paix, Lausanne.

Préface

— Vous qui avez tenu la rubrique « shopping » d'un magazine féminin, donnez-moi une idée : je vais dîner ce soir chez des amis qui viennent de s'installer. Que faut-il leur apporter ?
— Ma filleule fête ses quatre ans, je ne sais quel jouet lui offrir... donnez-moi une idée...
— Je suis invitée à un lunch de mariage et je n'ai pas le temps de courir les magasins... donnez-moi une idée...
— Mon neveu fait sa première communion, je voudrais éviter le cadeau banal... donnez-moi une idée...
Ces questions, ces problèmes, ces « urgences » qui m'ont été si souvent posés sont à l'origine de cette encyclopédie.
Le but de ce nouveau manuel ?
Rendre service à tous, mais aussi — je le confesse — un peu à moi, car « donner une idée » ne me coûtera désormais que la peine de proposer un gros livre bien illustré qui en contient plus de mille.
Consacrer 384 pages à un sujet, en apparence, aussi particulier que celui-ci, voilà qui étonnera peut-être. Mais le sommaire de cet ouvrage se charge de démontrer qu'il y a beaucoup à apprendre, à découvrir, à retenir.
Une véritable industrie née du « phénomène cadeaux » se développe depuis dix ans. Tout, aujourd'hui, est devenu prétexte à l'échange de présents... Est-ce un signe des temps ? Notre siècle, traqué par la vitesse, sent-il obscurément la nécessité de ces liens à établir entre des êtres qui n'ont pas le temps de se voir, de s'écrire, à peine le temps de se téléphoner ?
Depuis dix ans, le « protocole » des cadeaux s'est considérablement modifié, transformé.

Ce qui semblait jadis « impensable » est aujourd'hui permis. Ce qui était « de bon ton » est très dépassé. Le temps est à l'invention, à la liberté, à l'imagination et à la personnalisation.
« L'art d'offrir » nécessitait une nouvelle mise au point : la voici.

ANNE-MARIE SEIGNER.

L'embarras du choix

La liste des cadeaux à offrir est infinie... Les boutiques qui annoncent pour tout programme et qui affichent pour toute enseigne le simple mot « cadeaux » se sont multipliées au cours des dernières années, et leur nombre va sans cesse croissant.
Aux cadeaux typiquement français s'ajoutent les innombrables objets venus d'au-delà des frontières, sélectionnés et vendus dans tous les grands magasins, véritables super-marchés internationaux.
Pour trouver un cadeau vous n'avez réellement que l'embarras du choix... et vous voici justement embarrassé. Plusieurs considérations entrent en jeu dans « l'art de bien choisir ». La personnalité du destinataire, son âge, son mode de vie, ses goûts. Puis le temps dont vous disposez pour courir les magasins et la somme que vous pouvez consacrer à son achat.
Pendant longtemps, et bien longtemps après que vous l'avez vous-même oublié, votre cadeau parlera de vous à qui vous l'avez offert. Il dira longtemps votre goût, votre personnalité. Un cadeau ne se fait pas à la légère, il ne se fait pas sans qu'on y attache d'importance, sans en prendre la peine.
Choisissez bien, choisissez surtout en pensant à l'autre, en pensant « au fond » de l'autre. Il y a quelque chose de bien précieux dans ce cri du cœur : « Je vous le donne parce que je l'aime ! ».
Mais il est pourtant préférable de dire : « Je vous le donne parce que je crois, vraiment, que vous l'aimerez »... et c'est dans cette petite nuance que réside surtout la grande difficulté du choix.

LES PRINCIPAUX TYPES DE CADEAUX

Tout objet emballé avec soin, offert avec cœur et accompagné d'un mot d'esprit est susceptible de devenir cadeau. Mais l'usage veut que certains d'entre eux s'offrent plus facilement que d'autres.

Les gadgets

Type même du cadeau d'amitié, ce sont des objets relativement peu chers qui amusent aussi bien celui qui l'offre que celui qui le reçoit.

LES OBJETS « GAGS »

• **Le tire-zip :** accessoire qui permet de tirer une fermeture à glissière placée dans le dos d'une robe sans demander d'aide.

• **Le petit chat « Miaou »** de feutrine qui miaule dès que les langes de bébé sont mouillés, prévenant ainsi la maman.

• **La lampe de piano miniature,** montée sur pince adaptable à la reliure d'un livre qui évite de déranger son conjoint lorsqu'on lit et que l'autre dort.

Bien intentionnées
Les cartes à jouer pour myopes ou presbytes ont des chiffres géants (Croque-Monsieur, 6, rue de Varenne).

• **Le support pour le bracelet-montre.** Equipé d'une minuscule lampe électrique et d'une pile, il évite d'allumer la lampe de chevet si l'on désire voir l'heure la nuit.

• **Les gadgets-auto** : gaine de fourrure (ou presque) pour le volant de la voiture en hiver ; bloc-notes « Etourneau », spécial pour auto.

• **Les gadgets-bureau** : verrou pour téléphone, permettant de répondre mais non de composer un numéro ; ouvre-lettres électrique.

• **Les gadgets personnalisés** : crayon surmonté des initiales ou du prénom du destinataire en lettres de métal doré ; brosses à habits avec support de bois formant une initiale.

• **Les gadgets-fumeurs** : cendrier de sac pour fumeuses invétérées ; étouffe-mégots qui empêchent de brûler les nappes ; blague à tabac en « twill », assortie à la cravate, formant pochette dans la poche gauche du veston.

• **Les gadgets ménagers** : tire-bouchon fonctionnant comme une pompe à bicyclette ; séparateur à œufs pour ménagères inexpérimentées ; ouvre-boîtes perfectionné ; décapsuleur qui décapsule et recapsule ; seringue à rôtis et pellette de cuisine, souple, pour retourner les crêpes et servir les œufs sur le plat.

• **Sans oublier** : l'air pur de la campagne anglaise en boîte de conserve, comme des petits pois, dans une des plus fameuses épiceries du quartier de la Madeleine à Paris. Il est vendu le plus sérieusement du monde à des Français épris d'humour anglais.

LES BIBELOTS-JEUX

Tous les Français — et en particulier les Parisiens — ont, paraît-il, besoin de se « décontracter ». Il est donc tout à fait compréhensible qu'un certain nombre d'objets-jeux **« décontractants » soient devenus** tellement à la mode qu'ils constituent des cadeaux tout trouvés pour destinataires nerveux, ou simplement fatigués.

• **Les classiques bilboquets** : du modèle miniature de la taille d'un dé à coudre au bilboquet géant c'est un jouet de collection qui a fait des ravages depuis que les téléspectateurs ont pu admirer sur leur écran monsieur le maire de Royan dans une exhibition des plus réussies au cours d'« Intervilles » 1964. On en trouve également dans un ravissant magasin sis au Palais-Royal à Paris, ou dans des magasins de jouets dans toutes les villes.

• **Le jeu du Solitaire** : remis à la mode par les estivants de Saint-Tropez un certain été des plus pluvieux, le Solitaire est aussi amusant qu'absorbant. On en trouve parfois d'anciens (ou presque) aux Puces. On en trouve de modernes créés par Philippe Barbier dans toutes les bonnes boutiques de cadeaux de Paris et de province. C'est un jeu passionnant, mais c'est aussi un très bel objet.

• **Le casse-tête japonais** : c'est une grosse bille, de la taille d'une boule de billard, composée de multiples morceaux de bois de tailles et de formes différentes qu'il s'agit d'imbriquer les uns dans les autres jusqu'à reconstitution. Une fois reconstituée, cette boule de bois d'essences diverses trouve sa place au milieu des bibelots familiers.

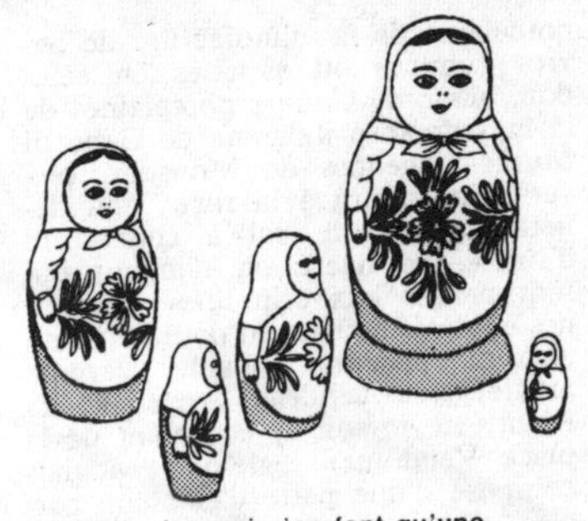

Cinq poupées qui n'en font qu'une
Les matriochkas, célèbres poupées russes, s'emboîtent les unes dans les autres (Janie Pradier, 78, rue de Seine).

• **Le téléidoscope** : petit instrument qui tient du kaléidoscope mais qui crée des tableaux sans cesse renouvelés suivant qu'il est dirigé sur un point ou sur un autre de la pièce où l'on se trouve (bouquets de fleurs, meubles, tableaux, visages, etc.).

• **Les yo-yos** : redécouverts par les enfants et les petits-enfants de ceux qui s'en étaient entichés aux environs de 1930, les yo-yos, lumineux, décorés, géants, restent au travers des générations un joujou-bibelot, bien charmant petit cadeau.

Les bibelots

Anciens ou modernes, inutiles par définition, ils suivent, qu'on le veuille ou non, les caprices d'une certaine mode. C'est du reste ce qui en fait le charme, parfois perdu et retrouvé, ou découvert brusquement.

BIBELOTS D'AUTREFOIS

Vous les trouverez chez les antiquaires, chez les brocanteurs, aux Puces ou au Village Suisse si vous habitez Paris, ou encore dans une de ces quelques boutiques qui ont l'art d'adapter au goût du jour l'objet qui vient si joliment s'inscrire dans les intérieurs de style.

• **Les bibelots-cadeaux que vous rechercherez** : sulfures, tabatières en argent, en vermeil, en émail ou en porcelaine de la manufacture de Sèvres ; coupes ou assiettes en céladon, blanc de Chine ; porcelaines de la manufacture italienne de Capo di Monte ; faïences de Moustier, Nevers, Strasbourg à la rose ; chandeliers, carnets de bal à couverture d'ivoire, de nacre ou d'argent qui font penser aux crinolines ; anciennes épingles à chapeau pour ceux qui en font collection ; boucles d'argent montées en cendriers (par Noëlla Riautteau en son appartement de la place Vendôme) ; cale-porte anglais composé d'une patte d'éléphant cerclée d'argent ; tisaniers en porcelaine, en faïence, décorés ou non ; pots d'apothicaire ; gobelets d'argent (si jolis avec quelques fleurs à tige courte) ; opalines romantiques d'époque 1830 ; applique extensible de métal doré dite applique de piano ; vase en forme de cornet, d'époque Jules Grévy (une charmante boutique installée dans une ancienne boulangerie rue Saint-Jacques s'en est fait une spécialité).

LES BIBELOTS D'AUJOURD'HUI

• **Ce sont toutes les copies contemporaines** des objets anciens que nous venons de citer, plus ou moins bien reproduits.

• **Les objets qui font fureur**

o *Les œufs de toutes matières et de toutes couleurs :* en pierre dure ; en albâtre ; en marbre ; en faïence décorée ; en bois peint ; en verre ou en plexiglas.

o *Les gros cristaux bruts :* améthyste mauve, quartz rose, cristaux de roche, soufre, etc.

o *Les boîtes d'allumettes :* en or en argent, en ivoire, en bois décoré, en métal doré ciselé, en argent filigrané, en vermeil, en nacre, en faïence et en porcelaine.

o *Les boîtes à pilules :* en or, en argent, en vermeil, en cuir, en bois ou cloutées de pierreries.

• **Ceux qui trouvent place partout** : le plateau à lettres en argent ou métal argenté ; le gros cendrier en cristal ; le vase à fleurs en verre de Bohême excessivement fin (contenant des billes de verre sablé qui maintiennent deux ou trois fleurs dans un vase à large col) ; le cadre à photo en argent ou en métal argenté ; le long vase uniflore ; et d'une façon générale tous les objets de cristal, de verre, d'argent ou de métal argenté qui ne sont pas « de style ».

• **Ceux qui demandent un décor approprié.** La forme, la couleur, la nature de certains bibelots exigent un décor dépouillé, et s'accommodent mal de certains voisinages. Par exemple : le vide-poches ou la coupe en bois de teck d'origine suédoise ; la statuette d'ébène venue d'Afrique Noire ou les masques d'Extrême-Orient ; les objets de pierre reconstituée, création de l'artiste italien Danèse ; toutes les céramiques artisanales suédoises, finlandaises, danoises, espagnoles, françaises, etc.

LES BIBELOTS RUSTIQUES

Ils font particulièrement plaisir à ceux qui possèdent une maison de campagne, surtout si cette dernière est d'acquisition récente.

• **Quelques exemples** : les mesures et les plats d'étain (anciens ou copies) ; les lampes à huile anciennes ; les cache-pot en faïence, en bois ou en porcelaine ; le grelot géant servant de cloche pour appeler les convives aux heures des repas ; la boîte à sel ancienne ; la grosse poule en faïence dissimulant les œufs à la coque ; le pot à tabac en faïence anglaise ; les chopes à bière utilisées comme vases à fleurs ; les cendriers en granit de la Lozère.

L'accessoire-décor

Utile ou purement décoratif, l'accessoire-décor fait partie de la vie quotidienne. C'est un cadeau toujours apprécié lorsqu'il s'intègre bien au décor qu'il est appelé à compléter. C'est également un de ces objets qui « signent » une époque. Le plus classique de tous étant la lampe, nul ne saurait contester que la forme des abat-jour est tout à fait différente aujourd'hui de ce qu'elle était il y a huit ou dix ans, et probablement différente de ce qu'elle sera demain.

L'ACCESSOIRE-DECOR UTILE

● **Les appareils d'éclairage** : lampes de chevet, de bureau, de canapé ; lampes à pétrole avec globe et manchon, équipées électriquement ; lampe de télévision qui assure le confort visuel des télespectateurs, grosses potiches anciennes ou modernes remplaçant désormais bien souvent le lustre ; lampe de « saloon » évoquant l'épopée du Far West ; potences.

● **Les cendriers** : ils sont de plus en plus utiles depuis que les femmes se sont mises à fumer autant que leur mari. Il y a tellement de types de cendriers qu'il serait impossible de les citer tous.

o *Cendriers précieux :* en cristal, en opaline, en argent ou en métal argenté, en agate, en pierre dure, en forme de montre ancienne, en argent et cristal.

o *Cendriers stables* pour fumeurs de pipes : en verre épais, en marbre, en faïence, en céramique, en bois et métal argenté, en verre ceinturé d'étain, en bronze, en acier inoxydable.

o *Sans oublier :* les cendriers individuels ou tout petits pour la table ; le cendrier pour la cuisine, en forme de petit poêlon en métal, en porcelaine, en terre à feu, en faïence ; le cendrier escamotable qui évite l'odeur du tabac froid (plus spécialement indiqué pour le bureau).

● **Les flacons à alcools ou liqueurs** : en cristal taillé à l'ancienne ou non ; verre gravé et doré d'époque romantique ; flacons en verrerie de foire **en forme de personnages, d'animaux,** longues carafes en verrerie italienne rubis ou vert émeraude ; flacon à whisky en partie gainé d'étain ; bouteilles gainées de cuir ; flasques pour la chasse, en métal argenté. Et... assimilé à ces flacons, le ravissant cache-bouteille pour eau minérale, en métal argenté ajouré.

● **Les porte-revues** : indispensables à notre époque grande mangeuse de papier imprimé. En bois verni ou ciré, en cuir et métal doré ou chromé. Les anciens « porte-partitions de musique » en acajou tourné anglais ou d'époque Louis-Philippe, font de parfaits porte-revues pour ceux qui sont meublés dans un de ces deux styles.

● **Les miroirs** : cerclés de cuir, de liège, de métal ou de velours, encadrés de bois doré (ancien ou non), de porcelaine décorée, de faïence ou d'acajou, ce sont des cadeaux-décor qui joignent dans leur classicisme l'utile à l'agréable à coup sûr.

● **Les plateaux** : indispensables, souvent si laids, et pourtant tellement appréciés lorsqu'ils sont élégants. Ils représentent le cadeau idéal pour maîtresses de maison de tous âges.

o *Vous offrirez :*

- des plateaux d'argent (ou de métal argenté) ; de métal léger (alliage à base d'aluminium) doré ou argenté et gravé ; de tôle décorée, d'Altuglas, de bois léger souligné d'étain ; ou tout doré lorsqu'ils viennent de Chine ;
- des plateaux japonais en laque rouge ou noire ; en teck scandinave,. en rotin. Et... parfois réussis, des plateaux de toile plastifiée lorsque cette dernière a été bien choisie.

o *Notez :* que les plateaux de très grande taille posés sur un « X » de métal ou de bois deviennent de très jolies tables basses.

● **Chandeliers et bougeoirs.** A l'ère atomique où l'électricité règne sur le monde, chandeliers et bougeoirs connaissent une vogue sans précédent. Les femmes auraient-elles découvert que la flamme vacillante des bougies les rendait plus séduisantes ? Ou craignent-elles tout simplement les grèves de l'E. D. F. ou les soirs d'orage à la campagne, lorsque le tonnerre gronde et que l'électricité fait brusquement défaut ? Toujours est-il qu'il n'est pas de maison moderne où ne se trouvent d'antiques chandelles.

o *Notons en passant* qu'une bougie allumée dans une pièce où l'on fume beaucoup absorbe la fumée des cigarettes. Et que l'on fume de plus en plus.

o *Vous pouvez offrir,* suivant la somme dont vous disposez : chandeliers en argent à plusieurs branches du XVIII e ou du XIX e siècle (ou leur fidèle copie en métal argenté) ; girandoles aux cristaux taillés dans lesquels la lumière joue ; bougeoirs en argent, Louis XIV, Louis XV, Louis XVI, Directoire, Empire ; chandeliers en bronze doré d'époque 1830 ; chandeliers en bronze et porcelaine XIXe; bougeoirs en cuivre ou en bronze Directoire, Empire ou Restauration ; chandeliers espagnols en lourd fer forgé ; anglais en métal argenté ; Renaissance italienne en bois doré.

Dans le style moderne : offrez les photophores si commodes pour les dîners au jardin ; les modèles en verre, en teck ou en acier d'origine scandinave ; les bougeoirs en pâte de verre ou en « majolite », tout blancs. Et enfin les chandeliers en bois tourné, style colonial américain, et le cep de vigne monté en porte-bougies. Feu M. Edison qui inventa la lampe électrique à incandescence n'aurait jamais pu imaginer que l'homme du XX e siècle resterait fidèle (du moins pour le charme) aux chandelles des siècles passés.

• **Les bougies** : devenues véritables objets d'art puisqu'elles adoptent même les formes de statuettes en pierre dure, elles sont aussi devenues de charmants cadeaux. Les grandes bougies dites « longue durée » qu'on laisse allumées dans une pièce où l'on fume beaucoup peuvent être d'excellents cadeaux pour homme. Certaines d'entre elles sont parfumées.

• **Les parfumeurs d'appartement** : depuis que nos plus célèbres parfumeurs se sont mis à créer des parfums pour la maison, toutes les femmes, à l'exemple de la duchesse de Windsor, aiment parfumer leur maison. D'autant que, dans les immeubles modernes, la cuisine se trouve un peu trop près du salon. Il y a : la bombe aérosol qui vaporise d'excellents parfums de Rigaud, « Cyprès » en particulier. Elle est vendue en étui de métal argenté, ou en recharge.

o *Le brûle-parfum* à coupelle en métal doré du décorateur Jansen : une veilleuse placée sous une petite coupe chauffe lentement un parfum spécial qui s'évapore en embaumant. Coupelle et support sont en métal doré.

o *Le parfumeur d'appartement,* tout nouveau, en verre, d'inspiration romantique, dans lequel on introduit n'importe quel parfum ou eau de toilette, celui-ci s'évapore plus ou moins lentement suivant que la pièce est plus ou moins chauffée. On peut le remplir avec l'eau parfumée dont on se sert pour la toilette.

• **Les vases à fleurs.** Ce cadeau, considéré comme banal et longtemps passé de mode, opère une rentrée spectaculaire, et fait réellement plaisir lorsqu'il « tombe bien ».

o *Si vous ne connaissez pas très bien l'appartement* pour lequel est destiné le cadeau, choisissez un vase en cristal ou en verre, à moins que vous ne préfériez le vase en forme de verre à dégustation géant, en très fine verrerie de Bohême, dans lequel toutes les fleurs se placent bien ; le très haut cornet en verre ou en faïence blanche nommé tulipière que l'on pose au sol et qui met le lilas tellement en valeur ; le « soliflor » que vous offrirez avec une seule merveilleuse rose. (Les éprouvettes de laboratoire font de parfaits soliflors et ne coûtent pas cher.) Vous trouverez du reste toutes sortes de verreries de laboratoire transformables en vase à fleurs chez Brewer-Houlier 76, bd Saint-Germain à Paris. L'amphore en opaline blanche, ou le vase Médicis en faïence également blanche des Faïenceries de Gien sont des classiques d'une belle sobriété.

o *Si vous connaissez le décor :* vous pourrez choisir entre un grand vase à poser au sol, en verrerie italienne, une bonbonne, des opalines bleues ou roses, une mesure d'étain, un pichet, un vase moderne en céramique noire ou de couleur, un vase en pierre, en marbre ; en bronze, en porcelaine décorée, un vase d'un style nettement déterminé (XVIIIe anglais, XIXe, époque romantique, Jules Grévy ou 1900) et un vase très moderne si le décor s'y prête.

• **Les accessoires-téléphone.** Il y a d'abord les classiques couvre-annuaire : en cuir, en toile, en feutrine, en plastique, en reproductions photographiques ou, plus raffinés, confectionnés dans le même tissu que les doubles rideaux.

Vous trouverez aussi de toutes petites tables en bois ou en laiton doré et des poufs en velours dissimulant annuaires et combiné. Et, plus modestes, les « doigts » qui empêchent le vernis à ongles de s'écailler. Il y en a de fort jolis, en métal argenté, dont l'extrémité est composée d'une grosse pièce de monnaie, d'autres en métal doré, ou cloutés de pierreries, et ceux qui forment l'initiale de celle qui s'en sert.

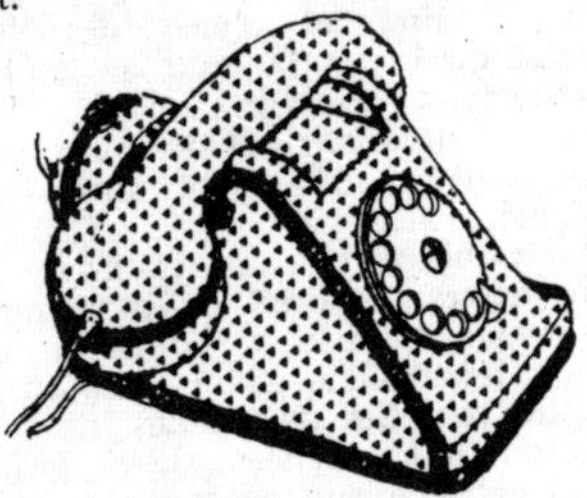

La housse cache-téléphone
en vichy noir et blanc, en toile de jute ou, sur commande, en tout autre tissu de votre choix : écossais, tweed, velours, etc. (A la Ville du Puy).

• **Les accessoires de luxe pour la cuisine.** Dans cette pièce devenue deuxième « salon » de bien des femmes, le décor est de goût et les accessoires utilitaires de véritables objets de luxe.

o *Des exemples :* étagère à épices garnie de flacons en verre, en porcelaine, en grès, en faïence décorée ou non ; gros pots en verre à étiquette d'étain pour le sucre, le gros sel, les confitures, etc. ; flacons pour les fruits à l'eau-de-vie ; huilier et vinaigrier en céramique ; bocaux artistiques en faïence ou en verre.

• **Ceux pour la salle de bains.** Ils sont devenus des « objets-cadeaux-décor » depuis que cette pièce utilitaire remplaçant le boudoir d'antan est devenue luxueuse.

o *Des exemples :* flacons de toilette en verre rubis ou émeraude à étiquette et couvercle d'étain ; verres à dents assortis avec étiquette d'étain gravée « Monsieur » et « Madame », flacon-boule sur support de métal pour les sels de bain ; boîtes en verre superposées pour tampons d'ouate, poudre, houppe ; accessoires en bronze doré : dauphins, têtes de lion, petits anges servant de support à l'anneau porte-serviettes, au verre à dents, à la tablette de lavabo (ils seront assortis aux robinetteries de grand luxe créées par un jeune artisan plein de goût, Jack Delépine, 104, bd de Clichy, Paris) ; appliques de miroir en opaline, d'époque romantique (anciennes ou copies) ; miroir encadré d'acajou, de bois doré, de faïence décorée ou... de tissu-éponge ; coffret élégant gainé de tissu-éponge pour ranger les rouleaux de mise en plis ; coordonnés : tapis de bains, serviettes de toilette, gants en tissu-éponge imprimé ou brodé ; boîte de luxe pour matériel à chaussures ; « valet muet » qui se fixe au mur et n'encombre plus la pièce ; patères en porcelaine, en faïence, en cuivre verni, en métal chromé servant à suspendre les vêtements de nuit ; panier à linge formant tabouret, en plastique capitonné, en bois laqué, en rotin, etc.

o *Pour ceux qui aiment les objets un peu insolites :* l'ancienne boule de bistrot chromée qui devient boîte à déchets ; la merveilleuse saupoudreuse géante en laiton doré et verni, pour l'indispensable poudre de lessive que l'on ne sait jamais où camoufler (voir dessin p. 75 ch. « Fêtes et anniversaires ») ; le gros coquillage porte-savon ou porte-éponge.

• **L'accessoire-décor rustique.** Avec la folie des maisons de campagne, il prend toute sa valeur comme cadeau.

o *Des exemples :* la potence à saucissons ; le tabouret de vacher pour le coin du feu ; la belle plaque de cheminée ancienne (ou son excellente copie fabriquée par une fonderie d'après des modèles originaux) ; les accessoires à feu en cuivre, en fer forgé ou à manche de bois ; les chenets ; le panier à bois ; la girouette ancienne ou moderne ; la boîte à sel ou le porte-torchons en bois peint de style tyrolien ; les gros pots en grès pour confitures, légumes secs et sel ; les belles casseroles en cuivre pour décorer la cuisine devenue « salle commune » (en particulier : bassines à confiture, écumoires, etc.) ; les balances à fléau (que l'on transforme en lustres ou en supports pour plantes vertes) ; les moules décoratifs en porcelaine italienne qui servent de jattes à crème ou de saladiers ; la collection complète des cuillères en bois ; le pichet ancien ou « à l'ancienne » en étain mat ou brillant, avec ou sans couvercle ; les coupes à fruits en liège, en bois d'olivier, en hêtre ou en bouleau ; le mortier de marbre ou de pierre ; les fontaines en cuivre, en étain ou en faïence (anciennes ou reproduites) ; les accessoires de table du type plateau à fromages, dessous-de-bouteille, dessous-de-plat en bois, en rotin ou en manille ; toutes les vanneries : en forme de panier, de porte-bouteilles, de petit bar portatif ou de sièges de toutes tailles ; la lampe à pétrole en état de fonctionner le jour de panne d'électricité ; le cadran solaire (ancien ou moderne) ; les boîtes à clefs ; la belle cloche pour la porte d'entrée et le gratte-pieds en fer forgé ; le baromètre ancien ou moderne ; le porte-fusils ; le tapis de table en « patchwork », très à la mode, ou le couvre-lit au crochet de nos grands-mères, devenus objets anciens très appréciés.

● **Dans la catégorie de l'accessoire-décor utile se classent encore** :

- les porte-photos gainés de cuir, de velours, de satin, cadres en métal, en bois, en porcelaine, en faïence ;
- les charmantes boîtes à cigarettes qui sont aussi boîtes à musique ;
- les petits coffrets à bijoux vrais, gainés de cuir, de daim ou de velours avec serrure fermant à clé ;
- les boîtes à ouvrage anciennes, les petites commodes de poupées d'autrefois, les petits coffres à dentelles qui font de si ravissantes boîtes à bijoux dans une chambre de style ;
- les petits meubles aux multiples tiroirs que l'on fait cirer ou vernir et qui s'achètent chez les spécialistes du bois blanc ;
- les accessoires élégants pour le bureau : pinces à courrier et presse-papiers (de la pince à linge géante au faux lingot d'or miniature) ; timbales à crayons qui s'offrent remplies de crayons variés ; sous-main, pendule-calendrier ; briquet de bureau ; pot à tabac, pot à cigarettes et coffrets fumeurs.

L'OBJET PUREMENT DECORATIF

Plus original qu'un bibelot, parfois d'une utilité contestable, il est surtout destiné au plaisir des yeux parce qu'il met la note de couleur exactement où elle convient. C'est un cadeau à offrir à des gens « qui ont tout », dotés d'un goût assez évolué.

● **Des objets très nouveaux** : les radio-mètres toujours en mouvement qui apportent la vie dans la maison ; les sabliers géants ; les éprouvettes remplies de graines, de billes ou de fleurs séchées ; les hygromètres qui changent de couleur suivant le degré hygrométrique de l'atmosphère ; les coussins en velours ou en feutrine accrochés pour la présentation comme des clefs sur un trousseau-anneau ; le bloc de plexiglas dans lequel sont emprisonnées plusieurs montres dont une seule fonctionne ; les cages à oiseaux tunisiennes (qui font d'amusants lustres d'antichambre) ; les poissons japonais géants en papier de couleurs vives ou lampions en forme d'animaux.

● **Des objets plus classiques** : les soleils en bois doré, anciens ou copies ; les gravures, les reproductions de toiles d'un grand maître de la peinture impressionniste, par exemple ; les bas-reliefs en bois ciré ou doré ; les anges en bois doré ; les miroirs-sorcières cerclés de bois, de métal, de velours ou emprisonnés dans un encadrement d'O forgé (création Line Vautrin) ; les reproductions photographiques géantes.

L'accessoire-« beauté »

C'est un cadeau typiquement féminin qu'il faut choisir avec discernement.

• **Les poudriers :** en or, en argent, en platine, cloutés ou non de pierres précieuses, ce sont de véritables bijoux ; modèles en métal ou en argent portant la griffe d'un grand parfumeur pour celles qui désirent avoir la poudre compacte semblable à celle qu'elles utilisent dans leur cabinet de toilette ; poudriers en bois, en cuir, en émail, boîtes anciennes utilisées comme poudriers.

• **Les étuis à rouge à lèvres :** rarement en métal précieux, plus souvent en « modèle luxe » de la marque habituellement utilisée.

• **Les vaporisateurs** : de boudoir, très précieux, anciens ou modernes, de salle de bains (plus importants pour l'eau de toilette) ou de sac. Cet objet fait faire de grandes économies de parfum et évite les auréoles sur les vêtements. Le raffinement consiste à l'offrir rempli du parfum préféré de celle qui va l'utiliser.

• **Cadeaux « d'intimes »**, sinon ils risquent d'être péjoratifs : le pèse-personne, considéré comme un accessoire-beauté, puisqu'il n'est plus de femme qui ne soigne sa ligne,
- une bicyclette, pliante ou non, pour faire de la gymnastique en chambre,
- un coffret de lampes à rayons ultraviolets pour conserver tout l'hiver le joli hâle des vacances.

• **Vous pouvez également offrir** : un bonnet de mousseline cache-rouleaux de mise en plis ; un peigne en véritable écaille ; un miroir à trois faces ; un coffret de beauté composé par un grand institut de beauté ; des lunettes spéciales qui permettent aux myopes de se faire les yeux ; une mousseline spéciale à œillères transparentes qui permet d'enfiler un chandail sans salir l'encolure ; des gants de toilette en tissu éponge en forme de longs gants du soir ; un nécessaire de manucure ; un casque souple relié à un séchoir électrique qui se porte en bandoulière ce qui permet de vaquer à ses occupations pendant la mise en plis ; un peigne électrique ; une belle brosse à dos pour le bain.

Le sac à main

C'est le cadeau idéal parce qu'il fait toujours plaisir à toutes les femmes, en particulier aux citadines, quels que soient leur âge, leur physique, leur métier.

LES SACS DE VILLE

Ils se divisent en deux catégories : les sacs en cuir et ceux en tissu.

• **Les peausseries** : box (surtout), veau velours (pour les modèles assez habillés), veau verni (surtout en noir), porc (pour le voyage et les tenues sport), crocodile (existe en vraie peausserie et en imitation par procédé photographique sur veau verni), lézard, agneau (super-léger, demande à être piqué en losanges pour ne pas être défraîchi trop vite), agréable en toutes couleurs comme sac de ville d'été.

• **Les sacs de ville en tissu** : plus fantaisie que les premiers, sont généralement moins chers.

o *Pour l'hiver :* tapisserie, velours (piqué ou non), mélange tissu et box

ou veau verni, feutrine piquée.
o *Pour l'été :* toile, toile à matelas, gros-grain, sacs confectionnés dans le même tissu que le tailleur ou la robe.

LES SACS DU SOIR

Ils sont très petits et harmonisés aux toilettes habillées : pochette plate de satin noir, pochette confectionnée dans le même tissu que la robe, pochette en agneau doré, pochette-boule entièrement perlée ou pailletée (surtout en noir ou en blanc) ; sacs ou pochettes en tapisserie dite « petit point » ; sacs « Chanel », en velours, antilope ou satin piqué, à longue chaîne dorée ; minaudière, remplaçant le sac à main : depuis la plus précieuse en or ou en argent, jusqu'à sa copie en métal ciselé.
o *Notez que :* tous les bons maroquiniers consentent à faire confectionner des pochettes dans le tissu de votre choix (le métrage varie suivant le modèle de 35 à 50 cm), et qu'ils font même monter sur fermoir en vieil argent ou en écaille des bourses en fourrure (hermine ou vison), ces dernières étant le comble du raffinement lorsqu'elles sont assorties à l'étole.
o *Sachez que :*
- une femme petite n'aimera pas un sac trop grand qui la rapetissera encore ;
- une femme active a besoin d'un sac assez grand, avec des poches nombreuses qui lui permettront de ranger ses papiers ;
- une femme excentrique aimera la bourse romantique perlée ou le sac en laine tissée à la main des îles grecques ;
- une femme très occupée et peu aidée serait encombrée d'une pochette. Il lui faut un sac à anse, qu'elle puisse passer à son bras et qui ne la gêne pas pour porter ses paquets, ou bien le sac-cabas immense, dans lequel elle pourra cacher les biftecks et le fromage destinés au repas.

LES SACS FANTAISIE

En paille de toutes couleurs, en osier, en cannage plastique, en plastique lavable blanc, sac-paniers, sac-balluchons ; vanity case (si commode pour le voyage).
o *Les couleurs :* noir, marine, marron, havane, rouge Hermès, blanc (et blanc cassé, ciment, bouleau, grège), pour les sacs en peausserie. Toutes les couleurs, y compris le violet, le jaune, le vert mousse, pour les sacs en tissu ou en paille.

Les accessoires de poche et de sac

● **Les portefeuilles.** Vous les choisirez en box, en maroquin, en lézard, en crocodile, noir de préférence (toujours plus distingué).
● **Les porte-billets.** Ils sont de plus en plus préférés au portefeuille par les hommes jeunes qui travaillent en bras de chemise et portent à la manière américaine le porte-billets dans la poche revolver du pantalon. Les femmes le trouvent aussi moins encombrant dans le sac à main que le portefeuille. Ces porte-billets sont en box, en porc, en maroquin, en lézard ou en crocodile.
● **Le porte-carte d'identité.** C'est le pendant du porte-billets que tout homme moderne (toute femme également) est obligé d'avoir sur lui à notre époque. Il est en peausserie semblable à celle des porte-billets.
● **Les porte-monnaie.** Si les hommes les utilisent relativement peu, ils sont indispensables aux femmes de tous âges et de toutes conditions : porte-monnaie « clic-clac » élégant en daim, en satin, en velours ; porte trésor de taille plus importante faisant office de porte-billets et pouvant contenir un mouchoir et des billets ou une carte de transport ; boîtes à monnaie en or, en argent,

en métal doré ou en métal argenté (il en existe à tous les prix depuis 8 F environ).

• **L'étui à carnet de chèques.** Utile aux hommes comme aux femmes, il existe dans les mêmes peausseries que les autres accessoires de poche ou de sac.

• **L'étui à carte grise.** Indépendant du porte-billets, il est surtout utile lorsqu'un couple utilise la même voiture.

o *Notez que :* les hommes préfèrent généralement pour leur portefeuille le box extra-souple qui ne prend pas de place dans la poche du veston,
- le crocodile, signe extérieur de la réussite financière, ne se porte en portefeuille que passé 20 heures.
- les hommes raffinés portent la ceinture et le porte-billets de la même couleur et du même cuir.
- le meilleur modèle de porte-monnaie classique (formant porte-monnaie d'un côté et porte-billets à fermeture à glissière de l'autre) se fait non seulement en toutes peausseries mais aussi en satin noir pour les sacs habillés (Mérival, 30, rue la Boétie).

Les accessoires-« mode »

S'il est considéré comme banal d'offrir foulards, sacs, portefeuilles ou cravates, ces accessoires lorsqu'ils sont de qualité, restent néanmoins des cadeaux appréciés des femmes comme des hommes.

• **Les foulards et les écharpes**

o *Pour une femme :* foulard imprimé signé d'un grand nom ; série de carrés en soie naturelle unie (que les femmes élégantes portent maintenant dans l'encolure des chemisiers sport) ; foulard peint à la main (le raffinement consiste à le faire marquer au nom de celle qui va le recevoir) ;

o *Pour un homme :* l'écharpe noire en vigogne, suprême raffinement de la garde-robe masculine ; le carré de twill anglais assorti à la cravate et à la pochette ; l'écharpe-cravate de soie naturelle qui se porte dans l'encolure de la chemise lorsque, à la campagne, ces messieurs répugnent à mettre une cravate ; l'écharpe de cachemire écossaise ou non ; la grosse écharpe de laine tricotée pour le ski.

• **Les cravates.** La plupart des hommes prétendent qu'une femme est incapable de choisir une cravate ! Si cela est exact, une solution s'impose : joindre au paquet un petit mot amical, affectueux ou tendre assurant votre mari que, ne portant pas pour votre part pareil accessoire, vous ne serez nullement vexée s'il échange cette cravate contre une autre (pour le choix des cravates, vous reporter p. 44 de ce chapitre, les « Cadeaux risqués »).

• **Les gants.** Pour être sûr de tomber juste, il faut avant tout connaître la pointure exacte de la personne à qui le cadeau est destiné, ou du moins vous assurer que le magasin auquel vous vous êtes adressé accepte les échanges.

o *A une femme, vous pouvez offrir :* des gants de chevreau glacé, courts pour le sport ; demi-longs pour la ville ; au coude pour les tenues habillées ; tout à fait longs pour le soir. Les couleurs : noir, marron, havane, marine, blanc et blanc cassé.

o *A un homme, vous pouvez offrir :* des gants de chevreau ou de daim noir, beige ou gris ; des gants fourrés pour l'hiver ; des gants spéciaux pour la voiture, et, bien entendu, des gants gris clair ou blanc cassé pour la tenue de soirée.

• **Les ceintures**

o *Pour une femme :* la fantaisie en ce domaine ne connaît pas de bornes : chaîne dorée ; ceinture large ou étroite en box, en chevreau ; en daim dans tous les coloris, du noir classique aux tons amarante ou absinthe ; ceintures blanches pour l'été ; en strass, en perles, en paillettes pour le soir ; ceintures corsaires en tissu drapé pour celles qui ont une taille de guêpe ; « queue de rat » d'antilope pour celles qui ont la taille un peu épaisse ; torsade en soie ou en coton ; classiques ceintures en forme, en verni noir, rouge ou marine, etc. Si vous ne savez pas choisir une cravate, il n'est pas d'homme qui soit capable de choisir une ceinture : le petit mot amical, affectueux, tendre s'impose en sens inverse cette fois.

○ *Pour un homme :* le classicisme est de bon ton. Ceintures en box noir ou marron pour le bureau, en porc ou en box plus clair pour les vacances ; élastiques pour le sport ; en lézard ou en crocodile pour un dîner ou un cocktail habillé. Si l'on ne porte jamais de ceinture avec l'habit, la ceinture très large en satin drapé, marine ou amarante, assortie au nœud papillon tend de plus en plus à remplacer pour le smoking le gilet démodé.

Les bijoux

Eternelle parure des femmes, le bijou est sans contredit le « cadeau premier ».

● **Les bijoux véritables.** Un beau et vrai bijou reste à travers les âges le cadeau que tout homme désire offrir à la femme qu'il aime parce qu'il marque à la fois la réussite de sa vie sentimentale et celle de sa vie professionnelle. Il y a évidemment bijou et bijou : à l'exception des pierres proprement dites — pierres précieuses (diamant, émeraude, rubis, saphir dont nous donnons les caractéristiques p. 51 de ce chapitre), ou pierres demi-précieuses (aigue-marine, béryl, améthyste, topaze, opale, grenat, péridot, turquoise) — et des métaux précieux employés (platine, or blanc, or rose ou jaune, argent) ainsi que de leur poids, le travail de monture et de sertissage entre évidemment en ligne de compte dans le prix d'un bijou (vous reporter p. 52 de ce chapitre, les métaux précieux »).

● **Les copies, les « faux bijoux ».** On n'offre pas une copie (sauf si le vrai bijou dort dans un coffre à la banque).

Il faut reconnaître tout de même que ces copies sont parfois assez étonnantes, et qu'il existe des femmes qui ne répugnent pas à faire croire à des non-connaisseurs que ce sont de vrais bijoux qu'elles portent.

○ *Un conseil :* si vraiment vous pensez qu'une copie fera grand plaisir, offrez-la, mais à cette seule condition.

● **Les bijoux anciens.** On en trouve de fort beaux, moins chers que les autres parce que « d'occasion », et surtout parce que les pierres taillées à l'ancienne jettent moins de feux, la taille ancienne leur laissant davantage de poids que la taille moderne. Certaines boutiques d'antiquité sont spécialisées dans les bijoux anciens. On y trouve, à des prix très raisonnables, des bagues, des bracelets, des pendentifs, des broches, des châtelaines en or (les pierres sont quelquefois montées sur argent, le reste du bijou étant en or). Ajoutons qu'il existe des bijoux contemporains qui

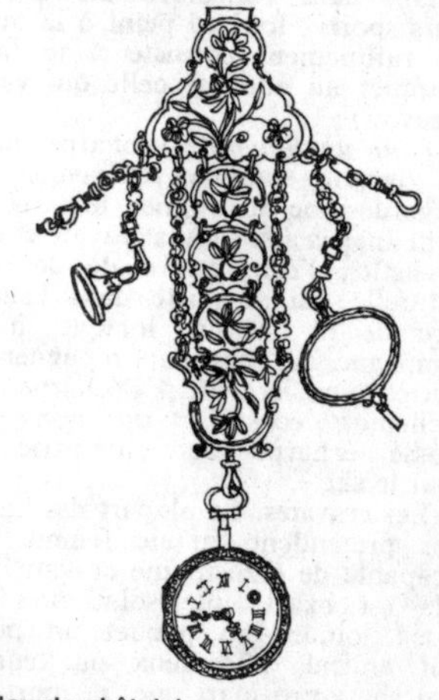

La lourde châtelaine
chargée de sa montre, ses clefs de montre et ses cachets.

sont des adaptations modernes de bijoux anciens.

• **Les bijoux fantaisie haute couture.** Les plus connus sont les multiples rangs de chaînes en métal doré, lancés par Mlle Chanel ainsi que les broches longues. Méritent pourtant d'être cités également :
- les émaux et le cristal de roche montés sur argent, créations d'un artiste, Jacques Gautier ;
- les fantaisies de « Cis » : sous ce nom se cache une authenthique princesse russe pleine d'esprit et de goût ;
- sans oublier les merveilles en pierres de Bohême si bien montées ;
- ... et toutes les perles fausses, portées en rangs, en sautoir, en chute, en collier de chien, et même en écharpe, qui font d'excellents cadeaux.

• **Les bijoux fantaisie de grande série.** Les beaux bijoux fantaisie, ceux dont les pierres et les montures sont ajustées avec presque autant de soin que les bijoux vrais et que lancent chaque année la haute couture, sont copiés l'année suivante en série pour les grands magasins et les magasins à succursales multiples. On les achète comme on achèterait des boutons ou une ceinture destinés à orner une certaine robe, au même titre que le camélia ou l'œillet à la boutonnière.

o *Des exemples :* colliers couleur turquoise ou sang de bœuf, imitation de quartz rose ; perles grises en collier et boucles d'oreilles ; broches et cabochons de pierreries, couleur rubis, émeraude, saphir, topaze, jais pour les blondes ; pierres blanches pour les brunes ; bijoux de bois, de cuir ; fausses pièces de faux or sur fausse gourmette, etc. Tout cela a du chic, complète bien une toilette, mais il ne faudrait pas en abuser malgré tout. Ils représentent d'excellents cadeaux d'une femme à une autre femme, parce que leur choix, assez arbitraire, est un peu délicat pour un homme non initié aux caprices de la mode.

• **Les bijoux modernes.** Recherche d'une esthétique nouvelle de quelques jeunes créateurs dont certains comme Jacques Gautier (qui crée également des bijoux « couture ») ne manquent ni de talent ni d'imagination. Le bijou moderne, comme la peinture abstraite n'est compris que de quelques rares amateurs. Il est, en général, difficile à porter. Mais celles qui s'en parent ne s'en soucient nullement, parce qu'elles sont à l'âge où l'on brûlerait facilement les fauteuils Louis XV pour prouver sa liberté d'expression.

o *Des exemples :* des anneaux de fer martelé ; des cabochons énormes montés en bagues ; des chaînes de forçat en argent ou en acier ; des pendentifs de formes géométriques.

Notons honnêtement que certaines formes modernes, très sobres et dépouillées, inspirent parfois nos maîtres joailliers qui mettent alors au point des bijoux sages, bien équilibrés, en métal précieux, créés à l'intention d'une clientèle jeune ou moins jeune, mais sportive.

• **Les bijoux pour homme.** Ils se résument à peu de choses, mais la qualité et la distinction doivent guider le choix :
- chevalières en or aux armes de leur famille. Elles se portent au quatrième doigt de la main gauche au-dessus de l'alliance éventuelle. Plus rarement au petit doigt ;
- chevalières au monogramme ;
- boutons de manchettes en platine, en or, en argent, en onyx ou, très raffinés et habillés, petits cabochons de saphir, topaze, améthyste ;
- perles d'habit pour ceux qui portent ce vêtement de grande soirée ;
- montre de gousset en or également pour l'habit ou le smoking ;
- chaîne et plaque d'identité en argent, que beaucoup d'hommes jeunes aiment porter au poignet.

Les montres

Elles varient de forme et de style en fonction d'une certaine mode. Une très jolie montre, si elle est un véritable bijou, n'en demeure pas moins un instrument de précision dont nul ne saurait se passer de nos jours.

• **Pour les femmes.** Les montres-bijoux sont celles qui s'offrent le plus souvent. Il existe :
- la montre de platine sertie de brillants, montée sur un bracelet de platine, articulé ou non ;
- la montre en or incrustée dans un bracelet également en or ;
- la montre-pendentif en or ciselé ou en métal précieux et pierres précieuses ;
- la montre boule en métal précieux, sertie ou non de pierres ;
- la montre de revers, en or, argent ou platine dont l'autre face travaillée et ciselée forme bijou.

• **Pour les hommes.** Les montres-cadeaux seront à la fois « sport » et habillées ». Le chronomètre en platine ou en or extra-plat, monté sur bracelet de cuir est le type même de la belle montre d'homme. Certains chronomètres indiquent le jour ; d'autres, électroniques, ne se remontent jamais ; d'autres encore, malgré leur faible épaisseur, sonnent l'heure comme un réveille-matin.

• **La garantie d'une montre : sa provenance.** Les Suisses, grands maîtres de l'horlogerie internationale, expédient dans le monde entier des mouvements de précision qui sont ensuite habillés par nos joailliers.

Citons aussi les horlogers de la région de Besançon qui créent des modèles élégants et durables, excellentes « montres-bijoux » de ville.

Les fourrures

Le manteau de fourrure est un cadeau que l'on ne peut faire sans en parler à la personne intéressée, et même sans se faire accompagner par elle chez le fourreur. En effet, les femmes ont des idées bien précises quant à la fourrure qu'elles veulent porter et les prix, le plus souvent élevés, ne permettent pas de se tromper, pas plus sur le choix de la fourrure elle-même que sur celui du modèle. Tout a son importance, la forme du manteau et la façon dont le pelage est travaillé (en long, en travers, en diagonale), la dimension du col, la couleur.

• **En règle générale,** sachez qu'une fourrure est belle si son poil est dense et soyeux et son cuir souple.

Nous ne saurions trop vous conseiller de vous adresser à un fourreur spécialisé, qui se chargera ensuite de tous les problèmes d'entretien et de réparations éventuelles.

Si vous avez des doutes sur la qualité d'un manteau, demandez au fourreur de vous présenter plusieurs manteaux de la même espèce et comparez-les. Vous remarquerez alors beaucoup mieux défauts et qualités (vous trouverez de la p. 54 à la p. 60 de ce chapitre, sous la rubrique « Guide de l'acheteur », tout ce qu'une femme doit savoir sur les caractéristiques, la valeur, les avantages et les inconvénients de chaque variété de fourrures, des plus simples aux plus coûteuses).

• **Le crédit-fourrure.** Si vous possédez des revenus réguliers, vous pouvez fort bien acheter une fourrure à tempérament :
- ou bien vous vous adressez à un fourreur qui pratique la formule crédit. Toutes les grandes maisons le font (à la seule condition que vous possédiez un compte bancaire) ;
- ou bien vous faites appel à des sociétés spécialisées dans le financement des ventes à crédit de marchandises précieuses. Elles vous avancent la totalité de la somme que vous rembourserez ensuite par mensualités. Un avantage : le crédit est à plus long terme. Un inconvénient : l'intérêt est évidemment plus élevé.

Les imitations fourrures

Il existe aujourd'hui dans tous les grands magasins et dans de nombreuses boutiques « mode » des manteaux, des vestes et des pelisses en imitation fourrure.

Ces imitations qui n'ont pas la prétention d'égaler la vraie fourrure font de ravissants vêtements et constituent, lorsqu'ils sont bien choisis, d'excellents cadeaux.

Un manteau en imitation fourrure se choisit comme une véritable fourrure. Son aspect, sa solidité et son style varient selon les caractéristiques de la fibre synthétique qui le compose.

• **La fourrure de nylon**

o *Caractéristique.* Elle est pratiquement inusable. Elle résiste aux frottements (vous pouvez sans crainte vous asseoir, maintenir votre vêtement fermé avec les mains sans en user la bordure, laisser pendre votre sac contre les poches sans abîmer le poil). Elle résiste à l'humidité, ne s'aplatit pas, ne moisit pas. Elle est insensible à l'attaque des mites.

o *Avantages :* Elle se lave à l'eau tiède ou froide. Utilisez le savon en paillettes de préférence. Evitez de mettre votre vêtement dans la machine à laver, ou du moins ne l'essorez pas. Suspendez-le encore mouillé. Il sèche vite et ne se repasse pas. Les manteaux en nylon peuvent aussi se faire dégraisser. Mais signalez à votre teinturier qu'il s'agit de nylon.

• **Le rilsan**

o *Caractéristiques.* Aussi solide que le nylon, le rilsan est, de plus, très chaud. Il ne se froisse absolument pas. Seul inconvénient : il se salit assez vite. Evitez donc les couleurs trop claires.

o *Avantages.* Même facilité d'entretien que le nylon. Après séchage, vous pouvez cependant le repasser avec une patte-mouille et un fer peu chaud.

• **L'orlon**

o *Caractéristiques.* Fibre synthétique naturellement blanche, l'orlon se teint parfaitement, et résiste ensuite à la lumière et à l'eau. Un manteau en orlon est léger, moelleux, chaud.

o *Avantages.* Se lave à l'eau tiède. Il suffit une fois sec, de le secouer longuement pour lui faire retrouver son gonflant.

• **Le crylor**

o *Caractéristiques.* Les manteaux en crylor sont vaporeux, doux et chauds. Ils ne se froissent pas et résistent aux mites.

o *Avantages.* Vous pouvez les laver simplement à l'eau savonneuse. Mais vous pouvez aussi ajouter une lessive. Rincez plusieurs fois. Laissez sécher, puis, comme pour l'orlon, secouez longuement pour rendre au poil sa souplesse. Si vous le donnez à votre teinturier, précisez-lui qu'il s'agit de crylor, car les solvants à base de chlore le détériorent.

• **Le rhovyl**

o *Caractéristiques.* C'est le plus chaud de tous les tissus en imitation fourrure. C'est aussi le plus solide. Même après de très nombreux lavages, il garde son aspect neuf. De plus il est ininflammable.

o *Avantages.* Se lave comme le crylor : eau tiède avec savon ou détergent. Faites-le sécher à plat ou sur un cintre, loin de toute source de chaleur, et surtout ne le tordez pas.

Les cadeaux signés

Ces cadeaux sortent d'une maison de renommée internationale dont l'étiquette à elle seule confère toute la valeur à l'objet offert. Les grands classiques du cadeau, ceux dont curieusement tout le monde connaît le prix, continuent d'année en année à rencontrer un succès qui ne se dément jamais. Snobisme ? Peut-être. Mais il faut avouer que l'idée créatrice, la qualité, l'élégance qui ont fait au départ l'objet de soins attentifs ont permis une mise au point indiscutable... et indiscutée.

• **Les foulards Hermès.** La qualité de la lourde soie naturelle fabriquée spécialement pour cette maison, l'originalité et la finesse du dessin et des coloris, l'exclusivité enfin d'un certain style, n'ont point trouvé d'égal jusqu'ici.

Les dimensions du carré Hermès (dimensions longuement étudiées) sont juste ce qu'il faut. Il peut être lavé vingt fois, il restera toujours impeccable (tout accessoire de qualité vieillit bien).

• **Les sacs Hermès.** Copiés et recopiés maintes fois, ils restent, lorsqu'ils sont frappés de la griffe du célèbre sellier, convoités de toutes les femmes. Elégants, équilibrés, ni trop grands ni trop petits, ils peuvent rester ouverts sans que leur contenu s'échappe. Merveilleusement solide, le véritable Hermès est unique en son genre. Au départ (dimensions mises à part car les copies sont un peu plus grandes), il faut un œil vraiment exercé pour reconnaître un vrai d'une copie. Mais deux ans après... Celle-ci est importable, alors que l'original a encore de nombreuses saisons de vie brillante.

• **Les parfums Guerlain.** Parfumeurs de père en fils, les Guerlain ont su créer des parfums et des eaux de toilette d'une qualité telle qu'ils ne se décomposent pas en vieillissant (notons que c'est rare). Ils ont imposé leur marque en limitant la vente à Paris dans leurs deux seuls magasins et, en province et à l'étranger, chez des parfumeurs très sélectionnés.

Pas de publicité tapageuse chez Guerlain mais une qualité constante qui rassure les clientes fidèles et les incite à le demeurer.

• **Le « N° 5 » de Chanel.** Pourquoi le « N° 5 » plus que tous les autres ? Mademoiselle Chanel le sait peut-être. Toujours est-il qu'il est le seul parfum avec les quatre grands classiques de Guerlain à connaître la renommée mondiale. C'est un merveilleux cadeau à offrir à une amie étrangère.

• **Les bas et gants Dior.** Le nom prestigieux de celui qui fut le plus célèbre de nos couturiers continue à subjuguer les femmes. La pochette, l'objet, la griffe, tout contribue à faire de ces accessoires utiles des cadeaux séduisants. A défaut de robe, c'est avoir du « Dior » à bon compte. Les bas fins, les gants d'une souplesse extrême, réellement lavables, les uns et les autres agréables à porter, flattent celles qui les reçoivent en les assimilant aux clientes fortunées de la haute couture française.

• **Les chocolats de la Marquise de Sévigné.** Couchés dans des boîtes étonnantes de luxe — et parfois de taille — les chocolats de la Marquise de Sévigné ont quelque chose de rassurant. On a l'impression que ce nom ne pourrait être accolé à une quelconque gourmandise. Ce sont des chocolats « signés » tout comme les lettres de la célèbre Marquise. Ici les armoiries de cette noble dame, font autant pour la renommée de ces friandises que leur constante qualité.

Les cadeaux « gourmands »

LES FRIANDISES

Aussi pratique soit-elle, la solution chocolats ou bonbons fourrés est, avouons-le, d'une banalité navrante lorsqu'elle se concrétise par la simple boîte entourée de l'inévitable papier blanc et de la petite ficelle dorée du confiseur !

• **Faites de ces présents des cadeaux durables** en remplaçant les boîtes « confiseurs », inutiles et impersonnelles, par des objets-souvenirs utiles et décoratifs.

Nous ajouterons à ces idées celles **des pages 231, 232 du chapitre « Ca-**

deaux-remerciements » et 330 à 331 et suivantes du chapitre « Cadeaux présentés ».

o *A une personne raffinée mais peu gourmande,* vous sacrifierez la quantité à la qualité, en faisant garnir :

un tâte-vin en argent ; une petite timbale en argent ou en métal argenté qui se transformera en vase à violettes.

Pour eux
un cru à retenir : Martial. Cette bouteille-là se brise à la fin du repas et répand sur la table ses dragées en chocolat.

o *A un jeune ménage qui s'installe :*

- une petite marmite en terre pour la gratinée ; une boîte à épices décorée ; un torchon imprimé noué aux quatre coins (les chocolats devront alors être enveloppés de papier d'argent) ; un verre à whisky en cristal, qui commencera une série que vous compléterez ensuite en prenant soin d'en varier la garniture (bourré de chocolats un jour, de pralines ensuite, puis de fondants, de pâtes d'amandes, etc.).

o *A des enfants.* Ne croyez pas qu'ils soient insensibles à la présentation de votre cadeau. Offrez-leur des sucettes ou des bonbons dans un joli petit panier ou dans le ventre d'un petit animal, leur plaisir sera d'autant plus grand.

LES SPECIALITES « GOURMANDES »

Les hommes les préfèrent généralement aux sucreries. Les femmes qui reçoivent beaucoup en connaissent la valeur et savent les apprécier. Ces cadeaux « comestibles », s'ils ne viennent pas directement de leur région ou de leur pays d'origine, demandent à être présentés, emballés, ficelés de façon originale, par quelque grande épicerie fine dont l'étiquette, seule, garantit la qualité du présent.

• **Des cadeaux de France.** Vous offrirez : le pâté de merles de Corse, le foie gras truffé du Périgord, les fromages aux herbes de Provence, les saucissons et les rosettes lyonnaises, les pruneaux du Sud-Ouest à l'armagnac, les crêpes bretonnes et le touron d'Espagne, le gâteau basque qui reste frais et tendre plusieurs jours.

• **Des cadeaux exotiques.** Ces produits, qui s'apparentent aux spécialités, permettent d'offrir — sans quitter Paris ou votre ville — un petit avant-goût des pays lointains. Vous réserverez ces cadeaux-là à des amis que vous savez curieux de nature et de goûts… En effet tout le monde ne goûtera pas avec le même plaisir le « cobra à la sauce suprême » du Pérou, les chenilles frites du Mexique ou les bourdons à la crème du Japon… que l'on trouve en boîtes rue de la Chaussée-d'Antin, à Paris, par exemple. Mais il est des spécialités exotiques plus universellement appréciées. Notamment les fruits. Faites découvrir à vos amis des saveurs peu connues mais sages en leur apportant par exemple des avocats (à manger en vinaigrette), des mangues, une noix de coco (assurez-vous qu'elle ne soit pas sèche à l'intérieur), ou encore des letchies, ces fruits chinois au goût d'une finesse remarquable et indéfinissable.

TOUS LES BEAUX FRUITS

En dehors des fruits exotiques tous les fruits peuvent être offerts, mais il y a fruits et fruits, ainsi qu'une certaine façon de les offrir.

• **Par exemple.** En apportant (ou en faisant livrer) une corbeille de pêches veloutées ou de raisins muscats au mois de janvier, vous êtes sûre d'atteindre votre but : faire plaisir. La vue seule des fruits d'été en hiver est réjouissante ;
- vous veillerez à disposer ou à faire disposer les fruits en pyramide dans une jolie corbeille de vannerie ;
- offrez, si vous le pouvez, les raisins et les cerises encore attachés à leur branche, cela est toujours plus joli ;
- en été, vous mélangerez les fruits du pays avec des fruits exotiques.

LES CADEAUX « A BOIRE »

Il est de plus en plus courant d'offrir ou d'apporter une « bonne bouteille » à des amis intimes. La caisse de whisky, de champagne ou de très bon vin ainsi que les coffrets comportant une ou plusieurs bouteilles d'alcool constituent également d'excellents cadeaux (vous reporter à ce sujet p. 228, chapitre « les Cadeaux-remerciements).

• **En règle générale :**
- le champagne s'offre plus facilement, car il est apprécié de tous ;
- aux personnes d'un certain âge, vous réserverez, s'il s'agit d'un homme : les cognacs, armagnacs et bonnes bouteilles d'eau-de-vie de fruits (framboise, kirsch, poire, prune, etc.), s'il s'agit d'une femme : les liqueurs du genre Cointreau, Chartreuse, Cherry ;
- le whisky, la vodka s'offrent en particulier aux personnes jeunes, célibataires ou mariées.

• **Pour éviter tout risque d'erreur,** limitez-vous à l'envoi d'un coffret comportant : une bouteille de whisky, une bouteille d'eau-de-vie de fruits et une bouteille de liqueur.

• **Pour personnaliser votre envoi.** Presque aussi « anonyme » que l'envoi de fleurs et de chocolats, le cadeau « à boire » deviendra cadeau personnel.
- si vous offrez whisky, cognac ou eau-de-vie dans un joli flacon de cristal ;
- si vous « entourez » vos bouteilles d'un emballage soigné, élégant, luxueux ou si vous les « dissimulez » sous mille idées drôles, cocasses, personnelles, car l'originalité de ce type de cadeaux réside essentiellement dans la présentation (des idées-exemples p. 228 chap. « Cadeaux-remerciements » ; un dessin-idée p. 336 chap. « Cadeaux présentés »).

BIEN CHOISIR EST UN ART

Un art où se mêlent imagination, humour et psychologie. Ce dernier point étant à notre avis le plus important, car comment faire véritablement plaisir à quelqu'un, sinon en découvrant ses secrets désirs.

Rien n'est plus facile que de faire un cadeau. Rien n'est plus difficile que de le réussir.

Trois facteurs principaux peuvent aider, guider, déterminer votre choix : la personnalité, l'âge et le lieu de résidence de la personne à qui vous destinez le présent.

Cadeaux et personnalité

Il est là devant vous cet ami à qui vous voulez faire plaisir. Il est là avec son visage, son allure, ses manières, sa profession, ses croyances, ses opinions, ses préjugés. Vous savez que derrière tout cela se cache une personnalité, un caractère. Mais lequel ?

Les psychologues et les médecins vous diront qu'il fait obligatoirement partie de l'un des quatre types bien distincts chez l'homme : le nerveux, le sanguin, le lymphatique ou le bileux.

Mais cette classification, hélas, ne vous permet guère d'aboutir à une solution pratique.

C'est pourquoi, dans les pages qui vont suivre, nous vous donnerons une série de portraits - types vous permettant de retrouver partiellement, sinon en totalité, le type auquel s'apparente le plus votre mari, votre femme, vos amis ou les membres de votre famille. A ces portraits-types correspondent des cadeaux-types dont nous vous donnerons quelques exemples susceptibles de vous mettre sur « la bonne piste » d'une course au trésor où vous vous devez de sortir vainqueur.

PRINCIPAUX TYPES FEMININS :

- **Elle est très, très féminine.** Elle a tout pour plaire : la beauté, l'élégance, la classe et l'esprit. Elle est délicieuse avec ses amis, poussant l'attention jusqu'à se rappeler la date de leur anniversaire. Elle possède juste ce qu'il faut de folie pour rendre une soirée attrayante.

Son charme naturel fait que les autres femmes ne la jalousent pas. Elle n'essaie pas d'être la reine. Elle l'est, avec gentillesse et simplicité. Bien sûr, elle adore tout ce qui accentue son type, depuis les déshabillés vaporeux jusqu'au col en plumes d'autruche et aux parures en pierres du Tyrol.

Bien sûr, elle aime tout ce qui fait ressembler sa salle de bains au boudoir de la dame aux camélias, depuis les éponges géantes en mousse rose jusqu'aux savonnettes en forme de fleurs ou de cœurs.

Bien sûr, elle est folle de tout ce qui brille (vase de cristal ou bijoux d'or), de tout ce qui est transparent (capuche d'organdi, blouse de mousseline), de tout ce qui est romantique (miroir de Venise, lampe d'opaline), de tout ce qui est vieillot (boîte à pilules, bonbonnière Louis-Philippe, patchwork).

Mais ne vous croyez pas obligée de ne lui offrir que des cadeaux fanfreluches. Ce serait faire fi de son esprit. Une fois sur deux, offrez-lui quelque chose qui la flattera, par exemple un beau livre d'art ou une gravure ancienne.

• **Elle est l'épouse.** Elle est Pénélope qui se défend contre ses admirateurs en attendant le retour d'Ulysse. Elle est Solveig qui garde le foyer pendant que Peer Gynt court le monde. Toute sa vie est bâtie autour de l'homme qu'elle aime. Les idées, les manies, les goûts de son mari sont devenus les siens. Elle a un si grand besoin d'être aimée, qu'elle n'est que docilité, douceur, esprit de conciliation. Elle est heureuse en ménage, mais sa trop grande passivité la rend terne en société. L'obliger à se secouer, à retrouver un peu de sa personnalité ? Vous le pouvez si vous l'avez connue avant son mariage. Offrez-lui par exemple cet oiseau en argent qu'elle avait toujours rêvé de posséder quand elle était jeune fille, et qu'elle n'avait jamais pu s'offrir. Venant d'une amie de jeunesse, ce rappel d'un doux passé ne la vexera pas et l'obligera à ressusciter son ancien visage. Par contre, si vous n'êtes pas une amie de longue date, bornez-vous à lui offrir un cadeau-ménage qu'elle aura la joie de partager avec l'homme de sa vie.

• **C'est l'intellectuelle sympathique,** intelligente, travailleuse, décontractée. Le genre « copain », qui sait conseiller et même aider le cas échéant. Elle aime le confort, mais s'accommode très bien de vivre sous les combles.

Elle est résolument moderne dans ses idées comme dans sa façon de s'habiller. Elle peut donner son opinion sur tout, aussi bien sur la politique que sur l'art ou les grands problèmes sociaux. Elle aime les sports, bien qu'elle n'ait pas toujours le temps d'en pratiquer. Elle aime les voyages pour les contacts humains qu'ils lui procurent.

Livres, disques sont bien sûr des cadeaux tout indiqués pour ce type de femme.

Mais vous pouvez, selon vos moyens et votre degré d'intimité avec elle, faire preuve de plus d'imagination. Pourquoi, par exemple, ne pas lui offrir un billet pour un de ces voyages aériens organisés par plusieurs compagnies d'aviation, en lui laissant la possibilité de fixer elle-même la date de son départ ?

Pourquoi ne pas lui payer des leçons de conduite, si elle n'a pas encore de voiture mais parle d'en acheter une pour les prochaines vacances ? Ou bien l'inscrire dans un club hippique sachant qu'elle rêve d'équitation ?

• **C'est la femme au foyer,** bonne épouse et mère poule. Elle fait tout : le ménage, la lessive, la cuisine. Elle tricote les pulls de son mari et de ses enfants. Elle taille et coud ses jupes et ses petites robes d'été. Elle sait être infirmière aussi quand il le faut. En un mot, elle représente dans un foyer le type de la femme idéale.

Son point faible, c'est une certaine paresse intellectuelle. Elle prétend qu'elle n'a pas le temps de se tenir au courant des dernières nouveautés littéraires et artistiques. Mais, en vérité, quand elle dispose d'une heure de liberté, elle préfère lire un roman sans intérêt culturel, mais qui, dit-elle, la délasse ou regarder un magazine de modes.

Pour ce type de femme l'éventail des cadeaux est immense. Vous avez le choix entre tous les objets qui peuvent lui simplifier ses tâches ménagères, depuis la pince à desceller les couvercles des bocaux sans s'écorcher les mains, jusqu'à la machine à laver. Tous les appareils qui peuvent lui permettre d'entreprendre des tâches nouvelles auxquelles elle rêve depuis longtemps : machine à tricoter, barbecue, grille-brochettes. Tout ce qui peut lui permettre de mieux recevoir : vaisselle, argenterie ou linge de table.

Tout ce qui peut embellir son intérieur : meubles, tableaux, bibelots. Il est bien entendu que, pour ces derniers cadeaux, vous devez tenir compte de la situation sociale du ménage, du style de leur appartement, et des goûts de l'intéressée. A ces cadeaux dits « utiles » vous pouvez cependant préférer le cadeau plus personnel, considérant que la jeune femme qui s'occupe toute l'année de son intérieur a bien le droit, de temps en temps, de s'intéresser à elle.

Mais là encore, tenez compte de son mode de vie. Pas de déshabillé d'organdi : elle ne saurait qu'en faire. Mais une robe d'intérieur douillette, élégante et pratique. Pas de parfums capiteux, mais une bonne eau de toilette ou un sèche-cheveux qui lui permettra de faire elle-même ses mises en plis.

• **C'est une femme d'action.** On trouve chez elle toutes les qualités que l'on apprécie chez les hommes. On regrette seulement qu'elles étouffent un peu sa féminité. Elle est intelligente, énergique, et sa vie professionnelle est une réussite. Sa vie sociale pourrait l'être également, si elle acceptait d'oublier de temps en temps ses responsabilités et d'être traitée comme une jolie femme. Mais elle déteste sortir quand ce n'est pas pour ses affaires. Elle s'ennuie au milieu des papotages de salon et se juge mal habillée au milieu des autres femmes.

Pour vos cadeaux, vous avez deux possibilités : ou bien choisir quelque chose qui a trait à sa vie trépidante et professionnelle, par exemple une valise élégante et pratique si elle voyage beaucoup. Ou bien vous pouvez lui offrir une « folie » : une écharpe de mousseline, un pull en cachemire, qui la rendront plus féminine, ou un bibelot trouvé chez un antiquaire, qu'elle n'aurait jamais trouvé elle-même, parce qu'elle n'a pas le temps d'aller à la chasse aux trésors.

• **C'est une contemplative.** Elle parle peu, mais elle sait écouter. Elle aime passer ses vacances, toute seule dans un village inconnu des estivants. Dans sa bibliothèque l'encyclopédie des religions voisine avec les *Pensées* de Pascal.

Peut-être est-elle un peu trop exclusive dans le choix de ses amis, mais c'est parce que son jugement, infaillible, lui fait voir, comme au travers d'une loupe grossissante, les qualités et les défauts de chacun. Elle veut éliminer tous ceux qu'elle ne « sent » pas.

Peut-être manque-t-elle aussi d'un peu de dynamisme, mais quand elle entreprend quelque chose, elle va jusqu'au bout, et ne connaît pas l'échec.

Inutile de chercher pour elle un cadeau contraire à sa nature, disque « yéyé » par exemple, dans l'espoir que vous allez la sortir de son rêve intérieur. Ce qui l'ennuie ne vaut pas qu'elle fasse le moindre effort pour s'y intéresser. Offrez-lui par conséquent des livres d'art et de philosophie, des romans dits psychologiques, un abonnement aux grands concerts de Pleyel, des disques de musique classique, etc.

Et pourquoi pas ? Un chat ou un chien, qui lui donnerait à la fois ce qu'elle aime : la discrétion dans la présence, et ce qui lui manque : la chaleur d'une amitié.

• **Elle possède une grande sérénité.** Elle ignore les crises nerveuses, les colères soudaines. Son humeur, toujours égale, déconcerte les plus irascibles. Si vous êtes son mari, elle est ce havre où vous aimez vous mettre à l'abri chaque soir après une rude journée de travail. Si vous êtes ses enfants, elle est celle qui ne refuse jamais de répondre à vos « pourquoi », celle qui, inlassablement, vous explique les règles de trois et les fractions, celle qui vous apprend sans crier à ranger vos jouets, à vous laver les mains avant les repas, et à manger les carottes exécrées. Si vous êtes son amie, elle est celle qui reçoit vos confidences, calme vos inquiétudes et apaise vos tourments par la seule magie de sa présence. Pour elle, pas de cadeaux fou-fous. Elle en rirait, sans doute, mais s'en lasserait vite. Elle est bien trop équilibrée pour s'entourer d'objets d'art saugrenus et serait fâchée de regarder la télévision, par exemple, vêtue d'une robe de mandarin. Pas de bijoux clinquants, non plus. La sérénité est une vertu de grande dame. Elle ne s'accommode pas du toc.

Par contre, ne vous croyez pas obligé de ne lui offrir que des cadeaux sérieux ou pratiques, genre autocuiseur, table roulante ou service à porto. La fantaisie vous est permise, à condition d'être de bon goût et de grande qualité.

Songez aussi pour elle aux jeux de société. Ce type de femme a le don d'attirer les amis, non obligatoirement par son esprit, mais par sa douceur tranquille. Elle est une partenaire hors-ligne au bridge et à la canasta, et sait perdre aux dames avec le sourire.

• **Elle est orgueilleuse.** Elle ne perd pas son temps en plaintes inutiles ; les fardeaux que la vie lui impose, elle les porte toute seule, avec dignité. Elle a horreur qu'on la plaigne, car ce à quoi elle aspire, ce n'est pas à votre pitié mais à votre admiration.

Certains disent qu'elle est peu sociable, parce qu'elle a le mépris des amitiés faciles et du conformisme, et parce que ses airs blasés sont irritants. Mais si vous la connaissez bien, vous savez que ses qualités sont beaucoup plus lourdes dans la balance que ses défauts. Elle est travailleuse, intransigeante avec elle-même, et sa conscience lui tient lieu de règle de morale.

Ne soyez pas mesquine dans le choix des cadeaux que vous lui offrirez. Ce type de femme ne s'accommode pas de la « babiole ». Il veut « du premier choix ». Vous lui offrez un sac ? Qu'il soit en crocodile ou en box et non en plastique ou en *Skai*. Un bijou ? Qu'il soit vrai et lourd et non pas fantaisie et ravissant. Un livre ? Qu'il soit aride et non facile, qu'il fasse appel à son intelligence plus qu'à ses sentiments.

Evitez d'offrir à la femme orgueilleuse un cadeau utile, par exemple de la vaisselle ou un meuble. Elle y verrait peut-être une allusion à ce qui lui manque. Or, elle ne veut devoir son bien-être qu'à elle-même.

• **Elle est mondaine** et même un peu snob. Elle manie avec art ses brillantes relations dans le monde de la littérature, de la politique ou du cinéma. Quand elle parle de Jean Marais elle dit Jeannot et de Belmondo, Bebel.

Par des phrases sibyllines, elle laisse entendre qu'elle est invitée à faire une croisière pendant ses vacances sur le yacht d'un haut personnage de la finance. Elle possède les cartes de tous les clubs de Paris, et sa bouteille de whisky, marquée à son chiffre, est à la disposition des amis, au Saint-Hilaire et chez Régine. Au demeurant, jeune femme charmante, enjouée, et que l'on aime recevoir.

Que votre cadeau soit original, sans être extravagant. Exemple : le petit guide de poche des 8 000 numéros de téléphone ultra-confidentiels du Tout-Paris.

Qu'il soit dans le vent. Exemple : le jeu de bridge ou de canasta aimanté.

Qu'il ne serve rigoureusement à rien, mais surprenne. Exemple : un euphorimètre (baromètre de bonne humeur).

Ou qu'il soit utile, mais drôle. Exemple : un moulin à poivre musical.

• **Elle est capricieuse,** changeante, délicieuse, mais peu solide. C'est une feuille qui vole, tournoie, et que le vent emporte mêlée à d'autres feuilles folles.

Si elle sort, elle change trois fois de robe avant de se décider à choisir. Elle hésite entre le chignon et les cheveux dénoués sur la nuque. Elle ne sait jamais l'heure. Elle ne prend jamais de décision : jusqu'à la veille de ses vacances elle hésitera entre la Grèce et l'Irlande et finira par aller en Espagne, parce que là seulement il restait quelque chose à louer dans ses prix.

Chaque fois qu'elle aime, c'est pour la vie. Du moins le croit-elle. Mais elle se lasse vite. Ce qui la plonge en pleine détresse, car alors, elle doute d'elle-même, de sa faculté à s'attacher, de la réalité du véritable amour. Pendant plusieurs jours, elle s'interroge anxieusement sur son âme. Puis un matin, elle ouvre toutes grandes ses fenêtres, respire l'air léger à pleins poumons, et réapparaît dans le monde, guérie, heureuse.

N'offrez pas à ce genre de femme de cadeau qui dure, car malgré tous ses efforts, elle n'arrivera jamais à l'aimer plus de quelques jours. Par contre, tout ce qui se mange (chocolat, miel, confitures extraordinaires), tout ce qui se boit (champagne, liqueurs, thé à la rose ou au jasmin), tout ce qui se vaporise (parfums ou eaux de toilette), tout ce qui se fane (fleurs ou plantes vertes), tout ce qui se consume (bougies géantes ou cigarettes) est pour elle.

• **Elle est excentrique** et veut qu'on la remarque à tout prix. Elle se moque du qu'en-dira-t-on, et entend vivre comme bon lui semble. Elle est capable d'aller assister à un concours agricole dans le Charollais, vêtue comme pour le grand prix d'Amérique à Vincennes. Elle est drôle, brillante, fascinante... pendant quelque temps. Mais elle fatigue vite, car elle a tendance à manquer de mesure. De peur de n'être pas la première, elle charge trop son personnage et perd du mystère qui serait le sien si elle étonnait avec bon goût.

Votre imagination, en tout cas, peut se donner libre cours quand il s'agit de lui choisir un cadeau. Etonnez, éblouissez, amusez, mais surtout ne vous cantonnez pas dans la banalité. Une boîte de chocolats d'un prix exorbitant éveillera chez elle à peine plus qu'un battement de cils ou un sourire poli. Mais offrez-lui ces mêmes chocolats dans une corbeille à papiers ou dans un bocal à cornichons : elle sera ravie.

Pour elle, courez les antiquaires d'insolite, Comoglio, Pascale Sigal, la Lanterne Magique. Vous êtes sûres d'y dénicher une foule d'ahurissants objets et de meubles bizarres qui la combleront.

• **Elle est démodée,** vieux jeu. Au lieu d'essayer de comprendre la vie moderne, elle se barde d'hostilité. Les jeunes gens lui apparaissent tous comme des dévoyés, les jeunes filles comme des amazones. Certes, son niveau moral est très élevé, mais elle manque de bienveillance et d'indulgence pour les autres. Ce qui, en définitive, la rend peu sympathique.

Elle a peur de tout ce qui est nouveauté, changement, de tout ce qui implique des responsabilités ou des décisions à prendre. Sans ambition, elle n'aime que son train-train quotidien.

Ne la choquez pas par un cadeau extravagant, mais adroitement, essayez de la faire rentrer dans la ronde de la vie. Par exemple, en lui offrant un billet pour un voyage organisé ou un abonnement au T. N. P. Elle verra ainsi que tous les jeunes ne sont pas aussi perdus qu'elle le croit.

Songez également aux mille et un petits « gadgets » qui simplifient la vie des ménagères. Au début, elle aura peut-être quelque répulsion à s'en servir. Mais ne serait-ce que pour vous remercier, elle essaiera votre cadeau. Or, on commence par apprécier un batteur-mixer, et l'on finit par applaudir Aznavour.

PRINCIPAUX TYPES MASCULINS :

• **Il est « pantouflard ».** S'il le pouvait, il passerait volontiers sa vie assis dans un fauteuil, au coin de sa cheminée, à jouer avec son chat ou son chien.

Il s'oppose à toutes nouveautés. Il se cramponne au passé, tend à conserver son repos, son bien-être, son argent.

De plus, il est têtu. Il ne démord pas de ses préjugés ni de ses idées.

Surtout n'essayez pas de susciter en lui, par votre cadeau, un enthousiasme quelconque. Par exemple, ne lui commencez pas une collection. Il vous prendrait pour un farceur.

Abondez plutôt dans son sens, en lui achetant l'objet super-classique, la bonne bouteille de cognac ou les cigares qu'il dégustera après déjeuner, avec une petite pensée pour vous ; la cravate qui ne le fera pas remarquer ; un abonnement au « Monde » ou au journal de la Bourse.

• **C'est un rêveur.** C'est le grand Meaulnes, l'hurluberlu. Il n'a jamais véritablement de rapports avec le monde. Il paraît vivre dans un univers à part. Un peu indolent. Toujours en retard. Souvent capricieux et inconstant dans ses amitiés et dans ses amours.

Les femmes l'adorent parce qu'il est plein de charme, tout en le redoutant un peu car il flotte comme plume au vent, sans souci des larmes qu'il fait couler.

Peut-être est-il poète ou musicien.

Offrez-lui des cadeaux qui lui ressemblent, des objets qui ne servent à rien, mais dont la beauté est un enchantement pour les yeux, comme cette gerbe de tourmaline admirée dans une boutique de la rue Guénégaud.

• **C'est un meneur d'affaires.** Il crée, organise, dirige, ordonne. Il ne connaît guère de repos. Il comblera sa femme et ses enfants de bien-être, leur offrira des vacances à la montagne et à la mer. Mais, lui, restera à son poste, tendu, opiniâtre. Une visite dans un musée lui paraîtra un sacrilège. Un dîner qui n'est pas pour ses affaires lui semblera inutile. Le snobisme lui déplaît. A un valet de chambre stylé qui impressionnerait ses visiteurs il préférera une bonne cuisinière qui le soignera bien, car il aime la bonne chère. C'est sa seule concession à la vie… avec les bateaux. A moins que ce ne soit les voitures.

A vous de découvrir son « hobby ». La gamme des cadeaux à faire pour l'amateur de voile, d'autos, de chasse, de pêche, de golf, d'équitation ou tout simplement de lecture, est immense.

Songez également pour lui à tous les objets en rapport avec sa vie professionnelle (cache-téléphone, écritoire de voyage) et aux cadeaux-gourmandises (corbeille de fruits exotiques ou assortiment de saucissons).

• **Il est conformiste.** Peut-être par éducation, parce qu'on ne lui a pas laissé assez d'initiatives dans sa jeunesse. Peut-être par paresse d'esprit.

Il connaît les bonnes manières, fait toujours le geste qu'il faut, prononce toujours la phrase qu'on attend. Mais il est hostile à toute fantaisie. Pour tout, il est conforme à la tradition, aux coutumes, à la mode. C'est à lui que s'adresse la publicité des journaux et des affiches. Il achète les lames X, l'eau de toilette Y, les chaussettes Z. Il lit les prix littéraires parce qu'il faut les avoir lus. Il apprend les danses à la mode parce qu'il faut savoir les danser.

Au risque de passer aux yeux de vos amis pour une personne totalement dénuée d'imagination, n'offrez à ce genre d'homme que le cadeau dont tout le monde parle.

Si la mode est à la Chine, précipitez-vous dans une boutique d'objets d'Extrême-Orient. Si l'on pense et s'habille « Anglais », courez chez Hilditch et Key, où vous trouverez directement importées de Londres les plus belles cravates de mohair, de cachemire ou de soie qui se puissent imaginer.

Si vous lui offrez un stylo, un briquet, une bouteille de whisky, que ce soit toujours le stylo, le briquet et le whisky dont on vante la marque, chaque matin, sur les antennes d'Europe nº I. Et si vous préférez lui acheter un livre ou un disque, n'hésitez pas : consultez tout simplement la bourse des livres et celle des chansons… en formant des vœux pour que tous les amis de votre destinataire n'aient pas l'idée de faire la même chose que vous.

• **On l'appelle « le boute-en-train ».** On l'accueille avec sympathie. On lui fait fête parce que c'est un brave garçon. Il est si facile à vivre que n'importe quel cadeau, pensez-vous, lui fera plaisir.

Eh bien non, tous les cadeaux ne lui feront pas plaisir, même s'il les accueille tous avec les mêmes manifestations de joie, les mêmes rires et les mêmes tapes affectueuses dans le dos. Une éternelle gaieté comme la sienne est souvent, en effet, un masque qui cache son vrai visage.

Ce qu'il faut donc d'abord, c'est déterminer la nature secrète, les dessous de la gaieté de votre ami.

Est-ce un timide ? Un lutteur qui cherche à se stimuler pour mieux faire ? Un oisif charmant, mais égoïste ? C'est seulement quand vous aurez découvert le fond de son âme que vous saurez quel genre de cadeau correspond le mieux à ses idées, à ses goûts, à ses rêves.

Un conseil : répétez deux fois cette expérience, et vous verrez qu'à la seconde fois, la joie de votre ami aura quelque chose que vous ne lui connaissiez pas : une sorte de clin d'œil affectueux, le clin d'œil de celui qui se sait deviné.

L'homme complexé. Il est facilement reconnaissable. Il est timide, rougit et bafouille si vous le taquinez avec humour. Il manque d'esprit d'initiative car il doute de sa valeur. Il a la manie de toujours rechercher les appuis extérieurs, convaincu que sans sa femme, sans sa mère, sans ses amis, il est incapable de s'imposer.

Pourtant vous avez de la sympathie pour lui car il est désarmant de gentillesse.

Montrez-lui par votre cadeau que vous le croyez capable d'entreprendre et de réussir parfaitement une tâche, seul. Par exemple en lui offrant divers accessoires de bricoleur, si vous savez qu'il aime le bricolage ; ou un matériel de peinture, s'il possède quelques dons qu'il n'ose encore exploiter. Pour l'obliger à se passionner et par conséquent à sortir de lui-même et à se guérir de ses complexes, commencez-lui une collection : voitures miniatures, armes, pichets, pipes, etc. Lorsqu'il sera « pris », croyez bien qu'il oubliera sa timidité et sa prétendue ignorance pour reconnaître et marchander l'objet unique qui viendra augmenter sa collection.

• **C'est un passionné.** Tout l'intéresse, les sciences, les arts, la littérature, la politique, les problèmes économiques. Il vit dans un perpétuel tourbillon intérieur. Avec lui, « il faut que ça bouge ». Il aime l'orage et la tempête.

Son enthousiasme est parfois un peu fatigant, mais on lui pardonne volontiers ses discussions qui n'en finissent plus ou son agitation permanente, car il est chevaleresque et serviable.

A l'occasion, il sait mettre sa passion au service d'une cause utile. Il est alors énergique, entreprenant, persévérant, et il finit toujours par réussir.

Harmonisez vos cadeaux avec ses centres d'intérêts, du moins avec le centre d'intérêt du moment, car l'objet de sa passion varie avec le temps. Si vous n'êtes qu'un ami, renseignez-vous habilement auprès de la famille pour connaître sa nouvelle folie. De la pêche à la ligne à la philosophie hindoue, de Bach à la collection d'affiches 1900, l'éventail des cadeaux que vous pouvez offrir est large.

• **Il est ambitieux.** Il veut être riche, célèbre, aimé. Alors, il se lance à corps perdu dans toutes sortes d'entreprises. Souvent même sans réfléchir aux réels avantages qu'il peut en tirer.

Il ne flâne jamais. Il ne prend jamais la peine non plus d'observer les autres. Il a en lui une confiance aveugle et absolue, et il fonde, arrache, creuse, piétine.

Ne le gênez pas dans ses entreprises, car alors, l'amitié ne comptera guère. Il préférera vous perdre, plutôt que de ne pas être le premier.

Que vos cadeaux soient en harmonie avec sa nature. Bannissez de votre choix tout ce qui est trop classique ou trop insolite, car si l'ambitieux veut dominer les autres, il ne veut pourtant pas sortir de leur univers. Ce n'est pas un original. C'est un superman.

Offrez donc le luxe, le somptueux. Si c'est une cravate, qu'elle porte, tissée dans sa doublure, la griffe Sulka. Si c'est une trousse de toilette ou de voyage, qu'elle soit signée Hermès. Si c'est du whisky, qu'il ait vingt ans d'âge, et si c'est une voiture, qu'elle soit puissante, racée et dernier cri.

• **C'est un sage.** Il est pétri d'excellentes qualités. Il est intelligent, travailleur, bienveillant, et il suit son petit bonhomme de chemin avec la sûreté et la placidité de la tortue de la fable. Il fait carrière, d'échelon en échelon, à la manière des fonctionnaires. Il a de l'ambition : modérément. De la conscience professionnelle : énormément.

Chez lui, il aide sa femme sans fausse honte à débarrasser la table ou à balayer. Il joue avec ses enfants ou les conseille pour leurs devoirs.

Il aime les dimanches à la campagne et les sports tranquilles. Les cadeaux utiles lui plairont, soit qu'ils s'adressent au couple (table de bridge, plaid de voiture, fauteuil-relax) soit qu'ils soient plus personnels (écharpe, pyjama, briquet, pipe). Un peu de fantaisie n'est cependant pas défendue, si elle s'attache aux objets usuels. Par exemple un bouchon-thermomètre permettant de connaître la température d'un vin que l'on met à chambrer. N'oubliez pas non plus son sport favori : chasse, pêche, boules, qui vous laisse le choix entre de nombreux cadeaux.

• **Il est raffiné**... jusqu'au bout des ongles. Rien dans sa tenue n'est laissé au hasard. Son appartement est une merveille de goût. Certains disent « Il fait vieille France. » Sans doute, mais c'est parfois bien agréable de nos jours. Poli, prévenant, sachant tourner un compliment et sachant recevoir, il est adoré des femmes.

Que vos cadeaux soient comme sa personne : raffinés.

Il aime les matériaux nobles : l'or, l'argent fin, le cristal, la porcelaine. Il est amateur d'objets miniatures : tabatières anciennes, boîtes à pilules, petits coffrets en laque. Il recherche les assortiments, qu'il s'agisse d'accessoires vestimentaires (cravate, pochette, chaussettes), de linge de maison (peignoir, babouches, drap et serviette de bain) ou d'objets usuels tels que briquet, porte-cigarettes, ou porte-feuille, porte-cartes et memento.

Enfin, faites graver ses initiales, inscrire son nom sur le porte-clefs, la bouteille de whisky ou la simple pochette d'allumettes que vous lui offrez. Il tient toujours à personnaliser ce qui lui appartient.

Cadeaux et âges

CADEAUX POUR LES ENFANTS

• **De 1 mois à l'âge scolaire.** Ce sont essentiellement des jouets. Or, si choisir un cadeau pour un adulte est difficile, combien plus difficile encore est le choix d'un jouet car celui qui plaira à l'enfant ne sera pas forcément celui qui vous a plu à vous, ni celui que la vendeuse vous a vanté, ni davantage le plus somptueux ou le plus cher du magasin. Mais simplement le jouet le mieux adapté à son âge.

Les psychologues et éducateurs qui ont étudié les différentes étapes du développement de l'enfant savent que le jeu est pour lui une fonction aussi nécessaire que le sommeil ou l'alimentation. Chaque âge a ses jouets. Ils correspondent au développement de l'enfant.

Nous ne vous donnerons pas ici la liste des jouets susceptibles de plaire aux enfants durant cette période de leur vie. Cette liste vous la trouverez dans les chapitres II, III et VI de ce livre. Mais nous vous indiquerons pour chaque âge les caractéristiques que doivent présenter les jouets, afin d'être pour l'enfant plus qu'un simple divertissement.

o *De 1 mois à 4 mois.* Le nouveau-né n'est déjà plus ce petit animal, qui ne s'éveille que sept ou huit fois par jour pour réclamer à boire. Il commence à suivre du regard les objets qui se déplacent devant lui. Il commence aussi à percevoir les sons. Faites sonner un réveil près de lui : pendant un instant, tout son corps va s'immobiliser.

- Achetez-lui donc des jouets qui s'accrochent à son berceau ou à sa voiture, par exemple un boulier aux couleurs vives, un grelot qui tintera chaque fois que bébé agitera ses petites jambes.

o *Entre 4 mois et 8 mois.* La coordination motrice de l'enfant a considérablement évolué. Il est capable de se tenir assis à condition d'être bien calé. C'est l'âge du premier cadeau important : la chaise. Cette chaise haute dans laquelle il va trôner comme un petit roi.

Il est même capable de se soulever dans son berceau sans l'aide de

(Accessoires Hermès)

Embarras du choix

Les accessoires « mode » doivent s'harmoniser avec le style de la personne à qui vous destinez le cadeau. Les tons « cuir » sont les seuls classiques sûrs.

Foulard Hermès, parfum n° 5 de Chanel,
chocolats de la marquise de Sévigné...
Des cadeaux signés qui ne manquent pas de classe
et rencontrent toujours un succès indéniable.

Il est plus facile de dépenser beaucoup
que de dépenser peu.
Les cadeaux chers se choisissent très facilement,
tout le mal vient de ceux qui le sont moins.

(Accessoires Hermès - Photo Duffas - Studio Hollenstein)

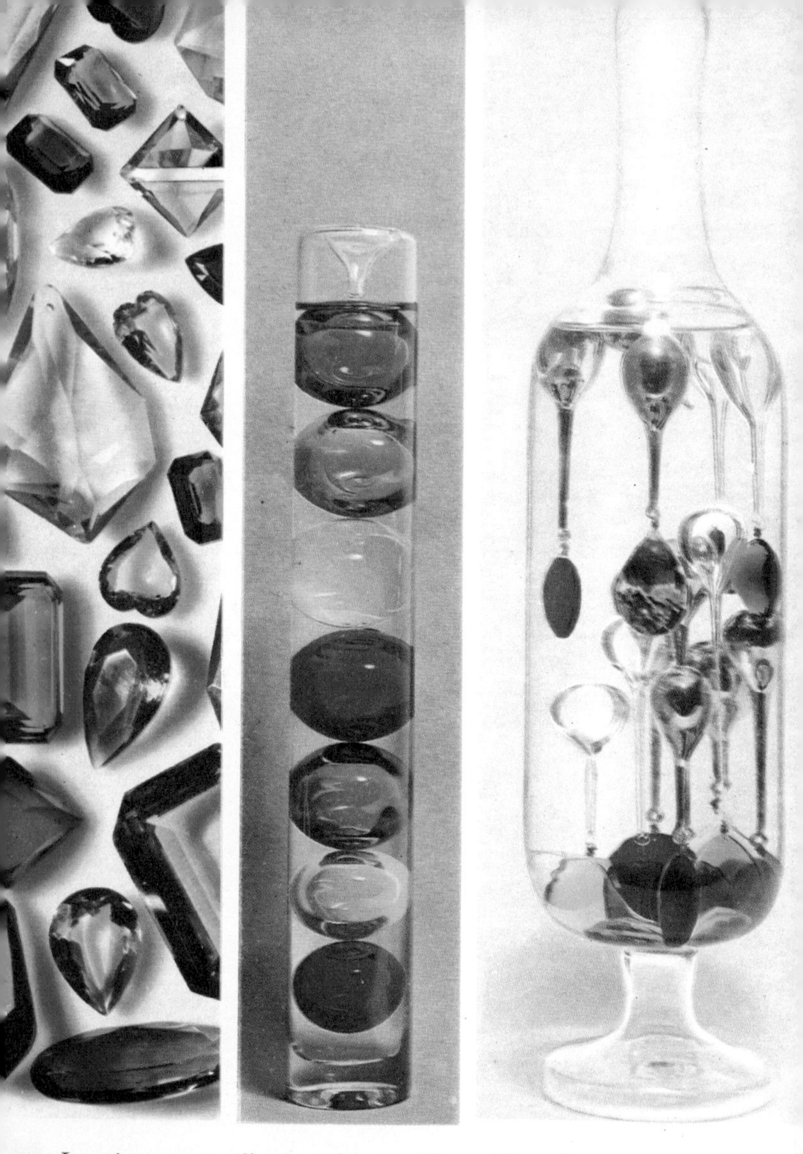

Les pierres naturelles font de magnifiques bijoux fantaisie. Le minutier de verre contient des liquides colorés qui, une fois secoués, reprennent leur place en trois minutes. Les ludions, objets purement décoratifs, sont modernes ou anciens. Ces derniers se trouvent difficilement.

maman, seulement grâce au petit portique fixé à son lit et dont il pourra dire, plus tard, qu'il fut son premier cadeau sportif.

Enfin, sa préhension aussi a progressé. Il commence à se servir de ses mains. Pas très bien, car ses mouvements sont encore mal coordonnés : il abat trop vite la main sur l'objet désiré et le fait tomber. Mais il palpe, il tire, il appuie, il lâche. Il est capable de faire passer ses jouets d'une main dans l'autre.

- Offrez-lui donc des hochets, des animaux qui font du bruit quand on les presse. Mais surtout pas de joujoux en peluche. A ce stade de l'enfance, que les psychanalystes appellent « le stade oral », les premières sensations agréables sont situées autour de la bouche et des lèvres.

Tous les jouets doivent donc être en caoutchouc lavable afin que bébé puisse les sucer sans danger.

o *De 8 mois à 12 mois.* L'enfant a maintenant un geste bien caractéristique : il étend l'index, le pointant vers l'objet désiré. Vous commencez à connaître le jouet qu'il préfère. Vous remarquerez, d'ailleurs, que c'est toujours non le plus beau mais le plus facile à manier.

- Songez à cela quand vous choisirez pour lui un animal ou une poupée en caoutchouc. Veillez à la taille (pas de jouet trop volumineux) et à la forme (un jouet tronc est moins facile à tenir qu'un animal ayant des pattes et une queue).

Maintenant, l'enfant a également fait un nouveau progrès : il sait lâcher prise. Il s'amuse ainsi à prendre ses jouets et à les laisser tomber... autant de fois que vous voudrez bien les lui ramasser.

- Donnez-lui donc des jouets qui ne se cassent pas : en caoutchouc, en plastique ou en peluche lavable et, pour son bain, des animaux flotteurs.

o *A 1 an.* L'enfant arrive à un stade de développement très important : la station debout. Il commence même à faire ses premiers pas, à condition qu'on l'aide.

Choisissez-lui donc des jouets qui roulent, comme un animal en bois monté sur deux petites roues ou un rouleau musical, car ces jouets qu'il poussera devant lui lui donneront de l'assurance.

Sa préhension est arrivée à une précision remarquable. Il peut maintenant prendre les objets entre le pouce et l'index.

- Pour lui donner de l'habileté, achetez-lui des jouets qui s'empilent ou s'emboîtent.

o *Entre 1 an et 2 ans.* L'enfant fait véritablement connaissance avec le monde qui l'entoure. Toute la maison est à lui. Il touche à tout. Il court partout. Il fait du bruit. Il déménage tout et il s'intéresse à tous les objets qui se déplacent. Il fait rouler, glisser, il traîne, il pousse, il tire, il entasse.

- Pour le gâter, vous avez donc le choix entre tous ces types de jouets : : l'âne à roulette qu'il peut traîner, la brouette qu'il peut pousser, le petit train en bois qu'il fait glisser, les quilles qu'il peut renverser, les tonneaux gigognes qu'il peut emboîter.

o *A 2 ans et demi.* Filles et garçons ont désormais des jouets distincts. La petite fille commence à s'intéresser aux poupées ; elle aime se regarder dans la glace et se parer de rubans ou de colliers en perles de bois. Le petit garçon s'intéresse aux voitures et aux avions.

Nounours est délaissé, sauf pour aller au lit. Même s'il est paré, s'il a une oreille en moins et plus de nez, inutile de le remplacer. C'est celui-là qu'ils aiment. Ils ne s'intéresseront plus jamais à un autre animal en peluche.

o *Entre 2 ans et demi et 3 ans.* Les enfants cherchent à imiter les parents dans leurs activités journalières. La petite fille joue à la dînette. Elle habille et promène sa poupée. Le petit garçon conduit une voiture comme papa.

- Attention : ils n'ont pas encore assez d'imagination pour jouer « aux professions » (infirmières, épiciers, institutrices), sauf si c'est l'activité de leurs parents et qu'ils la voient pratiquer.

A cet âge, l'enfant passe par des alternatives d'excitation et de las-

situde.
- Prévoyez donc des jouets d'activité (tricycle, cheval à bascule) et d'autres qui l'occuperont quand il sera fatigué : jeux d'adresse et premiers livres d'images.
○ *A 3 ans*. C'est l'âge où apparaissent les jeux de fiction, c'est-à-dire où l'enfant imitant une activité adulte, assure un rôle et se complaît dans une illusion.

C'est l'âge où il joue avec sérieux, application et conviction au « train », au « cheval », à « l'école », à « la guerre ».

Les livres d'images continuent de l'intéresser, mais à condition de conter une histoire. Histoire qu'il se fera expliquer, dessin par dessin, par les grandes personnes, puis qu'il transformera, selon que tel ou tel passage aura exercé sur lui un attrait particulier.
- Les garçons gardent l'amour des voitures. Mais ils y adjoignent celui des camions, des tracteurs, des grues et des bulldozers.
- Quant aux filles, elles continuent de dorloter leurs poupées, mais à condition de pouvoir les habiller de robes différentes.
○ *De 4 ans à 5 ans*. L'enfant a désormais la possibilité de s'attacher davantage à la fin qu'il s'est proposée, qu'à la réalisation immédiate. D'où son brusque intérêt pour tous les jeux de construction et de fabrication. Veillez seulement à les choisir très simples, car il est prouvé que, jusqu'à 6 ans, la durée de l'effort d'attention d'un enfant est encore très limitée. Elle n'excède guère 10 minutes de 3 à 4 ans, et de 11 minutes de 4 à 5 ans.
- A partir de cet âge, il convient également de mettre à profit au travers du jeu cette soif d'apprendre, de connaître, qui caractérise tout enfant. Développez son adresse par des découpages, des coloriages, des enfilages. Initiez-le aux couleurs par des lotos, aux formes par des puzzles.
- C'est l'âge aussi où l'enfant aime faire ce qu'il vous voit faire. Les filles, de la couture comme maman ; les garçons, du bricolage comme papa. D'où leur joie quand il reçoivent une petite machine à coudre, une panoplie de menuisier, et bien d'autres jouets créés pour occuper utilement leurs mains.
- Les jeux éducatifs utilisés dans les jardins d'enfants sont maintenant de plus en plus répandus dans le commerce. Et si bien des parents les dédaignent encore, c'est parce qu'ils connaissent imparfaitement tout le bien qui peut résulter de leur emploi pour le développement intellectuel et sensoriel de leurs enfants.
- Leur utilité ? Il existe chez tous les êtres ce que les psychologues appellent des « périodes sensibles », pendant lesquelles l'individu est apte à se développer d'une façon déterminée s'il est placé dans certaines conditions. L'enfant n'échappe pas à cette loi. Il faut donc lui donner au moment voulu, la possibilité de développer ses aptitudes qui, une fois cette période passée, risquent de nc jamais éclore.
- Quelle méthode employer ? La contrainte, la discipline ? On ne voit guère un petit enfant se plier à de tels procédés. « Il importe, dit Claparède, que l'idée de travail ne soit pas associée à celle de dégoût, mais au contraire à celle de satisfaction. » D'où l'idée qu'ont eue certains éducateurs d'utiliser le jeu, première manifestation enfantine, comme élément éducatif susceptible de développer et d'éduquer les facultés latentes chez les enfants.

Les jeux éducatifs que l'on trouve dans le commerce sont, à vrai dire, plus des jouets à tendance éducative qu'un vrai matériel, comme celui utilisé par Frœbel, Montessori et Discat. Mais ces jouets, bien faits, agréables à manier, facilement démontables à l'aide d'outils de bois, procurent aux enfants l'intense satisfaction de construire et de démolir.
- Ne les oubliez donc pas sur vos listes de cadeaux, surtout les objets destinés à des jeux d'équilibre et de décoration, car ils développent chez les tout-petits l'habileté, le goût, le sens des couleurs et des formes.

Vous trouverez d'ailleurs au chapitre I de ce livre la liste des principaux jouets éducatifs que vos enfants aimeront.

• **De l'âge scolaire à la puberté.** Plusieurs règles doivent vous guider dans le choix d'un cadeau pour garçons et filles de 6 à 14 ans.

o *1. Vous devez développer le sens social de l'enfant.* Entre 6 et 7 ans apparaissent chez l'enfant les signes d'une sociabilité qui s'éveille : il devient soucieux de l'impression qu'il produit sur autrui ; il devient sensible aux différences entre les personnes, aux particularités de chacune qu'il se plaît à souligner par l'imitation ; il pratique l'échange, le troc de menus objets, indiquant ainsi que s'est constitué chez lui le sens d'un « mien » nettement distinct du « tien », en même temps que l'idée de réciprocité.

- Puis, d'année en année, les rapports de l'enfant avec les personnes qui l'entourent ne font que grandir, et, dans cette courbe d'évolution, on voit naître des styles de camaraderie très différents.

Certains deviennent exigeants et excessifs, et exercent sur le camarade une possession jalouse ; d'autres, au contraire, deviennent volages et versatiles. Les uns sont expansifs, les autres secrets. Il y a ceux qui donnent et ceux qui reçoivent. Il y a ceux qui prennent des initiatives et ceux qui se laissent remorquer.

Il n'est bien sûr pas question d'aplanir toutes ces variétés. Elles préfigurent chez l'enfant l'adulte qu'il sera un jour. Seulement, il existe des règles inhérentes à la vie en commun : la loyauté, la complaisance, la compréhension, la charité.

Or, ces règles s'apprennent, et c'est entre 7 et 17 ans que vous devez les enseigner.

- Beaucoup de jeux destinés aux enfants de ces âges sont faits pour vous aider dans cette tâche. Qu'il s'agisse de billes, de dominos, de cartes, de baby-foot ou de tout autre jeu de société allant du plus simple au plus technique, tous, en opposant des partenaires, les soumettent à des règles communes.

Certes, les premiers temps, ce qui comptera avant tout pour l'enfant ce sera de gagner. Il sera même tout fier d'avouer qu'il a triché. Puis, peu à peu, vous verrez son attitude de modifier. Il s'apercevra qu'il ne peut y avoir de « parties » que si chaque joueur respecte le contrat. Fair play dans le jeu, il le sera plus tard dans la vie. La loyauté est une habitude.

De plus, associé dans le jeu avec d'autres partenaires, il apprendra l'entraide et l'indulgence. En un mot, il acquerra cet esprit sportif qui, plus tard, le fera partout rechercher et aimer (voir chapitre I : Jeux de société).

o *2. Vous devez respecter leurs marottes.* Si, pendant ses vacances, votre enfant a commencé une collection de coquillages ramassés sur la plage, ne lui dites pas : « Ta collection est ridicule et n'a aucune valeur. »

- Ne l'obligez pas non plus à jeter les pierres ou les cartes postales qu'il se plaît à accumuler sur ses étagères ou dans des boîtes.

Votre intransigeance ou votre esprit moqueur risque de faire perdre à l'enfant toute confiance en lui. Et vous ne devrez pas être étonné si plus tard il se désintéresse de tout, s'il cesse rapidement tout effort, s'il abdique.

Les réactions d'inhibition, impossibles à éviter totalement — l'enfant se trouve toujours à certains moments devant des problèmes affectifs et moraux qui l'amènent à un repliement passager — ne doivent pas se trouver amplifiées par votre attitude rigide devant ses marottes de gosse.

- Réjouissez-vous au contraire de voir qu'il s'intéresse à quelque chose, même si sa ferveur se porte sur des objets sans valeur. Et, par vos cadeaux, montrez-lui que vous aussi vous aimez les papillons, les médailles, les herbes séchées, les pièces de monnaie. Voyez à la page 123 de ce livre tout ce que vous pouvez acheter pour compléter la collection commencée par votre enfant.

Et si cette collection, absolument originale, ne peut se compléter par un simple achat dans un magasin, mettez-vous en chasse pour découvrir ailleurs l'objet qui le passionne. Fouillez vos greniers à la recherche de vieilles images ; courez les bois pour rapporter les plantes destinées à son herbier.

Ces simples cadeaux offerts avec votre peine et votre cœur vaudront pour lui tous les jouets du monde.

o *3. Vous devez éviter le favoritisme.* S'il est une idée innée chez les enfants c'est bien celle de justice. Depuis leur plus jeune âge ils ont le sentiment très vif du juste et de l'injuste, et quand nous ne respectons pas ces principes nous perdons leur confiance à tout jamais.

- Si vous avez plusieurs enfant, équilibrez le nombre et l'importance de vos cadeaux. Si l'un d'eux se trouve exceptionnellement favorisé, que ce soit uniquement parce que vous avez voulu récompenser son mérite. Alors dites-le, pour qu'au lieu de faire naître la jalousie entre frères et sœurs, votre cadeau soit un levier qui pousse les moins courageux au travail.

o *4. Vous devez orienter leurs activités vers des réalisations concrètes.* Aux approches de la douzième année, l'enfant — le garçon surtout — perd de son agressivité et devient passif. On relève chez lui des tendances mystiques, une hypermoralité. Ce stade normal ne doit pourtant pas s'accentuer au point d'aboutir à une sorte d'inhibition intellectuelle, à une véritable déformation du réel allant du mensonge banal à l'état de mythomanie ou de fabulation.

- Veillez à maintenir chez votre enfant un bon équilibre en développant son goût pour le travail manuel. Offrez-lui par exemple un petit matériel de relieur pour relier lui-même les livres qu'il aime. Achetez-lui un établi, un Meccano, un matériel pour développer ses photos.

o *5. Vous devez éviter les cadeaux qui font « bébé ».* Sous prétexte que votre enfant n'est pas un de ces petits génies qui remportent toujours les premières places en classe ou sur un terrain de sport, ne lui offrez jamais de cadeau qui ne soit plus de son âge. Et surtout ne lui dites pas : « Je t'ai acheté le Méccano n° 3, car tu n'aurais jamais pu te servir du n°4 ».

C'est par de petites fautes comme celle-ci, que l'on fait naître chez l'enfant un complexe d'infériorité.

o *6. Vous devez utiliser les vocations précoces.* Tous les enfants qui vous disent à partir de huit ans « plus tard je ferai ceci ou cela » ne mettent certes pas toujours leurs rêves à exécution. Seulement il peut arriver que l'un d'eux, fixé de très bonne heure sur sa profession future, ne change pas d'idée au cours des années suivantes.

- En rattachant les jouets de l'enfant à ses secrets désirs, à cette vocation précoce qu'il manifeste, vous lui faciliterez peut-être son avenir.

Songez donc à tous les jeux de métiers, du parfait petit chimiste au photographe de presse...

• **Le goût des enfants** observe la directrice du Nain Bleu, est souvent en opposition nette avec celui des parents. Ceux-ci s'interposent toujours dans leur choix soit pour des problèmes de prix, d'encombrement, de fragilité ou tout simplement de goût. Chacun raisonne avec sa propre optique. Très souvent, les petites filles veulent avoir, comme les mamans, des cuisinières électriques, des aspirateurs, des machines à laver, les mamans, elles, n'y voient aucun divertissement possible ! Les petites filles qui, malgré leur jeune âge, doivent s'occuper des bébés à la maison ne veulent pas de poupées ! Elles trouvent que la petite sœur ou que le petit frère leur suffisent bien ! On voit donc de plus en plus (puisque les mamans qui travaillent rentrent à la maison plus tard que leur aînée de l'école) les petites filles préférer les trains électriques aux poupées.

• **Cadeaux en rapport avec leur caractère.**

o *L'enfant nerveux*

Si vous avez un enfant de ce type, inutile de vous exaspérer vous ne le changerez pas. Mieux vaut donc lui donner des jeux faits pour lui : des jeux de construction simple qui lui permettront de passer rapidement du pont au château-fort, de la cathédrale aux pyramides ; des jeux d'imagination (dessins, bricolages) car il est volontiers exhibitionniste et adore attirer l'attention ; des jeux de plein air (ballon, quilles, agrès, patins) qui lui feront dépenser son trop-plein d'activité.

Attention : pas de bicyclette ou de gants de boxe. Les nerveux détestent l'effort prolongé et la brutalité. Ils n'aiment que les sports de grâce ou d'adresse.

o *L'enfant flegmatique*
Offrez-lui des jeux de construction, mais choisissez des modèles aux pièces multiples, qui lui permettront de jouer des heures sans déranger personne. Les puzzles, aussi, sont faits pour lui ; de même que les jeux de patience.

o *L'enfant sentimental*
Parce qu'il déteste la solitude, vous lui offrirez des jeux de société.

Parce qu'il est capable d'un attachement profond, vous lui offrirez, si c'est une fille, une poupée qui restera tout au long des années « sa » poupée, et si c'est un garçon un animal vivant, chien ou chat.

o *L'enfant passionné*
Commencez-lui une collection (timbres, voitures miniatures), il la continuera avec ferveur. Achetez-lui un petit théâtre de marionnettes car il manifeste très tôt son sens de l'organisation, et il saura monter une pièce. Donnez-lui des jeux scientifiques, genre « Homme du XXe siècle » car cet enfant est en général intelligent, et en tout cas, acharné à la découverte, entêté et persévérant.

CADEAUX POUR LES ADOLESCENTS

L'adolescence est une période de la vie qui se caractérise par un certain nombre de problèmes devant lesquels garçons et filles ne peuvent manquer de se trouver, ce qui détermine chez eux, malgré la diversité de leur personnalité, quelques traits communs : la recherche de l'autonomie — le goût de l'aventure — une vive curiosité pour le monde — le goût des discussions — l'envie de détruire pour le plaisir — le souci de plaire alternant avec le cynisme ou une certaine affection — le besoin d'agir, de s'ébrouer. Pour que votre cadeau ait quelque chance de plaire à un adolescent il faut par conséquent qu'il s'harmonise avec ces traits de caractère.

Faites-le rêver avec des livres de poésies ou des disques. Faites-le réfléchir avec des ouvrages de philosophie ou de technique, selon qu'il est « littéraire » ou « scientifique ». Faites-le se dépenser avec un jeu de ping-pong, des patins à glace ou une vespa.

Faites-lui connaître le monde ou du moins son pays, avec des billets de voyage ou une tente de camping.

Faites-lui connaître les grands maîtres de la peinture et de la musique, avec des reproductions de tableaux pour sa chambre, un abonnement aux concerts.

Laissez-le se singulariser avec des pulls extravagants, des chemises impossibles à porter au-delà de 18 ans, des bijoux faux et extraordinaires.

Donnez-lui son « jardin secret » en lui faisant installer une chambre ou un grenier ou une buanderie désaffectée.

En un mot, offrez-lui des cadeaux pour lui et non pour vous-même si vous n'êtes pas tout à fait d'accord avec ses goûts. C'est peut-être ainsi que vous maintiendrez ouverte une porte de communication entre lui et vous.

CADEAUX POUR LES ADULTES

• **De 20 à 30 ans.** C'est déjà la personnalité de chacun qui doit certes guider votre choix. Seulement, de 20 à 30 ans, tous les êtres présentent, comme les adolescents, des traits communs qui peuvent vous aider à choisir et à éliminer certains types de cadeaux. Durant ces dix années, deux problèmes dominent la vie d'un adulte : le problème sentimental et le problème professionnel.

- Quelle que soit leur personnalité, garçons et filles à partir de 20 ans, sentent en eux le besoin de vivre totalement par eux-mêmes, de secouer le joug familial. Si le jeune poursuit ses études, la recherche de son autonomie demande parfois plusieurs années. Mais au plus tard, à 25 ans, il s'est détaché de la cellule familiale.

Désormais responsable de sa vie, il lui reste à la créer telle qu'il la désire. Ou bien il se complaira dans son indépendance jusqu'à en faire une éthique, ou bien il cherchera à fonder un foyer. Mais de toute façon, il gardera les yeux fixés sur son avenir. Le présent n'est là que comme tremplin vers des jours plus beaux. Que vos cadeaux soient eux aussi résolument tournés vers l'avenir.

- Célibataire ? Songez à tout ce qui donnera de l'originalité à sa personne ou à son logement, car il est encore à la recherche d'un visage et d'une forme d'existence.

- Marié ? Songez à son foyer qui n'est encore qu'une esquisse, et que vous pouvez aider à construire. Dans les premières années de mariage, on a besoin de tout, et vous trouverez dans les chapitres II et IV la liste de tous les cadeaux que vous pouvez faire à de jeunes époux. Enfin, n'oubliez pas qu'entre 20 et 30 ans on oscille encore entre l'insouciance et la stabilité, entre le rêve et la réalité et que, par conséquent, tous les cadeaux inutiles, tous les cadeaux-folie, sont toujours les bienvenus, même si l'on a réellement besoin de choses pratiques.

• **De 30 à 50 ans.** Bonne ou mauvaise, votre vie est faite. Si vous ne l'avez pas réussie, il est déjà trop tard pour tout recommencer. Dans le cas contraire, il est encore trop tôt pour renoncer à toute ambition. Ambition qui ne vous porte plus simplement à rêver comme à 20 ans, mais à agir.

Vous voulez atteindre un but, et vous connaissez les méthodes à employer pour cela. Vous n'êtes plus un « de ces rêveurs qui tombent dans un puits en regardant les étoiles ». A 40 ans, les poètes sont rares. Par contre, les hommes d'affaires foisonnent. C'est l'âge de la domination, l'âge de la jouissance, l'âge de l'éclat.

Aussi, tous les cadeaux ou presque, sont-ils appréciés entre 30 et 50 ans.

- Les cadeaux-luxe, parce que l'essentiel étant acquis, on cherche tout naturellement à obtenir le superflu.

- Les cadeaux insolites, parce que l'on n'a plus peur de faire éclater sa personnalité, et que l'originalité, loin de susciter l'ironie, fait naître l'admiration.

- Les cadeaux-manie, parce que quels que soient le métier et la condition sociale, tous ont une passion : la pêche, la chasse, la collection de timbres, le jardinage, le bricolage.

- Les cadeaux culturels : livres, disques, peintures, parce que chacun se pique d'avoir quelques lumières dans tous les domaines de la pensée.

- Les cadeaux sportifs parce que si l'on ne possède plus la souplesse et l'aisance de la jeunesse, on garde néanmoins assez de force et de volonté dans l'effort pour se couronner parfois encore de lauriers. Simplement, on a changé de sport : à la tente de camping des 20 ans, on préfère maintenant le « Vaurien » ou les skis.

• **De 50 à 70 ans.** Déjà la vie se teinte de mélancolie. L'amour, l'argent, ces dieux pour lesquels on s'est battu tant d'années commencent à s'éloigner dans la grisaille des jours. Peu à peu, on déserte les cimes pour un coin paisible. On est plus modéré dans ses opinions et dans ses goûts. On se préfère heureux parmi les hommes. Ce n'est plus le temps de l'orgueil. C'est celui de la fraternité. Plus le temps de l'action mais celui de la méditation. La seule ambition qui demeure est peut-être celle des honneurs. On aime la gloire, cette dernière flambée d'originalité avant la grande normalisation de la vieillesse.

- Les cadeaux-maison, meubles, vaisselle, ainsi que les bibelots ne sont désormais plus de mise. D'abord, parce qu'on reçoit moins. Ensuite, parce qu'on a pris des habitudes de vivre dans un certain décor, et que l'on n'aime plus en changer.

- Par contre, le cadeau personnel (sac, foulard, cravate) est toujours apprécié. A 60 ans, de nos jours on est encore jeune. On suit la mode.

- Notez également que si l'on dédaigne à cet âge certains plaisirs comme le sport, la danse, on se laisse séduire par d'autres : la table, le jeu. On est gourmet (songez aux cadeaux comestibles) et l'on se passionne suivant les régions et le milieu social, pour le bridge, la belote ou le loto (songez aux tapis verts aimantés, aux cartes géantes pour yeux fatigués).
- Enfin, dites-vous que pour faire réellement plaisir à une personne parvenue à l'automne de sa vie, et qui, plus que tout, redoute l'oubli, la solitude, vous devez avant tout soigner votre façon d'offrir. On vous pardonnera facilement de n'être pas très généreux. A cet âge, les « petits souvenirs » sont autant appréciés que les cadeaux importants. Mais soyez affectueux. Accompagnez votre présent d'un grand sourire ou de tendres baisers. Ne laissez pas votre paquet chez la concierge, même s'il n'y a personne quand vous l'apportez, même s'il s'agit d'un simple bouquet. Revenez le lendemain. On doit comprendre que vous avez mis, pour choisir ce présent, le même soin et le même amour que pour gâter le mari, la femme ou l'ami de votre âge.

• **Au-delà de 70 ans.** Demandez à un homme de 75 ans et plus ce qu'il désire, il vous répondra : « la santé et assez d'argent pour pouvoir me suffire à moi-même, sans importuner mes enfant. »

La santé ? C'est un cadeau que vous ne pouvez malheureusement pas faire. Seulement, ce que vous pouvez offrir, c'est votre aide, afin de ménager les forces de celui qui les perd un peu plus chaque jour.
- Allez lui faire son ménage chaque semaine, ses courses quand il fait froid ou qu'il y a du verglas. Ce n'est pas un cadeau pensez-vous ? C'est beaucoup mieux, puisque c'est votre cœur que vous offrez.

Cadeaux et lieux de résidence

Les magasins des grandes villes de province sont aujourd'hui presque aussi bien achalandés que ceux de Paris. Vous devez donc renoncer à trouver l'objet inconnu au-delà de la capitale, et qui fera se pâmer d'admiration et d'étonnement votre sœur de Lille ou vos amis de Bordeaux. Et pour réussir votre cadeau, vous devrez rechercher autre chose que la seule originalité.

Vous devez tenir compte de la situation géographique de la ville où habite votre destinataire.

CADEAUX POUR CEUX QUI HABITENT LA PROVINCE

Vous devez tenir compte du style de vie de vos destinataires. S'ils habitent une grande ville, si leur situation sociale est élevée, s'ils sortent et reçoivent beaucoup, vous pouvez choisir le cadeau qui leur est destiné en oubliant délibérément qu'ils sont loin de Paris.

La mode en effet ne s'arrête plus maintenant à la rue de la Paix ou à l'avenue de l'Opéra. Et le luxe des appartements de province est souvent bien supérieur à celui des appartements parisiens. N'hésitez donc pas à offrir le cadeau dans le vent, même s'il vient à peine de s'implanter en province. Quand on possède l'aplomb que confèrent la situation et l'argent on ne craint pas d'innover.
- Par contre si vos amis résident dans une petite sous-préfecture ou dans un petit bourg, s'ils ont une vie calme et bourgeoise, méfiez-vous du cadeau trop original. Pas de bijoux extravagants qu'on n'osera pas porter même aux bals de société. Pas de voiture de couleur voyante qu'on n'osera pas prendre pour se rendre au bureau. Pas de téléphone 1900 qu'on n'osera pas mettre dans l'entrée d'un appartement de médecin.

Dans ces petites villes où tout le monde se connaît, on ne peut éviter les médisances qu'en gardant le ton juste et sobre. Que votre cadeau soit lui aussi sobre et de bon goût. Il n'en sera que plus apprécié.

CADEAUX POUR CEUX QUI VIVENT A L'ETRANGER

La mode des voyages a depuis quelques années considérablement étendu le cercle de nos relations. On voyage pour ses affaires, on voyage en période de vacances, et quand arrive le nouvel an on se sent obligé d'envoyer à ses amis étrangers autre chose qu'une carte de vœux.

o *Il y a bien sûr le célèbre « Interflora »* qui peut facilement résoudre les hésitations. Vous trouverez en page 251 tous les renseignements concernant la manière d'envoyer en Amérique comme en Italie la corbeille de fleurs, marque de votre sympathie ou de votre affection.

Mais il peut arriver que vous désiriez offrir quelque chose de plus durable qu'un bouquet de fleurs, quelque chose qui tout au long de l'année parlera un peu de la France et de vous.

o *Vous avez le choix* pour cela entre les bibelots « made in Paris » que vous trouverez dans tous les grands magasins, dans les boutiques des grands couturiers, dans les boutiques dites de souvenirs, au Drugstore, à Orly, et les parfums dont le renom est immense à l'étranger.

o *Entre les cadeaux-habillement :* foulards, blouses, lingerie, gants, cravates, qui représentent l'élégance parisienne (préférez-les avec une griffe connue) et les cadeaux-comestibles : bons vins, confiseries régionales et même fromages si l'expédition est rapide, et si cet envoi s'adresse à des amis très intimes.

o *Entre les livres,* si votre destinataire est passionné de littérature française et les disques, si vous les avez aimés ensemble lors de votre séjour chez eux ou s'ils sont représentatifs de la région où vous habitez.

LES CADEAUX RISQUES

Tous les cadeaux ne sont pas agréables à recevoir. Tous ne sont pas bons à faire. Nous ne parlerons pas ici de ceux qui peuvent heurter les individus superstitieux car nous avons jugé utile de leur consacrer un chapitre spécial (pages 211 à 220) afin de vous éviter d'inadmissibles erreurs. Nous traiterons plutôt dans ces pages de ceux qui doivent être faits avec circonspection, de ceux qu'il faut « risquer » avec prudence.

Les plus périlleux sont, pour les femmes, les parfums, les produits de beauté, la lingerie et tous les objets qui risquent de rappeler trop précisément l'âge de la destinataire ; pour les hommes, le plus grand danger réside dans le choix des cravates et des pipes. Pour tous, il faut se méfier, sauf dans des cas très rares, de ce qui est trop voyant, trop original et également de l'excès contraire, c'est-à-dire du cadeau passe-partout qui donne l'impression d'avoir été acheté à la va-vite comme on fait une corvée dont on veut se débarrasser.

Les parfums

La magie se servait, autrefois, des parfums pour enchanter et ensorceler, et peut-être est-ce pour cela qu'ils gardent encore un caractère « diablement » tentateur, capable de séduire tout homme à la recherche d'un cadeau. En effet, il serait bien rare de ne pas trouver dans la grande famille des parfums (depuis l'extrait précieux jusqu'aux sels de bain en passant par les eaux de toilette) un cadeau parfumé d'un prix compatible avec ses moyens. De plus, le parfum est (et cela est étrange car qu'y a-t-il de plus intime, pour une femme, que son parfum ?) l'un des cadeaux qu'on « peut » faire au même titre que les fleurs ou les bonbons.

COMMENT EVITER LE PARFUM « ERREUR »

• **Le procédé le plus simple,** celui qui supprime les risques, est évidemment de préméditer le cadeau en prononçant quelque phrase banale du style : « Que vous senter bon ! Quel est donc votre parfum ? » A partir de la réponse, vous serez sur un terrain stable et certain de faire plaisir car les parfums sont chers, et rares sont les femmes assez fortunées pour en acheter un flacon sans un peu de remords, ou pour assortir leurs produits de beauté (sels ou huile pour le bain, savonnettes eau de toilette, eau de Cologne, parfum de toilette, talc, brillantine) à leur extrait de prédilection.

• **Dans tous les autres cas,** c'est-à-dire ceux qui vous laissent dans l'embarras soit parce que vous découvrez que la destinataire n'a pas de parfum habituel — et dans ce cas votre cadeau lui fera doublement plaisir —, soit qu'elle n'ait pas d'idée bien précise sur ce qui lui convient, trois facteurs importants interviendront alors et guideront votre choix :

o *La composition des différents types de parfums :*

- les parfums capiteux sont à base

d'extraits animaux, servant à les fixer, comme le musc, l'ambre, la civette, ou bien d'encres, de cuir de Russie, de tabac ou de romarin ;
- les parfums légers sont ceux fabriqués à partir des essences naturelles de fleurs : rose, jasmin, primevère, jacinthe ;
- les parfums aromatiques sont également à base d'extraits végétaux : laurier, magnolia, gardénia, amandier, safran ;
- les parfums stimulants doivent leurs qualités aux plantes dont ils sont extraits : laurier, laurier-cerise, girofle, safran, santal, absinthe, menthe poivrée, renoncule, iris.

o *Le tempérament et les goûts de celle à qui vous l'offrez* vous dirigeront alors vers l'un ou l'autre de ces différents types :
- les jeunes sportives, très dynamiques, apprécieront les parfums stimulants ;
- les passionnées, les violentes aimeront les parfums capiteux ;
- les romantiques, douces et tendres, seront plus attirées par les essences de fleurs ;
- les femmes actives, très « nature » préféreront les effluves des parfums aromatiques ;

o *La saison pendant laquelle vous offrez le parfum* doit, en dernier lieu, influencer votre choix. Nombreuses sont les femmes qui ont un parfum d'été et un parfum d'hiver. Il est vrai que les odeurs de muguet ou de lavande, délicieusement fraîches par temps chaud, ne peuvent pas convenir aux fourrures dont elles s'emmitouflent l'hiver. Celles-ci réclament des senteurs plus lourdes, plus chaudes, plus capiteuses.

CADEAUX PARFUMES POUR BOURSES MODESTES

Le prix des parfums est, évidemment, un handicap. Qu'il ne vous soit pas un obstacle absolu. Presque toutes les grandes marques de parfums font maintenant des atomiseurs pour le sac, bien agréables à avoir sur soi pour une femme, et à des prix abordables. Et puis il vous reste les parfums de toilette, les eaux de toilette et les eaux de Cologne.

• **Les parfums de toilette** sont composés des mêmes extraits que les parfums mais dilués dans une plus grande quantité d'alcool. Les femmes qui aiment être subtilement parfumées, les préfèrent souvent aux extraits eux-mêmes.

• **L'eau de toilette** se situe à mi-chemin, tant par sa composition que par son prix, entre le parfum et l'eau de Cologne. Elle peut remplacer les deux pour une femme qui part de chez elle tôt le matin et tient cependant à être durant la journée toujours également et légèrement parfumée.

La plupart des eaux de toilette se vendent en flacon, pour la friction d'après le bain ou en atomiseurs pratiques à transporter et très économiques.

• **Les eaux de Cologne.** L'eau de Cologne véritable est un mélange d'essences naturelles (citrons, bergamote, romarin, néroli) en dissolution dans de l'alcool plus ou moins fort, allant de 60° à 90°.

Elle est destinée aux frictions stimulantes, et son odeur, légère et fugace, n'interdit pas l'emploi d'un parfum.

Vous pouvez l'offrir en flacons qui resteront ensuite comme flacons de toilette, ou en bonbonnes recouvertes de paille, parfaites pour les familles nombreuses.

• **Les eaux de Cologne parfumées.** Les parfumeurs fixent maintenant l'eau de Cologne chimiquement et la parfument discrètement à leurs extraits.

Ces eaux parfumées constituent un cadeau idéal pour une jeune fille. Elle aura le plaisir de recevoir un « presque parfum » sans que vous ayez manqué aux usages interdisant d'offrir un parfum à une « demoiselle ».

• **Les parfums pour hommes.** Les hommes se sont, autrefois, beaucoup parfumés, davantage même que les femmes à certaines époques. Cette mode, totalement disparue, réapparaît aujourd'hui mais transformée, masculinisée. Les hommes ont maintenant leurs propres eaux de Cologne, fraîches, sèches, pas trop fortes, à base de lavande, de cuir, de santal, de tabac, de vétiver, de citronnelle et de verveine. Il faut y ajouter les lotions assorties (d'avant et d'après rasage) et le talc qui complète la panoplie des hommes raffinés.

Les produits de beauté

Plus encore que les parfums, ils constituent des cadeaux dangereux.

• **Méfiez-vous !** La crème que vous aimez (et dont le pot est si joli) ne convient pas forcément à votre meilleure amie et vous feriez preuve d'un manque de tact évident en offrant une crème contre l'acné à une jeune fille un peu boutonneuse ou une crème antirides à celle qui n'avoue pas ses quarante ans.

• **Ce type de cadeau fera cependant plaisir** aux femmes qui essaient tous les nouveaux produits de beauté. A celles-là vous pouvez offrir les trois tubes de couleurs différentes du dernier rouge à lèvres sorti, ou un « compact » tout nouveau dans un étui guilloché.

Il vous sera également permis d'offrir à une amie intime un lait hydratant pour le corps ou des savonnettes parfumées à son extrait d'élection.

La lingerie

La merveilleuse lingerie, luxueuse et raffinée, est le rêve de toutes les femmes. Mais rares sont ceux qui ont le droit de la leur offrir : les cadeaux « lingerie » ne se font qu'entre femmes ou entre époux.

• **Offerte par un mari,** elle doit être choisie très belle. Si vos moyens vous permettent d'acquérir la longue chemise soyeuse et le déshabillé assorti, n'hésitez pas, offrez-les lui.

• **Entre sœurs, entre amies,** s'échangeront volontiers des pièces de lingerie amusantes, nouveautés de l'année (lingerie écossaise, à petites fleurs, en broderie anglaise, etc.).

Les pipes

Un vrai fumeur de pipe (affirment les amateurs) n'en a jamais assez : il y a celles qu'on fume dehors, celles qui « durent » plus ou moins longtemps, celles qui sont agréables à fumer après le repas ou qui conviennent au travail, etc. Les pipes sont donc une précieuse ressource dans la liste des cadeaux possibles. Mais, s'il s'agit d'un véritable amateur, méditez bien votre achat, car il y a de bonnes, de médiocres et de mauvaises pipes et leur choix n'est pas aussi facile qu'on le pense.

LES SECRETS D'UNE « BONNE » PIPE

• **Son aspect.** Les meilleures sont taillées dans le nœud de la racine de bruyère. On voit alors le centre du nœud au fond et au milieu extérieur du fourneau, et l'on distingue nettement les fibres du bois monter verticalement, de ce nœud, tout autour du fourneau, jusqu'au bord de la pipe. Il vous suffira de retourner la pipe pour juger, au premier coup d'œil, comme le font les vrais fumeurs, de la qualité de l'article présenté.

• **Sa taille.** Elle sera choisie en fonction de celle de son possesseur : grande pipe pour homme grand, plus petite et plus mince pour les autres.

• **Son poids.** Une pipe doit être assez légère pour ne pas fatiguer les mâchoires du fumeur ni lui user les dents.

• **Sa forme** reste avant tout une affaire de goût personnel. Sachez pourtant :

- que les pipes à tuyau court ou recourbé sont destinées à être fumées à l'extérieur et que les pipes à tuyau fin et long, plus élégantes, conviennent mieux à l'intérieur.

Les échanges

Lorsque votre choix se porte sur un cadeau risqué, assurez-vous que le magasin auquel vous vous adressez accepte l'éventualité d'un échange. Demandez alors une carte de la maison et joignez-la à votre paquet en précisant au destinataire le nom ou le numéro du vendeur qui se chargera de lui proposer une quantité d'autres cadeaux entre lesquels il pourra, sans scrupule ni gêne, choisir ce qui lui plaît

Les cravates

Les cravates sont, bien à tort, considérées comme un cadeau passe-partout. En fait, les hommes pensent généralement que les femmes ne connaissent rien en matière de cravates et qu'elles feraient mieux de s'abstenir.

En réalité, les goûts masculins et féminins en matière de cravates sont souvent assez divergents.

LE CHOIX PRUDENT

• **La cravate unie** présente le seul terrain sur lequel on puisse s'aventurer sans trop de risques. Bleu marine, grenat, grise ou tabac, vous la choisirez en soie naturelle, seule matière convenant au classicisme du cadeau.

LES CHOIX AVENTUREUX

• **Les cravates fantaisie** sont à exclure complètement. Les hommes n'admettent les fleurettes ou les motifs humoristiques sur cravates que lorsqu'ils les achètent à l'issue d'une joyeuse réunion des anciens de leur école ou de leur régiment. Ils ne les remettent jamais ensuite, d'ailleurs, mais ne peuvent faire de reproches à personne.

• **Les cravates rayées** sont, en principe, le signe de ralliement de clubs ou de cercles. Dans ce cas, il serait criminel de se tromper de rayures ! Il faudra donc se méfier de toutes celles qui ne sont pas ultra-classiques et discrètes, blanches sur fond bleu marine ou rouge sombre.

• **Les cravates en daim et en peau** sont fragiles et réservées aux hommes soigneux et jeunes d'âge ou, du moins, de caractère.

• **Les cravates en tricot ou tissées à la main** ne s'offriront qu'aux jeunes gens ou aux hommes jeunes, d'allure sportive, qui portent vestes et blazers de préférence aux complets vestons.

Les cadeaux satellites

Les cadeaux passe-partout (les boîtes de chocolats et les bibelots inutiles en sont les prototypes) sont ceux qui deviennent le plus rapidement des cadeaux-satellites. C'est-à-dire qu'une fois mis sur l'orbite par le premier donateur, ils se mettent à tourner dans tout un cercle d'amis ou de relations et finissent parfois par revenir à leur point de départ.

Bien entendu les règles du savoir-vivre interdisent formellement de redonner un cadeau. Ne le faites donc pas… et si vous le faites tout de même, que ce ne soit que dans des cas très précis.

• **Les cas « autorisés ».** Par exemple : on vous a donné le dernier succès de l'auteur à la mode. Vous l'aviez déjà. Donnez-le à votre filleule qui, vous le savez, fait souvent à pied le trajet de chez elle à la faculté pour économiser son argent de poche afin de pouvoir s'acheter de nouveaux livres.

- Vos amis Dupont sont venus accompagnés des X à votre réveillon. Les X vous ont apporté, au hasard, puisqu'ils ne vous connaissaient pas, le dernier « gadget » américain, amusant mais inutilisable pour vous, puisqu'il fonctionne sur 220 volts alors que vous êtes branché sur le 110. Vous pouvez apporter le gadget aux Y la prochaine fois que vous irez passer la journée dans leur maison de campagne, que vous savez être équipée en 220. Mais faites bien attention que les X et les Y n'aient aucun ami commun…

PETIT GUIDE DE L'ACHETEUR

Choisir c'est aussi connaître, évaluer et acheter. Tout ce qu'il faut savoir sur…

L'ECAILLE

L'écaille est tout simplement la carapace des tortues. Matière cornée d'épaisseur variable, toujours légèrement translucide, l'écaille se présente sous trois aspects différents :
- l'écaille blonde : couleur de cognac ou de miel ;
- l'écaille brune : de ton caramel, on la dit cerise lorsqu'elle a des reflets roux très marqués ;
- l'écaille noire : d'un brun café excessivement foncé.

Dans chacune de ces teintes, l'écaille peut être unie ou jaspée (c'est-à-dire à zones plus sombres formant marbrures, allant du jaune au marron foncé, presque noir).

• **Plus la teinte de l'écaille est claire, plus sa valeur est élevée.** La plus coûteuse est une écaille blonde comme le miel des Alpes ; la moins chère est une écaille noire à peine veinée de marron.

• **Le travail de l'écaille** fait partie des métiers d'art et se classe parmi les spécialités parisiennes.

o *L'écaille moulée surchauffée.* Cette méthode a été la première utilisée. Il s'agit d'abord d'aplanir la feuille brute, bombée à l'origine, en la faisant baigner jusqu'à son ramollissement dans de l'eau bouillante ; devenue malléable, la feuille est placée entre deux plaques de métal chauffées à 120 ; elle s'aplanit alors. Refroidie, elle peut enfin être découpée. En remplaçant les plaques par des moules de métal d'une forme déterminée on donne à l'écaille les formes les plus variées.

Les objets en écaille moulée surchauffée sont irréparables ; en outre, la matière obtenue par ce procédé est sèche et particulièrement fragile.

C'est le cas de tous les objets d'écaille anciens, c'est-à-dire de plus de cent ans.

o *L'écaille soudée.* Depuis soixante à quatre-vingts ans, on emploie en France la méthode dite de l'écaille soudée qui se réalise en travaillant des feuilles d'écaille à la main dans un bain d'eau salée chaude. La matière reste alors « vivante », sans durcir ni devenir cassante ; les objets fabriqués peuvent être éventuellement réparés ; souple et douce sous la main, l'écaille constitue alors une matière particulièrement agréable au toucher et belle à la vue.

• **Les ornements de l'écaille.** Les bibelots en écaille se présentent soit à l'état pur — la matière étant travaillée et polie —, soit avec ornements consistant en incrustations d'or, d'argent, de nacre, etc. Ceux-ci se rencontrent fréquemment dans les bibelots anciens.

o *Le décor posé or ou argent* est réalisé en appliquant sur l'écaille une feuille de ce métal que l'on fait pénétrer et tenir par pression et collage. Sur ce métal, préalablement découpé, on grave au burin les détails décoratifs complémentaires.

o *Lorsqu'il est dit clouté, or ou argent,* le décor est réalisé avec de minuscules clous de métal enfoncés dans la masse de l'écaille et relativement espacés.

o *Lorsqu'il est dit piqué, or ou argent,* le décor, comme le précédent, est fait de clous mais encore plus petits et enfoncés les uns contre les autres. Dans ces deux cas, il n'y a pas de gravure au burin.

• **Les cadeaux en écaille** sont très différents selon que l'on choisit des objets anciens ou modernes.

o *Parmi les objets anciens,* que l'on trouve chez les antiquaires, les prix comme pour tout ce qui est « antiquités », varient considérablement selon l'ancienneté de l'objet, la beauté de sa décoration, ses dimensions, son état de conservation et même, parfois, son histoire.

Il résulte également de la fragilité

des objets traités à haute température, que les bibelots d'écaille anciens ont atteint, par suite de leur rareté, une très grande valeur.

o *Ses formes « cadeaux »*
Tabatières plus ou moins ornées, boîtes à pilules, coffrets divers, cadres, cachets ou couteaux à manche d'écaille, éventails, coupe-papier, bougeoirs, peignes, toutes sortes d'étuis, boîtiers de montre, montures de face-à-main, etc.

o *Les objets modernes,* par lesquels les artisans parisiens ont acquis une renommée mondiale, sont fort beaux de forme et de simplicité. Leur prix varie selon la teinte de l'écaille (claire ou foncée), suivant les dimensions de l'objet et le choix du modèle. Par exemple le prix d'un poudrier en écaille, cadeau toujours apprécié des femmes, peut s'échelonner de 200 à 500 F et quelquefois plus…

o *Ses formes « cadeaux »*
Boîtes, étuis, montures de lunettes, peignes de toutes sortes, accessoires de nécessaire de toilette (glace à main, peignes, brosses, boîte à poudre et bouchons de flacons), garnitures de bureau (coupe-papier, encadrement buvard, porte-plume et boîte à timbres), boutons, boucles, barrettes pour les cheveux, fermoirs et poignées pour les sacs à main, poudriers et minaudières, bijoux (pendentifs ou colliers).

• **Comment distinguer la vraie de la fausse écaille.** L'écaille est souvent imitée. Le spécialiste reconnaît la fausse écaille aux veines et marbrures qui sont moins diffuses dans l'épaisseur de la matière ; en outre, les objets en imitation d'écaille présentent moins de raffinement dans le détail de la fabrication ; enfin, au toucher, on perçoit une différence entre l'écaille véritable qui est tiède, douce, lisse et souple et l'imitation plus froide et moins lisse.

LA NACRE

La nacre est un produit naturel sécrété par tous les coquillages, mais seuls sont retenus ceux dont la coquille en présente une couche d'épaisseur suffisante pour être utilisée.

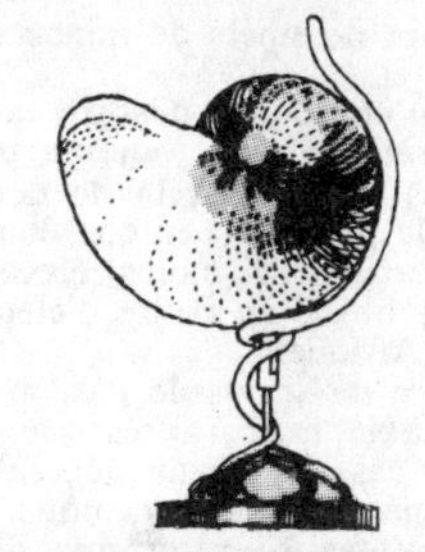

Bibelot d'inspiration 1900
La coquille nacrée présentée sur un pied décoratif de métal argenté (Doria Carlotta).

Une nacre doit être blanche pour être estimée.

• **Le travail de la nacre.** Autrefois prospère et populaire il a fini par se réduire aux incrustations, puis aux boutons et aux colliers de « pétales » et de perles, lorsque l'épaisseur de la nacre autorise la taille à la meule.

• **Les objets cadeaux en nacre** qui connurent une vogue particulière vers 1900 réapparaissent peu à peu dans nos boutiques sous la forme moderne de cendriers ou de bibelots précieux et décoratifs.

Il n'est pas rare de trouver encore chez les brocanteurs, à des prix modiques, les objets nacrés et rococo chers à nos grands-parents.

L'IVOIRE

L'ivoire est la matière même des défenses de l'éléphant. L'ivoire le plus précieux, dont le grain est fin et régulier, est celui de l'éléphant d'Asie avec lequel sont faits les objets d'art chinois et japonais anciens et contemporains, tous de grande valeur. Puis vient l'ivoire de l'éléphant d'Afrique, d'un grain plus grossier, réputé de moindre valeur par les spécialistes. Il existe enfin l'ivoire de morse, sans grande valeur, constitué de feuilles assez plates. On l'utilise pour la réalisation d'objets et de sujets de mince épaisseur.

Lorsqu'un objet d'ivoire a peu d'épaisseur, on doit toujours penser (à *priori*) qu'il s'agit là de dent de morse ; le prix doit, en conséquence, être relativement moins élevé que celui des objets en ivoire d'éléphant, même d'Afrique.

L'ivoire ne se moule pas, mais se sculpte à la main, après que, dans certains cas, la forme générale ait été dégagée au tour mécanique.

On doit se souvenir que l'ivoire est cassant et qu'il ne faut donc pas laisser tomber les bibelots qui en sont faits. De plus, les différences brusques de température peuvent leur être fatales car ils se fendillent définitivement. L'ivoire fendu ne se répare pas. Tout au plus un spécialiste peut-il masquer l'accident.

• **Les ivoires de Chine** sont hautement appréciés. L'acheteur, même averti, distingue mal l'objet ancien de l'objet moderne, tant la fabrication et la fausse patine (bain dans une décoction de tabac brun, ou brunissage à la fumée d'opium) sont parfaites.

○ *Les objets d'ivoire chinois*, statuettes ou autres bibelots, sont gracieux, élégants, fins et délicats de formes et de proportions. Les personnages sont presque idéalisés.

• **Les ivoires du Japon.** L'ivoire du Japon provenant également de défenses d'éléphants d'Asie, ne peut être distingué de l'ivoire de Chine que par l'amateur éclairé.

On reconnaît un sujet ancien d'un sujet moderne à sa plus grande finesse, mais la différence est à peine perceptible car les Japonais comme les Chinois savent vieillir et patiner artificiellement l'ivoire neuf, à la perfection.

Pour rassurer l'acheteur à ce sujet, il faut ajouter que les ivoires de Chine ou du Japon ont à peu près la même valeur, qu'ils soient anciens ou modernes, exception faite, cela va sans dire, de quelques pièces rares et inimitables que les collectionneurs recherchent chez les antiquaires et trouvent parfois à acheter dans de grandes ventes et... à de non moins grands prix.

○ *Les statuettes japonaises* représentent des personnages tourmentés, facilement grimaçants ou sardoniques. En fait, le travail de l'artiste japonais est plus près de la réalité que celui du chinois. Les détails sont très fouillés et d'un réalisme poussé.

• **L'ivoire français contemporain.** On travaille actuellement l'ivoire à Paris. C'est un métier d'art rattaché, comme l'écaille, à la tabletterie. On ne fabrique pas d'objets d'art proprement dits mais plutôt des sujets à cadeaux, tous d'un prix très abordable. L'ivoire français n'est pas patiné, il est vendu blanc et poli ou coloré.

• **L'ivoire africain.** L'éléphant d'Afrique fournit des ivoires souvent travaillés sur place, d'une inspiration locale folklorique et traditionnelle ou encore moderne et marquée du passage de certains artistes dans nos écoles (aux Beaux-Arts en particulier).

On trouve des objets d'art typiquement africain à des prix moyens, dans tous les magasins spécialisés. L'objet le plus typique est l'éléphant ou la série d'éléphants l'un derrière l'autre, par ordre de tailles décroissantes, tous sculptés dans une même défense.

• **Les imitations.** Entre deux ivoires, tout le monde peut reconnaître le vrai du faux : l'ivoire animal — le seul véritable — possède un grain plus ou moins fin, selon sa provenance, tandis que l'imitation est parfaitement lisse.

Il existerait depuis peu un produit italien imitant parfaitement l'ivoire, non encore commercialisé précise-t-on.

LE CRISTAL

Les appellations « cristal au plomb », « cristal » et « cristallin » sont contrôlées et protégées par des normes. Leur usage abusif est interdit.

• **Le cristal au plomb.** Sa sonorité métallique, due à sa forte teneur en plomb, sa brillance, sa blancheur et sa densité en font la matière la plus noble. Les cristalliers français savent en tirer de véritables chefs-d'œuvre.

• **Le cristal.** Encore très sonore, très pur, très éclatant, et possédant un indice de réfraction très élevé (l'indice de réfraction indique l'importance de la déviation subie par la lumière en pénétrant dans le cristal. Plus son indice est élevé, plus le cristal retient la lumière et en fait chanter les rayons), le cristal permet la réalisation de modèles d'une grande beauté (cristaux taillés et gravés).

• **Le cristallin** dit « demi-cristal » : d'un indice de réfraction inférieur à celui du cristal, il demeure une matière sonore et brillante très agréable. On réalise en cristallin des services de verres aux formes fines et élégantes.

L'OPALINE

Le mot opaline désigne non pas un objet, mais une qualité de verre teinté dans la masse avec des colorants lui conservant une demi-transparence, laissant passer la lumière, mais ne permettant pas de distinguer les formes.

o *Il n'y a pas de fausse opaline :* il existe seulement des opalines de plus ou moins belle qualité.

Plus l'opaline est lourde, plus elle a de reflets lumineux, plus elle est appréciée ; cela revient à dire :

- que la très belle opaline est faite avec du cristal au plomb ;
- que l'opaline honnête, abordable est faite avec du cristallin ;
- que l'opaline ordinaire est faite avec du verre.

Intervient également dans la qualité de l'opaline la finesse des colorants :

- la très belle opaline ne doit pas être gâchée par une teinte commune : on choisit pour colorer le cristal des nuances riches, à beaux reflets.
- les opalines plus ordinaires se contentent de colorants moins coûteux.

Le choix d'une opaline n'implique aucune compétence spéciale, si ce n'est un goût sûr. Dès que l'on sait distinguer un beau reflet d'un reflet ordinaire, une couleur agréable d'un ton vulgaire, une forme belle et harmonieuse d'une ligne sans grâce, on sait choisir une opaline.

• **L'opaline d'autrefois.** Les objets en verre opalin fabriqués il y a une cinquantaine d'années (qualifiés d'opalines de foire, parce qu'ils servaient de prime dans les jeux forains) sont aujourd'hui recherchés ches les brocanteurs et même imités ! Ces bibelots sont à la portée de toutes les bourses, alors que les très belles opalines, tout comme le cristal, ne se trouvent qu'à des prix assez élevés.

Une très belle opaline Restauration ou Napoléon III coûte évidemment plus cher que l'objet contemporain de qualité et de valeur artistique équivalente. Les bibelots d'opaline Charles X par exemple sont particulièrement recherchés et rares.

LES PIERRES DURES ET SEMI-PRECIEUSES

On appelle pierres dures ou pierres semi-précieuses, des blocs de pierres fines estimées pour leur couleur et pour leur aspect une fois polies et travaillées. On les connaît généralement sous la forme d'objets artistement sculptés provenant d'Extrême-Orient, de Chine ou du Japon. La dureté de la pierre s'estime par rapport à celle du diamant. La dureté du diamant étant représentée par 10, on affecte un nombre indice à chaque pierre pour la définir.

La différence d'indice entre chacune de ces pierres permet de distinguer les pierres d'aspect semblable mais différentes de valeur et d'éviter toute tromperie. Le test consiste à rayer la pierre que l'on pense être surestimée avec une pierre véritable dont on est sûr. Malgré leur caractère de dureté, les objets fabriqués en ces précieuses matières sont fragiles : ils sont durs et secs à travailler, mais cassants ; la chute est irrémédiable. Une pierre dure cassée ne peut pas être reconstituée. Si seul s'est détaché un détail, on peut masquer l'accident en régularisant la cassure avec une lime, supprimant ainsi l'ornement. Mais il y a des cassures qui ne pardonnent pas.

Les pierres dures ne sont généralement pas des objets anciens. Elles n'en ont pas moins de valeur... On sait toutefois que plus elles sont anciennes plus elles sont appréciées.

Les cadeaux en pierres dures. Les statuettes représentent souvent des personnages, en majorité des déesses ou des animaux : le sujet est choisi en fonction de l'importance et de la beauté du bloc. Lorsqu'il s'agit d'une pièce très petite, d'une pierre très rare, on choisit un sujet simple à réaliser en miniature : petit animal ou coupe décorée.

Les bijoux sont le plus souvent en jade, turquoise et améthyste (colliers, bagues, avec pierre taille émeraude, broches et plus rarement bracelets).

En achetant un beau collier de turquoises, l'acheteur doit vérifier soigneusement que le nombre des perles est bien le même de chaque côté de la perle centrale, la plus grosse ; toutes devront aussi être du même calibre et rigoureusement de la même teinte ; sans ces trois conditions le collier perd toute sa valeur.

Les variétés de pierres dures sont nombreuses. Nous considérons ici les plus connues :

• **L'améthyste.** Son aspect est bien connu : c'est une pierre fine, violette, dont la teinte plus ou moins foncée varie entre le blanc mauve, le lilas et le violet foncé.

C'est une pierre biréfringente, c'est-à-dire que la lumière brille davantage lorsqu'elle la traverse que lorsqu'elle ne la traverse pas.

On trouve des copies faites en verre coulé, imitations que l'on reconnaît à leur teinte très uniforme, à l'absence de la biréfringence et à la lourdeur des lignes. Même l'amateur inexpérimenté, s'il accorde à son choix un peu d'attention, ne peut s'y tromper.

Seule l'améthyste violet foncé a de la valeur et, plus elle est foncée, plus elle coûte cher.

• **Le jade.** Il existe trois sortes de jades :
- le jade blanc, assez rare ;
- le jade vert clair, le plus connu ;
- le jade vert très foncé, appelé aussi jade-céladon, ou pi-yu. Ce dernier est le plus recherché en France.

Le jade se caractérise et se différencie des autres pierres dures par un éclat laiteux. Il n'a ni la transparence ni la luminosité du quartz par exemple, mais la finesse de son grain et la pureté de sa teinte font toute sa valeur.

Il faut savoir reconnaître cet éclat particulier du jade pour refuser toute autre pierre dure que l'on se verrait offrir sous ce nom et qui n'aurait pas cette particularité, car il s'agirait probablement de la serpentine, pierre dure de moindre valeur. Le prix du jade est fonction de la dureté de la pierre, de sa teinte, de son grain, de sa dimension et de la beauté de sa sculpture.

o *Le jade est une des pierres dures les plus chères.* Le prix d'une statuette de jade varie de 1 000 à 10 000 F selon sa qualité.

• **Le quartz** est la plus spectaculaire des pierres dures. Elle est moins dure que le jade, mais elle est biréfringente. Le plus célèbre est le quartz rose, mais il existe aussi un quartz vert qui ne peut pas être confondu avec le jade dont il n'a pas le reflet laiteux. Il existe également le quartz incolore, appelé aussi cristal de roche.

Le quartz contient souvent des paillettes. Plus il est pur — c'est-à-dire moins il renferme de paillettes —, plus il a de valeur et plus il est apprécié. Cette considération entre en ligne de compte pour débattre son prix.

La valeur du quartz rose augmente avec l'intensité de sa couleur. Lorsque ce rose atteint le violine, la valeur de la pierre atteint son maximum. Il va de soi que la valeur de la pierre dure est aussi fonction de l'art avec lequel elle est travaillée ainsi que de ses dimensions.

Le quartz pourrait être imité avec du verre. Toutefois, la biréfringence constitue une particularité qui ne peut pas être reproduite artificiellement.

o *Son prix* se situe entre 600 et 5 000 F.

• **La serpentine** est une pierre verte que de nombreux revendeurs douteux essaient de faire passer pour du jade.

Lorsqu'elle est vert clair, la serpentine est même exportée de Chine sous le nom de « new jade ». Cette appellation est interdite en France parce qu'elle prête à confusion.

La serpentine est d'un vert plus ou moins foncé, comme le jade, toutefois elle n'en a pas l'aspect laiteux. D'autre part, elle est biréfringente, qualité que ne possède pas le jade. Il faut donc juger les pierres dures dans une lumière intense et les prendre en main pour les estimer. Enfin, la serpentine est beaucoup moins dure que le jade et, si l'on possédait un éclat de jade, on confondrait facilement toute tentative d'imposture.

o *Son prix est très variable* mais il est toujours largement inférieur à celui du jade. Un prétendu jade proposé à 200 F est une serpentine vendue trop cher. Livrée honnêtement sous son véritable nom, la serpentine vaut de 150 à 2 000 F.

On vend parfois la serpentine comme la jadéite, pierre peu connue, très belle, rare et chère C'est une erreur ou une déloyauté. On reconnaît la jadéite à ce que sa teinte verte est mouchetée de taches plus foncées.

• **La turquoise** est une des pierres dures les plus recherchées.

La plus connue est bleue, non transparente. Il existe également la matrix ou turquoise bleue veinée de noir, opaque comme la précédente.

Il faut se méfier des turquoises dites mortes : ce sont des pierres sans aucun éclat ; on peut les faire briller en les polissant, mais ce brillant ne dure pas, il disparaît très vite. La turquoise n'est pas très dure, son indice de dureté par rapport au diamant étant de 4 ou 4.5, mais elle est plus chère que le jade lui-même.

o *Le prix des turquoises* dépend avant tout de leur grandeur et de leur couleur ; il varie aussi avec la qualité du travail de sculpture. Il peut varier actuellement de 300 à plus de 10 000 F.

• **Parmi les objets en pierre dure** on doit réserver une mention spéciale aux chiens-foo. Ce sont des sujets devant obligatoirement se présenter par deux : mâle et femelle. Le chien mâle ayant une patte posée sur une boule symbolise la force ; la femelle accompagnée de son petit, symbolise la maternité et la prospérité. Une seule de ces bêtes vaut moins de la moitié du couple. Il faut surtout éviter d'acheter par inadvertance deux animaux du même sexe : la paire n'aurait alors aucune valeur.

LES PERLES

• **Les perles fines :** grain de sable au départ, peu à peu recouvert par l'huître d'une substance perlière qui en fait toute la beauté. La valeur d'une perle fine dépend à la fois de son calibre et de la qualité de son orient.

• **Les perles de culture** : elles sont obtenues lorsqu'on glisse artificiellement dans l'huître élevée dans des parcs, une minuscule petite bille que l'huître, comme pour les perles fines, recouvre peu à peu. La qualité des perles de culture dépend de la qualité et de l'épaisseur de la perlière produite par l'huître ainsi molestée.

LES PIERRES PRECIEUSES : DIAMANT, EMERAUDE, RUBIS, SAPHIR

• **Leur valeur.** Le poids d'une pierre précieuse qui se calcule en « carat » (unité de mesure valant 2 décigrammes) contribue à fixer son prix.

o *La qualité de la pierre*, c'est-à-dire la pureté, l'éclat et l'absence de défaut, doit entrer en ligne de compte. Ces défauts ou inclusions que les joailliers appellent des « crapauds » apparaissent à la loupe sous forme de petits cristaux, taches ou entailles. Selon leur grosseur ils dévalorisent la pierre soit en partie, soit en totalité (excepté l'émeraude reconnue plus profonde chargée de cristallisations).

o *Sa couleur* fait également varier considérablement son prix :
- parmi les deux mille nuances du diamant (dans la gamme des blancs), le blanc pur et le blanc-bleu sont les teintes les plus estimées. Viennent ensuite, selon la mode, les nuances vert d'eau, jonquille et argentée. Les pierres les moins prisées sont celles à reflets jaunâtres et bruns ;
- dans toute la gamme des verts de l'émeraude (vert vif, vert léger, vert bleu ciel, vert bleu métallique), les plus cotés sont le vert profond et le vert franc, sans trace de jaune ;
- le rubis, qui varie du rose pâle au rouge pourpre, est recherché surtout dans la nuance « gorge de pigeon », puis rubis clair et rouge foncé. Il ne doit jamais être violet ni rouge-orange ;
- le saphir, pour être beau, doit être bleu intense. Les plus réputés : le saphir birman (bleu sombre), le Ceylan (bleu bleuet), le saphir Cachemire (bleu sombre et très intense). Les teintes bleu clair (de certains Ceylan), bleu-vert (des saphirs d'Australie) et bleu d'encre sombre (des saphirs du Siam) sont les moins cotés.

o *Enfin la taille* d'une pierre conditionne son éclat, donc augmente ou diminue sa valeur. Jusqu'au XXe siècle les lapidaires conservèrent à la pierre un poids maximum tout en utilisant au mieux son feu. Aujourd'hui, on définit plus volontiers le « beau » diamant comme celui ayant « le plus d'éclat ». Les tailles modernes, au détriment des anciennes, peuvent seules conserver aux pierres précieuses leur réputation légendaire : constituer un excellent placement d'argent.

● **Pour vérifier vous-même l'authenticité d'un diamant :**
- plongez la pierre dans l'eau : le vrai diamant reste visible et garde tout son éclat, la pierre fausse devient terne et presque invisible ;
- posez-la sur une étoffe à raies blanches et rouges : les raies ne transparaissent pas au travers du vrai diamant ;
- faites sur sa surface une trace avec un crayon d'aluminium, puis frottez cette trace avec un chiffon humide : elle ne disparaîtra que si le diamant est véritable.

LES METAUX PRECIEUX

● **Le platine.** Le platine est un métal de découverte récente. On ne le travaille que depuis 1912. Il est d'un blanc-gris et prend au polissage un reflet très clair et lumineux qui le fait souvent préférer à l'or blanc pour le montage des brillants dont il souligne heureusement l'éclat et le blanchit si nécessaire.

C'est le plus dense et le plus inaltérable de tous les métaux. Etant mou, il a besoin d'alliage pour assurer sa solidité. On allie donc le platine à du cuivre pur.

o *L'alliage du premier titre* (titre unique) ou 950 millièmes contient 5 % de cuivre.

Le platine a une très grande vogue. Son brillant est très beau. Toutefois, il arrive que le joaillier ne l'utilise que du côté apparent du bijou dans les pièces importantes, comme les colliers, la partie non visible habituellement est alors traitée en or gris.

● **L'or.** L'or est le plus malléable des métaux et le plus ductile. On réussit à en fabriquer des feuilles qui n'ont pas plus de 1/1000 de millimètre d'épaisseur.

Pour être utilisable, l'or est allié au cuivre pur, au nickel ou à l'argent.

C'est ainsi que l'on obtient des ors de différentes couleurs : un alliage à base d'argent donne l'or vert, à base de cuivre l'or rose ou jaune, à base de nickel l'or blanc qui ressemble au platine.

La proportion de métal fin est indiquée au millième, comme pour l'argent et le platine, toutefois, une tradition applique aussi le carat. Dans ces mesures, le carat est la vingt-quatrième partie d'un tout.

L'or pur est donc de 24 carats.
o *L'or au premier titre* est de 22 carats, ou 920 millièmes, c'est-à-dire qu'il contient 920 parties d'or pur pour 80 parties de cuivre.
o *L'or au deuxième titre* est dit aussi de 20 carats ou 840 millièmes, soit 840 parties d'or pour 60 parties de cuivre.
o *L'or au troisième titre*, ou de 18 carats, est au 750 millièmes.

• **L'argent** serait mou s'il était employé pur : il est allié à du cuivre pur. La teneur en argent de l'alliage constitue le titre du métal.
o *L'argent au premier titre*, ou 950 millièmes, est formé de 950 parties d'argent alliées à 50 parties de cuivre.
o *L'argent au deuxième titre*, dit aussi 800 millièmes, contient 800 parties d'argent fin pour 200 parties de cuivre.

• **Leur garantie : les poinçons.** Les objets en métal précieux (or, argent et platine) portent tous des poinçons : il y a des poinçons de garantie, de contrôle, de fabrication, de destination, etc.

La formalité du contrôle et de l'apposition du poinçon de garantie est complexe. Elle est effectuée en cours de fabrication sur le métal encore nu et non poli, avant que le bijoutier ou le joaillier n'ait serti les pierres.

Les joailliers et les bijoutiers sont tenus d'établir un livre comptabilisant les entrées et sorties des métaux précieux au milligramme près et au jour le jour, des contrôles imprévus ayant lieu assez fréquemment. Ces dispositions, si elles gênent considérablement les professionnels et surtout les fabricants, constituent une sérieuse garantie pour les acheteurs tout en les privant cependant de tarifs de faveur, car un autre résultat de ce régime est la régularité des prix.

• **Les poinçons anciens.** La réglementation a été inaugurée par un édit datant de 1275.

Le titre du métal était contrôlé par des gardes-jurés, affectés à chaque communauté d'orfèvres, qui appliquaient sur l'objet contrôlé le poinçon de jurande. On y ajoutait ensuite le poinçon particulier de la ville. La connaissance des poinçons de chaque ville permet encore aujourd'hui d'aider à l'expertise des pièces anciennes, en retrouvant leur ville d'origine, ... ou d'échafauder la petite histoire.

Entre 1793 et 1797, la liberté complète du marché des métaux précieux ayant été rétablie, des excès, des escroqueries ont donné lieu à une révision de la position.

La loi du 19 brumaire an VI (19 novembre 1797) réorganise complètement le contrôle des métaux précieux.

Le changement de réglementation permet de reconnaître dès le premier abord les objets d'argent (ou d'or) antérieurs à la loi de brumaire. On doit retrouver aux objets de l'Ancien Régime quatre poinçons qui étaient :
- le poinçon de maître du fabricant ;
- le poinçon date-lettre de contrôle, unique pour tout le royaume, accompagné du poinçon particulier de la communauté d'orfèvres, ce qui situe la date de fabrication et la région ;
- les deux poinçons, l'un dit de charge, l'autre dit de décharge, du fermier général, attestant le versement des droits d'imposition.

• **Les poinçons actuels.** Les poinçons antérieurs à ceux de 1919, poinçons modernes, datent de 1838.
o *Pour le platine*. Il n'existe, cela va sans dire, aucun poinçon antérieur à 1912. Donc, une seule catégorie de poinçons qui sont les suivants :
- une tête de chien, pour Paris et les départements au titre de 950 millièmes, (titre unique). Ce poinçon est apposé sur les objets français ne devant pas sortir de France ;
- une tête de jeune fille, pour les objets fabriqués en France et exportés ;
- un mascaron dans un rectangle pour les objets importés des pays n'ayant aucun contrat avec la France, ou d'origine indéterminée, titre non garanti.
o *Pour l'or*. Le premier titre est indiqué par le contrôle d'un poinçon

représentant une tête d'aigle tournée vers la droite, dans un octogone irrégulier, avec le chiffre 1 sous le bec ;
- le poinçon du deuxième titre est une tête d'aigle avec le chiffre 2 sous le cou ;
- le poinçon du troisième titre est une tête d'aigle tournée à droite, dans un hexagone irrégulier, avec le chiffre 3 placé au milieu, sous la tête.

Ces trois poinçons datent de 1919.

o *Pour l'argent*, le poinçon actuel pour le métal au premier titre représente une tête de Minerve, profil à droite, dans un octogone, avec le chiffre 1 devant le front. Ce poinçon existe depuis 1838. Les objets antérieurs à cette date et postérieurs à 1819 portent un poinçon représentant un Michel-Ange dans un octogone pour Paris et une femme dans un hexagone pour les départements.

Pour l'argent deuxième titre, le poinçon actuel représente une tête de Minerve, profil à droite, avec le chiffre 2 sous le menton. Les poinçons plus anciens (de 1819 à 1838) représentent un Raphaël dans un ovale pour Paris et un Socrate dans un ovale tronqué pour les départements.

Les objets d'argent vendus même chez les antiquaires doivent porter les poinçons correspondant aux époques auxquelles ils ont été fabriqués.

Les poinçons indiqués sont pour les objets destinés à rester en France.

• **Il existe également :**
- des poinçons d'importation, des poinçons d'exportation et même un poinçon pour les objets dont on ne retrouve pas l'origine : les lettres E et T dans un carré. Dans ce cas, le titre du métal n'est pas garanti ;
- des poinçons carrés apposés sur les objets en doublé et plaqué or et sur métal argenté lorsqu'ils sont de fabrication française. Ce poinçon représente un écureuil dans un carré avec les lettres P et C.
- Lorsque les objets en métal doublé ou plaqué or ou argenté sont de fabrication étrangère, le poinçon français appliqué à l'importation est la lettre L en majuscule anglaise, encadrée des lettres F et M en caractères typographiques.
- Un poinçon dit obus, en rectangle debout terminé en pointe de triangle est apposé sur tous les objets de tous titres en or, argent ou platine, de fabrication française et destinée à l'exportation.

Il va de soi que le poinçon, apposé en cours de fabrication, diffère pour chaque métal entrant dans le bijou.

Les fourrures

C'est le cadeau par excellence à faire à une femme, qu'elle soit très jeune, jeune ou moins jeune. Mais il est évident que ce cadeau coûteux ne peut s'acheter à la légère. Pour acheter une fourrure parmi toutes celles actuellement sur le marché, un minimum de connaissances est nécessaire.

Indépendamment de son prix, vous devez connaître toutes les caractéristiques de cette fourrure : son aspect (couleur, poil), sa solidité, sa souplesse, sa résistance aux intempéries. Vous devez savoir si elle convient à votre âge, à votre type : il y a des fourrures pour sportives, d'autres pour mondaines, des fourrures pour les femmes grandes et minces, d'autres pour les femmes petites et boulottes ; des fourrures pour jeunes filles, d'autres pour femmes.

Alors, seulement, en possession de ces éléments, vous pourrez faire un choix judicieux. Ces tableaux vous y aideront.

LES FOURRURES PREMIER PRIX

• **Le lapin.**

o *Origine :* la France est le plus grand producteur du monde de peaux de lapin domestique, tant au point de vue de la « qualité » que de la « quantité ». Selon les années, la production est estimée à 80 ou 100 millions de peaux, dont 2/3 servent à la fabrication du feutre, et 1/3 est conservé pour la pelleterie.

o *Caractéristiques :* il est probable que si elle avait été d'égale solidité la banale peau de lapin aurait avantageusement pris la place de celle du renard, de l'opossum ou du skunks. Légères et souples, les peaux peuvent être travaillées comme un véritable tissu et permettent les coupes les plus originales et les plus variées. Le lapin est, hélas ! de toutes les fourrures, la moins durable. Pour corriger ce défaut, on fait subir à la peau même (et non au pelage), un traitement qui la resserre sans diminuer sa souplesse, dont les résultats sont appréciables mais insuffisants.

o *Emploi :* le lapin convient parfaitement à la confection des boléros, capes, manchons, cols doux et chauds. On l'utilise couramment pour « fourrer » les manteaux de lainage ou les imperméables.

Fourrure à bon marché, elle est idéale pour les manteaux d'enfants auxquels on ne demande pas un usage prolongé.

Fourrure jeune, elle convient bien aux juniors qui la portent taillée en petits pardessus sport ou ville. D'un vêtement un peu râpé en lapin vous pourrez faire une garniture, une toque, des moufles ou un coussin pour la maison.

• **Le kalgan.**

o *Origine :* la Mongolie.

o *Caractéristiques :* fourrures à poils mi-longs et bouclés. Aussi souple et léger que le lapin, le kalgan est cependant plus solide. Il ne craint pas les intempéries : la pluie ne colle pas les poils, si l'on prend la précaution de laisser ensuite sécher le manteau sur un cintre, puis de bien le secouer pour le faire gonfler.

o *Emploi :* fourrure plus sport qu'habillée, on l'utilise pour faire des vestes et des anoraks qui protégeront aussi bien du froid que de la neige. Les manteaux de kalgan sont jeunes, de forme droite avec martingale dans le dos, ou ceinture lâche autour des hanches.

On l'utilise très souvent pour doubler de très beaux manteaux en lainage.

• **Le chat**

o *Origine :* le chat sauvage venant d'Asie et d'Afrique et le chat moucheté venant de Chine ont une fourrure plus épaisse, avec un duvet plus fourni que le chat domestique.

o *Caractéristiques :*fourrure chaude, mais peu flatteuse et peu solide.

o *Emploi :* le chat domestique n'est guère utilisé autrement qu'à des fins thérapeutiques : une peau de chat appliquée sur la poitrine passe pour guérir de la bronchite et des rhumatismes... En revanche, le chat de Chine qui évoque l'ocelot, sert à la confection de pardessus qu'aimeront les jeunes sportives.

• **La taupe.**

o *Origine :* petit animal à très courtes pattes, de la grosseur d'un rat.

La taupe de notre pays est commune. Les plus belles viennent d'Angleterre et du nord de l'Europe.

o *Caractéristiques :* fourrure très particulière qui ne présente qu'un duvet long d'environ 1 cm, très serré, très fin, ayant l'aspect du velours. Contrairement aux autres fourrures, ce sont les peaux d'été qui sont les plus belles. Les plus appréciées sont celles dont le cuir est blanc. La taupe ne se façonne pas telle quelle, car il n'existe pas une peau semblable. Le pelage, noir-bleu en principe, passe par toutes les nuances du gris ou même du jaune. Il faut donc obligatoirement teindre les peaux. Certaines d'entre elles se teignent mal, en particulier celles qui proviennent d'Amérique du Nord.

o *Emploi :* Si les manteaux de taupe ont connu à une époque un certain succès, on les dédaigne un peu aujourd'hui. Bien taillés, agrémentés de boutons précieux, ils habillent pourtant fort bien les silhouettes un peu fortes.

La taupe coupée en caban ou en blouson porté sur un pantalon convient également à une silhouette jeune. Chaude, la taupe est aussi un agréable fourrage (il faut en moyenne 250 peaux pour doubler un manteau).

• **Le mouton.**

o *Origine :* Le Cap, l'Argentine.

o *Caractéristiques :* fourrure chaude à poils bouclés et serrés, ne craignant ni la pluie ni la neige.

o *Emploi :* se recherche uniquement pour son confort. S'utilise en doublures de vestes, d'imperméables, en canadiennes. Pour une très jeune fille, la veste en mouton est, sinon très élégante, du moins très portable et pratique. Les femmes un peu fortes préféreront au mouton véritable le borégos, agneau à moirures assez grossières mais dont la fourrure très souple permet des coupes plus strictes qui réduisent son volume.

LES FOURRURES ABORDABLES

• **La marmotte.**

o *Origine :* vit aux Etats-Unis, au sud du Canada, et dans certaines montagnes d'Europe. Petit animal long d'environ 60 cm, pesant 2 kg, pattes très courtes, tête grosse et ronde avec yeux saillants et petites oreilles.

o *Caractéristiques :* fourrure gris-jaune mélangée de roux, de fauve et de noir, toujours très recherchée pour ses qualités de chaleur et de solidité, plus que pour sa beauté.

La marmotte est une des fourrures les plus solides qui soient. Ses poils longs et un peu raides ne craignent ni la pluie ni la neige.

o *Emploi :* convient aux femmes grandes et sportives.

Fourrure passe-partout, pratique pour travailler et voyager. Elle grossit moins et fait plus jeune taillée en pardessus croisé.

• **Le murmel.**

o *Origine :* variété de marmotte vivant dans les steppes de l'Asie. Deux variétés connues : le boisky et le tarabagan.

o *Caractéristiques : poils mi-longs* bien lustrés, rappelant ceux du vison. Fourrure légère, souple, chaude et résistante.

o *Emploi :* très appréciée par les jeunes femmes en vestes, étoles et manteaux.

• **Le skunks.**

o *Origine :* Etats-Unis et Canada. Animal de la taille d'un chat, d'un beau noir à bandes blanches longitudinales et longue queue en panache. Il existe une méthode spéciale pour le tuer afin de préserver intact son pelage.

o *Caractéristiques :*les peaux les plus noires les plus estimées, proviennent du Canada oriental. Le skunks est chaud, souple et d'une solidité remarquable. Fourrure inconnue en 1840, peaux vendues par milliers dix ans plus tard, aujourd'hui par millions.

o *Emploi :* fourrure à poils longs d'un beau noir brillant convenant aux grandes femmes et aux jeunes filles. Peu fragile, peut être utilisé en voiture, pour le voyage. Peut être plié dans une valise sans inconvénient.

• **L'opossum.**

o *Origine :* animal au corps lourd, à la tête pointue comme celle d'un rat, à la queue longue, velue seulement à la racine, l'opossum vit en Amérique et en Australie.

o *Caractéristiques :* fourrure de plusieurs tons, variables : blanc jaunâtre, gris clair ou noir. Fourrure très résistante (utilisée autrefois par les bergers et les chasseurs).

o *Emploi :* manteaux sport, confortables et protecteurs, convenant aux femmes grandes et minces. Fourrure qui grossit un peu. Choisir l'opossum d'Australie, plus cher, pour les manteaux habillés. Gris chiné il se travaille en bandes horizontales.

• **Le poulain.**

o *Origine :* provenant autrefois de Russie, il vient aujourd'hui d'Argentine, de Pologne et de Chine.

Peaux de jeunes bêtes de trois mois.

o *Caractéristiques :* les peaux, travaillées, ont un aspect moiré. Ne pas confondre les peausseries de poulain et de veau (qualité très inférieure).

Fourrure pratique, assez solide et souple à travailler.

o *Emploi :* vêtements jeunes et

sport, conviennent aux juniors et aux très jeunes femmes. Coupe à conseiller ; pardessus, redingotes, vestes bordées de tissu ou de tricot.

• **Le renard.**

o *Origine :* vient d'Europe, d'Asie, surtout du Canada.

o *Caractéristiques :* fourrure à poils longs de couleur variable : rouge mélangé de gris (les plus ordinaires), jusqu'à devenir noire ou argentée. Les renards argentés (fourrure d'élevage) proviennent du croisement entre renards ordinaires et renards noirs. Nouveaux coloris : platine, platine-argent, platine perle.

Le renard bleu provient, lui, d'un croisement entre renard du Colorado et renard canadien de l'Est. Son duvet vire en été du gris-brun au gris-bleu, et devient en hiver, sous l'action du froid, tout à fait blanc.

o *Emploi :* manteaux chauds et élégants, convenant aux femmes très féminines, vestes, capes et étoles pour le soir.

Pour l'après-midi, choisir le renard roux, noir ou bleu ; pour le soir, le renard blanc.

• **L'ondatra.**

o *Origine :* Petit rongeur communément appelé rat d'Amérique. Vit au bord des lacs du sud du Canada, des Etats-Unis et de la Russie.

o *Caractéristiques :* pelage couleur brun ambré, l'intensité variant du brun clair au brun-noir. Fourrure légère et chaude, d'une solidité parfaite.

o *Emploi :* fourrure habillée convenant à toutes les femmes minces ou fortes, car son poil mi-long ne grossit pas.

S'utilise le plus souvent en étoles et en petites vestes comme le vison.

• **Le petit-gris.**

o *Origine :* utilisé au Moyen Age, sous le nom de vair, le petit-gris n'est rien d'autre que notre écureuil rouge devenu gris après sa mue du début de l'hiver, sous un climat froid. Le vrai petit-gris, de provenance le plus souvent sibérienne, ne doit conserver aucun vestige du poil d'été.

o *Caractéristiques :* fourrure fragile et souple, à poils long de 2 à 3 cm, gris moyen, à extrémités foncées. Son prix est d'autant plus élevé que le contraste gris argent et gris foncé est plus harmonieusement distribué.

o *Emploi :* les plus belles peaux provenant des régions de Lené, de l'Indighirka et de la région de Kolyma, aux bords de l'océan Arctique, sont utilisées pour la confection des manteaux et des capes du soir. Les plus ordinaires servent au fourrage des manteaux de lainage.

LES FOURRURES CHERES

• **Le putois.**

o *Origine :* petit animal à longue queue mesurant environ 40 cm de long. Vit en Europe, en Asie et en Amérique du Nord. Le pelage des putois de Pologne est le plus estimé.

o *Caractéristiques :* fourrure simple mais très recherchée pour ses qualités de confort et de solidité. Poil brillant et nuancé.

o *Emploi :* se porte en toute occasion : travail, courses, voyages. Fourrure élégante qui, en veste, peut être portée sur un tailleur noir. Elle convient aux femmes qui ont des hanches fortes, car elle équilibre la silhouette. Un col de putois habille un manteau de lainage, et une simple cravate faite de deux ou trois peaux renouvelle un tailleur de printemps.

• **Le castor.**

o *Origine :* animal originaire du nord des Etats-Unis et surtout du Canada.

o *Caractéristiques :* fourrure très douce, très légère, brun-marron avec un duvet fin et épais à reflets gris-bleu. Solidité remarquable. La plus à la mode et la plus chère actuellement est le castor blanc.

o *Emploi :* fourrure à poils mi-longs, le castor convient à toutes les silhouettes. Il se taille comme un tissu et s'utilise pour des vêtements adaptés à toutes les heures de la journée : ligne droite pour le matin, le sport et la ville ; ligne pagode pour l'après-midi, le cocktail, les dîners ; pour le soir, une étole de castor blanc.

• **Le ragondin.**

o *Origine :* animal qui a l'aspect d'un énorme rat, en même temps qu'une vague ressemblance avec le castor. Vit au Chili, et dans certaines régions de l'Argentine. On l'élève également au Canada, aux Etats-Unis et en Europe.
o *Caractéristiques :* c'est la peau du ventre qui est seule utilisée comme fourrure. Poils abondants, effilés, couleur brun noirâtre, relativement fragile.
o *Emploi :* les mêmes que le castor.

• **La civette.**
o *Origine :* petit carnassier d'Afrique et d'Asie.
o *Caractéristiques :* pelage assez rude et grossier, gris-jaune rayé ou tacheté de noir. Il n'est pas très solide, mais il est très chaud.
o *Emploi :* surtout utilisé comme fourrage de luxe (une pelisse nécessite 70 peaux).
o *Origine :* carnassier vivant en Alaska, en Sibérie et au Canada.

• **Le lynx.**
o *Caractéristiques :* fourrure à poils longs (20 cm parfois), légère, mousseuse.
o *Emploi :* à déconseiller en manteau aux femmes trop petites ou trop fortes. Elle convient surtout aux très grandes femmes quelque peu excentriques. Toutes les femmes pourtant peuvent utiliser le lynx pour garnir un manteau, pour faire un manchon. Celles qui ont une petite tête, un cou mince et long, porteront une toque.

• **L'astrakan.**
o *Origine :* l'élevage du mouton boukhara se faisait autrefois dans le Turkestan russe ; il se pratique aujourd'hui dans le Sud-Ouest africain.
o *Caractéristiques :* l'agneau vient au monde, couvert de poils bouclés, excessivement fins, plats, brillants, à reflets moirés. La peau de l'agneau tué à 5 ou 6 jours se nomme persianer. Avec un agneau de 15 jours que l'on a empêché de brouter (la nourriture végétale emplissant d'eau les pores de son cuir lui fait perdre sa blancheur), on obtient le véritable astrakan. Enfin, si on le tue avant terme, soit en sacrifiant la brebis, soit en la faisant avorter, on obtient le breitschwanz au poil ras et soyeux, mais non bouclé et brillant (qualité la plus chère et la plus appréciée).
o *Emploi :* cette fourrure, appréciée il y a quelques années par les femmes d'un certain âge, est aujourd'hui portée par les très jeunes femmes qui atténuent sa rigueur par des garnitures de vison, ou par une coupe sport : pardessus à martingale ou cabans.

Vestes, étoles et toques d'astrakan sont très à la mode.

Très nouveau : l'astrakan de couleur (gris, beige, marron).

LES FOURRURES TRES CHERES

• **La loutre.**
o *Origine :* animal aquatique qui vit de poissons et de crustacés. Se rencontre surtout dans les rivières du Canada. La loutre de mer vient d'Alaska, du Cap ou des Aléoutiennes.
o *Caractéristiques :* fourrure extrêmement fine, d'un brun sombre à reflets dorés, chaude et d'une très grande solidité.

La mode actuelle veut qu'on la teigne dans les tons les plus surprenants : vert ou bleu marine par exemple.
o *Emploi :* fourrure plate, la loutre convient aussi bien aux femmes minces qu'aux femmes fortes. La loutre d'Hudson fait de splendides étoles, brillantes et soyeuses. La loutre de mer est une fourrure magnifique, qui rivalise par la classe et... le prix avec le vison sauvage.

• **L'ocelot.**
o *Origine :* très beau félin de moyenne ou de petite taille. Est originaire d'Amérique du Sud.
o *Caractéristiques :* les peaux les plus recherchées ont un fond bleuté, avec des taches allongées et serrées, de couleur jaune bordée de noir. La somptuosité du manteau réside dans la symétrie parfaite des taches et des marbrures.

Les poils de l'ocelot sont un peu plus longs que ceux des autres fourrures à taches.
o *Emploi :* fourrure assez voyante

réservée aux femmes possédant plusieurs manteaux. Très souvent utilisée en garnitures : cols, manchons, toques ou bien en vestes. L'ocelot est jeune, sport et s'accommode très bien de la forme pardessus, des ganses et des boutons de cuir.

Note : toutes les autres fourrures à taches, guépard, léopard, jaguar, ont les mêmes utilisations que l'ocelot et leurs prix sont identiques. Vous les reconnaîtrez à la forme et à la disposition de leurs taches et à la couleur de leur fond.

• **Le guépard.**
Fond clair, taches rondes et pleines.

• **Le léopard.**
Fond : du jaune paille à l'ocre, taches ouvertes et rapprochées.

• **Le jaguar.**
Taches très ouvertes, très espacées, avec de petits points noirs à l'intérieur de l'anneau.

• **La panthère**

o *Origine :* de l'Afrique occidentale aux îles de la Sonde. Fourrure très chère quand les peaux viennent de Java, de Sumatra ou d'Afrique, la panthère devient fourrure de grand luxe quand elle est originaire de Somalie.

o *Caractéristiques :* panthère d'Afrique ou d'Indochine : pelage roux moucheté de taches ouvertes et assez serrées ; panthère de Somalie : pelage gris d'argent, rehaussé de larges mouchetures plus foncées.

o *Emploi :* fourrure originale, très à la mode parce que devenue de plus en plus rare (la panthère ne s'élève pas mais se chasse). Fourrure très recherchée par les femmes élégantes qui la portent en manteaux sport, en redingotes, en vestes trois quarts ou boléros. La panthère est parfaite pour la garniture et l'accessoire.

• **Le vison.**

o *Origine :* le Canada, les Etats-Unis et l'Europe du Nord. De grands centres d'élevage existent aussi en Amérique du Nord et en Scandinavie.

o *Caractéristiques :* couleur naturelle brun foncé. A force de soins et de mutations, on est arrivé à créer une infinité de couleurs. Fourrure souple, fine, légère et très solide. Un manteau de vison dure toute une vie.

Un beau vison se reconnaît à la densité de son poil et à son « soyeux » (le poil de garde doit se distinguer nettement du sous-poil, et surtout il ne doit pas être plus de 1/3 ou du 1/4 plus long que le sous-poil, sinon la fourrure offre un aspect irrégulier et manque de moiré).

o *Emploi :* fourrure précieuse et habillée. Pour l'après-midi, préférez le vison marron clair ou brun foncé. Les visons noirs ou pastels sont des fourrures du soir. Les cols, les toques ou les manchons de vison sont accessibles et plaisent à toutes les femmes.

• **L'hermine.**

o *Origine :* petit carnassier, dont l'extrémité de la queue est noire. Vit dans les pays froids : Sibérie, Norvège, Canada. Les plus belles peaux viennent de la région de la Lena en Sibérie.

o *Caractéristiques :* de couleur brune ou tachetée pendant l'été, l'hermine devint blanche en hiver, avant la chute des neiges. Fourrure soyeuse, douce, chaude, très souple et très fine.

o *Emploi :* fourrure officielle des costumes de grand apparat (cocktails et grands soirs), elle s'emploie sous forme d'étoles, de vestes, de capes et de manteaux. On l'utilise volontiers pour enrichir une toilette d'hiver de mariée. C'est une fourrure raffinée convenant aux jeunes femmes romantiques et aux riches ingénues.

La cravate d'hermine : joli cadeau à faire à une jeune fille. A porter sur un manteau noir ou dans le décolleté d'un tailleur de demi-saison.

FOURRURES DE GRAND LUXE

• **Le chinchilla.**

o *Origine :* petit animal vivant dans les régions montagneuses du Pérou et de la Bolivie, ressemblant au lapin ou au rat : tête grosse, courte et large, avec de grandes oreilles rondes et des yeux vifs. Membres

postérieurs très courts.
o *Caractéristiques :* fourrure magnifique, légère et moelleuse aux nuances gris perle, blanc, gris-bleu et noir.
o *Emploi :* fourrure de grand soir, le chinchilla convient aux femmes grandes ayant beaucoup d'allure.

● **La zibeline.**
o *Origine :* se chasse dans la forêt sibérienne, de l'Oural au Pacifique, et au nord jusqu'au-delà du cercle Arctique où elle se retire, traquée par l'homme.
o *Caractéristiques :* splendide fourrure, fine et soyeuse. Généralement brun foncé.

Les plus belles zibelines à reflets bleuâtres proviennent des régions les plus froides où la température descend à —70°.
o *Emploi :* manteaux et vestes naturellement, mais son prix très élevé limite souvent son usage à l'étole, à la cravate ou au simple col.

● **Panthère de Somalie.**
Voir «panthère» à la rubrique des fourrures très chères.

● **La loutre de mer.**
Voir « loutre »

Fêtes et anniversaires

- Il faut des rites... dit le renard au petit prince.
- Qu'est-ce qu'un rite ? dit le petit prince.
- C'est aussi quelque chose de trop oublié, dit le renard. C'est ce qui fait qu'un jour est différent des autres jours, une heure des autres heures...

Comment ne pas donner raison au renard ? Dans la vie d'un amour, dans la vie d'un groupe humain, d'une nation, il faut des rites. L'amour, le bonheur ont besoin de rites. De points de contrôle. De points de repère. De points de rassemblement. De moments où l'on dit : « Où en sommes-nous ? » Le petit cadeau que l'on offre, par amour, à intervalles réguliers, peut jouer alors le rôle d'un test. Pensez au moment où l'on renonce à l'offrir, ce petit cadeau, obéissant pour la première fois à l'horrible fatalisme des amours en voie de perdition : « Ce n'est plus la peine ».

Et que dire du premier oubli d'une date heureuse : « Il n'a pas pensé que c'était aujourd'hui ma fête ! Il ne m'aime plus ». Et c'est bien là le vrai drame : il ou elle, n'y a plus pensé. Il ou elle, ne s'est pas donné la peine.

Le petit cadeau, qu'est-ce donc, sinon la matérialisation — humble ou précieuse, qu'importe ? — de cette pensée fidèle de cette peine prise par amour. Ce qui compte dans la vie d'un couple compte aussi dans la vie d'une famille, dans la formation affective de l'enfant. Une famille où les fêtes comptent, où les anniversaires des parents, des enfants sont longuement attendus, préparés, où les présents drainent les petites économies, requérant ainsi, beaucoup d'amour, une famille où chaque fête rayonne avec sa double auréole de bougies et de fleurs, installe au cœur de chaque enfant une source inépuisable d'enchantements, un buisson de lumières qui éclairera toute sa vie.

LA FETE

On n'attache généralement pas en France une très grande importance à la fête du prénom. De plus en plus on oublie de la célébrer, et il n'y a guère que les Jean et les Marie qui, aujourd'hui, reçoivent encore une cravate ou un bouquet.

Marquer ce jour d'une pierre blanche en offrant un petit cadeau, voilà pourtant un bon moyen de faire se réjouir les Berthe et les Auguste ! Il n'est pas nécessaire de donner quelque chose de très important et de très cher, mais simplement d'avoir ce jour-là un geste gentil.

Offrez le « petit objet » : cet objet — joli ou drôle — qui vous retient devant la vitrine d'un magasin et que vous n'achetez jamais pour vous-même parce que « ce n'est pas raisonnable ».

Pour les petits

• **A un bébé de quelques mois jusqu'à 1 an.** Vous lui offrirez son premier hochet ; choisissez-le en matière plastique lavable et de préférence à large poignée car bébé a des difficultés à saisir ; souples ou rigides, ces hochets existent en toutes couleurs : hochets à boules, triangulaires, musicaux, fixables par ventouses sur une surface lisse, etc.

Pour la voiture, le lit, le berceau : un mobile, un boulier de couleurs différentes, un animal ou un personnage en caoutchouc mousse ou en peluche lavable.

Pour sa toilette : la brosse, le peigne, la boîte à coton assortis gainés de tissu-éponge ; un flacon d'eau de toilette spéciale pour nourrissons, c'est-à-dire très peu alcoolisée et glycérinée ; une jolie serviette de toilette avec un gant-éponge assorti ; un thermomètre de bain. Vous trouverez dans une gamme multicolore des savons représentant des animaux et personnages qui aideront l'enfant à vaincre son appréhension de l'eau, ou encore des shampooings et des savons liquides qui ne piquent pas les yeux, dans de charmants flacons en plastique représentant Mickey Mousse ou Donald, etc.

• **A un enfant de 2 à 3 ans.** Vous lui offrirez son premier livre d'images entièrement en toile, des jouets gigognes (gobelets, œufs, cubes, boîtes, etc.) ; un seau avec pelle et râteau ; des quilles en matière plastique ou en peluche ; des sucreries.

• **A un enfant de 3 à 5 ans.** Vous lui offrirez un beau livre d'images ; un disque de rondes enfantines ; un alphabet géant en matière plastique ; des plateaux de fruits, légumes ou fromages en sucre ; des accessoires de toilette pour la poupée, groupés dans des petits sacs plastiques ; un trousseau de poupée ; des billes ; une boîte de perles à enfiler pour faire colliers et bracelets.

• **A un enfant de 5 à 8 ans.** Vous lui offrirez un livre de contes ; un disque de chansons ; des crayons de couleur ; une jolie trousse ; un album à colorier ; de la pâte à modeler ; des petits mouchoirs ; une panoplie de ménagère ; une housse pour ranger pyjama ou chemise de nuit : vous en trouverez d'amusantes représentant Tom et Jerry, Bécassine ou Nicolas et Pimprenelle ; une boîte de bonbons
Tricotez à votre petite fille une vraie layette pour son poupon.

Pliures : milieu dos et milieu devant

Confection de la garde-robe
Pour tailler l'empiècement qui sera identique pour chacun des modèles, mesurez le tour de cou de la poupée, ajoutez 2 cm et divisez par 4. Reportez cette mesure sur le tissu plié en deux (schéma 1) et tracez une ligne courbe. Tracez une seconde courbe parallèle à la première à une distance correspondant à la largeur de l'empiècement que vous voulez obtenir.
Pour le corps du vêtement, prenez une bande de tissu d'une largeur mesurant deux fois (ou trois fois) le tour de taille de la poupée. Coupez en deux le tissu dans le sens de la hauteur, appliquez les deux morceaux l'un sur l'autre bien à plat puis pliez-les en deux toujours dans le sens de la hauteur. Arrondissez le haut à partir des pliures, pour retrouver l'arrondi de l'encolure (schéma 2). Dégagez légèrement l'emplacement des emmanchures. Froncez le haut et montez à l'empiècement.
Pour la robe. *Vous pouvez selon les tissus choisis exécuter plusieurs styles de robe : en toile imprimée, unie, à rayures, en lainage. Vous pouvez aussi ajouter un galon agrémenté d'un nœud. Vous pouvez également froncer l'empiècement (coupez pour cela le double de tissu).*
Pour la chemise de nuit. *Allongez la jupe et bordez le bas et l'empiècement de dentelle.*
Pour le peignoir. *Ajoutez des petites manches froncées (largeur du tissu double de celle du bras). Froncez le haut. Le bas est froncé à 1 cm du bord par un élastique piqué à la machine. Fermez le peignoir par un ruban.*
Layette pour baigneurs de 45 cm
Fournitures, 100 g de laine layette de moyenne grosseur et 2 aiguilles de 3 mm. Points employés : point de riz, point de côtes 1/1, point de jersey.
Bonnet. *Montez 78 m. et tricotez 3 rangs au point de riz, ensuite 4 rangs de jersey, 2 rangs au point de riz, 4 rangs de jersey, etc., en tout 36 rangs. Diminuez de chaque côté de votre travail 29 m., continuez à tricoter les 20 m. restantes au point de riz. Diminuez de chaque côté 1 m. tous les 6 rangs. A 36 rangs diminuez les 8 m. restantes.*
Assemblage : fermez les deux coutures. Relevez au bas du bonnet 30 m., faites un trou-trou : 2 m. endroit, 2 m. ensemble, un jeté, 2 m. endroit, 2 m. ensemble, etc. Tricotez ensuite 3 rangs de côtes. Faites une cordelière ou passez un ruban fin dans le trou-trou.
La brassière. *Se tricote dans le sens de la largeur. Montez 46 m., tricotez 3 rangs de point mousse (tout à l'endroit). 1ᵉʳ rang suivant : tricotez 3 m. au point mousse, 33 m. au point de riz*

et 10 m. au point mousse, tricotez en tout 42 rangs. (1) Laissez en attente sur une épingle, 22 m. comptées à partir du bas (3 m. point mousse).
Montez 30 nouvelles m. pour les manches et tricotez le tout ensemble, pour le bas de la manche tricotez 7 m. au point mousse. A 60 rangs arrêtez les 30 m. de la manche et reprenez les mailles laissées en attente, tricotez le corps de la brassière (66 rangs) et reprenez à (1) pour la seconde manche.
Assemblage : fermez les coutures des manches. Montez à l'encolure 58 m. Faites un trou-trou et terminez par 3 rangs de côtes. Passez une cordelette ou un ruban et fermez avec 3 boutons et 3 brides de laine.
Les chaussons. *Montez 36 m., tricotez 3 rangs au point de riz, 4 rangs jersey, 2 rangs au point de riz, 2 rangs jersey et faites un trou-trou. Laissez de chaque côté du travail 11 m. en attente et tricotez au point de riz les 14 m. restantes pendant 12 rangs. Relevez 7 m. de chaque côté du cou-de-pied, ajoutez les 11 m. laissées en attente de chaque côté. Tricotez le tout au point mousse (12 rangs). Rabattez toutes les mailles.*
Assemblage : fermez la couture du talon et du dessous de pied. Passez un ruban dans le trou-trou.

Cousez rapidement à partir d'un même patron, extrêmement simple, toute la garde-robe de sa poupée préférée.

Pour les grands

• **A un enfant de 8 à 11 ans.** Vous lui offrirez un livre d'aventures ou ses premiers romans « roses » ; un disque ; un album pour collection de timbres ; un ouvrage à broder, canevas et cotons de couleur ; une ou plusieurs fausses reliures faisant boîtes pour classer et ranger ses disques ; un coffret de bois renfermant pinceaux, tubes d'aquarelle et palette d'artiste peintre ; du papier à lettres personnel avec dessins ; une séance de cinéma ou de marionnettes ; un abonnement à un magazine.

• **A un enfant de 12 à 15 ans.** Vous lui offrirez un album pour classer ses photos, un ou plusieurs livres de son choix ; un ou plusieurs disques de son idole ; une nouvelle poupée régionale pour sa collection ; une eau de toilette légère ; de jolis mouchoirs présentés dans un coffret qui servira ensuite de boîte à bijoux ; un ou deux cintres gainés de tissu pour suspendre sa robe de chambre dans le cabinet de toilette ; du papier à lettres gravé à son nom ; des pellicules pour photos en couleur ou en noir et blanc ; un crayon à bille de forme originale pour son bureau ; un couvre-livre en simili-cuir ou en matière plastifiée, décoré d'une rose de Redouté ou d'un oiseau ; une jolie brosse à habits ; un sac à ouvrage ; un peigne et son étui ; une inscription à un club de lecture ; une place de cinéma ou de théâtre.

Pour les jeunes

• **A un jeune homme, à une jeune fille de 16 à 17 ans.** Vous leur offrirez des livres ; des disques de leur choix ; un coupe-papier ancien ou moderne ; un stylo à bille de bureau, piqué sur un socle de bois, de métal doré ou argenté ; un vase d'opaline en forme de calice, sans oublier d'y placer le classique petit bouquet romantique ; un peigne, une glace pour le sac ; un collier fantaisie ; un vaporisateur à parfum ; un flacon d'eau de toilette ou de lavande ; un flacon d'aftershave ; des sels de bain ou des savonnettes miniatures dans un joli flacon ; des bas présentés dans une pochette fleurie ; un foulard ; une cravate ; des chaussettes

Fêtes et Anniversaires

Vous composerez votre bouquet de sucettes dans un vase d'église, qui présentait sous globe, autrefois, les bouquets de mariées.

Bien choisir, c'est faire preuve d'imagination et de goût,
chercher à découvrir certains désirs secrets,
mais aussi savoir trouver la boutique
qui ne propose que de bons cadeaux.

(Vitrine de chez Janie Pradier, rue de Seine)

(Lampes Raymond, médaillons Maison et Jardin)

Avec le retour du romantisme dans la décoration,
la rose retrouve dans la chambre des jeunes filles
la place qu'elle occupait autrefois.
Lampes et médaillons, fleurs de rêve.

(Création des Faïenceries de Gien)

Ce pot à tabac, aux allures robustes,
satisfait toutes les exigences des fumeurs de pipe.
Sa forme, aussi large que haute,
rend chaque prise aisée.

assorties au mouchoir ou à la pochette ; un bonnet au crochet et des lunettes pour le ski ; un sac de plage ; des lunettes de soleil.

● **A une jeune fille de 18 à 20 ans.** Offrez des « babioles » pour sa chambre :

- un miroir à main : classique, en métal argenté, ou en polystyrène dur, noir ou blanc ; amusant, en faïence décoré d'une tête de jeune fille ; raffiné, en velours, en cuir clouté d'or ou en grosse faille ; pratique, en tissu-éponge, assorti à sa serviette de toilette ; romantique, en verrerie de Venise de tons pastels ; éblouissant, en métal doré, ciselé comme un soleil, ou en cabochons de pierres de couleur.
- un porte-photos ; cherchez un modèle original : le long ruban de velours ou de faille, le cadre gainé de soie, l'arbre en métal doré ou argenté dont chaque branche supporte un médaillon.
- une bonbonnière ; choisissez-la en harmonie avec sa chambre : porcelaine de Paris ou coquillages, si elle est romantique ; bois peint ou métal martelé si elle est ancienne ; verre moulé monté sur pieds, si elle est de « style ».
- une lampe de chevet : même conseil que pour le choix d'une bonbonnière. Vous choisirez une éprouvette contenant une vraie rose ; un ludion, un vase ancien, un vieux siphon, montés en lampe, etc.
- une tirelire : elle y mettra ses pièces de 5 Fr pour s'acheter un pull, un livre ou un disque. Choisissez le modèle en fonction de sa personnalité.

Si elle est très calme et posée : le classique gobelet en métal argenté, fermé par un couvercle (Mire).

Si elle déborde de fantaisie : les tirelires italiennes, gendarme, garde-champêtre, grenadier, bersaglier, portant autour du cou une étiquette avec « les économies de... » (Ginori).

Si elle est très économe : une tirelire géante habillée d'une reproduction photographique de pièces de monnaie (Hatinguais).

Si elle est tendre et douce : une tirelire fleur en feutrine de couleur (Dior).

Cadeaux nouveaux
Le sac de golf à tous usages et à toute épreuve que la jeune fille sport aimera porter en bandoulière de longues années (La Bagagerie).
La ceinture-centimètre de toutes longueurs, de toutes couleurs que la jeune fille coquette portera chaque jour afin de contrôler et de maîtriser son tour de taille (création Sarlat).

Si elle est méfiante : une tirelire faite d'un long tube gainé de cuir noir, avec cadenas de sécurité (Selleries de France).

- un porte-clip peut-être : une grosse pelote de velours gansé ou brodé, que vous pouvez faire vous-même ; une poupée en tissu ; des oiseaux multicolores que l'on accroche au mur ; des opanaks : petites chaussures de forme turque.
- des sous-verres, selon ses goûts, choisissez des fleurs séchées, des images d'Epinal, des Belles de 1900 en toilette de vrai tissu, des planches de végétaux ou d'oiseaux, des textes enluminés sur parchemin véritable, ou des rouleaux de papier sur lesquels est collée une soie excessivement fine, peinte à la main.
- un éventail, qu'elle accrochera au mur comme une gravure. Vous les trouverez en ivoire véritable, en imitation ivoire très finement travaillé,

en parchemin enluminé de décors japonais, en feuilles de palmes peintes à la main, en soie brodée.
- une petite coupe en opaline, en albâtre, en cristal, en verre, qui lui servira de vide-poches.
- un bougeoir en céramique peinte, en étain, en cuivre, en fer forgé, en bois ou en verre, que vous présenterez avec une jolie bougie de couleur.
- un brûle-parfum : lampe Berger, ou brûle-parfum indien, avec bâtonnets (santal, rose, orchidée, safran, ambre, jasmin, cactus, lotus et pavot).
- des portemanteaux gainés de satin, de cuir, de velours ou de feutrine aux tons vifs.
- des embouchoirs en tissu de toutes couleurs, pour mettre dans ses chaussures à danser.

• **A un jeune homme de 18 à 20 ans.** Offrez-lui : de vieilles affiches, des sous-verres reproductions de voiliers, d'anciennes voitures, des locomotives, dessinées ou peintes, ou encore reconstituées avec des pièces détachées de montres anciennes, collées en relief, un thermomètre fixé sur un cadre de plexiglas noir, historié avec humour, des masques exotiques, un lot de photos dédicacées de ses chanteurs, acteurs ou sportifs préférés, une jolie aquarelle s'il a une âme d'artiste, une boîte de papillons ou d'échantillons minéralogiques ;
- un classeur en métal noir, un étui accordéon en skaï, pour ses disques ;
- un dé géant en teck, un gobelet en argent ou un pichet d'étain ou de grès pour ranger ses crayons ;
- une collection de boîtes d'allumettes étrangères ou des pochettes multicolores marquées à son chiffre ;
- des boîtes optiques dont le graphisme crée l'illusion du mouvement et qu'il peut utiliser comme cendrier ;
- un sablier-ludion qui peut être le départ d'une jolie collection ;
- un radiomètre : c'est une boule de verre dans laquelle un mobile tourne sous l'action de la lumière. Ne sert strictement à rien, mais c'est un objet attractif particulièrement séduisant ;
- un euphorimètre : baromètre de bonne humeur ;
- un gros coquillage naturel, que vous offrirez garni de cigarettes ;
- un bateau dans une bouteille, s'il s'intéresse aux choses de la mer ;
- des maquettes d'avion au 1/50°, avec ailerons, volets et cockpit mobiles, s'il s'intéresse à l'aviation. Vous les lui offrirez toutes montées ou, ce qui est mieux encore, en pièces détachées, pour qu'il fabrique ses avions lui-même (Heller 58, rue d'Hauteville) ;
- un grand nœud papillon garni de crochets dorés, pour ranger ses cravates préférées.

Pour ceux qui ont la « trentaine »

• **A une jeune femme.** *Offrez des cadeaux beauté.* A cet âge, ils ne risquent pas de froisser. Ils sont un hommage, non un avertissement :
- un parfum, une eau de toilette, une eau de Cologne (voir chap. I, page 41 ;
- un coffret contenant les produits de beauté dont elle se sert quotidiennement ;
- des accessoires pour son sac à main : poudrier et étui de rouge à lèvres assortis, atomiseur à parfum, petit miroir à manche en Limoges ou en métal doré, trousse à maquillage faite dans une jolie faille de couleur vive, ou brodée aux petits points ;
- les derniers gadgets salle de bains (voir chap. I, page 13)

o *Offrez des cadeaux précieux :* un vase à fleur unique, haut et mince ou à large col, avec des boules de verre dépoli pour maintenir la fleur. N'oubliez pas d'y joindre une rose ;
- un coffret à bijoux ;
- une fleur naturelle enfermée dans une boule de verre ou des fleurs séchées dans un vase Médicis ;
- un cache-pot original, avec une belle plante d'appartement ;

- un pique-fleurs : tortue de métal argenté, porc-épic… sans piquants ;
- des coussins à choisir selon le style de son appartement ou de son studio ;
- un marque-page et une liseuse pour son livre de chevet ;
- du papier à lettres de luxe, marqué à son chiffre.

• **A un homme.** *Offrez des accessoires pour sa table de travail ou son coin relax.* Une boîte à cigarettes ; classique : en métal argenté ou en bois verni ou peint ; ancienne : tabatière en corne blonde (Dary's) ; amusante : réserve à bois miniature (Ginori) ; attendrissante : un vieux tacot Ford, avec pneus véritables et capote en cuir (Nohalé) ; explosive : un canon miniature en bois et cuivre (Lancel) ;
- un presse-papiers. Il y en a de toutes formes et de toutes matières : sulfures, gantelet de cuivre, animaux dorés, initiales en verrerie de couleur, sphinx en opaline style Napoléon III, bloc brut de quartz, d'améthyste, de soufre, etc.
- un coupe-papier ;
- un pot de colle en robe de gala ; métal argenté avec couvercle tenant le pinceau ;
- un sablier, pour mesurer le temps qui passe ;
- un calendrier perpétuel, fonctionnant grâce à un aimant qui attire à lui le mois, le jour, la date :
- des poids gainés de cuir portant les inscriptions : à voir, urgent, à classer. Pour ne pas oublier de répondre à toutes les lettres ;
- un cendrier : n'achetez pas le premier venu. Cherchez le cendrier nouveau, original ;
- une corbeille à papier : elle doit s'harmoniser avec le style de la pièce.

o *Offrez-lui les accessoires de son élégance :* des boutons de manchettes : qu'ils soient toujours discrets, même dans la fantaisie. Les plus classiques sont en métal doré. Pour un sportif, choisissez les armes d'un club ou d'une école ; pour un homme raffiné, préférez les pierres dures ;
- des mouchoirs superbement enroulés dans une peau brune imitant à s'y méprendre un cigare ;
- une blague à tabac : ne la choisissez pas trop petite, il faut qu'elle contienne au moins un paquet de tabac entier, qu'elle soit souple et qu'elle ferme bien. Selon les fumeurs, les blagues les plus pratiques sont celles qui se roulent : en matière plastique, en tissu écossais, ou en chamois ;
- une cravate : voir chap. I, page 44 comment bien la choisir ;
- des bretelles : attention aux bretelles brodées ou tissées. Elles ne conviennent pas à tous et ne servent pas souvent ;
- un chausse-pied, pour mettre ses souliers sans grimacer. Prenez-le très haut, les hommes ont horreur de se baisser, même à trente ans. Il en existe montés sur un manche de parapluie ancien, et même munis d'une brosse ce qui permet d'enlever le dernier grain de poussière une fois les chaussures enfilées ;
- un ensemble portefeuille porte-papiers ; veillez à ce qu'ils soient pratiques : nombreuses poches facilement accessibles pour retrouver rapidement le papier nécessaire ; solides : bords piqués main et non collés ; souples : ils se déformeront moins dans les poches de veste ou de pantalon.

Pour ceux qui ont la « quarantaine »

• **A une femme.** C'est moins l'âge de la beauté que celui de l'élégance.

o *Offrez-lui des cadeaux-colifichets :* des bas, présentés dans une jolie trousse en matière plastique ou en tissu fleuri ;
- un châle ou une longue écharpe de mohair, légère, mousseuse ;
- un bijou fantaisie : voir chap. I, page 19, comment le choisir ;
- une toque ou une cravate de fourrure, si sa fête se souhaite durant

les mois d'hiver (voir chap. I, page 54 ;
- un sac du soir en tapisserie main, en perles, en satin, en faille ou en daim ;
- un foulard de soie ou un carré de mousseline ;
- des mouchoirs très fins, joliment brodés de roses ou de muguet, ou unis, présentés en forme de fleurs ;
- un accroche-veste composé d'une chaînette ornée de perles, portant à chaque extrémité une petite pince de métal doré. Il maintient le cardigan sur les épaules, quand on ne veut pas enfiler les manches ;
- un parapluie pliant ou à long manche élégant ;
- une petite capuche de mousseline contre le vent ;
- une fleur artificielle, pour égayer le revers d'un tailleur ;
- des pantoufles souples dans leur gaine, si elle voyage, ou des mules d'intérieur en peau, en satin ou en velours ;
- un pull en soie, ou un chemisier en linon finement travaillé ou en mousseline ou en guipure ;
- des gants longs pour le soir.

• **A un homme.** Il a une situation bien assise, un foyer confortable, beaucoup d'amis qu'il reçoit volontiers et qui apprécient fort son vin, ses alcools, ses cigares et ses tabacs. Offrez-lui un porte-bouteilles pour appartement : en liège ceinturé de cuir, en teck et se fixant au mur, en bois travaillé de forme classique mais élégante ;
- un grand « livre de cave » où seront consignés crus, millésimes, nombre de bouteilles ;
- un tire-bouchon qui fonctionne comme une pompe à bicyclette sans effort et sans que la bouteille soit remuée ;
- un décapsuleur, tire-bouchon, marteau casse-glace, en forme d'ancre ;
- une bouteille amusante, emplie d'une bonne eau-de-vie ;
- un bon petit beaujolais dans son tonneau d'origine ;
- un coffret d'apéritifs variés ;
- une « cave » portative pour gin et whisky, avec support en cuir, en bois ou en métal ;
- un chauffe-cognac en albâtre et métal doré ;
- un pot à tabac rempli de son tabac préféré ou une boîte de cigares ou un coffret à cigarettes ;
- un cigare géant… qui ne se fume pas.

Ils ont des cheveux blancs

C'est une raison de plus pour leur offrir ce petit cadeau qui leur réchauffera le cœur. Il n'y a rien de plus triste qu'une vieille personne qui se sent tout à coup abandonnée le jour de sa fête. Et il y a tant de petites choses dans les magasins qui peuvent encore la combler de joie.

o *Ils auront chaud* avec des bottillons ou des pantoufles, en feutrine ou en orlon, à semelle de buffle, qui se portent aussi bien dans la maison que dans le jardin ;
- une veste d'intérieur en lainage, ou une petite cape en laine des Pyrénées ;
- une bouillotte cachée dans une élégante housse en éponge, fleurie ou monogrammée ;
- une chaufferette en fourrure pour y glisser leurs pieds quand ils sont dans leur fauteuil ;
- une couverture électrique.

o *Ils verront plus clair* pour lire le journal avec une loupe joliment présentée en forme de face à main ;
- pour consulter l'annuaire du téléphone avec un liseur d'annuaire : c'est une petite plaque en matière plastique transparente dont le centre, en relief, est une longue loupe ;
- pour jouer aux cartes, avec des cartes à jouer aux chiffres géants ;
- parce qu'ils ne perdront plus leurs lunettes, grâce à un porte-lunettes en cuir ou en treillis doré, monté sur pied, ou grâce à une chaînette-sautoir qui leur permettra de les garder, pendues à leur cou.

o *Ils donneront libre cours à leur*

gourmandise avec un jeu de confitures dans une jolie vannerie. N'oubliez pas les fameuses confitures épéninées de Bar-le-Duc ;
- des biscuits pour le thé, présentés dans une boîte en métal peint ;
- des pâtes de fruits ou des chocolats fourrés ;
- un assortiment de fruits confits : oranges, abricots, pêches, poires, etc. ;
- des bonbons offerts dans un joli verre ;
- des pots de miel tous différents : au romarin d'Espagne, aux mille fleurs (thym, lavande, romarin, amandier, sauge), au trèfle et au sainfoin, à la lavande, au trèfle du Canada, aux fleurs des bois de la Jamaïque, à l'oranger, aux rayons de miel ;
- différentes catégories de thé présentées dans des boîtes à thé japonaises, avec intérieur en métal et extérieur en écorce de cerisier, dans lesquelles le thé gardera son arôme.

LA FETE DES MERES

DERNIER DIMANCHE DE MAI

C'est en Amérique qu'est née cette jolie fête. Voici l'histoire de son origine.

Miss Jarvis habitait à Grafton, en Virginie. Elle n'était pas mariée. Certains disaient que pour ne pas quitter sa mère elle avait refusé plusieurs demandes en mariage. D'autres, qu'elle avait eu un chagrin d'amour. Quand sa mère mourut, en 1905, Anna Jarvis avait 41 ans. Elle eut un immense chagrin. Et, en souvenir de celle dont elle avait partagé pendant plus de quarante ans les soucis et les joies, elle conçut le projet d'instituer une fête qui serait celle de toutes les mamans du monde.

Sa campagne fut d'abord épistolaire. Elle écrivit, en exposant ses idées, à toutes les personnalités capables d'influencer l'opinion : gouverneurs d'Etat, parlementaires, ecclésiastiques, industriels.

Puis, elle se lança dans une campagne plus directe. Elle prit la parole en public, organisa des conférences et des meetings, rédigea des tracts, des brochures. Peu à peu, l'idée fit son chemin.

La Virginie fut le premier Etat à reconnaître officiellement la fête. Puis, en 1914, une résolution votée par le Congrès américain étendit à tout le pays l'institution de cette fête. Aujourd'hui, la fête des Mères est célébrée dans 43 pays du monde.

En France, c'est M. Scheiter, auteur du *Livre d'or de la mère* qui, en 1938, après cinq ans de démarches, parvint à faire officialiser cette journée.

Partout dans le monde les mères se fêtent le second dimanche de mai. Mais, en France, ce jour étant celui de la fête nationale de Jeanne d'Arc, on décida de fixer la fête des Mères au dernier dimanche de mai.

Des cadeaux gratuits.

Ce qui touchera le plus votre maman, c'est de sentir votre affection, de percevoir les marques de votre bonne volonté pour lui faire plaisir. Or point n'est besoin pour cela d'avoir une tirelire bien garnie. Il vous suffira d'avoir un tout petit peu d'imagination, de goût, de patience pour la remercier de tout ce qu'elle fait pour vous chaque jour. Il y a mille et une manières de dire à votre maman qu'elle est ce que vous avez de plus cher au monde.

• **Déchargez-la de tous les soucis domestiques.** Vous n'avez pas besoin d'argent pour cela et pourtant c'est un cadeau qui en vaut bien un autre. Portez-lui son petit déjeuner au lit, et posez une petite fleur sur le plateau. Puis, si vous êtes une grande fille, préparez vous-même le déjeuner de fête.

Des cadeaux à confectionner vous-même

Au lieu d'acheter chez le fleuriste le bouquet traditionnel, pourquoi ne pas le créer de vos mains ? Il paraîtra beaucoup plus beau à votre maman et... il durera toute l'année.

• **Pour maman-secrétaire.** Faites un bouquet de crayons. Découpez des fleurs dans de la feutrine de couleur, en faisant un petit trou au centre pour y glisser la pointe des crayons. Gainez ceux-ci de papier crépon vert. Présentez ces fleurs dans un joli verre, comme un bouquet.

• **Pour maman brodeuse.** Faites une fleur brillante avec une pelote de coton perlé, piqué sur une aiguille à tricoter. Les étamines sont des épingles à têtes rondes, piquées au sommet de la pelote. Pour former les pétales, disposez tout autour en pinçant le coton perlé, des pinces à linge en matière plastique de couleur.

• **Pour maman-qui-reçoit-beaucoup.** Un surtout de table original fait d'un gros artichaut bien vert, entre les feuilles duquel vous avez piqué des marguerites découpées dans du feutre blanc, et dont les tiges sont des allumettes. Le bout soufré forme le cœur de la fleur.

• **Pour maman raffinée.** Un nénuphar parfumé. C'est une orange piquée de clous de girofle et posée sur une feuille de feutrine découpée en feuilles de nénuphar. Tout autour de l'orange, glissez huit pétales blancs découpés dans du papier à dessin.

• **Pour maman-fumeuse.** Réalisez un élégant « dépanne-briquet » pour son bureau avec quatre boîtes d'allumettes de la Régie et un carreau de céramique décoré de 10 x 10 cm (vous en trouverez dans tous les grands magasins, ou chez les marchands de matériaux de construction). Il en existe de fort jolis depuis les Delft bleus en passant par les roses de Redouté jusqu'aux dessins les plus futuristes, les plus échevelés.

Seront nécessaires, en plus des quatre boîte d'allumettes, deux feuilles de bristol de 9 x 9 cm, un tube de colle genre Limpidol ou Scotch, un morceau de plastique adhésif uni ou de velours, dont la teinte s'harmonisera avec le carreau choisi.

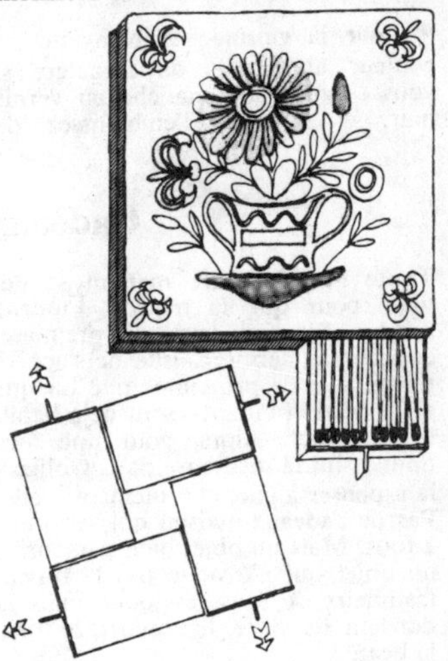

Réalisation

Sur un des morceaux de bristol qui servira de support, collez en les alternant, les parties frottoirs des 4 boîtes d'allumettes (A) (pour éviter les chutes de colle, prenez soin d'enlever les tiroirs des boîtes d'allumettes). Recouvrez du deuxième morceau de bristol les boîtes déjà collées. Sur ce bristol convenablement enduit de colle, vous posez votre carreau de céramique, qui débordera régulièrement de 1 cm environ tout autour.

Après séchage, vous recouvrez la partie « socle » d'un morceau de plastique adhésif que vous découperez très exactement le long des frottoirs.

Découpez alors 4 bandes de plastique de 5 cm sur 12 mm environ et garnissez un côté de chaque tiroir contenant les allumettes, de façon à former une languette qui permettra la manœuvre du tiroir (B).
Si vous désirez une réserve plus importante d'allumettes, vous pouvez prendre un carreau de 15 x 15 cm, et quatre boîtes d'allumettes de ménage.
Pour éviter la dépense d'un carreau de céramique, vous pouvez le remplacer par un morceau de carton recouvert d'un plastique adhésif uni, décoré ou floqué, avec lequel vous garnirez aussi le socle et les tiroirs de vos boîtes d'allumettes.

TRANSFORMEZ DES OBJETS A UN FRANC

• **Pour la cuisine** : la balayette de couleur aura plus de caractère si vous peignez son manche en vernis noir, et si vous l'embellissez de clous dorés. Pour la suspendre, faites une cordelière en coton de la teinte du balai ;
- une grande cuillère en bois deviendra un original porte-clés ou porte-torchons si vous la décorez de fleurs peintes et si vous plantez sur le manche trois crochets dorés.

• **Pour la salle de bains** : un bocal à cornichons se transformera en boîte à coton si vous l'enfermez dans un sac fait d'une petite serviette-éponge à bouquets romantiques fermée par deux coutures. Un bracelet en matière plastique servira d'anneau pour le fermer ;
- la boîte pour frigidaire en plastique que l'on trouve dans tous les Prisunic et Monoprix, deviendra boîte à bigoudis, si vous collez tout autour de son couvercle et sur le dessus un galon de petites roses rococo.

Cadeaux à acheter

Toute l'année votre maman se dévoue pour que la maison « tourne rond ». Elle est levée la première, couchée la dernière. Elle ne s'achète un tailleur de printemps que lorsque tous, mari et enfants, sont déjà habillés de neuf. Alors, pour une fois, donnez-lui la meilleure part. Obligez-la à penser à elle, et seulement à elle. Pas de cadeaux-maison qui serviront à tous. Mais un objet bien personnel, un objet qui n'évoque pas le travail fastidieux de tous les jours, mais la douceur de vivre, le confort, le luxe, la beauté.

• **A signaler.** Pour la fête des Mères, un stand spécial est prévu dans presque tous les grands magasins où sont réunis une sélection d'articles à la portée des bourses enfantines. Une animatrice reçoit et conseille les jeunes enfants venus seuls acheter le présent qu'ils destinent à leur maman.

POUR SA BEAUTE ET SON CONFORT

Offrez-lui des cadeaux pour sa salle de bains, des cadeaux multicolores, raffinés, drôles, pratiques, qui aiguiseront sa coquetterie et la rendront gaie dès le matin. Pour cela, cassez votre tirelire. Comptez vos billets ou vos pièces. La somme est toute petite ? Ne vous désolez pas. D'abord vous avez peut-être des frères et sœurs avec qui vous pouvez vous associer. Ensuite, il y a papa que l'on peut toujours appeler à l'aide. Et puis, même avec très peu d'argent, c'est fou ce que l'on peut acheter pour rendre la toilette de maman plus agréable.

• **Avec une petite tirelire** (maximum 10 Fr) vous trouverez une grosse houppette en cygne de couleur dans une boîte à poudre en matière plastique transparente, une crème pour les mains dans un joli flacon (à la citronnelle, aux amandes ou à l'orange, chez tous les parfumeurs) ;
- des jolies boîtes de rangement en matière plastique imprimée de fleurs ou de scènes champêtres : boîte à gants, à mouchoirs, à chaussures, à chemisiers ou à pulls (dans tous les grands magasins) ;

- des colliers de boules parfumées s'accrochant aux cintres ou dans l'armoire à linge et présentés dans des étuis en plexiglas (Rigaud) ;
- une garniture de toilette en polystyrène dur, noire, rouge ou blanche, comprenant la boîte à poudre, la boîte à coton, le verre à dents et le plateau pour poser les pots de crème (Prisunic) ;
- des sels de bains toniques, décoratifs, colorés et présentés en flacons de formes souvent inattendues (parfumeurs et grands magasins) ;
- un filet à cheveux invisible, semé de petites perles bien visibles si elle porte un chignon (chez tous les parfumeurs) ;
- un loup-relax de beauté en tissu éponge noir et couleur (Lancôme)
- des billes parfumées moussantes et multicolores que l'on jette dans l'eau du bain. On peut leur adjoindre un savon du même parfum (grands magasins) ;
- une éponge fleur, bleue, rose, jaune ou mauve (Drugstore) ;
- un gros savon boule en sautoir qui ne glissera plus dans la baignoire (Féret Frères),
- une bonne eau de Cologne : voir pour cela chapitre des parfums et eaux de toilette (chez tous les parfumeurs et grands magasins) ;
- des cintres gainés de velours (dans la plupart des maisons de cadeaux et les grands magasins).

• **Avec deux ou trois petites tirelires** (maximum 30 Fr) : un gros coquillage contenant un savon fin. Vous pouvez acheter le coquillage chez un naturaliste et ajouter un savon en forme de fleur ou de cœur ;
- un taille-crayon pour crayons de beauté : de nombreux modèles boules de cristal posées sur un socle doré ; oiseau saisi en plein vol (Garita) ;
- une fleur désodorisante pour salle de bains, délicatement parfumée et présentée dans un flacon de verre qui peut ensuite se recharger (B.H.V.) ;
- un bouquet romantique en fleurs artificielles de coton présenté dans un emballage de cellophane comme chez les fleuristes (Printemps) ;
- des savons d'invités gros comme des noix, bleus, jaunes ou roses, dans un bocal de verre, des faux cils, à condition de prendre préalablement l'accord de papa (grands magasins et parfumeurs) ;
- une charlotte imperméable pour la douche : en matière plastique doublée de tissu-éponge, en dentelle agrémentée d'une rose, en plumetis imperméabilisé (grands magasins) ;

Pour maman qui conduit
Ce joli porte-clefs de voiture en argent frappé à l'effigie de saint Christophe, saint patron des voyageurs, afin qu'il la préserve des accidents et la protège partout où elle va (A. Augis).

- un porte-rouge à lèvres ; chez Revlon c'est un bougeoir en opaline, chez Carita une série d'anneaux montés sur une tige dorée ;
- trois ou quatre très belles serviettes-éponges présentées dans une vannerie qu'elle utilisera ensuite comme boîte à bigoudis (grands magasins) ;
- un gant de toilette original : il est en tissu-éponge montant jusqu'au coude. La main est ornée d'une bague au doigt ou de bracelet en même tissu (Carita) ;
- un pont de baignoire en matière plastique, sur lequel elle pourra poser son éponge, son savon, sa pierre ponce, son huile de bain, et même un livre si elle veut flâner dans son bain (grands magasins) ;
- un traversin de baignoire pour poser sa tête. Existe en plusieurs modèles : rectangulaires ou diabolo avec creux pour la nuque. En matière plastique, en plumetis, ou en tissu-éponge (dans toutes les boutiques des grands parfumeurs et dans les grands magasins).

• **Avec votre bourse et celle de votre frère ou de votre sœur.** Elle sera jolie pour flâner au lit le dimanche matin avec une liseuse en nylon ouatiné ou en dentelle de laine ou en valenciennes toute froncée ;
- une charlotte en dentelle ou en plumetis de nylon pour dissimuler ses bigoudis ;
- des chaussons de lit en laine fine, en dentelle de laine ou en tissu des Pyrénées avec un cache-bouillotte assorti.

• **Avec votre bourse et celle de votre papa.** Elle sera jolie à son lever avec des mules ou des pantoufles en harmonie avec sa robe de chambre. Préférez-les genre ballerine en velours pailleté par exemple, s'il n'y a pas de moquette chez vous. Elles glissent moins et font moins de bruit que les chaussures d'intérieur à petits talons ;
- une robe d'intérieur dans laquelle elle se sentira bien, parce que vous l'aurez choisie en tenant compte de sa personnalité et de son mode de vie.

o *Pour maman frileuse,* vous avez le choix entre la laine des Pyrénées, le velours ou le somvyl.

La laine des Pyrénées qui, autrefois, faisait des robes de chambre si disgracieuses, allie aujourd'hui l'élégance au confort. Plus de tons neutres, de formes vagues, mais de la couleur et de la ligne. Et avec cela douce, légère, mousseuse. C'est vraiment le tissu idéal pour envelopper votre maman de chaleur et de bien-être.

Le velours est lui aussi bien douillet. Mais il est fragile. Il est aussi plus somptueux et convient mieux pour faire une robe de télévision qu'une robe du matin. Le somvyl est un tissu léger, chaud et d'une grande douceur au toucher. Il se lave, sèche très vite et ne se repasse pas. D'une grande souplesse on le taille mieux que la laine des Pyrénées. Il fait des douillettes très élégantes, très jeunes.

o *Pour maman qui n'as pas de domestique,* le pratique doit primer. Pas de dentelles ajourées, ni de velours ni de lamé, trop fragiles à entretenir. Pas de volants ni de cygne. Pas de déshabillés trop longs où l'on risque de se prendre les pieds.

Mais une robe de chambre arrivant aux mollets ou, au plus, au-dessus de la cheville ; des manches trois quarts si elles ont un revers large, ou resserrées aux poignets si elles sont longues. Pour le tissu choisissez un nylon matelassé, uni ou fleuri, ou un piqué de coton uni ou rayé.

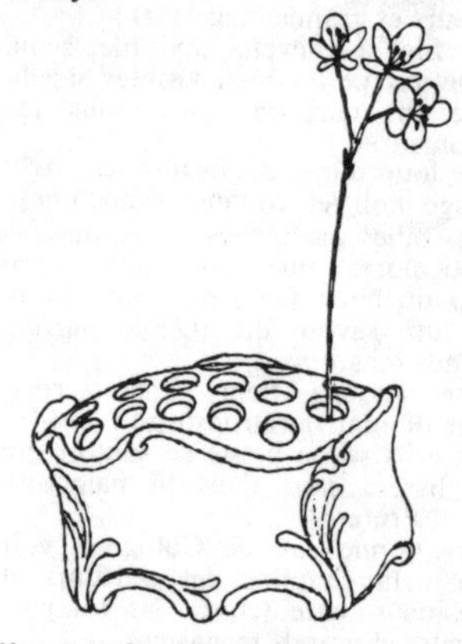

Un vase pique-fleurs
en porcelaine blanche, copie d'ancien, dont le couvercle perforé est mobile, donc facile à nettoyer ce qui ne gâte rien. (Richard Ginori).

Une figurine en bois
aussi drôle qu'utile, car elle porte ciseaux, dés et épingles (Rigaud).

Une bougie-flacon
typiquement 1830, par sa forme d'abord, mais aussi par l'exactitude des tons et des transparences des bleus *opaline, des roses et des vert tendre (Strich).*

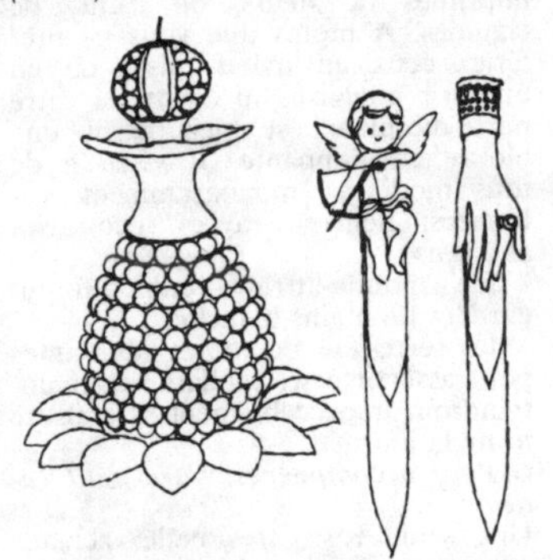

Un signet de livre
en métal doré ou argenté qu'un amour ou une main parée de bijoux féminisent (Don Quichotte).

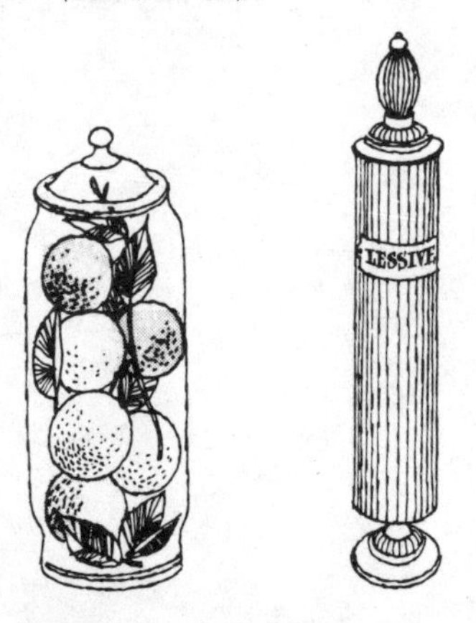

Destinés à la salle de bain
Une saupoudreuse géante, très bel objet en métal doré verni, contenant la valeur d'un paquet entier de la lessive de votre choix (Didier Dôme).
Un joli bocal contenant des citrons et des oranges non périssables mêlés à des pommes de pin, laissant échapper, dès que l'on ouvre son couvercle, des senteurs fraîches et désodorisantes (Esquerré).

o *Pour maman qui voyage beaucoup,* la robe de chambre en twill de soie, coupée comme un peignoir d'homme est seule possible. Elle est infroissable. Elle est légère et une fois pliée ne tient pas de place dans la valise.

o *Pour maman raffinée,* vous pouvez choisir dans la gamme de tous les déshabillés légers et vaporeux, en nylon transparent, en plumetis, en florgalle. Il existe souvent une chemise de nuit assortie à ces déshabillés. Ce qui leur donne de la tenue et de l'épaisseur.

Le florgalle, tissu de tergal et coton, devient plus douillet si vous le choisissez doublé de sommousse, ouatinage sans piqûre, léger, qui se lave aussi facilement que le florgalle et ne se repasse pas davantage.

o *Pour maman très à la mode,* préférez à la robe de chambre le pyjama d'intérieur. Il se fait en soie avec des impressions chinoises ; en satin noir pour le pantalon et lamé or pour la veste ou la tunique ; en nylon matelassé, style russe, avec col droit et brandebourgs.

• **Avec un chèque de papa.** Offrez un un ensemble de bain en tissu-éponge, comprenant le peignoir, la serviette de toilette, le tapis, le drap de bain et le gant ;
- un plateau à maquillage garni de ses produits de beauté ;
- une garniture de toilette en porcelaine ou en opaline comprenant le verre à dents, la boîte à poudre et trois flacons ;
- des porte-perruque : en bois, en velours et passementerie, en porcelaine ;
- un vaporisateur 1900 en verre de couleur gravé si elle aime l'ancien (chez les antiquaires), en cristal joliment taillé si elle préfère le moderne ;
- un miroir en verre de Venise qui se pose sur une table de toilette comme un cadre (Richard Ginori) ;
- un parfumeur d'appartement dont la matière moderne, le verre Pyrex soufflé à la bouche, n'ôte rien au charme romantique de ses formes « à l'ancienne » (J. Pradier) ;
- un ensemble porte-serviettes, porte-peignoir, porte-savon et accroche-

gant de toilette en cuivre doré à la tête de lion ou de dauphin (chez Raymond) ;
- pour poser sur sa coiffeuse : un peigne, un miroir à manche, une brosse à cheveux et une brosse à habits en métal argenté ciselé (Richard Ginori) ;
- un hygromètre en verre soufflé monté sur un seul pied. Elle saura comment s'habiller avant de sortir car selon le temps il devient rose ou bleu (Rigaud).

POUR SON ELEGANCE A LA MAISON

Offrez des cadeaux pour rendre maman jolie dans son intérieur. Autrefois les mamans se contentaient d'une blouse, qu'elles mettaient au saut du lit et qu'elles gardaient toute la journée, même pour se mettre à table. Mais, aujourd'hui, les mamans sont bien plus coquettes.

● **Avec votre bourse.** Maman sera jolie dans sa cuisine avec des tabliers gais et pas chers. Achetez un de ces ravissants petits tabliers champêtres aux couleurs éclatantes, imprimés de fleurs, de fruits, de légumes. A moins que vous ne préfériez ceux en nylon plissé ou en broderie anglaise, ou encore si votre porte-monnaie est bien garni une blouse enveloppante. Il y en a de tous modèles : monogrammées, galonnées, fleuries, rayées, écossaises et à pois ;
- une moufle-attrape-plats qui lui gardera les mains blanches ;
- des serre-tête de toutes les teintes pour assortir à ses tabliers : ils maintiendront impeccablement sa coiffure toute la journée.

o *Pour accompagner votre petit cadeau*
Une seule rose, très belle, achetée avec votre fond de tirelire touchera certainement davantage votre maman que le plus somptueux bouquet financé par une tierce personne.

LA FETE DES PERES

TROISIEME DIMANCHE DE JUIN

On a tendance à la célébrer avec moins d'éclat que la fête des Mères. Ce qui est injuste car, si les mères s'emploient dans la maison à donner à chacun bonheur et confort, les pères, eux, peinent toute l'année au bureau, à l'usine, sur les chantiers, afin de rendre possible la réalisation de ce bonheur et de ce confort.

Aussi, ne les oubliez pas. Et si vous avez cassé votre tirelire quinze jours plus tôt pour votre maman et qu'elle est totalement vide, confiez vos soucis financiers à celle-ci. Elle pourra y remédier. Elle vous aidera même à bien choisir votre cadeau, car les mamans, le savez-vous, sont un peu devins. Elles sauront bien vous dire ce dont papa rêve depuis longtemps.

o *Pas de cadeaux sérieux*, genre rasoir électrique, garniture de bureau classique, cravate, etc. Gardez ces cadeaux pour d'autres occasions : anniversaires ou Noël. Et cherchez plutôt, pour cette fête qui tombe au mois des cerises et des premiers maillots de bain, à distraire votre papa de ses perpétuels soucis.

• **Amusez-le avec un cadeau drôle et imprévu.** Rien ne ravit plus un père que de voir que ses enfants ne le prennent pas pour un « vieux barbon ». Offrez-lui donc le cadeau amusant, gentiment ironique, qui lui prouvera que vous le considérez comme un grand enfant.

o *Tous les gadgets nouveaux*, depuis le bouchon top-secret, équipé d'un cadenas pour que papa puisse se réserver l'usage d'une bonne bouteille, jusqu'à la « nettoyeuse » électrique, à brosses tournantes pour qu'il fasse briller ses chaussures sans se baisser et sans se salir les mains, ou le réveil électrique à transistor dont la sonnerie peut durer cinq minutes (Printemps).

A vous de dénicher le plus imprévu des cadeaux, mais aussi celui qui correspond le mieux avec son genre de vie.

o *Les jouets pour grandes personnes* feront à papa un petit coup d'œil complice :

- les casse-tête chinois : boules et cubes magiques. Il jouera avec leurs dizaines de pièces tant qu'il n'aura pas trouvé la solution. Puis, remontés, posés sur son bureau, ces objets seront du plus joli effet ;
- les kaléidoscopes : ils font naître la féerie, en combinant à l'infini des débris de couleurs, ou bien, réinventés et baptisés téléidoscopes, ils montrent le monde métamorphosé au travers d'une lentille taillée (chez Janie Pradier) ;
- les châteaux de cartes : papa les construira au gré de son imagination, en assemblant entre elles des cartes à encoches, combinant curieusement couleurs et dessins modernes (au bureau de Recherches du matériel éducatif) ;
- sans oublier les jeux éternels : dominos, dames, échecs.

• **Flattez ou éveillez sa vocation de collectionneur.** S'il est fou d'automobiles miniatures, d'images d'Epinal, de timbres, de livres, d'armes, de pichets, de pipes, de petites boîtes, etc., ne cherchez pas plus avant. Allez « chiner » dans votre ville, entrez dans le monde merveilleux des antiquaires ou des brocanteurs. Pour faciliter vos recherches, nous vous donnons, à la page 123 des adresses de maisons spécialisées dans telles ou telles collections.

Flattez ses manies
Il est bricoleur. Offrez-lui cette boîte à outils en bois, complète et portative, qu'il emportera avec lui chaque week-end pour « bricoler » dans sa maison de campagne (Batiself).

Il est fumeur. Choisissez cette botte parmi la grande famille des briquets de bureau. Elle est drôle, bien masculine et intéressante de prix car elle « marche » à l'essence (Betty Luxembourg) ; ou bien ce porte-pipe élégant en cuivre verni, destiné au salon. Vous ne l'offrirez évidemment pas sans pipe (Marguerite Somo) ; ou encore cette « bourse à tabac » de cuir beige ceinturée de noir (Betty Luxembourg).

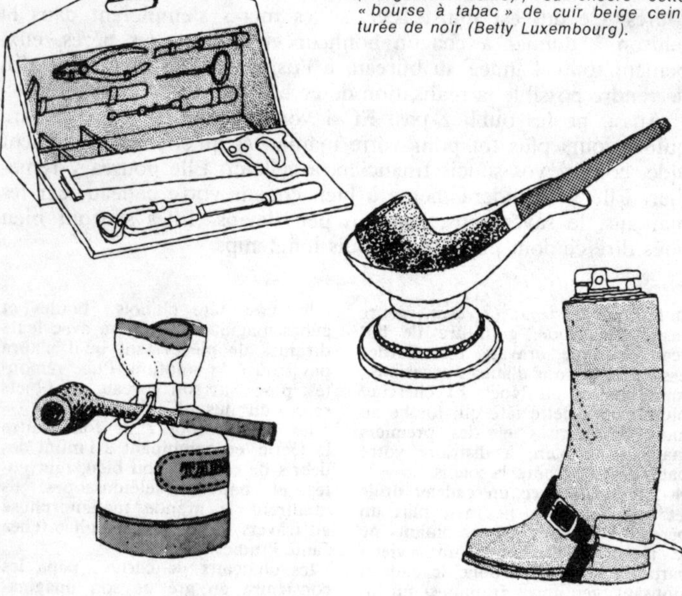

LA SAINT-VALENTIN

14 JUIN

• **Trois origines.** Plusieurs légendes sont à l'origine de cette fête des amoureux.

○ *La première de ces légendes* ressuscite la belle figure de l'évêque de Terni. Ce saint homme qui vivait en l'an 230 sous l'empereur Claudius II, avait une touchante habitude : chaque fois qu'une jeune fille ou un jeune homme passait devant son monastère, il leur offrait, en signe d'affection, une fleur, la plus belle du jardin du cloître. Peu à peu, il devint ainsi le conseiller spirituel de ces jeunes gens. Et, un jour, une idylle étant née entre un garçon et une fille habitués de son monastère, il bénit leur union.

Ce premier couple connut dès lors un bonheur tel que tous ceux qui, par la suite, s'aimèrent, voulurent être bénis par le bon apôtre. Accablé bientôt de tant de demandes et ne pouvant y suffire, il décida de choisir un jour dans l'année, afin de faire une seule bénédiction nuptiale ; c'est ainsi qu'une charmante coutume se propagea de pays en pays, et que l'évêque de Terni, ayant choisi le 14 février comme fête de l'amour, devint saint Valentin.

○ *Une autre légende* veut que la célébration de la Saint-Valentin coïncide avec la fête romaine de Lupercalia, qui se situait en février. A cette occasion, les noms des jeunes gens et des jeunes filles désireux de se marier étaient mêlés dans une boîte, et, à la faveur d'un tirage au sort, les couples formés devaient célébrer leur union dans l'année.

Comme ce tirage au sort avait lieu le 14 février, jour de la Saint-Valentin, il vint tout naturellement à l'idée de tous les jeunes gens qui participaient à ces manifestations d'échanger des cadeaux et des fleurs.

○ Pour ceux qui n'ont pas foi en ces deux légendes une autre explication est donnée : Valentin est une altération du vieux mot normand « galentin », dérivé de galant dont la racine « galer » signifie en vieux français « se réjouir », mais qui, lorsqu'il définit un homme entreprenant auprès des dames, prend un autre caractère. Autrefois, le G étant souvent prononcé V, la Saint-Galentin, fête des galants, devint la Saint-Valentin, fête de ceux qui s'aiment.

Des cadeaux amoureux

• **Des fleurs** : ce jour-là, messieurs, il n'est pas de plus jolie manière de dire à votre femme que vous l'aimez comme au temps merveilleux de vos fiançailles.

Roses ? Violettes ? Lilas ? si celle à qui vous destinez ce bouquet connaît le langage des fleurs, jetez un coup d'œil avant votre départ pour le bureau à la page 214 de ce livre, vous y trouverez les fleurs qui lui parleront de votre amour.

• **Des bijoux symbolisant l'amour :**
- deux oiseaux dans une cage, deux anneaux entrelacés, parlent aussi d'amour. Les joailliers, sur ce thème, ont fait de merveilleux clips en or ou en platine rehaussés de pierres précieuses et des bracelets d'or ciselé ou de diamants, d'une grande finesse et d'une grande élégance.

Si vos moyens sont modestes courez les grands magasins, les antiquaires, les brocanteurs, les maisons de cadeaux.

• **Offrez des cœurs.** Vous trouverez taillés, façonnés en forme de cœur : des savonnettes joliment présentées dans des boîtes transparentes (Schiaparelli) ;
- un parfum « Cœur-Joie », dans un flacon en forme de cœur (Nina Ricci) ;
- une énorme houppette pour poudrer le corps après le bain (Lancôme) ;
- les sachets parfumés pour vos armoires (Lancôme) ;
- des miroirs : anciens avec baguette dorée, ou modernes simplement biseautés ; vénitiens avec entourage de fleurs et de feuilles (un peu partout) ;
- les cendriers : en métal doré, en albâtre, en cristal taillé ourlé d'or (Rigaud) ;
- des coffrets à bijoux en velours gansé de toutes teintes (la plupart des boutiques de cadeaux). A ne jamais offrir vides ; à défaut de bijoux cachez-y un camélia ou quelques brins de muguet pour son tailleur ;
- une boîte à pilules recouverte de cabochons de couleur (Dior) ;
- des presse-papiers en opaline, en verre pointillé d'or ou en albâtre (Primavera) ;
- des pique-épingles en perles, en velours ou en tapisserie (chez les antiquaires). Piquez-y un clip fantaisie ou simplement une rose ;
- des cadres avec entourage de velours ou de cuir que vous offrirez avec votre plus jolie photographie (Jacques Franck).

• **Les amoureux de Peynet.** D'un chapeau melon, d'une robe à balconnet, d'un ciel de lit bordé de pots de fleurs, d'une harpe, d'une clé des songes, d'un cœur percé d'une flèche, et d'un dessinateur nommé Raymond Peynet naquit un couple d'amoureux, aujourd'hui célèbre dans le monde entier. Un couple d'amoureux, qui mieux que vous saura dire « je pense à vous » à celui ou à celle que vous aimez. Il existe d'innombrables sujets « Peynet », et vous n'aurez que l'embarras du choix.

o *Des médailles Peynet* en or, en plaqué ou en argent, ces médailles se présentent sous différentes formes : les plus classiques sont rondes et se font en trois tailles. Les plus originales dessinent une petite fenêtre ouverte sur les amoureux. Les plus romantiques ont la forme d'un cœur à l'intérieur duquel on peut glisser la photo de l'être cher ou une mèche de ses cheveux. Sur chaque médaille, Peynet a gravé son petit poète à la tignasse d'artiste et sa demoiselle aux yeux de biche et à la gorge de pigeon (bijoux Murat).

o *Des boutons de manchettes Peynet :* chaque bouton, en or, en argent ou en plaqué, porte l'un des deux amoureux (création Murat).

o *Des porcelaines décorées par Peynet :* coupes rondes ou carrées, cendriers, vases ; sur fond blanc, le petit amoureux et sa compagne se détachent en tons pastels tantôt enlacés sous un parapluie ou assis sur un banc, tantôt adossés à un tronc d'arbre ou accoudés à une fenêtre fleurie.

Dans cette même série il existe

également de ravissantes statuettes en porcelaine, cadeau idéal à faire à une jeune fiancée, par exemple (porcelaines Rosenthal).

o *Des pendules électroniques* qui ne sonnent que les heures heureuses, puisque chaque chiffre affecte la forme d'une fleur ou d'un cœur, et que l'on y retrouve, dessinés sur le cadran, les touchants petits amoureux environnés de colombes et de cupidons. Gageons qu'un tel cadeau supprimera tout retard aux rendez-vous… (pendules Odo).

o *Les poupées Peynet :* il y en a d'innombrables, de toutes les couleurs et de toutes les tailles, depuis la poupée de collection jusqu'à la poupée-fétiche pour voiture (dans les grands magasins).

LA SAINTE-CATHERINE

25 NOVEMBRE

La dévotion à sainte Catherine, céleste patronne des jeunes filles, est universellement répandue. Pourtant, nulle vie n'eut moins d'attaches avec la réalité. La légende raconte que sainte Catherine d'Alexandrie était fille d'un roi, et que son intelligence et sa beauté étaient extraordinaires. Aussi, devenue très savante, était-elle capable de discuter avec des païens très instruits qu'elle s'employait aussitôt à convertir.

Un roi, dit encore la légende, voulut l'épouser. Mais Catherine répondit qu'elle ne voulait d'autre époux que Jésus-Christ. Alors, l'amour que le prince avait pour la jeune fille se changea en haine. Et ordre fut donné de la torturer cruellement avec une roue garnie de grilles de fer, puis de la décapiter. Des anges vinrent, enlevèrent son corps, et le transportèrent sur le mont Sinaï. C'est donc là qu'on le découvrit, dans une caverne, vers le milieu du VIIIe siècle.

Dès qu'on l'eut transporté dans le monastère du Sinaï, les pèlerins accoururent et les miracles commencèrent.

Dès le XIe siècle, sainte Catherine est connue et vénérée en Grèce et à Rome. A la fin du XIe siècle, un moine du Sinaï, Siméon, vint en Normandie, et apporta à Rouen quelques précieuses reliques de la sainte. Son culte alors se répandit dans toute la France. Et, pendant de longs siècles, on peut dire que nulle sainte ne fut plus populaire. Trente corporations au moins la prirent pour patronne : les meuniers, les charrons, les potiers, les cordiers...

De nos jours, sainte Catherine est demeurée la sainte patronne des jeunes filles et particulièrement celle des cousettes et des modistes.

Dans le monde de la couture, ce sont les compagnes d'atelier de la catherinette qui confectionnent le traditionnel bonnet jaune et vert. Elles le lui offrent accompagné d'un flacon de parfum, d'un livre ou d'une jolie écharpe.

Si elle est coiffeuse, vendeuse, dactylo dans une maison comptant peu d'employés, c'est au patron de se charger alors du cadeau qu'elle ne portera qu'un soir mais qu'elle gardera toute la vie.

Si aucun geste n'est fait à cette occasion par la maison qui l'emploie, la mère ou les sœurs de la jeune fille s'empresseront de lui offrir son bonnet.

• **Idées de bonnets.** Chez n'importe quelle modiste vous pouvez faire faire un bonnet de Catherinette. Mais vous pouvez aussi le faire vous-même si vous êtes adroite et ingénieuse.

Les thèmes les plus saugrenus peuvent être utilisés ce soir-là pour orner la tête de l'héroïne de la fête : une cage à oiseaux, une frégate toutes voiles déployées, une tête de félin, une soucoupe volante, un cadran de téléphone, une chaumière et un cœur, un ring, un livre ouvert, une fusée interplanétaire, une coupe de champagne. N'oubliez pas qu'avec le chapeau la jeune fille doit pouvoir s'amuser et danser toute la nuit. Utilisez par conséquent des matériaux très légers : tulle, dentelle, soie, cellophane, tarlatane et carton faciles à découper et à coller.

S'il est volumineux et haut, montez-le sur fil de laiton et surtout veillez à ce qu'il soit solidement fixé sur la tête. Soit que vous dressiez votre décor sur un large ruban s'attachant sous les cheveux, soit que vous le fixiez sur une petite calotte emboîtant bien la tête.

L'ANNIVERSAIRE

La coutume de fêter les anniversaires se perd dans la nuit des temps. Pour la famille, c'est l'occasion offerte de resserrer ses liens d'affection dans le souvenir du plus heureux des jours : celui de la naissance d'un être cher.

La valeur du cadeau d'anniversaire, destiné à concrétiser ce souvenir, réside surtout dans la qualité du sentiment exprimé. Modeste ou somptueux, selon vos moyens, vous le choisirez, plus que tout autre cadeau, en tenant compte des goûts de celle ou de celui à qui vous le destinez ainsi qu'en fonction de l'usage qu'il en pourra faire.

Les anniversaires qui « grandissent »

Ceux-là signifient bien davantage qu'un an de plus. Ils disent aux parents : elle commence à marcher, il ira bientôt à la maternelle, il entre à la grande école…

Ils disent aux enfants : enfin 9 ans ! Dans deux ans je fais ma première communion… Enfin 15 ans ! Dans trois ans j'entre à la Faculté…

IL A UN AN AUJOURD'HUI

• **Fille ou garçon, vous lui offrirez** : un jouet en caoutchouc ou en peluche lavable (chat, chien, ours, ânon, girafe, etc.). Ne les choisissez ni trop sombres ni trop importants pour ne pas effrayer l'enfant, ni trop petits pour qu'il ne puisse pas les avaler.

Choisissez pour le bain parmi les animaux flottants (avec lesquels vous avez peut-être envie de jouer) : poisson rouge, cygne, canard, bateau, ballon.

POUR SES 2 ANS

• **Vous offrirez à une petite fille** : une poupée peu fragile, facile à habiller et à déshabiller, des vêtements pour sa poupée, une dînette en matière plastique.

• **à un petit garçon** : une voiture, son premier train en matière plastique de couleurs gaies comprenant 1 locomotive, 3 voitures et 4 voyageurs ; une toupie géante ; un gros camion en bois ou en plastique sur lequel l'enfant peut s'asseoir et diriger les roues.

• **à tous les deux,** selon la saison : peignoir de plage, chapeau de soleil, une bouée gonflable à tête d'animal, des bottes fourrées, des moufles.

POUR SES 3 ANS, SES 4 ANS

• **Vous offrirez à une fille comme à un garçon** : un téléphone à pile, un volant en matière plastique à adapter sur la voiture de papa, une pendule spéciale pour apprendre l'heure, des lettres géantes pour apprendre l'alphabet ;

- des livres : *Souris-souricette*, la toute simple histoire d'une petite souris et ses différentes rencontres. Très peu de texte mais les illustrations sont fraîches et jolies : *Gaspard le hamster* et autres albums de la collection Ami-amis ; *le Livre des mots :* 1 400 objets, personnages et animaux que l'enfant s'amusera à reconnaître.

• **à une petite fille** : des vêtements de poupée, une poupée ; une dînette avec des légumes, des fromages, des fruits en pâte de fruits ou en sucre.

• **à un petit garçon** : des soldats en matière plastique ; des voitures modèles réduits toujours en matière plastique ; un train, un camion, une voiture de pompiers, un tracteur ; un ballon, un cerf-volant.

POUR SES 6 ANS, SES 7 ANS, SES 8 ANS

• **Vous offrirez à une fille comme à un garçon** : des patins à roulettes à fixation spéciale ; des fournitures scolaires (trousse, cartable, crayons de couleur, boîte de peinture, etc.) ; un puzzle qui permet d'apprendre la table de multiplication ; un coffre à jouets très utile pour apprendre à ranger ses jouets.

• **à une fille** : la poupée mannequin « Caroline » : sa tête, son corps et ses membres sont démontables. Elle pourra l'habiller de 6 costumes différents à confectionner sans fil, sans aiguille et sans couture. L'enfant les découpera simplement dans un morceau de tissu lavable et plastifié.

Elle aime « faire comme maman », donnez-lui une batterie de cuisine en réduction : réfrigérateur, machine à laver, mixer, etc. Pour l'heure de la récréation, une corde à sauter sera sans aucun doute bien accueillie : elle se glissera chaque jour dans le cartable.

• **à un garçon** : une petite voiture téléguidée, une grande voiture à pédales, un circuit de petites autos minuscules, un ballon de football, un château fort avec des personnages, une ferme avec des animaux, un jeu de construction, une panoplie d'indien ou de cow-boy.

POUR SES 9 ANS, SES 10 ANS, SES 11 ANS

• **Vous offrirez à une fille comme à un garçon** : des livres instructifs, par exemple : *Histoire des arts, 3 000 ans d'électricité, les Reptiles, Toute la nature.* Si l'enfant a des dispositions pour le bricolage offrez-lui *Mille et Une choses à faire.* S'il est rêveur : *les Contes des terres lointaines* ou, s'il a le goût de l'aventure, *Dag découvre l'Afrique, Jumbo enfant de la brousse.*

Parmi les disques il sera intéressé par : *les Voyages de Gulliver, les Contes des Mille et Une nuits, les Fables de La Fontaine, les Indomptables Cheyennes, le Club des 5 joue et gagne, Voulez-vous jouer au chef d'orchestre ?*

Vous offrirez aussi les jeux de plage : ballons, bouées, bateaux gonflables, un jeu de ping-pong, une piscine gonflable pour les vacances ou un matériel complet pour la chasse aux papillons.

• **à une fille** : une trousse de voyage contenant un nécessaire de toilette ; une valisette de beauté ; des collants de différentes couleurs, unis, écossais ; un ouvrage à broder, porte-serviette, napperon, etc. avec un grand choix de cotons de couleur ; des mouchoirs marqués à ses initiales ; des gants de peau ; un sac « de jeune fille » ; un joli jupon ; une chemise de nuit ; un bonnet de fourrure.

• **à un garçon** : le dernier numéro sorti chez Meccano ou celui qui lui manque ; une boîte à outils ; une panoplie de bricoleur ; un album pour collection de timbres ; un harmonica ou l'instrument de musique dont il rêve ; des billes ; un jeu de quilles ; un cerf-volant ; une maquette d'avion à construire ; un jeu de plein air à la mode : le ballcoball où chaque joueur tient à la main un filet tendu entre deux manches. Le jeu consiste à projeter grâce au filet, une balle vers l'adversaire qui doit la rattraper dans son filet et la relancer.

POUR SES 12 ANS, SES 13 ANS, SES 14 ANS

• **Vous offrirez à la fille comme au garçon** : parmi les livres, les grand classiques que tout enfant doit avoir lu : *Robinson Crusoé, le Grillon du foyer, les Lettres de mon moulin, les Contes du lundi, Tartarin de Tarascon, les Trois Mousquetaires, le Dernier des Mohicans, Ivanhoe, Quo Vadis, Don Quichotte*, etc.

Vous choisirez parmi la série « Rencontre avec les grands classiques » les disques consacrés à Corneille, Molière, Racine, etc. et les premiers classiques de piano si vous voulez l'initier à la grande musique.

• à une fille : la **« pin-up » Barbie** l'occupera beaucoup. C'est une poupée de 30 cm qui présente toutes les caractéristiques de la pin-up, tête fine, corps svelte, longues jambes, elle possède une très belle garde-robe.
- un porte-documents en velours côtelé uni ou écossais, plastifié et lavable ;
- un jupon, une jolie chemise de nuit, un twin-set élégant ;
- une boîte « institut de beauté » : elle contient poudre, crème, rouge à lèvres, fard, etc., et une tête en matière plastique pour les premiers essais...

• à un garçon : s'il a de la patience et beaucoup d'idées n'hésitez pas à lui offrir un moteur à construire ; c'est également l'âge du premier train électrique sérieux ;
- donnez-lui le goût de la photographie en lui offrant un appareil ou, s'il en possède déjà un, une visionneuse, un album, des pellicules en noir et blanc ou en couleur accompagnées des lampes de flash ;
- s'il collectionne les timbres, ajoutez à l'album une loupe visionneuse électrique.
- emmenez-le au cinéma, au théâtre, ou encore à une séance de catch, de football, de rugby ou d'escrime, à une exposition.

POUR SES 16 ANS, SES 17 ANS

• Vous offrirez à la fille comme au garçon : un séjour à la mer ou « à la neige » ; des livres reliés ; un électrophone, un « transistor », un magnétophone, une caméra 8 mm, un appareil de projection, un appareil photographique ; une raquette de tennis ; un sac de voyage, de sport ; sa première grande valise ; un matelas pneumatique ; des fuseaux, des skis, un gros chandail.

• à une fille : de la lingerie ; des bas, un jupon, une combinaison, une liseuse, une chemise de nuit, une robe de chambre ;
- des accessoires beauté : trousse fleurie, produits de beauté, eau de toilette ;
- des accessoires mode : sac à main, gants, foulard, bottes, bonnet de fourrure ;
- des bibelots pour sa chambre : flacons, coffret à bijoux, vase, porte-photos, lampe de chevet, gravures ;
- des rideaux pour sa chambre, un joli dessus de lit, « l'habillage » de son fauteuil.

• à un garçon : des cadeaux coquets, une ceinture à ses initiales, un gilet de cuir ou de daim, des chemises habillées, une jolie chemise sport, une épingle de cravate puisqu'elles reviennent à la mode, des boutons de manchettes ;
- un équipement sportif : short et pull de tennis, une combinaison de pêche sous-marine, une culotte de cheval, une bombe, une cravache.
- son premier briquet, la montre-chronomètre dont il rêve depuis toujours ;
- un joli portefeuille ou un porte-cartes en peau de porc ; un porte-documents d'homme d'affaires en Skaï noir ou en phoque véritable, selon vos moyens ;
- des éléments pour sa bibliothèque, des casiers pour ranger ses disques ; une vitrine pour sa collection de soldats de plomb ou ses petites voitures miniatures.

o *Organisez un goûter d'enfants* où seront conviés simplement ses meilleurs amis ou, si vous en avez la possibilité, tous ses camarades.

Faites en sorte que cette petite réception soit un bon souvenir pour tous en établissant un programme de jeu et divertissements en accord avec le héros du jour. Si vous devez commander le gâteau chez un pâtissier, précisez bien qu'aucune crème alcoolisée ne doit entrer dans sa composition. En dehors du gâteau traditionnel, évitez l'abondance des pâtisseries risquant d'écœurer les enfants. Préférez-leur les toasts, les brioches, les tartines de pain brioché, toujours bien accueillies, ou encore les biscuits de Savoie et les tartes aux fruits « maison ».

o *Offrez-lui le gâteau traditionnel* charmante coutume anglaise adoptée définitivement en France, qui consiste à préparer un gâteau spécial et de le décorer d'autant de bougies que le jeune héros compte d'années. Le cérémonial se déroule de la façon suivante : on allume les bougies avant de couper les tranches où la part du pauvre et celle des absents ne sont pas oubliées. Après avoir contemplé quelques instants le beau gâteau illuminé, l'enfant est prié de souffler les bougies, toutes à la fois, ce qu'il s'efforce de faire avec plus ou moins d'adresse, aux applaudissements de l'assistance.

Les anniversaires qui « comptent »

Tous les anniversaires n'ont pas, à nos yeux, la même importance. Certains nous donnent seulement la mélancolique impression d'avoir une année de plus.

D'autres, en revanche, sont comme un coup de cymbale : violents, éclatants, joyeux. Longtemps après on s'en souvient encore et l'on en parle comme d'un jour exceptionnel, un jour qui ne nous a pas vu vieillir, mais nous épanouir, nous affirmer.

A ces anniversaires merveilleux, il faut des cadeaux merveilleux. Et c'est pourquoi, volontairement, nous ne vous indiquerons ici que de très beaux cadeaux que seuls peuvent offrir des parents qui vous gâtent, un mari qui vous aime, une femme qui vous chérit.

Les amis, la famille ainsi que tout ceux qui ne peuvent faire d'aussi luxueux cadeaux mais désirent pourtant marquer d'un joli souvenir ces anniversaires clefs et... tous les autres, trouveront parmi les cadeaux de fête p. 64 une quantité d'idées plus abordables et non moins charmantes.

VOTRE FILLE A 18 ANS

C'est l'âge de la coquetterie, mais aussi du pratique ; de tout ce qui est élégant mais passe-partout, de tout ce qui est « chic » mais « sport ».

• **Offrez-lui un vêtement de peau** : elle en rêve depuis longtemps. Il n'est pas fragile. Il est imperméable, infroissable, intachable à l'eau, et souvent même lavable. Il se porte dans toutes les circonstances, et presque toute l'année.

L'hiver, vous le choisirez garni ou doublé de fourrure. L'été, vous le préférerez sans col, sans manches, et d'une jolie teinte à la mode : jaune, sable, beige tourterelle, etc. Ne vous bornez pas au seul manteau. On taille maintenant dans la peau toute sorte de vêtements : des tailleurs, des jupes-culottes, des blousons à la James Dean, des robes-chemisiers, des jumpers, des cabans, et même, pour celles qui sont très minces, des pantalons. A vous de choisir, selon la personnalité et les goûts de la jeune fille et suivant son style de vie.

o *Si elle est sportive,* optez pour le tailleur à blouson qui fait très jeune ou pour la robe jumper, sans col et sans manches, qu'elle portera sur un pull à col roulé ou sur un chemisier.

o *Pour aller à la « fac »*, l'intellectuelle sera ravissante dans une veste droite, style Dourakine, en agneau de teinte naturelle, garnie de boutons de bois ou de cuivre.

o *La jeune fille « bibelot »*, préférera, elle, un joli manteau en veau-velours vert mousse ou rouge tomate, ou un tailleur souple ceinturé d'un lien très fin.

VOTRE FILS A 18 ANS

• **Offrez-lui son deux-roues à moteur.** Un vélomoteur ne fera pas pour autant de votre fils un blouson noir. Il développera ses réflexes, le préparant plus tard à bien conduire une voiture. Veillez seulement à ce qu'il ne le « bricole » pas, afin de respecter les règles de silence en vigueur.

Pour tous les modèles que nous vous indiquons ici, votre fils devra posséder un permis de conduire : permis A 1 (code seulement), pour les cylindrées comprises entre 50 et 125 cm^3 ; permis A (code et conduite), pour les cylindrées supérieures à 125 cm^3. De plus, l'assurance est obligatoire. Actuellement le montant de cette assurance varie, selon les modèles de vélomoteurs, de 110 à 360 francs.

Pour chaque modèle proposé, nous vous indiquons le prix actuel. Ces prix étant susceptibles de varier d'une année à l'autre ne sont donnés, en fait, que pour vous permettre de comparer les différents modèles de deux-roues.

Puisqu'il s'agit ici de contenter cet âge difficile que l'on nomme adolescence, il faut, si l'on veut tomber juste, se tenir au courant de la marotte du moment. Aussi consacrerons-nous une place importante au choix d'un vélomoteur, engin pratique, d'aspect vieillot, qui retrouve actuellement sa cote d'estime première auprès des jeunes, après avoir été distancé sur le marché européen par le scooter.

• **Les vélomoteurs.**

o *Motobécane-Montoconfort :* le modèle D 52 de sport est équipé d'un moteur hautes performances 50 cm^3, deux temps, développant plus de 4 cv. Boîte cinq vitesses par sélecteur au pied. Mise en route par kick starter. Prix : 1 424,20 francs.

o *Peugeot BB 3K :* moteur de 49 cm^3 développant 3,5 cv. Boîte à 3 rapports avec sélecteur et kick starter. Vitesse 70 km/h. Prix : 1 320 francs.

o *Paloma :* moteur Lavalette-Morini de 4 cv. 49 cm^3. Boîte 3 vitesses. Double échappement. Porte-bagages. Prix : 1 460 francs.

o *Favor :* moteur Benelli d'une puissance de 4,5 cv. Suspension avant et arrière, avec ressorts apparents. Selle sport. Prix : 1 250 francs.

o *Flandria :* moteur de 49 cm^3 développant 5 cv Boîte à 5 rapports. Freins à disques. Prix : 1 459 francs.

o *Honda :* elle vient du Japon, et elle est en très grande faveur auprès des jeunes. La Honda 90 est la dernière-née dans la catégorie des petites cylindrées. Mais elle a la réserve de puissance et l'accélération foudroyante d'une 125 cm^3. Son moteur développe 6,5 cv. Boîte 4 vitesses. Batterie et volant magnétique. Vitesse 90 km/h. Prix : 2 050 francs.

o *Derbi :* elle vient d'Espagne. C'est une 74 cm très poussée développant 8,4 cv. Boîte 5 vitesses. Vitesse 110km/h. Prix : 2 350 francs.

o *Morini :* elle vient d'Italie. C'est un vélomoteur 4 temps, de 48 cm^3 de cylindrée, dont la lubrification est effectuée par circulation forcée avec pompes à piston. Boîte 3 vitesses commandées par sélecteur. Vitesse 100 km/h. Prix : 1 580 francs.

o *Itom :* elle vient d'Italie. Elle plaît également beaucoup aux jeunes. C'est une cylindrée 49 cm^3 avec boîte de 4 vitesses. Vitesse 100 km/h. Prix : 1 525 francs.

POUR LEURS 20 ANS

Les constructeurs d'automobiles ont pensé à eux. Ils rivalisent d'ingéniosité, d'astuce, de goût, pour présenter chaque année au salon la petite voiture faite pour les conduire à la faculté et sur les routes de vacances.

Lignes sobres, petits gabarits, coloris chatoyants, gadgets inédits, tous les moyens de séduction sont mis en œuvre pour attirer cette clientèle de plus en plus importante : les jeunes.

Voici, classées par pays d'origine, les voitures qui nous ont paru s'accommoder le mieux aux goûts et aux exigences des jeunes gens et des jeunes filles.

Aucune de ces voitures ne dépasse 4 m de long. Certaines ont même moins de 3 m. Aucune n'a une puissance supérieure à 6 cv et aucune n'atteint le million (d'anciens francs).

• **Offrez-leur une voiture française.**

o *La 2 CV Citroën*. Moteur : 425 cm³, 2 cv à 5 000 tours-minute. Transmission : traction avant, 4 vitesses toutes synchronisées, levier au tableau de bord. Cotes : 4 places, 3,78 m de long, poids : 505 kg. Consommation : 5,5 litres aux 100 km. Vitesse : 95 km/h.

o *L'Ami 6 (Citroën)*. Moteur : 602 cm³, 3 cv à 4 750 tours-minute. Transmission : traction avant, 4 vitesses toutes synchronisées. Cotes : 4 places, 3,87 m de long, poids : 620 kg. Consommation : de 5,5 à 6,5 litres aux 100 km. Vitesse : 112 km/h.

o *La R4 Renault*. Moteur : 747 cm³, 4 cv à 4 700 tours-minute. Transmission : traction avant, 3 vitesses dont 2 synchronisées, levier au tableau de bord. Cotes : 4 places, 3,61 m de long, poids : 570 kg. Consommation : de 5,5 à 7 litres aux 100 km. Vitesse : 100 km/h.

o *La Dauphine (Renault)*. Moteur 845 cm³, 5 cv à 4 500 tours-minute. Transmission : 3 vitesses toutes synchronisées, levier au plancher ou boîte automatique. Cotes : 4 places, 3,95 m de long, poids 630 kg. Consommation : 6,5 à 8,5 litres aux 100 km. Vitesse : 115 km/h.

o *La Simca 1 000*. Moteur : 944 cm³, 5 cv à 5 200 tours-minute. Transmission : moteur arrière, 4 vitesses toutes synchronisées, levier au plancher. Cotes : 4 places, 3,80 m de long, poids : 698 kg. Consommation : 7 litres aux 100 km. Vitesse : 130 km/h.

• **une voiture allemande.**

o *La Glas Isar 700*. Moteur : 688 cm³, 4 cv à 4 900 tours-minute. Transmission : 4 vitesses toutes synchronisées, levier au plancher. Cotes : 4 places, 3,45 m de long, poids : 630 kg. Consommation : de 6 à 7 litres aux 100 km. Vitesse : 110 km/h.

o *L'Opel Kadett*. Moteur : 993 cm³, 6 cv à 5 200 tours-minute. Transmission : 4 vitesses toutes synchronisées, levier au plancher. Cotes : 4 places, 3,93 m de long, poids : 700 kg. Consommation : de 7 à 8 litres aux 100 km. Vitesse : 124 km/h.

• **une voiture anglaise.**

o *L'Austin-Cooper*. Moteur : 997 cm³, 6 cv tournant à 6 000 tours-minute. Transmission : traction avant 4 vitesses dont 3 synchronisées, levier au plancher. Cotes : 4 places, 3,05 m de long, poids 620 kg. Consommation : de 8 à 10 litres aux 100 km. Vitesse : 140 km/h.

o *L'Hillman*. Moteur : 875 cm³, 6 cv à 5 000 tours-minute. Transmission : moteur arrière, 4 vitesses toutes synchronisées, levier au plancher. Cotes : 4 places, 3,53 m de long, poids : 700 kg. Consommation : de 7 à 8 litres aux 100 km. Vitesse : 120 km/h.

• **une voiture hollandaise.**

o *La Daf*. Moteur : 745 cm³, 4 cv à 4 000 tours-minute. Transmission : embrayage centrifuge automatique à 2 positions Variomatic sans levier de commande, entraînement des roues par courroies et poulies. Cotes : 4 places, 3,61 m de long, poids 660 kg. Consommation : de 6 à 8 litres aux 100 km. Vitesse : 105 km/h.

• **une voiture italienne.**

o *La Bianchini*. Moteur : 499,5 cm³, 3 cv à 4 400 tours-minute. Transmission : 4 vitesses, levier au plancher. Cotes : 4 places, 3,02 m de long, poids 540 kg. Consommation : de 5 à 6 litres aux 100 km. Vitesse 95 km/h.

o *La Fiat-jardinière*. Moteur : 499 cm³, 3 cv à 4 600 tours-minute. Transmission : 4 vitesses dont 3 synchronisées, levier au plancher. Cotes : 4 places, 3,19 m de long. Poids : 540 kg. Consommation : de 5 à 6 litres aux 100 km. Vitesse : 95 km/h.

ELLE A 30 ANS

• **Offrez-lui un postiche.** Et pourquoi pas ? On y pense rarement, et pourtant postiche ou perruques représentent actuellement l'accessoire cher dont rêvent les jeunes femmes coquettes.

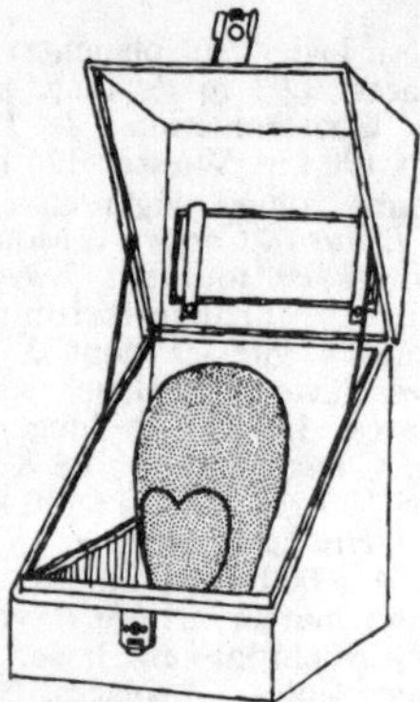

Un bagage de plus
Pour faire voyager confortablement votre jolie perruque, il existe une boîte-coffret en box noir, légère et transportable, équipée intérieurement d'une tête porte-perruque. Une grosse serrure de sécurité donne à ce luxueux bagage un petit air de l'époque (La Bagagerie).

Avec un postiche, plus de risques de se rendre mal coiffée à un dîner imprévu, de devoir refuser d'assister à une soirée dansante parce que l'on s'est baigné toute la journée. Un postiche, c'est aussi un moyen facile de changer de personnalité : un jour blonde, un jour brune, ou gris argent, ou rousse.

o *Les différentes qualités de postiches.* Vous devez tenir compte de la qualité des cheveux, de la monture et de la personnalité de la jeune femme. Aussi le choisira-t-on toujours avec elle. Il existe plusieurs qualités de cheveux postiches.

Leurs origines sont différentes : les cheveux européens sont les plus beaux et... les plus chers. La plupart proviennent des couvents ou des régions méditarranéennes, Sicile, Espagne, Italie du Sud, là où les femmes portent encore de très longs cheveux. Les cheveux de qualité s'achètent en longues mèches coupées soit au rasoir soit aux ciseaux.

Les cheveux chinois sont non seulement ceux provenant de Chine, du Japon, de Corée, de Formose, des Indes, mais aussi tous les cheveux européens lorsqu'ils sont gros. Les posticheurs utilisent alors le procédé chimique pour les amincir.

Les postiches en cheveux chinois sont peu coûteux, assez jolis mais peu solides. Les mises en plis ont vite fait de les ternir et de les arracher ;

Les cheveux en yack viennent du Tibet, où ils sont vendus par les moines bouddhistes. Ce sont des poils très fins, que l'on coupe sous les aisselles des chèvres ;

Les cheveux en nylon se coiffent difficilement et ne sont pas très esthétiques.

Les cheveux, une fois coupés, teints, permanentés s'ils ne frisent pas naturellement, sont fixés sur un fond d'étamine. Trois procédés sont utilisés :

- le montage à la main. Les cheveux réunis par deux, trois ou quatre au maximum, sont noués — en terme de métier on dit qu'ils sont implantés — sur l'étamine ou le tulle, avec un crochet spécial. Pour les perruques à raie, on utilise une étamine plus claire, qui donne ainsi l'impression de la peau. Les postiches « faits main » sont chers, car ils donnent vraiment l'illusion de cheveux véritables. Ils se coiffent admirablement bien et, de plus, ils ont l'avantage d'être très légers.
- le montage mécanique. Les cheveux sont fixés sur les bandes de tulle et ce sont ces bandes qui sont cousues ensuite sur la monture. Inconvénient : il y a des espaces vides entre les bandes, de sorte que ces postiches se coiffent mal. Le peigne accroche. Pour savoir si un postiche est fait à la main ou à la machine, il vous suffit de le retourner. Dans le second cas, vous apercevez les bandes de tulle cousues en rond sur le fond ;
- le montage à chaud. C'est un procédé nouveau, qui consiste à coller les cheveux sur l'étamine avec un fer chaud spécial. Inconvénient : procédé peu solide, ne donnant pas aux cheveux partout la même épaisseur.

o *Votre personnalité doit guider votre choix.* Il est prudent d'essayer plusieurs postiches avant d'acheter celui qui, tout en vous transformant, conserve votre « naturel ».

- Si vous avez un petit cou et si

vous avez dépassé 35 ans : pas de cheveux longs, un chignon ou une natte postiche conviendront mieux à votre âge, et allongeront votre silhouette.
- Si vos cheveux sont clairsemés par endroits et que vous vouliez simplement les gonfler, choisissez un dessus de tête ou une simple mèche.
- Si vous désirez porter votre postiche tous les jours, choisissez une perruque discrète. Pas de queue de cheval, pas de coiffure trop volumineuse, pas de frange agressive et surtout pas de teintes extravagantes, argent ou rouge. Choisissez une perruque dans votre teinte naturelle, de préférence courte ou mi-longue.
- Si vous choisissez des cheveux très clairs, blond très pâle ou gris argent, évitez les trop gros volumes. La couleur seule doit retenir le regard. La coiffure sera simple et nette.

IL A 30 ANS

• **Posséder un bateau**... L'extraordinaire publicité faite depuis quelques années au yachting à voile et au motonautisme en donne l'envie à tous les hommes.

Ce n'est plus aujourd'hui un rêve de milliardaire. Certains bateaux à voiles et certains hors-bord coûtent moins cher qu'une voiture.

• **Si vous êtes débutant** achetez un bateau d'initiation à la voile. Il en existe actuellement quelque vingt types. Ce sont tous des dériveurs entre 3,50 m et 4,50 m de longueur. Leur surface de voile a au maximum 10 m², et le poids de la coque ne dépasse pas 100 kg. Leur prix est en général inférieur à 3 000 francs.

Pour bien choisir votre bateau, vous tiendrez compte de trois éléments essentiels : la coque, le matériau, la sécurité.

Il existe deux types de coques :
- les bateaux de forme Sharpie. Les flancs du bateau forment un angle avec le fond généralement plat ou très peu bombé. Inconvénients : les lignes d'eau ne sont pas parfaites et la tenue dans les vagues n'est pas très bonne. L'eau éclabousse le navigateur qui fait route contre le vent et les vagues ;
- les bateaux en forme, ils sont construits sur moule. Ils présentent sur les autres l'avantage de lignes d'eau meilleures et d'une résistance plus grande.

Les matériaux employés sont de deux sortes : le bois et le plastique.

Avantages du plastique : il est imputrescible, et ne s'imbibe pas d'eau, alors qu'un bateau en bois, de 5 m de long prend facilement de 3 à 4 kg supplémentaires par an. L'entretien est mineur. Plus besoin de peinture ni de calfatage. Les réparations sont faciles, car il est plus simple de réparer un trou dans une coque en plastique que dans une coque en bois Inconvénients : sa densité. Elle est de 1,6, soit le double de celle du bois. Il faut donc faire des coques dont l'épaisseur de paroi soit moitié moindre. Aussi la rigidité des longues coques pose encore un problème mal résolu.

Pour être sûr, un bateau d'initiation à la voile doit pouvoir se redresser et se vider facilement, en cas de chavirage. Il faut donc :
- que le bateau possède à l'arrière, soit des trappes de vidange, soit un nat ;
- qu'il possède à l'avant un chaumard, indispensable pour diriger le filin de remorque, au cas où vous seriez obligé de demander de l'aide ;
- qu'il ait de préférence une dérive pivotante, car en cas de rencontre avec un obstacle, elle s'efface devant cet obstacle, sans bloquer le bateau, alors que la dérive qui remonte verticalement, une fois soulevée, empêche le passage de la bôme ;
- que ses voiles soient en tissu synthétique et non en coton. Le tissu synthétique garde sa forme quand il est mouillé. De plus il est imputrescible.

Les bateaux d'initiation à la voile les plus vendus actuellement sont le Vaurien, le 420 et le Mousse.

o *Le Vaurien* est un bateau en bois, de forme Sharpie. Il a 4,08 m de long, 1,47 m de large et pèse 95 kg. Son prix est modique : 1 400 francs.

A recommander surtout dans les baies abritées, car il n'a pas de caissons étanches, ce qui rend le relevage du bateau difficile en cas de chavirage.

o *Le Mousse* est un bateau en plastique, avec caissons étanches. Il a 3,90 m de long, 1,44 m de large et pèse 90 kg. Son prix est de 1 900 francs.

o *Le 420* est en forme et en plastique. Il possède donc toutes les qualités requises pour être un bon bateau : sensibilité à la barre, évolution facile, possibilité de planer. Il a 4,20 m de long, 1,63 de large et pèse 100 kg. Un seul défaut : il est encore cher à 3 000 francs.

• **Si vous êtes un bon yachtman,** achetez un bateau d'entraînement aux compétitions. Vous le choisirez : léger et sensible, pour perfectionner votre doigté à la barre ;
- pourvu d'un accastillage suffisamment développé, pour que vous puissiez apprendre à le régler ; muni d'un trapèze, pour dresser un équipier ;
- pourvu d'un spinnaker, pour vous apprendre à utiliser toutes les possibilités de la voile.

Les plus cotés sont actuellement le Ponant, le Caneton et le Snipe.

o *Le Ponant* est un bateau en plastique de 5,25 m de long, de 1,98 m de large. Il pèse 170 kg et vaut 3 750 francs.

o *Le Caneton* est en plastique, mesure 4,98 m de long, 1,73 m de large et pèse 165 kg. Il vaut 3 982 francs.

o *Le Snipe* est également en plastique. Il mesure 4,72 m de long, 1,58 m de large, pèse 192 kg et vaut 4 000 francs.

• **Si vous êtes un excellent yachtman,** achetez un bateau de haute performance. Un tel bateau doit être largement voilé et léger. Le trapèze est indispensable. Toutes les manœuvres doivent se trouver à portée de la main.

L'organisme mondial du yachting à voile conseille deux bateaux de haute performance : le Flying Dutchman et le 505.

o *Le Flying Dutchman* est un bateau en plastique qui mesure 6,05 m de long, 1,70 m de large. Il pèse 160 kg et vaut 7 500 francs.

o *Le 505,* bateau en plastique, mesure 5,05 m de long, sur 1,94 m de large. Il pèse 130 kg et vaut 5 300 francs.

• **Si vous êtes un « amateur »,** achetez un bateau à moteur. Ces bateaux conviennent aussi bien au pêcheur bucolique des bords de la Marne qu'à l'amateur de ski nautique, ou au simple vacancier amoureux des promenades en mer.

o *Les youyous* n'ont guère plus de 2,50 m de long. Mais, munis d'un moteur de 3 à 7 cv, ils font des embarcations idéales pour la rivière et les lacs. Ils ont de plus l'avantage de pouvoir se placer sur la galerie d'une voiture ou sur une remorque légère.

o *Les Dinghies* sont des embarcations à moteur. Quatre personnes s'y tiennent à l'aise. A 90 %, les Dinghies sont en plastique, avec coques plates au tableau arrière, et très en V à l'avant. En marche, le bateau déjauge, c'est-à-dire que son fond effleure la surface de l'eau.

Les sièges sont parfois en plastique, mais le plus souvent en contreplaqué recouvert de mousse et d'une sellerie en matière plastique. Un pare-brise protège les passagers du vent et des embruns.

Les dimensions des Dinghies vont de 4,50 m à 4,80 m et même 5 m, pour une largeur de 1,65 m à 2 m, et une profondeur de 0,70 m à 1 m. Suivant la puissance du moteur, leur vitesse peut aller de 45 à 90 km/h.

• **Sachez que** si l'on vous offre un bateau, un certain nombre de formalités, lois, décrets, ordonnances vous guettent.

o *Si vous désirez prendre des leçons de voile,* songez-y longtemps à l'avance, car le nombre des places disponibles est de beaucoup inférieur à celui des candidats. Le Centre nautique des Glénans, installé dans les îles au large de Concarneau, est la plus réputée des écoles de voile en mer. Siège à Paris, quai Blériot.

o *Si vous désirez naviguer en ri-*

vière, vous devez posséder un certificat de capacité, sauf s'il s'agit de bateaux à moteur d'une cylindrée inférieure à 350 cm^3.

Pour obtenir ce brevet, il vous faut passer : une visite médicale, une épreuve pratique de conduite et une épreuve orale sur le code fluvial et la mécanique.

Renseignements à la préfecture de votre département, service permis de navigation.

o *Si vous désirez naviguer en mer,* vous devez aussi vous soumettre à un certain nombre de formalités : passer une visite médicale ; boucler le huit réglementaire de l'épreuve de conduite ; connaître tout sur le matériel de sécurité et sur la mécanique élémentaire, s'il s'agit d'un bateau équipé d'un moteur d'une puissance inférieure à 150 cv et plus encore s'il s'agit de 300 cv.

Renseignements : ministère de la Marine marchande, service Plaisance, 1, place Fontenoy, Paris.

LES ANNIVERSAIRES DE MARIAGE

Autrefois, seules les très riches et très nobles familles célébraient ces anniversaires.

Depuis le XIXe siècle, les couples appartenant à toutes les classes de la société commémorent la date anniversaire de leur mariage. Encore ne donne-t-on pas, à ce jour, la même importance selon les années. Ne soyons pas trop exigeants. Quelques dates célébrées avec éclat : 1 an de mariage, 5 ans, 10 ans, 25 ans, 50 ans, suffiront à jalonner votre vie conjugale de cinq jolies fêtes familiales.

Pour tous les autres anniversaires, faites « un petit quelque chose », pour que cette journée sorte de la grisaille des autres jours. Monsieur, rentrez chez vous avec quelques fleurs, ou faites-les envoyer avec un mot tendre qui prouvera que vous n'avez rien oublié. Et vous, madame, préparez avec soin un gentil dîner. Dressez la table des jours de fête. Revêtez une jolie robe. Tout cela coûte peu d'argent et de peine, mais renforce la solidité du lien qui vous unit.

Les noces de papier

Vous êtes mariées depuis un an. Vous n'avez pas d'enfant ou, du moins, pas encore. Profitez de votre liberté pour organiser une sortie un peu exceptionnelle.

Un programme pour la soirée marquera cet anniversaire : dîner en tête à tête dans un bon restaurant ou spectacle puis souper en tête à tête.

DES PETITS CADEAUX RECIPROQUES

• **Pour elle : ce qu'il ne pouvait lui offrir** avant leur mariage, sans la choquer (une jolie parure, une pochette de bas, une chemise de nuit et son déshabillé assorti) ;
- des colifichets, qu'elle portera ce soir-là pour sortir : un collier fantaisie pour son pull de soie, un clip en pierres de couleur pour sa petite robe noire, le bracelet dont elle a envie, des boucles d'oreilles si elle aime en porter, un petit sac du soir, une longue écharpe en mousseline de couleur, une étole douillette soulignée de pompons, une ceinture or ou argent pour rajeunir sa robe de l'an dernier ;
- pour ses cheveux : une résille fantaisie, ou une barrette scintillante, un nœud de velours, un bandeau doré ou une fleur ;

• **Ce qui flattera** sa gourmandise : un énorme coffret de chocolats ou de marrons glacés ;
- ses dons culinaires : *L'Encyclopédie culinaire du XXe siècle* parue dans notre collection ;
- sa manie des rangements : des petites boîtes à chemises, à gants, à mouchoirs, à chaussures, fleuries ou en toile de Jouy, boîte à médicaments, boîtes à épingles, à bijoux, en albâtre ou gainées de moire et cloutées, boîtes à épices, en céramique décorée à la main ou en verre et en étain, boîtes à tisanes, recouvertes de papier laqué de couleur, avec beau-

Boîte à pilules ancienne en argent (Geller).

coup de petits tiroirs ;

• **Ce qui contentera** son sens du confort : tout un lot de coussins, de toutes les formes et de toutes les couleurs. Elle en mettra sur son divan, sur les fauteuils et par terre ;

- son esprit rieur : *Les Chefs-d'Œuvre du sourire* de l'encyclopédie Planète ;

- son sens pratique : un toaster-automatique avec thermostat pour les petits déjeuners, un mixer électrique, un chauffe-plat à accumulation, un séchoir-casque pour ses cheveux.

• **Pour lui : de quoi le corriger** du petit travers qu'elle lui a découvert dans l'année :

- il laisse tomber ses cendres de pipe ou de cigarettes : un énorme cendrier ou plusieurs petits à poser sur tous les meubles ;

- il prétend ne pas savoir cirer lui-même ses chaussures : un gant qui cire tout seul, en 50 secondes, sans se tacher les mains, une paire de souliers ; ou une cireuse électrique avec brosses tournantes ;

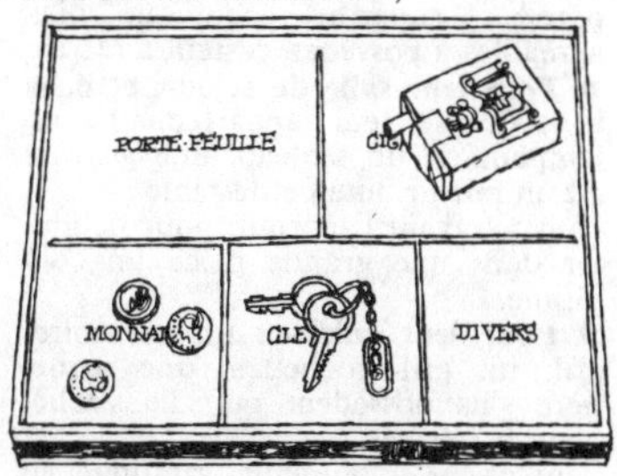

- il vide ses poches un peu partout : un vide-poches très élégant à multiples cases (Croque-monsieur).

- il la réveille la nuit pour voir l'heure : un watch-light, support à pile, qui permet de voir, dans l'obscurité, l'heure à la montre que l'on y suspend ;

- il lui demande chaque jour de lui frotter le dos sous la douche : deux brosses circulaires au bout d'une longue corde à poignées, permettant de se frictionner le dos, seul ;

- il pose ses vêtement n'importe où : un valet de nuit en bois, en cuivre ou gainé de cuir, ou encore avec siège se soulevant pour ranger le matériel pour l'entretien des chaussures.

• **Tout ce qui flattera** sa coquetterie : un gilet de daim, un pull en cachemire, une veste de télévision, des boutons de manchettes ;

- ses maniaqueries quand il s'agit de sa voiture : un plaid pour protéger les coussins, un tuyau d'arrosage avec une brosse pour laver, un ventilateur qui se fixe sur la glace et supprime la buée, un thermomètre indiquant les risques de verglas, etc. (voir page 128 de ce livre les cadeaux pour automobilistes) ;

- ses attraits physiques : un extenseur ou des haltères ;

- ses dons pour raconter les histoires : un recueil de bonnes histoires ou le dernier disque du fantaisiste ou du conteur d'histoires à la mode ;

- sa gourmandise : quelques boîtes de foie gras truffé, dans une petite caissette.

• **Noces à souhaiter**

1 an : noces de papier
2 ans : noces de coton
3 ans : noces de soie
5 ans : noces de bois
7 ans : noces de cuir
10 ans : noces de fer blanc
12 ans : noces de laine.

• **Les noces précieuses**

15 ans : noces de cristal
20 ans : noces de porcelaine
25 ans : noces d'argent
30 ans : noces de perles
40 ans : noces de rubis
50 ans : noces d'or
75 ans : noces de diamant.

UN CADEAU COMMUN

• **La télévision.** Adressez-vous pour cet achat à un spécialiste (pour son installation, vous reporter aux chapitres Aménager et Dissimuler de *l'Encyclopédie de la Décoration* parue dans cette collection).

• **Le réfrigérateur.** Choisissez-le parmi les plus nouveaux et les plus perfectionnés. Il existe aujourd'hui des réfrigérateurs à dégivrage automatique ;
- des réfrigérateurs munis de clayettes tournantes, ce qui en augmente la capacité, et rend plus facile le retrait des aliments entreposés ;
- des réfrigérateurs super-étroits, pour toutes petites cuisines. Leur contenance est pourtant grande, car ils sont très hauts ;
- des réfrigérateurs mixtes, c'est-à-dire réfrigérateur et congélateur. Le congélateur, appareil de l'avenir, permet, suivant la température, —18° ou —30°, de conserver indéfiniment des aliments surgelés, ou bien de réussir soi-même à les congeler.

Avantages : économies, car on peut se procurer, à la production, les aliments saisonniers au plus bas prix, depuis la viande jusqu'aux primeurs. Certains congélateurs peuvent contenir jusqu'à 30 kg de marchandises ;
- des réfrigérateurs transportables : pratiques quand on a une maison de week-end, ou quand on fait du camping. Ils tiennent dans le coffre d'une voiture, ne pèsent que 7 kg et fonctionnent sur batterie ou secteur.

• **La machine à laver.** Pour faire votre choix, vous reporter au chapitre Entretien de *l'Encyclopédie de la Maîtresse de maison*. A signaler cependant quelques nouveautés.

Dans ce domaine, le robot intégral est devenu la règle :
- vous ne résisterez pas aux machines automatiques, dont le pré-lavage, le lavage, le rinçage, la vidange et l'essorage, commandés par programmateur et thermostat, se font même en votre absence. Le comble du perfectionnement : une seule manette met en marche un cerveau électronique, qui décide du volume d'eau et de produit, de la durée, de la vitesse des opérations et du nombre de brassages, suivant le poids du linge.
- vous serez intéressés par leurs dimensions de plus en plus réduites, qui vous permettront de caser votre machine même dans une toute petite cuisine. La plus petite, actuellement, a 45 cm de large, pour 4 kg de linge.

• **L'aspirateur.** Les dernières nouveautés seront autant de cadeaux appréciés :
- l'aspirateur vertical : très maniable. Il pivote sur trois roulettes. Léger, étroit. Ne tient pas de place ;
- l'aspirateur-laveur : il projette sur le sol une solution détersive. Une aspiration « avale » l'eau sale, et une soufflerie sèche la surface ;
- l'aspirateur sur skis : il glisse sur les tapis et les sols et ne risque pas d'écailler les meubles en les cognant, car il est muni de pare-chocs en caoutchouc.

LES CADEAUX DE LA FAMILLE

La première année de mariage se fêtant dans l'intimité, les amis ne se manifestent guère. Par contre, parents et beaux-parents cherchent une fois de plus à faire plaisir à leurs enfants.

Tous les ustensiles indispensables ont, certes, été reçus en cadeaux de mariage, ou achetés durant cette année. Mais beaucoup de petits appareils « superflus » quoique bien agréables à posséder, restent à offrir.

• **Pour leur salle de séjour,** et dans le style de leur appartement : un lampadaire, un tableau, une gravure ou un miroir, une petite table ;
- un paravent décoratif, pour délimiter dans une grande pièce un coin intime.

• **Pour leur cuisine :** un rôtissoire-gril, un gril-brochettes, une sorbetière s'ils possèdent ou s'ils s'achètent un réfrigérateur ;
- un casier à bouteilles pratique en liège ou en bois, très décoratif dans les jolies cuisines rustiques à l'ancienne ;

Noël et Jour de l'An

Plus que les autres fêtes, Noël, par son côté miraculeux, vous fait offrir aux enfants les jouets dont ils auront rêvé toute l'année.

Les vieilles montres d'autrefois sont de nouveau à la mode ;
les fausses montres connaissent aussi leur succès.
Aux côtés d'une « vraie », la montre-cendrier,
munie d'un dispositif qui escamote le porte-cigarettes.

(Richard Ginori)

Le poudrier ou la boîte à pilules d'écaille blonde,
le fume-cigarette d'ivoire,
les cailloux du Rhin montés en broche,
les sacs du soir en strass ou perlés
sont des cadeaux qui ne déçoivent jamais.

(Desprez, fleuriste)

Ayez l'art d'offrir votre champagne !
Digne des présentations des plus grands fleuristes, cet harmonieux bouquet « savoir-vivre » a été réalisé par un petit fleuriste du Quartier latin.

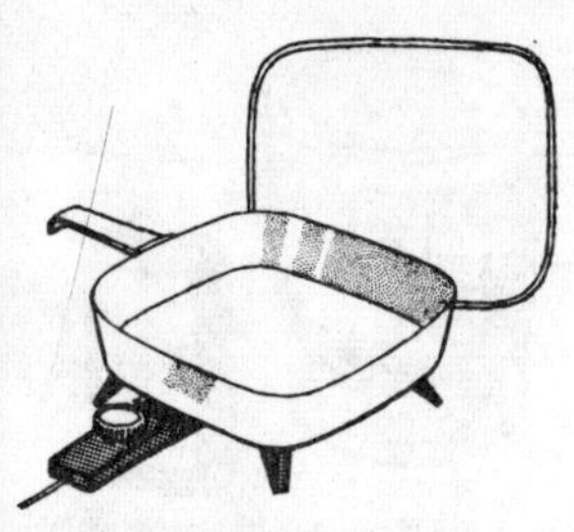

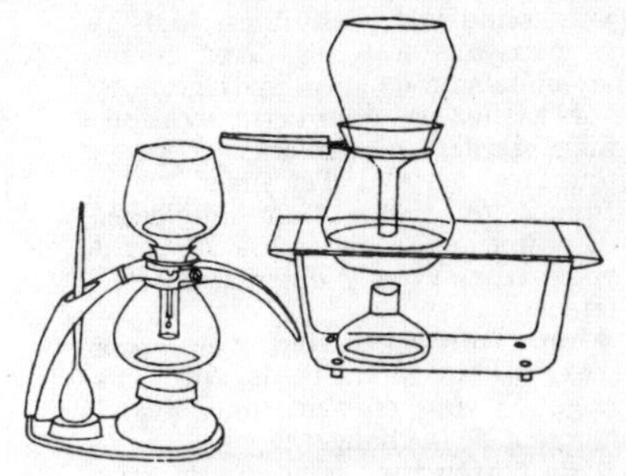

Une poêle électrique
qui cuisine toute seule et rappelle sur son manche les temps de cuisson nécessaires à chaque denrée (Frypan).

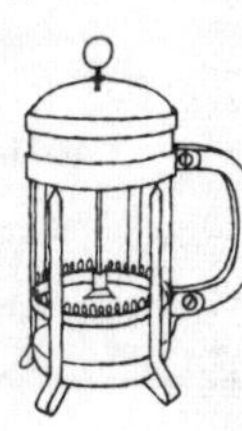

Un toaster automatique
qui grille « à point » grâce à un contrôle de rayonnement (Sunbeam).

Une cafetière
choisie en fonction des besoins des jeunes gens, parmi les meilleures :
- pour un couple qui reçoit beaucoup, la cafetière à boule ou à tulipe en verre Pyrex est idéale. Elle ne donne aucun mal à une maîtresse de maison qui peut faire passer son café à table, sous les yeux des convives (Cona, Helem, Compact) ;
- pour un couple qui travaille, toujours pressé, vous choisirez la cafetière à pression, électrique, donnant en quelques minutes le fameux café « Espresso » (Utentra, Velox, Nava Express) ;
- pour le couple amateur de bon café qui reçoit un peu et casse beaucoup, donnez votre préférence à la cafetière à piston, élégante, peu encombrante et peu fragile (Melior).

- tous les robots : batteur, mixer, broyeur,
- une cocotte-minute, une éplucheuse à légumes, une balance de cuisine, un gaufrier électrique, un chauffe-plat.

Les noces de bois

Vous êtes mariés depuis cinq ans. Vous êtes maintenant confortablement installés. Vos enfants, si vous en avez, sont encore très jeunes. Les charges, au fur et à mesure que passeront les années, iront en grandissant. Profitez donc des années insouciantes, avant les gros problèmes.

UN CADEAU COMMUN

• **Offrez-vous un voyage** de huit ou quinze jours ou même d'un seul jour, selon vos possibilités. Mais retrouvez-vous tous les deux, comme au lendemain de votre mariage.

N'hésitez pas pour cette occasion à faire garder vos enfants et partez tous les deux à l'étranger ou en France ou même tout simplement dans une petite auberge à 20 km de votre ville. Vous y dînerez en tête à tête ;

● **une voiture,** si vous n'en possédiez pas au moment de votre mariage. Si vous en aviez une, c'est le moment de la changer ;

● **de l'orfèvrerie** : peut-être en avez-vous déjà reçu en cadeau de mariage (on offre en général les couverts de table). Mais il y a toujours certaines pièces utiles ou décoratives qui vous manquent. Votre équilibre financier étant établi, vous pouvez désormais consacrer une somme assez important à cet achat. Par exemple :

- complétez votre service, couverts de table, par un service à poisson, un service à fromage, un service à huîtres, des couteaux à pamplemousse, des fourchettes à escargots, des ciseaux à raisin, un couvert à salade, une pince à sucre, etc. Le tout dans le même style que celui de la ménagère ;
- donnez un air de luxe à vos tables de réception avec : des plats ronds ou ovales, des saucières, une soupière, une corbeille à pain en argent, en métal argenté ou en inox, une cafetière avec sucrier et crémier, en argent ou métal argenté, un seau à glace ou à champagne ;

Un seau à glace ou un flacon à whisky *en verre fumé ou de teinte verte. La monture du seau est en étain, l'anse est une fine chaine gourmette toujours en étain. En étain encore l'étiquette gravée et le bouchon du flacon plat (création l'Etain à la Rose, chez Strich).*

● **un très beau service** de verres ou un service de table en porcelaine : pour ceux qui n'ont reçu en cadeau de mariage que des services d'usage courant. Voir page 189 et suivantes de ce livre.

UN ECHANGE DE CADEAUX

● **Offrez à votre femme** : des fleurs ou un parfum. Voir pages 238 et 42) si vos moyens sont modestes ;
- si votre budget vous le permet : un manteau de fourrure (voir page 54).

● **Offrez à votre mari** : un appareil photo ou bien, s'il en a déjà un, une caméra.

Les noces de fer blanc

Vous êtes mariés depuis dix ans. Votre foyer, ce n'est plus seulement vous deux, mais vous et vos enfants. Célébrer dix ans de mariage, c'est aussi, pour vous, célébrer votre bonheur familial.

Pour cet anniversaire-là, réunissez autour de votre table tous les membres de votre famille, parents, beaux-parents, enfants et même un ou deux couples d'amis, témoins de votre heureuse union.

LES CADEAUX DE LA FAMILLE

Ils dépendront de la situation financière du couple.

● **Cadeaux utiles** : des draps. Il y en a de si jolis : fraîcheur des fleurs délicatement brodées sur le fil ; raffinement des broderies vieil or ; délicatesse des entre-deux de dentelle ou des galons ; féminité des guipu-

res, des plissés ; splendeur du « blanc grand-mère », tout ajouré ou volanté de broderie anglaise ou ponctué de points, satin et plumetis blanc. Ajoutez-y bien sûr les deux taies assorties, et même parfois la housse de traversin ;
- un service de table blanc, damassé et chiffré ou d'organdi brodé d'or ou de dentelle de Tergal ;
- le meuble que le couple désire depuis longtemps : tables gigognes, serviteur muet, petite bibliothèque par éléments.

• **Cadeaux frivoles.**

o *Pour elle :* une blouse en mousseline, en crêpe ou en linon ; un pull en soie ou en cachemire ; un sac à main en box ou en porc si elle voyage et s'habille sport.

o *Pour lui :* une robe de chambre ; une écharpe en soie ou en mohair ; des mules en cuir ou en daim ; un ensemble cravate pochette.

o *Et pour tous les deux :* un très beau vase de cristal ; un objet de vitrine ; un aquarium super-perfectionné avec poissons rares, plantes et coquillages ;
- un voyage, tous frais compris, avec promesse de garder les enfants.

LES CADEAUX DES AMIS

Petits cadeaux peu coûteux, mais qui marqueront cette journée d'un souvenir : un livre, un disque ; un gadget pour leur voiture ; un pichet en étain, un sablier géant ; un sécateur et un petit arrosoir d'appartement. Vous pouvez y joindre une plante verte ; un jardin japonais ; deux oiseaux dans une cage.

CADEAUX ENTRE EPOUX

• **Pour elle, si elle a de nombreux enfants** : une machine à repasser : la plus pratique se commande au pied et permet ainsi de disposer de ses deux mains pour guider le travail ; une machine à tricoter ou une machine à coudre, broder, surfiler, repriser ; une machine à laver la vaisselle : elle reste un rêve pour beaucoup de femmes, car elle est chère. Vous pourrez l'acheter à tempérament, exactement comme un réfrigérateur ou un téléviseur. Choisissez, selon les moyens financiers et la place dont vous disposez. Vous choisirez parmi les grandes marques :

o *Frigidaire :* maniable, car montée sur roulettes. Elle chauffe l'eau, prélave, stérilise, rince et sèche en 30 minutes.

o *Dishmaster Kenwood :* très simple de forme et très rapide, puisqu'elle lave, rince et sèche en 6 minutes.

o *Zanker Dishmatic :* elle pré-lave, pré-rince, lave et rince en 10 ou 30 minutes.

o *Electrolux :* elle occupe peu de place, car elle est cylindrique, elle lave, rince et sèche en 6 minutes.

o *Laden :* entièrement automatique. Réglage par thermostat, 2 lavages, 2 rinçages, séchage par évaporation en 45 minutes.

o *Giravia Dishwasher :* elle est élégante parce que transparente, commode parce qu'elle peut se fixer au mur. Elle lave, rince et sèche à la vapeur en 45 minutes.

o *Colston :* elle est facile à charger grâce à son ouverture en avant et ses étagères à glissières.

o *Favorit :* spéciale pour eaux calcaires.

• **Pour lui : le cadeau qui flattera sa manie,** car bien rares sont les hommes qui, à partir de 35 ans, n'ont pas un « hobby » :
- s'il n'a pas de manie caractérisée, un chronomètre ou une chevalière en or ;
- ou encore un objet d'art, rare ou insolite.

Les noces d'argent

Vous êtes mariés depuis 25 ans. Vos enfants ont un métier. Peut-être même sont-ils déjà mariés. De nouveau seuls, tous deux, vous appréciez de plus en plus le confort de votre appartement. Bornez donc vos cadeaux mutuels à un parfum ou à des fleurs pour elle, à une boîte de cigares ou à une bonne bouteille pour lui. Offrez-vous un objet fastueux pour votre « chez vous », par exemple un tapis d'Orient.

LE TAPIS QUI VOUS TENTE

Sachez reconnaître les différents tapis d'Orient.

• **Les tapis chinois** : les motifs décoratifs, toujours disposés symétriquement, laissent le fond uni très visible. Ces motifs peuvent être des semis de fleurs, de petites poteries ou des symboles reliés au confucianisme, au taoïsme ou au bouddhisme : animaux (poisson, dragon, phénix, chauve-souris, chien), fleurs sacrées (chrysanthème, lotus, pivoine), signes de présages heureux (roue, conque, vase).

Couleurs : motifs bleus sur fond jaune d'or ou pêche, ou vice versa.

Matériaux : autrefois la soie. Aujourd'hui la laine soyeuse. Les tapis chinois sont moelleux et assez fragiles et d'un prix très élevé s'il s'agit d'un tapis ancien.

• **Les tapis persans** : ils sont différents suivant les lieux de fabrication.

o *Le tapis de Chiraz :* médaillons souvent octogonaux, reliés entre eux. Bordures et fond remplis d'une multitude de motifs stylisés et symétriques : oiseaux, arbrisseaux et surtout coq, symbole de l'immortalité.

Couleurs : assez foncées et très mélangées, à dominantes de marron, de bleu, de lie-de-vin et de violet. Quelques taches de blanc.

Matériaux : laine de chèvre, souple, floconneuse, très soyeuse.

o *Le tapis de Tabriz :* il n'a pas de médaillon central, mais un fond et des bordures décorés de motifs végétaux (palmettes importantes et légers plumets de feuilles), et de croissants de lune disposés symétriquement et reliés entre eux par des lianes très fines.

Couleurs : elles sont nombreuses, bleu, brique, rouge, blanc, ciel. Elles sont cependant un peu ternes, car la laine est teinte avec de l'eau de Tabriz, riche en sels.

Matériaux : laine fine. Les « tabriz » sont lourds et résistants. Ils sont aussi très chers.

o *Le tapis d'Ispahan :* sa copie est la plus répandue en France. Tous les thèmes persans traditionnels y figurent : tiges en spirales entrecoupées de fleurs et de feuilles.

Couleurs : fond clair, beige ou crème.

Motifs bleus, rouge cramoisi, roses.

Matériaux : les plus anciens se faisaient en soie, en fil d'or et d'argent. Les « ispahan » modernes sont faits en laine australienne filée en Perse, et en laine de Tabriz.

o *Le tapis véramin :* un seul motif, une rosette rouge entourée de quatre narcisses blancs se répète indéfiniment, soulignée d'un réseau fleuri de fines tiges. Encadrement souvent orné de palmettes.

Couleurs : fond souvent bleu sombre, motifs très lumineux, blancs, jaunes, bleu azur, rouge cramoisi.

Matériaux : laine brillante.

Les « véramin » sont sobres, élégants, éclatants.

• **Les tapis d'Afghanistan.** L'« *afghan* » ressemble un peu au « boukhara » en plus rustique. Le motif est en général un octogone géant, renfermant un grand carré ou un polygone.

Couleurs : harmonie de rouge assez sombre et pour le fond du bleu nuit et du noir.

Matériaux : laine de mouton et poils de chèvre.

• **Les tapis en provenance du Caucase.**

o *Le « boukhara » :* très facile à reconnaître, car il se compose uniquement de roses de Sabor presque octogonales, qui se répètent à l'infini, et sont reliées entre elles par des lignes perpendiculaires qui les coupent en quatre. Des croix ou des losanges stylisés remplissent le vide.

Couleurs : tons violents, presque toujours rouge écarlate, du vert, du noir, du bleu et quelques touches de blanc.

o *L'« hadchlou » :* c'est un petit tapis de prière carré. Les bordures sont importantes, surtout celles du bas, et toujours ornées de losanges rapprochés les uns des autres. Motif central : une niche divisée par une large croix en quatre tableaux décorés d'Y stylisés.

Couleurs : rouge violacé, noir et blanc.

Matériaux : laine soyeuse.

• **Les tapis en provenance de Turquie.** Ils se reconnaissent par le mihrab, petite niche centrale de ton uni (les musulmans en tournent la pointe vers La Mecque quand ils se prosternent dessus à l'heure de la prière). L'encadrement se compose de sept bandes très étroites piquées, de fleurs stylisées ou de cœurs.

Couleurs : le mihrab est souvent bleu, vert, brun rouge ou beige. Beaucoup de couleurs mêlées au blanc dans les bordures.

Matériaux : laine et un peu de coton pour les bordures.

o L'achat d'un tapis est une dépense importante. Adressez-vous pour cela à des maisons réputées (les ventes publiques sont souvent des pièges, et le porte à porte une escroquerie).

Adressez-vous de préférence aux marchands, membres de l'institut du Tapis, car ils proposent généralement des tapis d'excellente qualité aux prix les plus justes. Vous reconnaîtrez ceux-ci au « T » rouge, emblème de cet institut, affiché dans leur magasin.

Prenez soin de lire les étiquettes apposées sur les tapis : elles doivent mentionner les matières premières composant le velours et l'origine, en langue française.

A noter qu'un tapis peut s'acheter à crédit, comme une voiture ou un manteau de fourrure.

Les noces d'or

Vous êtes mariés depuis 50 ans. Cinquante années de bonheur conjugal, méritent bien de se voir célébrées.

Ce bel anniversaire sera, bien sûr, l'occasion de réunir toute votre famille, vos enfants et vos petits-enfants. Prévoyez pour le repas un menu de gala, une table scintillante de cristaux, d'argenterie et de fleurs.

LES CADEAUX DES ENFANTS

• **Pour les distraire** : la télévision ou la radio, s'ils n'en possèdent pas encore ;
- des jeux de société, pour jouer... à deux.

• **Pour leur tenir chaud** : une couverture chauffante ou un couvre-lit ouatiné ;
- une couverture en fourrure pour les heures de sieste ou une chancelière électrique ;

La boîte à couture
format malle-cabine. Toute gainée en toile de Jouy lavable elle voyage de la chambre au living-room, transportant le nécessaire à couture (et même le superflu) d'une maîtresse de maison habile. Arrivée à destination elle s'ouvre et se déploie pour devenir son atelier (tous les grands magasins).

- un tapis chauffant qui isole les pieds d'un carrelage ;
- un petit ventilateur-radiateur, soufflant de l'air chaud ou de l'air froid, qu'ils pourront transporter près de leur fauteuil en hiver comme en été.

• **Pour les ménager** : un bon fauteuil profond pour la maison, un fauteuil à bascule, style colonial américain, ou un fauteuil relax, pour le jardin ou la terrasse ;
- si leur appartement est vaste, un téléphone intérieur, pour qu'ils puissent se parler d'une pièce à l'autre sans se déranger ;
- une table-servante chauffante : votre maman n'aura plus à se lever de table ;
- un dossier rigide permettant de s'asseoir dans le lit pour lire sans fatigue ;
- une table de lit pour prendre confortablement le petit déjeuner.

LES CADEAUX DES PETITS-ENFANTS

• **Cadeaux douillets** : un grand châle ou une longue écharpe en mohair ;
- des chaussons fourrés ;
- des coussins pour le coin de la cheminée.

• **Cadeaux pratiques** : un sac à provisions monté sur roulettes ;
- un cache-bouteille d'eau minérale, en métal argenté ;
- des plateaux-télévision sur lesquels ils dîneront « léger », le soir, en regardant leur programme préféré ;

• **Cadeaux attentionnés** : un abonnement à une revue ou une inscription dans une bibliothèque, pour renouveler leurs lectures ;
- et enfin, s'ils aiment les animaux : un chien ou un chat qui deviendra leur compagnon.

PAQUES

Depuis des siècles, et dans le monde entier, c'est le même cadeau qui s'offre entre parents, entre amis, entre voisins : les œufs. Ils sont prétexte à de charmants cadeaux, une nouvelle occasion de faire plaisir, occasion que Noël et Jour de l'An n'ont pas toujours pu fournir.
Les très jeunes enfants croient encore que ce sont les cloches qui, « en revenant de Rome », ont rapporté ces œufs multicolores et délicieux et les ont laissé tomber tout exprès pour eux sur la pelouse du jardin ou dans la cheminée.

Mais il n'est nul besoin de croire à cette légende pour aimer ces œufs précieux. Si l'usage d'offrir des œufs de Pâques s'est maintenu à travers les âges, l'aspect des œufs cadeaux a quelque peu varié.

Les œufs utiles

o *Les œufs-saupoudroirs :* pour sel, poivre, sucre en poudre. Ils existent en métal doré et argenté, en cristal taillé et en porcelaine de Paris avec décor de fleurs, d'oiseaux ou de fruits (toutes les maisons de cadeaux et grands magasins) ;
o *l'œuf-boîte à pilules :* en métal argenté ou en nacre, avec une petite chaînette (antiquaires et brocanteurs) ;
o *l'œuf couture :* en velours de couleur, il contient un dé, un étui à aiguilles et du fil. Très joli pour le sac d'une femme raffinée (Nohalé) ;
o *l'œuf-briquet :* existe en porcelaine décorée, avec un côté plat pour pouvoir le poser en équilibre sur un bureau. Il s'ouvre pour découvrir un briquet en métal chromé (maisons spécialisées pour articles de fumeurs) ;
o *l'œuf-étui à chapelet :* très joli cadeau à faire à une personne pratiquante. Existe en buis sculpté, en olivier veiné ou, très précieux, en nacre (antiquaires ou brocanteurs) ;
o *l'œuf horloger :* il est en polyester transparent et renferme un mouvement de montre (Rigaud) ;
o *l'œuf-porte-clefs :* tout en métal argenté, il est orné d'un trèfle à quatre feuilles porte-bonheur, en émail vert (Drugstore).

Les œufs véritables décorés

Caché dans la serviette de table ou dressé dans un coquetier devant le couvert, offrez à chaque convive présent au déjeuner un œuf décoré spécialement pour lui. Un œuf qu'il pourra conserver toute l'année comme on garde un brin de buis ou un brin de muguet, « son » œuf-fétiche.

• **Sachez les préparer.**

o *Pour vider les œufs,* percez un trou à chaque extrémité (le plus grand des deux doit avoir la grosseur d'une lentille) et soufflez par le plus petit des deux trous.
o *Pour les teindre,* faites-les bouillir

dans de l'eau contenant :
- du brou de noix ou du marc de café, pour avoir des œufs bruns ;
- des pelures d'oignons pour avoir des œufs jaune orangé ;
- pour toutes les autres teintes, faites tremper les œufs dans un bain contenant une petite dose de colorant chimique.

o *Pour les rendre moins fragiles,* bouchez le plus petit des trous avec un morceau de ruban adhésif et versez par l'autre, à l'aide d'un petit entonnoir de papier, un mélange très liquide de plâtre à modeler et d'eau froide. Placez l'œuf dans un coquetier et laissez prendre le plâtre vingt-quatre heures.

● **Sachez les décorer.** Les œufs vidés puis teints ou « plâtrés », vous procéderez à la décoration proprement dite :
- soit en grattant, avec une pointe ou un couteau, la pellicule de couleur pour laisser apparaître sur les œufs colorés le blanc de la coquille sous forme de feuilles, de fleurs d'oiseaux ou de dessins géométriques ;
- soit en utilisant le procédé de la réserve : avant de tremper les œufs dans le bain de couleur, collez sur la coquille, par un point de colle, des feuilles, des fleurs, des découpages qui apparaîtront ensuite en blanc sur le fond de couleur ;
- soit, avec une plume ou un pinceau, en dessinant ou en peignant à l'encre de Chine des motifs décoratifs sur le fond déjà teinté. Après séchage, vous pourrez vernir les décors au vernis à tableau pour les rendre plus solides ;
- soit en habillant l'œuf véritablement comme pour un bal costumé.

● **Quelques exemples :**

o *les œufs en chapeau :* dessinez à l'encre de chine noire et de couleur, sur des œufs de couleur naturelle, les yeux et la bouche. Collez des poils de brosse pour la moustache du gentleman. Collez un peu de feutre dentelé ou des faux cils pour les yeux de la demoiselle. Découpez les chapeaux : capeline et gibus, ainsi que les faux cols, dans du papier métallisé ;

o *l'œuf bijou :* sur un œuf teinté en vert pâle ou en jaune, collez, avec de la colle latex qui ne salit pas, de grosses perles ou des paillettes ;

o *l'œuf coq :* collez simplement au sommet d'un œuf blanc une fleur artificielle rouge, pour faire la crête, et sur la coquille une jolie plume blanche et grise pour le plumage ;

o *l'œuf poisson :* mouillez-le entièrement à l'encre de chine noire. Pendant qu'il sèche, découpez dans du papier doré une bande de 1/2 cm de large en formant des écailles sur un côté. Puis collez cette bande en spirale sur l'œuf, en faisant se chevaucher les écailles. Les yeux seront deux boutons de nacre collés. La queue sera en papier doré doublé et collé par une petite languette ;

o *l'œuf fleuri :* recouvrez entièrement l'œuf avec des petites fleurs rococo en relief découpées dans du galon ou avec de véritables petites fleurs des champs que vous collerez à la colle cellulosique sur la coquille. Faites un œuf rose, un bleu, un vert, un mauve, etc., et présentez le tout dans une corbeille enrubannée pour décorer la table du jour de Pâques.

o *les œufs-surprise décorés.* Vous les ferez vous-même en vidant chaque œuf par un petit trou ménagé dans la coquille, puis en le remplissant de chocolat fondu au bain-marie. Bouchez l'œuf avec une pastille de « scotch » et décorez-le de motifs géométriques, de caricatures, de pois, de spirales ou de losanges arlequin.

o *les œufs décorés et couronnés.* Achetez une grosse brioche en couronne. Vous emplirez le centre d'œufs peints décorés ou habillés. Et vous présenterez le tout dans une jolie boîte enrubannée comme un cadeau de Noël.

Avec une demi-douzaine d'œufs
Selon vos dons et votre inspiration, vous dessinerez au pinceau ou au crayon marqueur des figures géométriques ou stylisées, des arabesques, fleurs ou initiales.

Un surtout de table « coquille d'œufs » ▶
Chaque couronne composant la pyramide (coquilles vides) reposera sur un lit de paille. Quelques points de colle assureront l'équilibre de l'édifice prenant pour base une corbeille d'osier.

Les œufs-décoration

o *Les œufs en pierre dure :* (voir p. 10, chapitre « Embarras du choix »).
o *Les œufs gigognes :* ils nous viennent de Russie et de Pologne. Ils sont en bois richement décoré de dessins aux couleurs vives. C'est un joli cadeau pour la chambre d'une jeune fille ou pour le collectionneur d'objets miniatures sans prétention (Janie Pradier) ;

Les œufs en chocolat et en sucre

C'est vers 1900 qu'ils apparurent aux devantures des confiseurs. Il en existe aujourd'hui de toutes tailles et, pour ceux en sucre, de toutes couleurs. Certains sont vides, d'autres remplis d'une multitude d'œufs miniatures à la liqueur ou fourrés.

Offrez-les à vos enfants, aux enfants de vos amis, à une jeune fille et aux jeunes femmes gourmandes.

Le poisson d'avril

L'année civile commença pendant longtemps à Pâques. C'est en 1564 seulement, qu'un édit de Charles IX recula l'ouverture de l'année au premier janvier. Cette innovation ne fut pas sans rencontrer une forte résistance, et jusqu'à la fin du XVIIe siècle, dans beaucoup de régions de France, on continua à se souhaiter la bonne année à Pâques.

Mais les étrennes que l'on se faisait ce jour-là n'avaient plus de raison d'être. Naquit alors par plaisanterie, et par goût des cadeaux, la coutume d'offrir le 1er avril des objets farces destinés à amuser et à surprendre l'entourage.

Le calendrier de vos cadeaux

Les fêtes et les anniversaires de tous ceux que l'on aime sont autant d'idées de cadeaux à trouver, autant de dates à se rappeler. Le calendrier spécial que nous vous proposons d'établir chaque année sera précieux à toutes les mémoires « incertaines » ou « dépassées » par un nombre impressionnant d'amis et de proches parents.
Ce petit tableau mis à jour, complété, renouvelé sera consulté régulièrement et en grand secret.

NOMS	DATES	CADEAUX	FÊTES ANNIVERSAIRES	NOMS	DATES	CADEAUX
JANVIER				FEVRIER		
			F	Maman – Claude	5 14	agrandissement photo
			A	Catherine	21	poupée
MARS				AVRIL		
			F	Françoise	2	lampe ancienne
Bruno	12	cravate	A			
MAI				JUIN		
Mamans	30	– plateau argent – jardinière fleurs	F	Papas	20	– pot à tabac – graines jardin
			A			
JUILLET				AOÛT		
Alain	16	panoplie d'indien	F	Louis Rosita	25 30	gilet pochette bas
Claude	4	palmes pêche sous-marine	A			
SEPTEMBRE				OCTOBRE		
Sophie	18	fleurs	F			
			A	Papa-Maman 25 ans mariage	10	Télévision
NOVEMBRE				DECEMBRE		
Sylvie	5		F	Daniel	11	cigares
			A			

Noël et Jour de l'An

C'est entre le 15 décembre et le 10 janvier que se situe la grande « saison des cadeaux ». Durant cette période, les boutiques spécialisées réalisent les deux tiers de leur chiffre d'affaires annuel et les magasins de jouets, plus de la moitié ; et si 57 % de la production française de bonbons et de chocolats s'écoule durant ces trois semaines c'est pour se voir consommer en huit jours... !

Les origines de ce grand élan de générosité, de cet universel échange de cadeaux sont à la fois chrétiennes et païennes : au cours des « Saturnales » fêtes romaines en l'honneur de Saturne, célébrées du 17 au 23 décembre, d'après notre actuel calendrier, ainsi que le note Polydor Virgile : « Les amis se rendaient réciproquement visite, festoyaient ensemble, échangeaient des cadeaux (rameaux, bougies de cire, poupées d'osier) ».

Parallèlement aux Saturnales romaines, dans les pays germaniques et en Gaule, le sapin, figure païenne, est adoré.

Le jour de la naissance du sauveur, bergers et rois mages se rendent à Bethléem déposer leurs offrandes au pied de l'enfant Jésus.

Dès la fin du IIIe siècle, on fête chaque année l'anniversaire de la naissance du Christ.

Avec la marée montante du christianisme, les deux usages finissent par se mêler pour ne plus devenir, dans tout le monde romain, qu'une seule grande fête : Noël.

Aujourd'hui, si le Jour de l'An est prétexte à des réjouissances où se mêlent cadeaux, champagne et vœux, Noël, fête chrétienne, est pour tous, essentiellement, une fête de famille où l'on s'efforce de combler proches et enfants par mille trésors amoureusement disposés devant la cheminée... car les enfants qui auront connu de tels bonheurs sauront et voudront les donner à leur tour, à leurs propres enfants, tant il est vrai que les êtres humains ne cessent, au long de leur vie, de se référer inconsciemment à leur enfance, pour en prolonger les bienfaits.

A CHACUN SON CADEAU : UNE HOTTE D'IDEES A TOUS LES PRIX

Au moment de Noël, même les adultes se sentent une âme d'enfant et attendent, secrètement ou pas, le cadeau qui comblera leurs vœux. Bienheureux ceux qui peuvent disposer de sommes suffisantes pour satisfaire les désirs des êtres qui leur sont chers.

Cadeaux pour vos « proches »

A VOTRE FIANCEE

• **Offrez-lui** des objets très personnels qui peuvent séduire une jeune fille en lui prouvant que celui qui l'aime est également attentif à lui plaire (ce qui n'est pas forcément la même chose) :
- une cravate de fourrure composée de deux belles peaux de vison ou de martre ;
- une doublure de manteau ou d'imperméable en fourrure (très abordable en chat sauvage ou en lapin façon vigogne ou en ocelot) ;
- un bracelet chaîne en or ou en argent avec des breloques (vous pourrez les compléter par la suite), ou le même bracelet avec une grosse médaille faite d'une pièce ancienne ;
- une montre à la mode (adaptation abordable de la montre « Hermès ») ou une montre-boule à porter à l'extrémité d'une chaîne de cou, ou encore une montre ancienne ou sa copie qu'elle portera à la ceinture ;

Mon cœur
est une petite boîte précieuse doublée de velours cramoisi et mes vœux sont gravés à jamais dans le métal argenté ou doré qui l'enveloppe (Jansen-boutique).

- une chevalière à vos armes (puisqu'elle doit porter bientôt votre nom) ;
- une petite cagoule de fourrure ou un petit bonnet (si elle préfère) ;
- un sac original qu'elle portera en bandoulière avec le tailleur ;
- une chemise de daim lavable, qu'elle portera en vacances sur le pantalon ;
- un très grand flacon de son eau de toilette préférée (auquel vous joindrez un petit vaporisateur de sac) ;
- son permis de conduire : leçons, pourboires et frais d'établissement du permis que vous paierez d'avance (si elle ne l'a pas encore passé) ;
- des boutons de manchettes en pierres de couleur (très féminins) ;
- une série de foulards de fil ou de soie à porter dans l'encolure du chemisier ;
- un briquet gravé à ses initiales (si elle fume bien entendu) ;
- un « vanity case », valise spéciale pour les accessoires de toilette qui peuvent voyager debout (si elle est appelée à voyager avec vous) ;
- une pochette à bijoux pour le voyage : en cuir souple doublé de peau fine et douce. Chacun des nombreux bijoux que vous avez l'intention de lui donner y trouvera sa place.
- une belle et large ceinture de cuir qui lui fera la taille encore plus fine ;
- deux mains symboliques en porcelaine argentée qui servent de presse-

papiers ;
- des accessoires coordonnés pour le sac : agenda, porte-billets, porte-carte d'identité, étui-carnet de chèques en même cuir ;
- des gants d'antilope fourrés de soie, qui ne font pas les mains épaisses tout en étant très chauds ;
- le disque souvenir de votre première rencontre (il est également valable pour elle) ;
- et... votre propre photo dans un joli cadre en attendant que le modèle (c'est-à-dire vous) partage sa vie.

A VOTRE FIANCE

● **Offrez-lui** tout ce qui est susceptible de plaire à un homme jeune, et lui prouver que celle qu'il a choisie pour compagne est une femme de cœur et d'esprit :
- une chevalière à ses armes ou à ses initiales (s'il ne l'a pas déjà) ;
- un bracelet d'identité en argent (symbole de la chaîne qu'il va porter) ;
- un briquet en argent ou en métal doré ou argenté (frappé à ses initiales) ;
- un chronomètre-calendrier (si c'est un homme précis) ;
- une robe de chambre en soie naturelle (s'il est élégant) ;
- un pull-over de véritable cachemire anglais (s'il est frileux) ;
- une écharpe de vigogne noire (s'il est « à la page » avec des goûts sobres) ;
- une ceinture de soie amarante ou bleu marine et le nœud de cravate assorti à porter avec le smoking (s'il est mondain) ;
- un agenda « Hermès » (s'il aime jouer à l'homme d'affaires débordé) ;
- un réveille-matin à transistors (si d'aventure il est inexact) ;
- une agrafeuse d'étalagiste (s'il est bricoleur et adroit) ;
- un petit flash pour son appareil photo (s'il est « photographe ») ;
- un parapluie à manche gainé de cuir noir (s'il est « anglicisé ») ;
- une toque de fourrure pour les jours froids (s'il est « russophilisé ») ;
- une cravate de twill et la pochette assortie (s'il est raffiné) ;

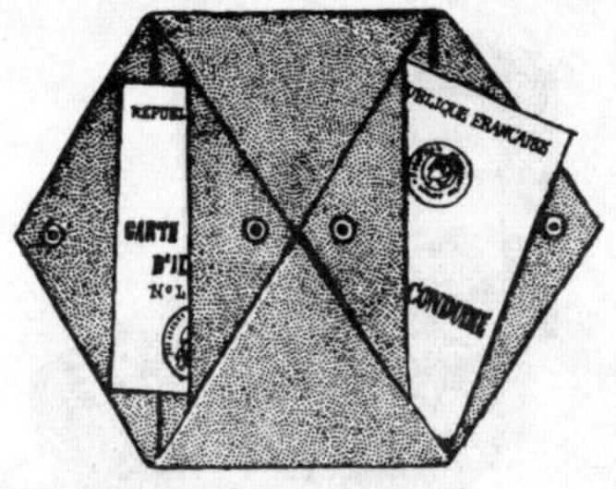

S'il est voyageur
offrez-lui l'enveloppe à passeport multipoches en cuir noir très souple. Un rhodoïd transparent protège chaque carte différente (Strich).

- une pipe à couvercle (s'il est à la fois sportif et fumeur) ;
- le disque souvenir de votre première rencontre (s'il est sentimental) ;
- et... votre propre photographie dans un joli cadre d'argent, de cuir noir ou de peau de porc piqué sellier (en attendant que le modèle vienne habiter avec lui).

o *Notez que :* cette sélection n'est pas uniquement réservée aux fiancés. Un jeune couple peut y puiser l'inspiration.

A VOTRE MARI

● **Offrez-lui** ce qu'il désire parfois sans oser l'avouer, et qu'une épouse aimante doublée d'une amie compréhensive apprend toujours à deviner au bout de quelques années de vie commune :
- la petite visionneuse qui lui permettra de revoir certains de ses « kodachromes » de vacances sans avoir besoin d'installer projecteur et écran ;
- un allume-cigarettes électrique pour sa voiture ;
- un bouchon à cadenas pour que ses grands enfants soient obligés de respecter ses alcools ou ses liqueurs ;
- un décapsuleur qui décapsule, un tire-bouchon qui débouche sans effort, tout en étant esthétiques ;
- un étui contenant toutes les prises électriques à écartements interna-

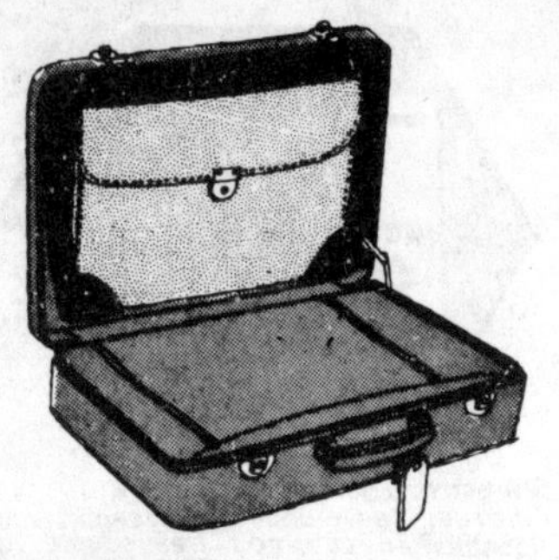

« L'attachée case »
pour homme d'affaires. Son linge de nuit est caché par une séparation spéciale en peau. Le porte-documents, détachable, se loge dans le couvercle (La Bagagerie).

tionaux afin qu'il puisse utiliser son rasoir électrique sous toutes les latitudes ;
- la dixième pipe de sa collection qu'il a pu voir chez Dunhill, le grand spécialiste de la rue de la Paix, mais qu'il ne trouve pas raisonnable d'acheter, étant donné l'importance de sa panoplie (or un vrai fumeur de pipes n'en possède jamais assez, car il se doit de les laisser reposer plusieurs heures avant de les fumer à nouveau) ;
- un grand flacon d'une eau de toilette spéciale pour hommes : Moustache de Rochas, par exemple, H de chez Houbigant. Ou toute autre ;
- un valet muet sur lequel il posera ses vêtements en se déshabillant ;
- un briquet de table électronique qui ne se recharge qu'une fois par an ;
- un moulinet américain (s'il est pêcheur) ;
- une cartouchière (s'il est chasseur) ;
- une caméra d'amateur (s'il rêve de faire du cinéma). C'est un cadeau très important que vous pouvez acheter à crédit ;
- un flash électronique pour son appareil photo (c'est également un cadeau cher payable en plusieurs mensualités si vous le désirez) ;
- le porte-documents en forme de mallette extra-plate, style homme d'affaires américain (qu'il n'achète pas malgré son désir de renouveler le sien) ;
- une chignole électrique (s'il est un bricoleur passionné) ;
- l'intégrale des œuvres de Brahms dirigées par von Karajan (s'il est un mélomane averti) ;
- une machine à dicter portative (qui lui fera gagner beaucoup de temps) ;
- une veste d'appartement en velours amarante ou bleu roi (s'il en a envie) ;
- la doublure de fourrure qui lui permettra de mettre son cher vieil imperméable même s'il fait froid, sans prendre la grippe ;
- le chien de chasse avec pedigree qu'il n'ose pas vous imposer.

A VOTRE FEMME

• **Offrez** un objet si possible luxueux, qu'elle n'oserait jamais acheter elle-même, qu'elle soit indépendante ou non, par un sentiment inné de culpabilité envers ses enfants petits ou grands. Citons uniquement pour mémoire :
- le manteau de fourrure, rêve de toutes les femmes quel que soit leur âge. C'est plus qu'un cadeau, c'est une « promotion ». Quelque chose comme la Légion d'honneur pour un homme.
- le bijou vrai, de plus ou moins grande valeur (voir chap I, pages 18 et 19) ;
- la petite voiture personnelle, objet de convoitise des femmes d'aujourd'hui !

Ces cadeaux de « première classe » ne sont, hélas ! pas à la portée du compte en banque de tous les hommes de bonne volonté. Mais il en est beaucoup d'autres susceptibles de plaire à une femme.

• **La « dame fourrure ».** Vous pouvez lui offrir :
- un col de vison (sauvage, noir, blanc, pastel, etc.) qui habille si bien les petits tailleurs qu'elle affectionne ;
- une peau de castor dont elle se fera faire un chapeau ou un col ;
- un grand col châle de renard roux ou noir, à moins qu'elle ne préfère le

lynx si flatteur au visage.
• **Celle qui aime les bijoux de fantaisie.** Vous avez l'embarras du choix.
- plusieurs rangs de perles fausses (mais de très belle qualité) ;
- une broche longue « broche Chanel » et les boucles d'oreilles assorties ;
- un collier de turquoises fantaisie, si joli sur les chandails ras du cou ;
- un clip habillé en pierres de Bohême montées à la manière des pierres précieuses (saphirs, rubis, émeraudes, topazes, etc.) ;
- une grosse bague de quartz rose ou de cristal de roche monté sur argent ;

De bon goût
Le prototype du sac classique, convenant à toute heure du jour et dans toutes les circonstances. Il est en box toutes teintes, doublé peau.

Pratique et élégant
le shopping-bag est léger et de grande contenance. Celui-ci est en toile de lin irlandaise, garni cuir (La Bagagerie).

- des boucles d'oreilles longues de femme fatale, pour le soir.
• **La « dame-sacs ».** Elle rêve :
- du vrai « Hermès » ou même de sa copie ;
- du « petit Chanel » piqué en losanges ;
- du sac blanc, vert, rouge, violet, vraie fantaisie du moment ;
- d'un sac du soir qui ne soit pas une pochette, et dans lequel elle puisse glisser autre chose qu'un mouchoir ou un tube de rouge à lèvres ;
- du modèle à la mode, photographié dans tous les magazines féminins.
• **La « dame chandails ».** Très facile à satisfaire, elle n'en a jamais assez :
- le twin-set classique d'une couleur qui lui sied particulièrement ;
- le cardigan de lourde soie naturelle, noir ou ton pastel ;
- le chandail fantaisie qui la transforme suivant les cas en panthère ou en poule faisane ;
- la blouse habillée en dentelle de laine à tou-trou, ou crochetée à la main en fils d'or ou d'argent.
• **La casanière** : il y en a beaucoup plus qu'autrefois à cause de la télévision. Offrez-lui :
- des chaussures d'appartement brodées ;
- un pyjama ou une robe d'appartement dite robe de télévision ;
- un déshabillé vaporeux assorti à une ravissante chemise de nuit ;
- une très élégante liseuse.
• **La raffinée** : celle qui porterait éventuellement un trench-coat doublé de vison ! Elle est à la fois simple et difficile à contenter. Offrez-lui :
- le chemisier de forme classique, mais en soie naturelle, et très bien coupé ;
- le twin-set de véritable cachemire anglais (attention à la couleur) ;
- les bas super-fins, dans un emballage portant la griffe d'un grand couturier (êtes-vous bien sûr de la taille et de la longueur des jambes ?) ;
- des huiles parfumées pour le bain (si elle les aime) ;
- des mouchoirs blancs de batiste extrêmement fine chiffrés à son monogramme ;

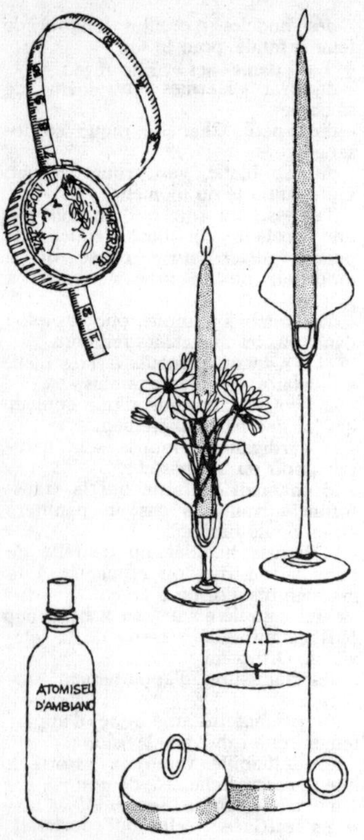

Cadeaux raffinés
Un mètre métallique qui se déroule caché sous une pièce de monnaie Napoléon III (Mappin et Webb).
Un verre à pied autrichien en demi-cristal, à la fois bougeoir et porte-bouquet (Anika).
Un atomiseur et une bougie d'ambiance qui absorbent la fumée et dégagent une odeur de cyprès (Rigaud).

- des gants Dior ou Hermès (en lui signalant qu'elle peut les échanger) ;
- un brûle-parfum et du parfum pour son appartement :
- et... naturellement des roses « baccarat » à très longue tige.

• **Les maîtresses de maison fanatiques** qui adorent faire repeindre leur maison, changer les meubles de place, acheter des doubles rideaux neufs, et qui trouvent toujours de nouvelles améliorations à apporter chez elles. Si votre femme est de celles-ci, offrez-lui un peintre, un tapissier, des kilomètres de tissus d'ameublement, sans oublier un double-mètre ruban dans une jolie gaine de cuir. Parmi d'autres cadeaux susceptibles de lui plaire :
- des draps de lit brodés, des nappes rondes ou rectangulaires en mousseline imprimée de Paule Marrot, du linge de toilette de chez Portault ;
- un bouquet en fleurs de soie de Fromentin ;
- des béquilles ou des poignées de porte en bronze doré ciselé ;
- une « tulipière » de faience blanche pour les fleurs à très longue tige ;
- des petites tables de canapé ou deux petites lampes de canapé ;
- le bibelot dont elle rêve et qui viendra peut-être enrichir une collection commencée ;
- et... pourquoi pas, dans ce domaine tout est possible, un paillasson sur mesure à ses initiales ;
- à moins qu'elle ne préfère un couteau à découper électrique, un ouvre-boîtes électrique également et aimanté, une théière anglaise, des casseroles suédoises, une bouteille géante italienne, un grille-pain allemand, un cuiseur à riz japonais, etc. Cette liste n'étant bien entendu en aucun cas limitative.

A VOS PARENTS

• **Offrez** des cadeaux correspondant à leur âge et, par voie de conséquence au vôtre. Lorsque les enfants sont très jeunes, ils demandent généralement conseil et aide financière à « papa » lorsqu'il s'agit de faire un cadeau à « maman » et inversement. Le véritable cadeau aux parents commence avec l'âge de l'argent de poche.

o *Les cadeaux « premiers prix » des juniors.* Ils font chaud au cœur de ceux qui les reçoivent.

• **Pour papa :**
- la carte routière qui manque jus-

tement à sa collection ;
- un étui de cuir pour le disque de stationnement de sa voiture ;
- un sablier pour vérifier la durée de ses communications téléphoniques ;
- un ou deux cigares de la marque qu'il affectionne particulièrement ;
- un verre ballon pour déguster la fine (s'il aime cet alcool) ;
- une lampe-torche pour sa voiture (il y en a à tous les prix) ;
- un peigne de poche dans une gaine de cuir (avec lime à ongles) ;
- une marque de bridge complétée d'un crayon ;
- un coupe-papier pour ouvrir son courrier et les pages des livres ;
- un tout petit étui pour les carnets de tickets d'autobus ou de métro ;
- une gaine de cuir pour ses clés,
- un crayon « Critérium » qui possède une agrafe pour la poche de veston ;
- un mouchoir de cou en fil d'Ecosse bleu marine ou marron qu'il portera en vacances dans l'encolure de sa chemisette ;
- une paire de chaussettes de nylon ou de fil d'un couleur sobre ;
- un briquet « cricket » qui se jette et ne se recharge pas ;
- des gants de soie à porter sous ses moufles de ski (s'il en fait) ;
- un bourre-pipe (s'il est fumeur de pipe il lui arrive de perdre le sien facilement) ;
- une grande boîte d'allumettes longues de la Régie française des tabacs, très agréables pour allumer pipe ou cigare ;
- un crochet de vitre de voiture et un cintre (il pourra accrocher sa veste en été, sans risquer de la froisser) ;
- une petite agrafeuse à main de bureau (indispensable pour accorcher un « papier joint » ou un chèque).

• **Pour maman :**
- un petit porte-étiquette miniature portant son numéro de téléphone qu'elle accrochera à son manche de parapluie si elle est distraite ;
- un joli torchon imprimé. Il en existe qui sont de vrais tableaux de cuisine ;
- un carré de mousseline de sa couleur préférée ;
- une fleur pour sa boutonnière ;
- un petit stylo à bille rétractable qu'elle gardera dans son sac ;
- un étui de maroquin pour empêcher ses cartes de visite d'être maculées ;
- une petite boîte à pilules qu'elle emportera toujours avec elle ;
- un tout petit filet à provisions extensible, qui tient sept kilos une fois étiré. Au repos il a la taille d'un mouchoir plié ;
- un cintre gainé de velours sur lequel les robes ne glissent pas ;
- un flacon rempli de sels de bains parfumés, de couleurs tendres ;
- une boîte à monnaie en métal doré filigrané pour le sac à main ;
- une paire d'embauchoirs en velours pour ses chaussures ;
- des sacs à chaussures en velours ou en vinylite pour le voyage ;
- un cœur en albâtre venu d'Italie, servant de presse-papiers ;
- un œuf-bibelot en albâtre, en marbre ou en bois (si elle aime ça) ;
- une jolie pelote à épingles pour sa boîte à couture ;
- des sachets de lavande pour parfumer son armoire à linge de maison ;
- un mouchoir rouge ou rose, plié

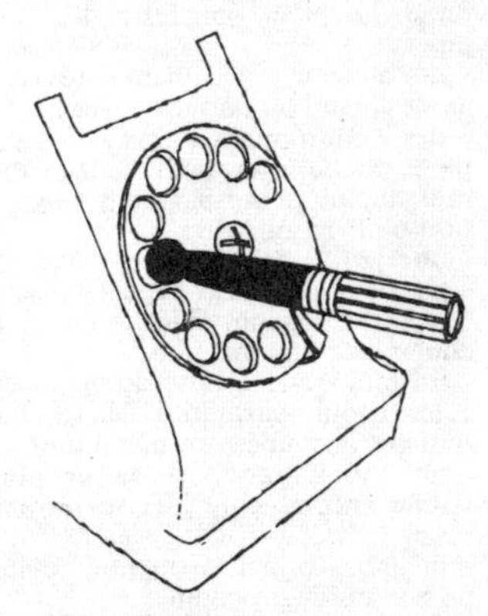

Un gadget pratique
Le doigt-téléphone qui empêchera son vernis de s'écailler lorsqu'elle compose un numéro sur le cadran et son capuchon compte-minutes qui la rappellera à l'ordre lorsqu'il s'agit de communication lointaines (grands magasins).

en forme de bouton de rose ;
- une moulinette à fines herbes pour sa cuisine, ou deux « manettes » qui lui serviront à prendre les casseroles sans se brûler ;
- un paquet de ses cigarettes préférées très joliment emballées ;
- ses deux initiales en métal doré, montées sur une épingle (les prix de tous ces objets destinés à être des cadeaux pour bourses juniors ne dépassent pas 10 F lorsqu'il s'agit des plus chers).

o *Les cadeaux « premiers gains » des enfants adultes.* S'ils comblent leurs parents de joie, ils les comblent également de fierté.

• **A votre père vous pouvez offrir :**
- un porte-billets en box ou en maroquin ou un porte-carte d'identité ;
- des cartes à jouer (s'il joue au bridge, à la belote, à la canasta) ;
- un microsillon 33 tours (s'il est amateur de musique) ;
- le livre qu'il a envie de lire et n'a pas le temps d'acheter ;
- les quatre petits dictionnaires miniatures pour ses voyages à l'étranger ;
- une brosse de bureau dissimulée dans une jolie boîte de métal doré ;
- une blague à tabac élégante s'il fume la pipe (joignez-y les cure-pipes) ;
- un chausse-pied pliant, très commode lorsqu'on part en voyage ;
- des « coordonnés » : cravate, écharpe et pochette de twill, celle-ci dissimulant une petite blague à tabac, ration pour la journée ;
- une petite balance de voyage, spéciale pour peser les bagages destinés à prendre l'avion. Elle ne prend aucune place une fois pliée ;
- un long stylo à bille de bureau, en acier bruni, surmonté de ses deux initiales découpées en métal doré ;
- un étui à passeport ou un portefeuille spécial pour devises étrangères ;
- de jolies bretelles ou une ceinture de box ou de crocodile ;
- un plateau vide-poches à compartiments pour tous les accessoires qui seront ainsi groupés lorsqu'il se déshabillera et qu'il retrouvera le matin sans avoir à chercher ;
- un briquet spécial à flamme horizontale pour allumer les pipes ;
- un ouvre-lettres électrique s'il reçoit beaucoup de courrier ;
- une trousse de dépannage pour sa voiture. Joignez-y une paire de gants également « de dépannage » pour le jour où il aura une roue à changer ;
- des étiquettes de valises, en carton de différentes couleurs, portant imprimés ses nom et adresse ;
- la nouvelle méthode de bridge d'Albaran (pour lui permettre d'améliorer sa technique) ;
- une armoire de toilette spéciale pour homme, avec miroir orientable, prise électrique incorporée et compartiments pour le rasoir et les produits « avant et après rasage » ;
- une petite boîte de caviar ou de foie gras dont il raffole ;
- des truffes au whisky dans un emballage simulant une bouteille de Vat 69, si comme tous les hommes il aime les friandises.

• **A votre mère vous offrirez :**
- une pochette du soir, en satin noir de préférence, cela va avec tout ;
- des boucles d'oreilles en perles grises, de la couleur de ses cheveux qui commencent à s'entremêler de fils d'argent ;
- un très joli sécateur d'appartement à poignée gainée de cuir bleu pastel ou rose tendre, dissimulé dans une housse de même cuir ;
- un support gainé de velours pour ses lunettes (si elle en porte) ;
- une très jolie et amusante tirelire (pour ses petites économies) ;
- une balayette gainée de velours côtelé et une boîte de kleenex assortie pour sa petite voiture (si elle en a une) ;
- un parapluie portant une médaille d'argent sur laquelle vous ferez graver son numéro de téléphone (elle le retrouvera plus facilement si d'aventure elle le perd) ;
- un fourre-tout spécial pour les chaussures (si elle voyage beaucoup);
- un ou plusieurs prix littéraires de l'année (Goncourt, Fémina, etc.) ;
- un abonnement à une revue de luxe ou à son magazine féminin préféré ;
- une écharpe de lourde soie blanche (celle que les hommes portent avec l'habit, si « flatteuse » aux

femmes qui ne sont plus toutes jeunes) ;
- un support de métal doré pour plusieurs tubes de rouge à lèvres ;
- un dépliant photos dans lequel vous glisserez celle de votre père, la vôtre et celles de vos frères et sœurs si vous en avez ;
- une pendulette-réveil qui, au lieu de carillonner, déclenche la radio ;
- une très jolie « boîte à perruque » (si elle en possède une pour le soir) ;
- la grande enveloppe de maroquin dans laquelle elle rangera tous les papiers de la famille, livret de mariage, passeports, actes de mariage, de naissance, contrats, titres de propriété ;

Pour belles-mamans méticuleuses
Des embauchoirs élégants en velours soulignés de passementerie.

Un bocal avec bouchon hermétique *que l'on ne peut égarer, gravé : « cerises à l'eau-de-vie », « petits oignons » ou « cornichons » ; des pots à épices ou à thé, ou encore des chopes à whisky. Tous sont en verre fumé avec monture et écusson d'étain (création l'Etain à la rose, chez Strich).*

- un masque de relaxation (si elle aime dormir dans le noir absolu, ou se reposer dans la journée lorsque les volets sont ouverts) ;
- un étui de métal argenté ou doré pour son tube d'aspirine ;
- un fer à repasser pliant pour le voyage (muni d'anses plates, il peut se retourner pour servir de petit réchaud électrique) ;
- des cœurs à franges qui se suspendent ou se posent sur une coiffeuse. Aimantés ils fixent les épingles à cheveux ;
- un brûle-parfum d'appartement en verre Pyrex soufflé à la bouche ;
- un miroir grossissant fixé sur une longue tige de métal recourbée qui permet de le porter autour du cou pour se maquiller à la lumière du jour ou pour se voir de très près ;
- un coussin de nuque, en forme de diabolo, parfait pour se relaxer ;
- un très luxueux stylo à bille aimanté que l'on porte monté sur une chaîne, soit autour du cou, soit à la ceinture. La capsule de métal doré qui le retient restant accrochée à la chaînette ;
- une corbeille à papier « déshabillable » pour la salle de bains, la gaine de tissu éponge semblable aux serviettes de toilette pouvant se retirer pour être lessivée ;
- un grand cornet rempli des marrons glacés qu'elle adore (à moins qu'elle ne soit de ces femmes qui surveillent leur ligne de près).

A VOTRE BELLE-MERE

• **Offrez** des objets qui relèvent d'un choix difficile, parce qu'ils ne doivent être ni trop modestes ni trop coûteux pour lui plaire :
- la bourse à monnaie en maille dorée ou argentée ;
- la paire de gants demi-longs en antilope noire ou chevreau glacé ;
- un foulard « Hermès » (en spécifiant qu'elle peut l'échanger) ;
- un support-plateaux composé de deux rubans retenus par un anneau se fixant au mur. Les plateaux sont retenus par les coques écartées de ces larges galons repliés ;
- des courroies montées sur poignée

de cuir pour emporter un plaid en voyage. Un modèle similaire plus petit existe pour les revues ;
- une fontaine à eau de Cologne en faïence blanche décorée ;
- du papier à lettres gravé à ses adresse et numéro de téléphone ;
- des verres à orangeade ou whisky portant le nom de sa propriété (cela dans le cas où elle en aurait une) ;
- un signet de velours surmonté de ses initiales en métal doré ;
- un plat à pie en faïence anglaise (si elle est fine cuisinière) ;
- un hygromètre pour plantes vertes qui indique si elles ont soif ;
- une écharpe de mousseline double face : grise et blanche ou marine et blanche par exemple ;
- un sac à provisions monté sur roulettes, repliable après usage ;
- un dessous-de-plat accumulateur de froid pour les fruits rafraîchis par exemple (ils ne se réchauffent pas au cours du repas) ;
- une bombe aérosol contenant un excellent parfum pour la maison ;
- un étui de gros-grain contenant les petits « kleenex voyage » ;
- une petite penderie à chaussures pour sa voiture (si elle conduit et veut préserver ses escarpins) ;
- des friandises « Spécialités de France » (si elle ne craint pas de grossir) ;
Et... la photo de son fils chéri (votre mari) joliment encadrée.

A VOTRE BEAU-PERE

• **Offrez** tout ce qui peut l'amuser et flatter ses goûts, ce qui lui prouvera sans conteste que sa bru est une femme intelligente et fine :
- des verres à bourgogne en cristal gravé d'un écusson où s'inscrit cette devise : « Tastevin en main » ;
- un « autobridge », s'il est joueur (il lui permettra d'améliorer sa technique) ;
- un étui porte-tickets avec pince à tiercé (s'il joue aux courses) ;
- un jeu d'échecs aimanté pour le voyage et les vacances ;
- un dérouleur pour le « Scotch » élégamment gainé de box noir ou marron ;
- un briquet de table électronique en métal chromé. Il s'allume d'une simple pression et s'éteint dès qu'on le pose sur la table ;
- des étiquettes en métal doré pour ses flacons d'alcools : scotch, cognac, etc.
- un « livre de cave » garni de fiches amovibles faciles à tenir à jour ;
- un coffret contenant une série de bouteilles miniatures remplies d'une large dose individuelle d'excellents alcools blancs : mirabelle, framboise, kirsch, alcool de poire, de prune, etc. ;
- un socle adhésif en daim supportant un petit bloc-notes, que l'on fixe au tableau de bord de la voiture et qui sert de « pense-bête » ;
- un stylo pèse-lettre, s'il écrit beaucoup et longuement ;
- des mules très souples pour le voyage dans leur gaine de cuir assortie, cerclée d'une fermeture à glissière, adoptant la forme de la chaussure ;
- un porte-cravates italien, en bois et métal (articulé) ;
- un décapsuleur en forme de balle de golf (s'il s'adonne à ce jeu) ;
- un marchepied de bibliothèque (si la sienne est importante) ;
- le presse-papiers en glace noire dans lequel vient s'incruster la croix de la Légion d'honneur grandeur nature (les Palmes académiques, le Mérite agricole ou toute autre décoration) symbole de la distinction dont il a été récemment l'objet ;
- des cigares de grand luxe qu'il n'ose pas acheter lui-même par respect humain (et parce qu'il craint un peu sa femme !) ;
- une parapluie télescopique à manche gainé de box noir sellier ;
- un cale-dos pour sa voiture, s'il est appelé à faire de la route.

Et... bien entendu une ou plusieurs cravates d'un bon chemisier.

A VOS GRANDS-PARENTS

• **Offrez** des objets très judicieusement choisis en fonction de leur âge et de leur mode de vie.

• **Pour votre grand-mère :**
- une bouillotte en caoutchouc dans

une gaine de tissu éponge brodé ;
- un parfum spécial pour les armoires à linge de maison (Porthault) ;
- un très joli petit balai à feu, ou un soufflet ;
- un chat porte-pelote en faïence décorée, qui empêchera la pelote de son tricot de rouler perpétuellement à terre ;
- une jolie petite loupe de sac qu'elle emportera toujours avec elle ;
- des dessous-de-blouse en fin tricot de soie naturelle ;
- des chaussures d'appartement fourrées, mais élégantes ;
- un flacon de porcelaine ou d'opaline blanche à bouchon rond pour l'eau de fleurs d'oranger ;
- un pot à tisane, la tasse, le sucrier assortis sur un plateau ;
- un « verre d'eau » d'esprit romantique. Il est en verre gravé, le bouchon est composé du verre retourné ;
- un tapis de jeu en feutrine, brodé de son monogramme pour les patiences ;
- un repose-tête en velours pour son fauteuil. Deux courroies plombées le maintiennent en place sans qu'il soit fixé ;
- une couverture chauffante à dispositif de sécurité pour son lit ;
- un « cache-couverture » de piqué blanc lavable si elle est souvent alitée ;

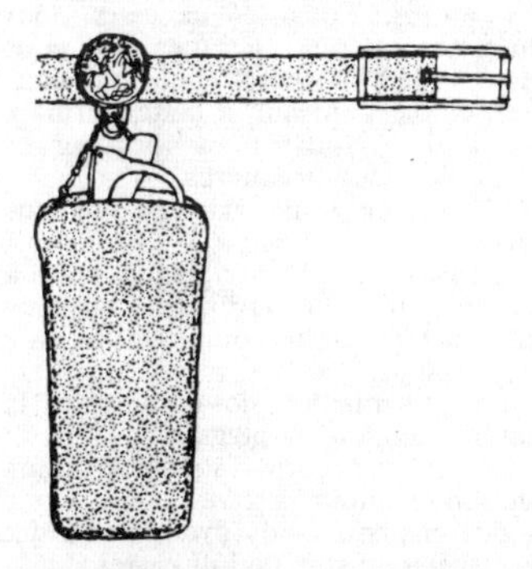

Pour les avoir toujours sous la main
un étui à lunettes qui se porte à la ceinture suspendu à une chaîne, une pièce ancienne dissimulant le crochet de suspension (Drugstore).

- une écharpe de mohair écossais, mousseuse, chaude et légère (si elle est frileuse) ;
- une boîte à thé en faïence anglaise à décor chinois ;
- une petit classeur à tiroirs, gainé de velours ou de tissu imprimé. Elle y rangera sa correspondance ou ses mouchoirs ;
- un livre de cuir noir, très élégant, où elle consignera ses recettes ;
- une table pliante « télé-dîner » en acajou polyester, qui lui permettra de dîner sans bouger de son fauteuil, en regardant la télévision.

● **Pour votre grand-père :**
- un ou plusieurs jolis mouchoirs de fil dissimulés dans un étui en forme de cigare ;
- un pique-crayon, petite boîte en métal argenté, dans laquelle on pique le crayon. L'orifice servant également de taille-crayon ;
- des cartes spéciales pour presbyte (s'il joue au bridge) ;
- des puzzles, s'il trouve les journées un peu longues, étant inactif ;
- un porte-revues ;
- une loupe éclairante ;
- des gants fourrés pour l'hiver ;
- un étui à lunettes à poser sur son bureau ou sa table de chevet ;
- une « écharpe-cravate » à porter avec le veston d'intérieur ;
- un coussin de lit à accoudoirs s'il veut lire assis ou prendre son petit déjeuner au lit, en étant bien appuyé ;
- une chaude écharpe de cachemire pour les froides journées d'hiver ;
- un gilet de shetland double face, noir et gris par exemple ;
- un abonnement à son quotidien préféré, ou à un magazine de son choix (qu'il n'aura plus besoin d'aller chercher à un kiosque) ;
- un dictionnaire des synonymes (s'il est fanatique de mots croisés) ;
- deux places pour une excellente pièce de théâtre, que vous serez allée louer pour les lui offrir.

A VOTRE TANTE

● **Offrez** un objet dont le choix dépend essentiellement de l'âge de la personne à qui il est destiné. Voici

quelques idées de cadeaux pour tantes de tous âges :
- un élégant agenda de sac et un petit stylo à bille ;
- une trousse de voyage en tissu plastifié pour accessoires de toilette ;
- un doigt-téléphone formé d'une de ses initiales en métal doré ;
- un grand bouquet de fleurs séchées (elles sont très en vogue) ;
- un pèse-lettre de la taille d'un grand crayon, gradué de gramme en gramme, ou plus grand, de 10 grammes en 10 grammes jusqu'à 100 grammes ;
- un bloc-notes à feuillets détachables pour la cuisine ;
- une armoirette à ouvrage entièrement gainée de toile de Jouy ;
- un sac de plage en fine vannerie doublée de tissu plastifié ;
- un appui-tête en toile à bâche, surmonté d'une capote ronde pour protéger son visage des rayons du soleil sur la plage en été ;
- une penderie pour sacs à main (toujours encombrants dans l'armoire) ;
- un petit parapluie pliant qu'elle peut loger dans un fourre-tout ;
- un casque de mousseline à œillères pour lui permettre d'enfiler une robe ou un chandail sans salir l'encolure avec de la poudre ;
- un petit arrosoir d'appartement joint à une plante verte ;
- des couvre-annuaires de téléphone, en plastique, toile, cuir, etc.
- une valise pliante qui se range dans un tiroir une fois repliée.

A VOTRE ONCLE

• **Offrez** un objet qui corresponde à son âge, à ses goûts, à ses occupations.

Voici quelques idées de cadeaux pour oncles de tous âges :
- un presse-papiers composé d'une seule initiale, très lourde plaquée or ;
- un pare-gouttes de métal argenté doublé de mousse de latex ;
- une trousse à pharmacie de voiture, dans une gaine en forme de pneu ;
- un porte-bouteilles de sauces, en teck, à deux compartiments, un pour le Ketchup, l'autre pour la sauce anglaise (joignez les sauces) ;
- un doseur à whisky. On ne l'utilise pas par mesure d'économie, mais pour arriver à doser exactement ce qu'il faut d'alcool, pour un « simple », un « double » ou un « baby » ;
- un classeur à papiers composé d'une feuille de plexiglas cintrée ;
- un étui de box pour les cartes routières avec carnet de bord et crayon ;
- des chopes à bière (s'il aime cette boisson très masculine) ;
- une boîte de métal spéciale pour boutons de manchettes, bouton de col (pour l'habit), et petites baleines de col pour chemises ;
- un cintre pliant formant brosse à habits, commode pour le voyage ;
- des dessous de verres en forme de cartes à jouer géantes ;
- une boîte à compartiments pour les trombones, épingles, punaises, élastiques, coins métalliques, étiquettes, etc. ;
- le guide Julliard de Paris, par Henri Gault (s'il cherche toujours des adresses de bons petits bistrots où l'on mange bien).

A VOS FRERES ET SŒURS

Il y a les frères et sœurs adolescents. Ceux qui viennent de se marier. Et... les autres. Tous les cadeaux pour hommes ou pour femmes que nous avons déjà suggérés peuvent dans l'ensemble convenir à cette dernière catégorie. Nous nous occuperons donc des deux premières.

• **Pour une jeune sœur encore étudiante :**
- un petit cochon de faience, boîte à coton pour salle de bains. La queue du cochon étant composée d'ouate hydrophile ;
- un joli maillot de bain pour la piscine ou pour la plage ;
- un ou plusieurs disques 45 tours de son chanteur préféré ;
- des chaussures de cycliste, ou des ballerines en cuir de ton pastel ;
- « le » chandail dont elle a terriblement envie cette saison ;
- des bas à la mode, en dentelle blanche, noire, bordeaux, marine ;

Si votre sœur est « à la page » elle aimera

- Les sautoirs 1880, longues chaînes d'or, d'argent ou d'acier bruni portant à intervalles réguliers des perles fines, des petites pierres ou des petites boules de métal.

Les élégantes d'autrefois y accrochaient leur face-à-main. Les jeunes filles les portent aujourd'hui, sur leur pull-over, en collier ou enroulés plusieurs fois autour du poignet ;

- les vieilles chaînes de montre d'homme dont l'anneau porte-montre sert alors à suspendre médaillons d'or, d'argent doré ou de pomponne, crochets anciens ou breloques fantaisie (chaîne Alta-Mira, médaillon « vinaigrette » en forme de trèfle ; Marc Garland) ;

- les petites boîtes à pilules pour le sac ou la table de nuit, lorsqu'elles sont anciennes et travaillées, en émail rose, bleu ou vert, en agate ou en argent ciselé (Dary's).

- une trousse remplie de rouleaux « velcro » spéciaux pour mise en plis ;
- une petite valise « piscine » avec poche de vinylite permettant d'emporter le maillot de bain mouillé que l'on vient de quitter ;
- des lunettes de soleil ou de ski, style « starlette », très cinéma ;
- des botillons de cuir blanc et des patins à glace fixés dessus ;
- une cartouche de cigarettes blondes (si elle est en âge de fumer) ;
- un joli petit briquet à gaz extra-plat (si elle fume évidemment) ;
- un porte-clefs terminé par une véritable queue de vison (son premier vison !) ;
- un appareil photo très facile à utiliser (Instamatic Kodak) ;
- un magnétophone (cadeau cher pour lequel plusieurs membres d'une même famille peuvent se cotiser. C'est un bon instrument de travail pour une jeune fille qui fait des études sérieuses) ;
- deux places de théâtre, de concert, de ballets, de cinéma ;
- ses premières cartes de visite gravées en taille-douce ;
- un carnet d'entrées pour une patinoire ou une piscine ;
- un chèque coiffeur (elle manque souvent d'argent de poche) ;
- un chèque-produits de beauté (les produits de qualité coûtent cher) ;
- un chèque tout court qu'elle utilisera comme bon lui semblera.

Si votre sœur est économe

Offrez-lui ce confortable porte-monnaie porte-billets. Il est en cuir noir piqué sellier, fermé par une véritable et grosse pièce ancienne de... sécurité (Strich).

• **Pour un jeune frère étudiant :**
- des fixations ou des bâtons de ski (s'il pratique ce sport) ;
- des moufles et des gants de soie à porter dessous (utiles même pour le vélomoteur ou la bicyclette si on ne fait pas de ski) ;
- un briquet « Zippo » (que vous trouverez le moyen de faire venir des Etats-Unis). C'est le summum de l'élégance dans les classes terminales des lycées parisiens. A défaut, un modèle similaire français ;
- une cravate à son goût (tricot, twill assortie à la pochette, etc.) ;
- des sacoches pour sa mobylette (ou tout autre accessoire) ;
- une petite valise accordéon en box noir pour emporter ses 45 tours lorsqu'il va en surprise-party ;
- une chemise « Steve Mac Queen » célèbre héros de la télévision ;
- les boutons de manchettes à la mode dans l'établissement scolaire ou à la faculté qu'il fréquente ;
- son premier rasoir électrique (et un flacon de « pré-shave ») ;
- des disques, des disques, des disques, des disques, des disques ! ;
- un « transistor » qu'il emportera en vacances pour l'écouter sur la plage ;
- un vélomoteur (cadeau cher comme le magnétophone que l'on peut offrir à plusieurs membres d'une même famille, y compris le parrain) ;
- une guitare (instrument de musique indispensable aux jeunes !) ;
- son permis de conduire (s'il ne l'a pas encore passé) ;
- un électrophone portatif (si possible stéréophonique) ;
- un carnet d'entrées pour une piscine ou une patinoire (Alain Calmat a fait beaucoup d'adeptes parmi la gent estudiantine) ;
- ses premières cartes de visite gravées, portant son adresse ;
- deux places pour un match de football, ou deux places de cinéma, de théâtre ou de concert ;
- un chèque-disques (si vous ne savez pas lesquels acheter) ;
- un chèque-livres (il pourra lui-même choisir des livres à son goût) ;
- un chèque tout court (qu'il utilisera comme il l'entendra).

o *Frères et sœurs jeunes mariés.* Même s'ils sont encore étudiants (les Français se marient de plus en plus jeunes) leurs problèmes sont tout à fait différents de ceux des célibataires qui vivent chez leurs parents, surtout s'ils ont déjà un bébé. Pensez aussi aux jeunes mariés qui n'ont plus l'âge ni les goûts estudiantins. Ils n'en perdent pas pour autant leurs qualités de frères ou de sœurs et méritent aussi qu'on leur offre des cadeaux bien choisis.

• **Pour une sœur jeune mariée ou jeune maman :**
- un grand métrage de matière plastique adhésive pour garnir les intérieurs de placards, d'armoires, de tiroirs ;
- le guide bilingue ménager à l'usage de celles qui ont une femme de ménage espagnole (par Françoise Ribeauvillé —, Nicolle) ;
- une boîte contenant plusieurs paires de longs gants de ménage servant également pour la vaisselle, qui se jettent après usage ;
- un balai mécanique, véritable ramasse-miettes, évite de passer l'aspirateur tous les jours, n'abîme pas les tapis ;
- un essoreur à salade (très utile dans la cuisine de ville où il est pratiquement impossible de secouer un panier métallique) ;
- des casseroles emboîtables en acier inoxydable, faciles à ranger parce qu'elles n'ont pas de manche. Une seule poignée amovible sert pour les cinq ustensiles qui se placent dans un réfrigérateur et sont utilisables en moules à soufflé, jattes, etc. ;
- des housses à vêtement, penderie à chaussures, housses à chandails ;
- une étagère et de ravissants petits pots à épices pour sa cuisine ;
- des blouses de ménage élégantes et faciles à laver ;
- le petit chat de feutrine qui s'accroche au berceau. Relié à un fil qui se place sous les langes du bébé, il miaule lorsque celui-ci est mouillé, et prévient ainsi la maman ;
- les serviettes-bavoirs américains, en papier-tissu très absorbant doublé d'une couche imperméable, qui se jettent après usage ;
- le siège de plastique qui permet

de faire la toilette d'un jeune enfant, celui-ci étant assis à bonne hauteur, dans la grande baignoire de la salle de bains ;
- la petite veilleuse électrique qui diffuse juste ce qu'il faut de lumière douce ;
- l'assiette à bouillie à ventouse qui, adhérant à la table, ne peut se renverser ;
- la petite machine à laver le linge basée sur le principe de la marmite à pression. Elle est à manivelle et lave 2,5 kilos de linge ;
- un abonnement « baby sitter » (étudiantes ou étudiants qui viennent à domicile garder les enfants le soir, lorsque les parents veulent sortir) ;
- un abonnement à « Bébé-lange Prénatal » qui apportera chaque semaine, à domicile, la ration de couches propres indispensables au confort de bébé.
- l'installation du téléphone (dépense souvent excessive pour un jeune ménage aux ressources modestes).

Tout cela n'exclut pas les accessoires de la toilette féminine, susceptibles de plaire à une jeune femme, sacs, foulards, chandails, belle lingerie, mules d'appartement, chemisiers, etc.

● **Pour un frère jeune marié :**
- un « tablier pour homme » à découper dans un torchon. Il adopte la forme d'un devant d'habit, avec gilet de maître d'hôtel (très amusant si ce jeune époux met parfois la main à la pâte) ;
- une boîte à outils très complète (il aura probablement à bricoler) ;
- un classeur à dossiers en métal, fermant à clef pour tous les papiers et dossiers familiaux : assurances, quittances, contrats, etc. ;
- une brosse à chaussures électrique (il n'ose pas encore demander à sa femme de les faire et il a horreur de ça depuis le régiment) ;
- une cafetière électrique (aucune femme très jeune ne sait, paraît-il, faire du bon café) ;
- un conservateur à glaçons (utile lorsque ses amis viennent boire un verre) ;
- un élégant mais sonore réveille-matin (s'il a le sommeil lourd) ;
- une table de bridge (qui peut ser-

Pour faire de « ménage » un mot amusant
Les deux panoplies « Elle » et « Lui » composées par vos soins à partir de pièces détachées : tabliers, batteur et plumeaux, gants de ménage et moufles attrape-plats ; tous solidement fixés sur un carton fort (accessoires grands magasins).

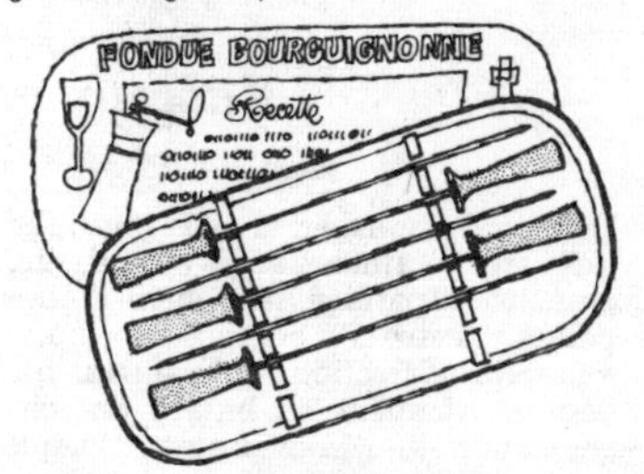

Pour la fondue bourguignonne
Les six pique-viande en acier et teck et la recette dans une jolie boîte.

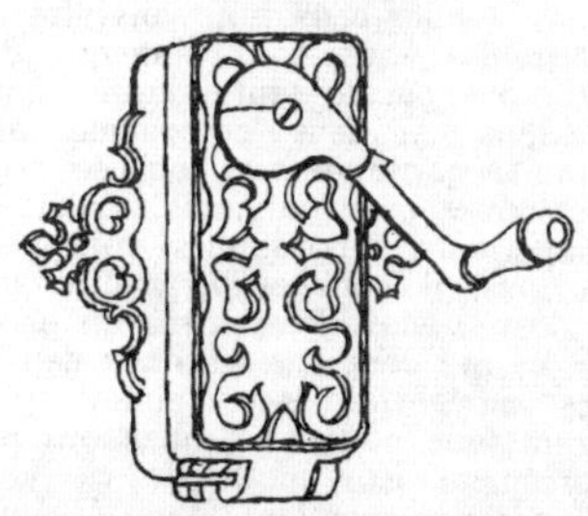

Pour ouvrir les boîtes de conserves
Une serrure ancienne fonctionnant comme un ouvre-boîte mural tout neuf (Au Printemps).

vir également de table de repas) ;
- un miroir grossissant éclairant qui facilite le rasage matinal ;
- un « stabilisateur » pour sa petite voiture à moteur arrière (en matière plastique il doit être rempli de sable et vient s'emboîter dans la roue de secours qui est dans le coffre avant) ;
- un service à fondue bourguignonne (qui lui permettra de recevoir gaiement ses amis sans que sa femme soit obligée de faire « cuisine ») ;
- un élégant et confortable peignoir de bains ;
- plusieurs bouteilles d'un grand cru bordelais ou bourguignon ;
- des gobelets à whisky (vous y joindrez également la bouteille) ;
- un accessoire vestimentaire fantaisie qu'il ne s'offre plus lui-même : gilet de daim, mocassins blancs, gants de pécari, chemise de flanelle bleu ciel pour les vacances, pyjama de soie naturelle ;
- quelques bobines de films couleurs pour son appareil photo, quelques bandes pour son magnétophone ;
- un petit spot dirigeant un étroit faisceau lumineux hors d'une lentille convexe, qui lui permettra de lire au lit sans réveiller son épouse ;
- une petite machine à écrire portative (permet de garder les doubles de lettres, facilite la correspondance et le travail) ;
- un ou deux livres d'une collection de luxe que vous compléterez peu à peu au fur et à mesure des occasions de cadeaux ;
- des mules vernies pour l'appartement, élégantes mais confortables ;
- une valise très légère pour voyage d'affaires rapide ;
- un classeur à disques en fil métallique, s'utilise seul ou à l'intérieur d'un placard, il est prévu pour classement horizontal ;
- des chèques-taxi (s'il n'a pas de voiture personnelle).

Cadeaux pour vos amis

Des amis, nous en avons tous : les uns très intimes qui, au fil des jours, ont partagé nos joies et nos peines, ceux-ci composent notre « famille d'élection ». D'autres qui vont et viennent au hasard des circonstances, qui nous amusent et que nous « aimons bien », ce sont nos camarades. Puis viennent les relations mondaines ou professionnelles. Sans oublier ceux qui, sans être de véritables amis, sont plus que des relations par le seul fait que nous passons en leur compagnie une grande partie de nos journées : les personnes avec qui nous travaillons (supérieurs, subordonnés, collègues). A tous, il nous arrive d'offrir des cadeaux. Mais, l'embarras du choix en ce qui concerne les deux dernières catégories est d'autant plus grand que nous ne connaissons pas forcément leur mode de vie hors d'un dîner mondain, d'un déjeuner d'affaires ou du bureau. Un classement, pour arbitraire qu'il soit comme tous les classements, vous facilite la tâche.

• **Pour un collectionneur :**
Une pièce qui viendra compléter la collection à laquelle il apporte tous ses soins. La très amusante et instructive émission télévisée animée par Pierre Sabbagh nous a appris qu'il y a en France des collectionneurs en tous genres, depuis celui qui se passionne pour la classique collection de timbres jusqu'au monsieur qui ne s'intéresse qu'aux armures, ces dernières envahissant jusqu'à sa chambre à coucher, en passant par la dame qui collectionne les pendules anciennes ou celle qui cherche uniquement des microscopes antérieurs au XIXe siècle. Mais la collection est, elle aussi, fonction d'une certaine mode. En voici quelques-unes actuellement en vogue, vous y puiserez peut-être l'inspiration :
- les œufs en pierre dure, en albâtre, en marbre, en verre ;
- les objets rococo en verre soufflé argenté ou encore mieux doré ;

- les cendriers publicitaires (qu'importe qu'ils soient laids) ;
- les étiquettes de bouteilles de vins (c'est une mode venue des U.S.A.) ;
- les emballages de paquets de cigarettes de tous les pays du monde ;
- les épingles à chapeaux fin du XIXe siècle et style « Belle Epoque » ;
- les opalines romantiques (attention aux excellentes copies) ;
- les sulfures anciens (qui atteignent eux aussi de gros prix) ;
- les boîtes d'allumettes venues de tous les coins du monde ;
- les objets d'art populaire mexicain, brésilien, grec, etc. ;
- les assiettes en faïence Directoire ou de l'époque révolutionnaire ;
- les bouteilles en verrerie de foire représentant Napoléon ou la tour Eiffel (il commence à y avoir des copies contemporaines) ;
- les boîtes à musique anciennes ou modernes, françaises et étrangères ;
- les mains d'argent, d'opaline, de verre ;
- les masques anciens, masques du théâtre japonais ou de l'art nègre ;
- les pendules de tous styles, de toutes époques et tous formats ;
- les papillons, les insectes naturalisés, les planches d'herbier ;
- les poissons d'argent ciselés ou de faïence, les poules pondeuses en opaline de foire, en faïence blanche ou décorée, en porcelaine ou en verre de couleur ;
- les tortues, les crabes et les chevaux de toutes matières, de toutes tailles ;
- les boutons de portes, les plaques de rues, les boules d'escalier des rampes d'autrefois en opaline ou en verre, en pomme de pin ou à mille facettes ;
- les petites boîtes d'argent de toutes époques et de tous styles ;
- les bibelots de nacre 1900, les cœurs d'albâtre, d'argent ou de pierre ;
- les jades, les ivoires, les pierres et les cristaux, blocs de quartz, agates, améthystes ;
- les monnaies, les médailles, les boutons anciens et les éventails ;
- les cafetières et moulins à café anciens ;
- les binocles, monocles et faces-à-main ;
- les bilboquets, les cartes à jouer, les jeux d'échecs, de dame, les yoyos de toutes grosseurs ;
- les étains, les pipes, les timbales d'argent, les pots à bière, les encriers et les vases d'église en vieux Paris ;
- les images d'Epinal, les gravures, les affiches de théâtre ou d'expositions de peinture ;
- les fanions et les blasons de ville ;

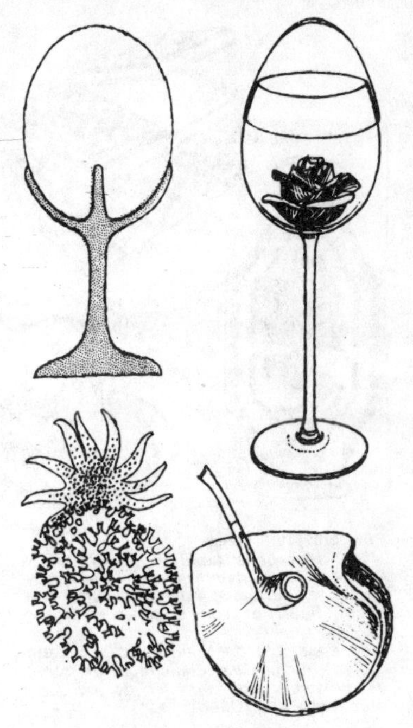

Pour les collectionneurs d'œufs et d'objets en nacre
- l'œuf en cristal dessiné par Mona Morales-Schild pour Kosta, qui garde une rose fraîche sans eau, au moins quinze jours (Jean Luce) ;
- l'huître perlière toute nacrée faisant office de cendrier (Deyrolle) :
- l'étoile de mer et le corail blanc, objets fragiles à mettre sous vitrine (Boubée) :
- l'œuf d'autruche authentique, d'une blancheur parfaite et bien mis en valeur par son trépied doré (Aux Trésors d'Aladin).

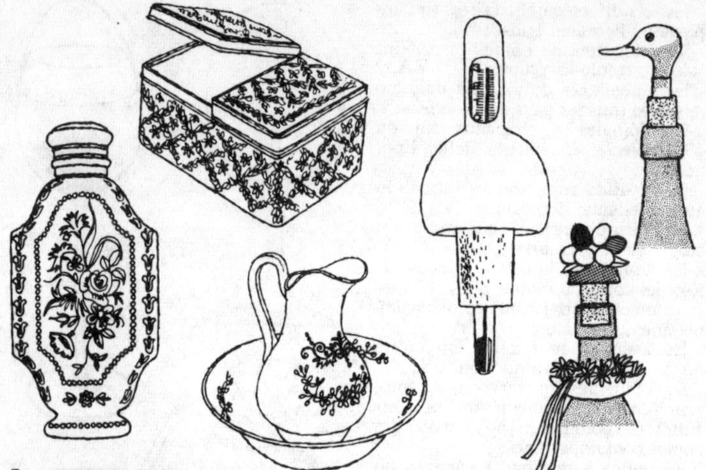

Pour amateurs divers
- Une très belle tabatière XVIIIe siècle en porcelaine peinte ou un minuscule flacon à parfum Louis XVI avec son décor fleuri et son bouchon d'argent (Dary's) ;
- un ensemble de toilette 1830, cuvette et broc en opaline blanche et or, objet de plus en plus rare et de plus en plus recherché (Odett') ;
- un bouchon-thermomètre, gadget nouveau pour boire le vin bien chambré (Rigaud) ;
- un bouchon « tête de canard » ou « dauphin » en bronze doré ou argenté (Strich) ;
- ou encore un bouchon « fleurs et fruits » avec son absorbe-gouttes enrubanné (au Bon Marché).

- les trophées de chasse, les trophées de guerre, les armures, les pistolets et les épées ;
- les objets de marine, les instruments de musique, les automates et les poupées anciennes ;
- et bien entendu, les soldats de plomb, les cartes postales, les autographes, les timbres et... les tickets d'autobus.

• **Pour un pêcheur :**
- une boîte remplie de mouches artificielles pour la pêche au lancer ;
- un porte-clefs flottant (si d'aventure les siennes tombent à l'eau) ;
- un dispositif qui permet de mesurer la profondeur des fonds ;
- un grands chapeau de paille qui le protégera du soleil ;
- un pliant à dossier sur lequel il pourra s'appuyer s'il est fatigué ;
- une épuisette à manche télescopique facile à transporter ;
- un livre illustré où il trouvera photos et descriptions de toutes les

Le couteau-balance
suspendu au bout d'une lanière en cuir il s'équilibre sur sa lame graduée, celle-ci ne triche pas et indique le poids réel d'une pêche miraculeuse (la boutique d'Orly).

espèces de poissons qu'il risque un jour de pêcher ;
- un masque, des palmes, un fusil spécial pour la pêche en mer ;
- un sac de marin en toile imperméable dans lequel il mettra un chandail, une serviette de toilette, son casse-croûte enveloppé dans du papier d'aluminium, une boîte avec des hameçons, du fil de nylon, des ciseaux, tout son petit attirail, un couteau suisse, de l'huile ou de la crème solaire dans une poche de vinylite, ses lunettes de soleil (ou de myope à verres blancs), sa montre, ses clefs, dans une petite pochette à fermeture à glissière ;
- une torche électrique gainée de plastique, absolument étanche, qui fonctionne avec pile standard et peut tomber à l'eau ou être mouillée sans inconvénient.

• **Pour un chasseur :**
- une cartouchière et des cartouches de plombs de différents calibres ;
- un râtelier à fusil sur lequel il posera ses armes et sa baguette pour nettoyer le canon ;
- un blouson imperméable qui le protègera des averses sans l'engoncer ;
- une gibecière pour rapporter les pièces de son tableau de chasse ;
- un chien de chasse que vous lui offrirez tout petit et qu'il dressera ;
- le « livre de chasse » joliment relié sur lequel il consignera le nom de ceux avec lesquels il a chassé, l'itinéraire, les bêtes tirées, son propre tableau et mille autres détails intéressants ;
- un sifflet suspendu à une chaîne pour lui permettre d'appeler son chien ;
- un briquet-tempête avec lequel il allumera sa pipe en plein air ;
- une flasque de métal contenant un alcool (fine ou armagnac) pour le réchauffer lorsqu'il part de bon matin par le froid ;
- un décrottoir anglais qui rendra ses bottes présentables quand il pénétrera dans la maison après avoir parcouru les « labours » ;
- une gravure anglaise représentant une belle chasse à courre ;
- la photo de son chien dans un cadre de cuir piqué sellier.

• **Pour ceux qui montent à cheval :**
- des cravates spéciales pour cavalier (elles sont en piqué blanc) ;
- des boutons de manchettes en argent adoptant une forme d'étrier ;
- des tire-bottes, accessoire indispensable pour qui monte à cheval ;
- des gants de cuir spéciaux pour ceux qui doivent tenir des rênes ;
- un abonnement leur permettant de monter en manège ou en forêt ;
- une tête de cheval en bronze utilisable en presse-papiers ;
- la photo de leur cheval dans un cadre de cuir piqué sellier.

• **Pour les amateurs de théâtre :**
- une petite paire de jumelles de théâtre permettant de mieux suivre les jeux de physionomie des acteurs ;
- deux fauteuils d'orchestre pour une excellente pièce, surtout si son succès oblige à faire la queue ou à intriguer auprès d'une agence ;
- des « Petites Illustrations » que l'on arrive à trouver encore chez les bouquinistes des quais de la Seine ;
- le théâtre complet de Molière, Racine, Shakespeare ou tout autre auteur classique, dans une très belle édition de luxe ;
- des pièces d'auteurs contemporains Marcel Achard, Jean Anouilh, Ionesco, Jacques Deval, Françoise Sagan qui ont été éditées ;
- des pièces de théâtre enregistrées sur microsillons par des artistes de talent ;
- des microsillons encore, œuvres intégrales d'un opéra, opéra-comique, opérette, comédie musicale, etc. ;
- les « Mémoires » d'un grand artiste retiré ou non de la scène ou ceux d'un auteur dramatique connu ;
- une collection d'affiches des pièces présentées à la « Belle Epoque » ;
- une toute petite lampe à pile qui permet de lire un programme lorsque les lumières sont éteintes dans la salle.

• **Pour un mélomane :**
- deux places pour un concert dirigé par un chef d'orchestre de renommée internationale, ou pour un récital d'un très grand soliste ;
- un abonnement aux concerts de musique de chambre ;

- un ou plusieurs disques 33 tours d'une œuvre que vous savez devoir lui plaire (pour plus de précautions prenez un arrangement avec un disquaire pour que ces microsillons puissent être éventuellement échangés, et prévenez le mélomane en question qu'il peut se livrer à cet échange sans aucune difficulté) ;
- des bandes enregistrées d'une œuvre musicale célèbre (s'il possède un magnétophone) ;
- un classeur de disques pour rangement horizontal dans lequel les gravures se trouvent à l'abri de la poussière et des mains brutales ;
- un livre d'art sur la vie d'un grand compositeur classique ;
- un fac-similé joliment encadré d'une page d'une œuvre musicale célèbre ;
- un chiffon spécial pour le nettoyage des microsillons ;
- une gravure représentant des instruments de musique anciens.

• **Pour un amateur de livres :**
- des ex-libris imprimés ou gravés au nom du destinataire ;
- une édition originale d'un livre qu'il recherche ;
- une petite échelle de bibliothèque en bois ciré, verni, ou gainé de velours qui lui permettra d'atteindre les volumes haut placés ;
- un grand répertoire relié de cuir, où il inscrira les titres des volumes, noms d'auteurs et d'éditeurs composant sa bibliothèque ;
- un ou plusieurs prix littéraires de l'année que vous ferez dédicacer à son nom (certaines librairies parisiennes s'en chargent) ;
- un signet pour marquer la page (en métal doré portant ses initiales ou son prénom en lettres dorées découpées) ;
- le ou les volumes qui manquent pour compléter une collection : livres de la Pléiade, œuvres complètes de Balzac, Alexandre Dumas, André Gide, ou tout autre auteur qu'il affectionne particulièrement ;
- un très joli coupe-papier d'ivoire, d'argent, d'écaille, de bronze ;
- un bon pour faire relier *x* volumes de son choix chez un relieur avec lequel vous vous serez mis d'accord ;
- un élégant petit plumeau qui lui permettra d'épousseter lui-même ses précieuses reliures.

• **Pour les fumeurs :**
- un pot à tabac en faïence anglaise avec humidificateur incorporé ;
- un râtelier à pipes plus ou moins important ;
- un cure-pipe en métal ou en bois sur lequel on peut poser une pipe allumée sans danger pendant quelques minutes ;
- un cendrier spécial pour fumeur de pipe, comportant une partie en liège sur laquelle on peut taper pour la vider ;
- une très belle boîte à cigares dans laquelle ceux-ci ne sèchent pas ;
- un coupe-cigares en argent ou en métal argenté ;
- un étui de box ou de crocodile dans lequel le paquet reste entier sans qu'il soit besoin de transvaser les cigarettes ;
- un étui pour deux ou trois cigares (ration pour une journée) ;
- un cendrier de sac à main pour femmes très grandes fumeuses.

• **Pour les joueurs :**
- un coffret élégant contenant deux jeux de cinquante-deux cartes ;
- un sabot pour les amateurs de baccarat à domicile ;
- un jeu de « petits chevaux » qui leur permettra de jouer au tiercé entre amis et de vérifier leurs « pronostics » avant les résultats ;
- un étui de box contenant des dés pour les amateurs de 421 ;
- un jeu d'échecs complet avec pions et damier ;
- une boîte remplie de très jolis jetons pour les amateurs de poker ;
- un cendrier portant indications des points de la marque moderne du bridge contrat ;
- une marque de bridge ou de canasta sous couverture de cuir ;
- un jacquet (s'ils sont amateurs de cet amusant jeu vieillot) ;
- un tapis de jeu brodé aux initiales du destinataire du cadeau.

• **Pour les passionnés de photo :**
- une visionneuse de poche pour regarder facilement les kodachromes ;
- un petit flash permettant de photographier même lorsqu'il fait nuit ;

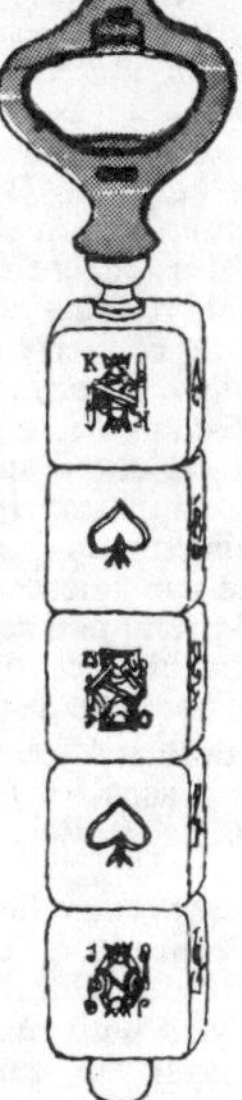

L'ouvre-bouteilles géant *sur lequel sont « embrochés » les cinq dés du poker dice (Kirby Beard).*

- un « écran perlé » qui donne une jolie transparence aux photos en couleur ;
- un plateau sur pieds réglables pour poser le projecteur ;
- des classeurs en plexiglas de couleur à couvercles transparents pour le rangement et le classement des diapositives en couleur ;
- un fourre-tout de photographe groupant tout le matériel à emporter en voyage ;
- des objectifs s'adaptant sur l'appareil photo : grand-angle ou télé-objectif permettant des prises de vues plus générales ou lointaines (ce sont des cadeaux d'un certain prix) ;
- des tirages sur papier de photos souvenirs de vacances ou de voyages ;
- un posemètre perfectionné dans sa gaine de cuir (accessoire indispensable pour réussir les prises de vues) ;
- un agrandissement photographique géant d'une photo noire panoramique que vous ferez coller sur contre-plaqué, au lieu d'offrir une gravure ou un tableau.

• **Pour les vrais sportifs :**
- une raquette de tennis dans sa housse de toile à compartiments pour les balles ;
- un chandail en grosse laine blanche pour les joueurs de tennis ;
- des skis et des fixations de sécurité ;
- une bicyclette pliante qui se range dans un coffre de voiture ;
- des chaussures de football (pour les passionnés de ce jeu) ;
- un maillot de caoutchouc spécial pour la plongée sous-marine ;
- des gants de boxe ou un punching-ball pour l'entraînement ;
- un filet et un ballon de volley-ball ;
- et… des boules de « pétanque » pour sportifs marseillais.

• **Pour ceux qui aiment le camping et les pique-niques sur l'herbe :**
- une bouteille de gaz sur laquelle s'adaptent alternativement un réchaud, une lampe, un appareil de chauffage à infra-rouges ;
- un réservoir d'eau douce qui a la forme d'un gros ballon légèrement aplati, qui se dégonfle peu à peu lorsqu'on tire de l'eau en ouvrant un robinet placé à l'extrémité d'un long tuyau ;
- une batterie de cuisine complète qui tient entièrement dans son faitout ;
- une douche pliante et une « vache à eau » pourvue d'une pomme d'arrosoir ;
- un garde-manger pliant en tissu plastifié et résille de nylon ;
- un tout petit réfrigérateur fonctionnant sur la batterie de la voiture (12 volts) ;
- un électrophone à transistors et une valise à disques ;
- une tente « déshabilloir » repliable sous la forme d'un coussin rond à poignée (très commode pour se déshabiller sur la plage ou au bord d'une rivière où l'on pique-nique) ;
- un lit pliant qui tient dans un coffre de voiture ;
- la trousse à pharmacie « premiers

soins », avec eau de Cologne anti-moustiques ;
- un rasoir électrique fonctionnant sur piles ;
- une trousse à outils de campeur, avec maillet, scie, pinces et couteau suisse à plusieurs lames ;
- un ensemble pique-nique composé d'un seau en matière plastique dont le couvercle forme saladier et à l'intérieur 4 assiettes, 4 verres, couverts, etc. ;
- le pieu métallique en forme de tire-bouchon géant sur lequel on attache le chien qui garde la tente.

• **Pour les automobilistes enragés :**
- des ceintures de sécurité (surtout si ce sont des passionnés de vitesse) ;
- un petit poste « auto-radio » qui fait prendre patience dans les encombrements ;
- un cale-tête pour celle qui se trouve à la droite du conducteur ;
- des lunettes adhérentes comme les lunettes de ski pour ceux qui roulent en cabriolet décapotable, capote ouverte ;

Un joli fourre-tout
en cuir beige et noir doublé de plastique. Il contient les accessoires indispensables pour la toilette de l'auto (Betty Luxembourg).

- un « couvre-auto » de toile qui protège la carrosserie lorsque la voiture reste dehors à la campagne ou au bord de la mer ;
- des housses de sièges lavables en jersey Hélanca élastique ;
- un tapis doublé de mousse pour protéger les talons de chaussures des femmes qui conduisent ;
- un petit ventilateur branché sur la batterie pour ventiler ceux qui conduisent les jours de grosse chaleur ;
- une brosse électrique pour dépoussiérer les sièges et le tapis.

• **Pour ceux qui aiment voyager :**
- une grande boîte pour ranger les cartes routières, recouverte elle-même de la carte de la région où habite le destinataire du cadeau ;
- une valise ultra-légère qui évite les suppléments de bagages en avion ;
- un lexique de conversation courante dans la langue du pays étranger ;
- la loupe rectangulaire qui permet de déchiffrer un détail sur une carte ou une indication imprimée en lettres minuscules sur un guide ;
- une longue-vue télescopique japonaise, qui ne prend pas de place ;
- un imperméable de voyage qui se plie dans une pochette de petite taille ;
- un portefeuille spécialement conçu pour emporter sans les mélanger les différents billets et devises étrangères ;
- les fleurs que vous ferez envoyer partout en France et à l'étranger par l'intermédiaire de « Interflora » à des amis qui arrivent dans un hôtel ;
- et... si ce sont des camarades un peu fous : une assurance couvrant tous les risques qui peuvent arriver en voyage : Europ-assistance.

• **Pour ceux qui ont une maison de campagne :**
- un barbecue ;
- une girouette, ancienne ou moderne, qui indique la direction du vent
- une boîte aux lettres amusante, en fer forgé ou métal laqué ;
- un cale-porte en acier doré ou argenté (création Philippe Barbier) ;
- un beau heurtoir de porte en fer forgé ou en cuivre, ancien ou moderne ;
- un gratte-pieds amusant : en forme de chien, de chat, de tête de cheval ;
- un « coq bourguignon », pot à vin rouge en forme de coq à crête écarlate ;
- des assiettes à artichauts, à salade ou à fondue bourguignonne ;
- un grille-pommes fruits en fer forgé qui se place devant le feu de cheminée ;
- un tonnelet à vinaigre mural, en forme de demi-tonneau, avec robinet ;
- une potence à salaisons avec son

(Pharmacie des Familles, 171, rue Saint-Jacques)

Evénements et Cérémonies

Les boîtes-cadeaux, en vichy rose ou bleu, merveilleux accessoires de toilette pour bébé, joignent l'utile au ravissant.

*Le drageoir a fait sa réapparition.
En verre de Venise,
il est décoré à la main
d'un motif bleu et or.*

(Drageoir R. Ginori - Boîtes et dragées Martial)

*Typiquement « fiançailles »
ces quatre bagues s'ornent
de brillants et de perles
montés en 8 ou en S.*

(Bijoux anciens Dary's)

(Bagues anciennes Dary's)

Plus « fantaisie » mais véritables,
ces cinq bagues de jeunes filles à la mode de 1880
peuvent être offertes pour des fiançailles.
Ces différentes pierres aux couleurs étincelantes
forment un ensemble ravissant.

(Richard Ginori)

A l'occasion d'un mariage, faites un cadeau à la fois utile et décoratif.
Le verre Baccarat à vin du Rhin, rose, s'harmonise à merveille au vert Empire du service de table.

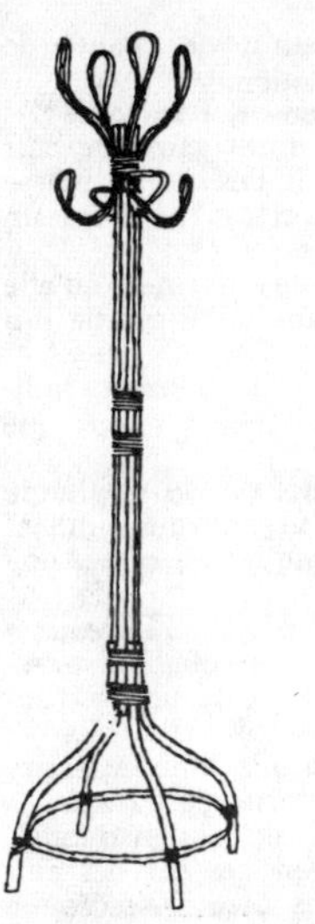

Toujours bien accueilli
le porte-manteau perroquet style «café du commerce ».
Vous le choisirez en manille ou malacca, matières élégantes, légères, peu fragiles et idéales pour la campagne (La Palma).

couteau à découper accroché ;
- un panier à bois, des chenets, des accessoires à feu, un soufflet géant ou un pare-étincelles, tout ce qui sert à faire un feu de bois ;
- des itinéraires imprimés portant plan et indication de la route à suivre pour se rendre à la propriété (c'est un très joli cadeau) ;
- des cartes postales que vous ferez faire d'après des photos en couleur que vous aurez prises de leur chère maison des champs ;
- des accessoires de jardinage en acier suédois ;
- une tondeuse à gazon ;
- et... tous les objets de style rustique qui peuvent orner une maison campagnarde.

● **Pour les passionnés de jardinage :**
- un très confortable et élégant tablier de jardinage, avec poche pour petits outils, raphia, canif, etc. ;
- des protège-genoux en mousse de latex dans une housse imperméable ;
- des gants de jardinage qui évitent de s'abîmer les mains ;
- une panoplie de petits outils indispensables : sarclette, pelle, etc. ;
- une brouette en aluminium, légère et facile à transporter ;
- un cueille-fleurs (sécateur monté sur une longue tige de métal) ;
- des cisailles spéciales montées sur roues à l'extrémité d'un manche à levier, pour couper les bordures de pelouses ;
- des rosiers (que vous achèterez chez un horticulteur qui les expédiera) ;
- des oignons de tulipes, glaïeuls, jacinthes, venus de Hollande ;
- un tableau de bord en osier mesurant 60 x 60 cm, équipé de cornières de cuir afin d'y suspendre sécateur, gants, fourche et transplantoir (Vilmorin).

● **Pour les amis des bêtes :**
- d'abord des animaux vivants, chien, chat, poissons rouges, hamsters, perruches, poissons exotiques (à condition que le destinataire possède un aquarium bien aménagé), perroquet, tortue, colibris, pinsons, serins, souris blanche, une cage à oiseaux ;
- l'assiette ultra-perfectionnée dans laquelle les plus longues oreilles ne trempent pas ;
- le sifflet à ultra-sons pour appeler les chiens silencieusement ;
- l'inscription à la S. P. A. pour le chien de vos amis ;
- la gravure représentant l'animal favori ;
- le disque qui apprend à chanter

aux canaris en cage ;
- l'assiette pour chien décorée d'un chapelet de saucisses ;
- le tapis pour chien que l'on glisse sous cette assiette pour protéger le sol ;
- la médaille d'identité gravée des nom, adresse et numéro de téléphone du maître du chien ;
- la brosse et le shampooing spéciaux pour toutou bien propre ;
- la laisse et le collier élégants pour chien en promenade ;
- l'imperméable ou le chandail pour chien fragile craignant les intempéries ;
- l'os en caoutchouc qui a le goût du chocolat, pour chien qui fait ses dents ;
- le panier d'osier garni d'un confortable coussin pour petit chat ;
- le panier à claire-voie pour chat voyageur.

• **Pour une femme coquette :**
-un collier fantaisie de la couleur de ses yeux (ou de sa robe) ;
- un poudrier en argent ou en métal argenté ou doré avec ses initiales gravées ;
- un coffret contenant une lampe à rayons ultraviolets qui lui conserveront son joli hâle de vacances ;
- un bonnet en nylon ou en mousseline destiné à cacher les rouleaux de sa mise en plis ;
- un sèche-cheveux pas plus grand qu'une enveloppe, pour le voyage ;
- un pèse-personne ceinturé d'un tapis de nylon (si elle surveille sa ligne) ;
- un miroir à trois faces, accessoire indispensable pour bien se coiffer ;
- un peigne dissimulé sous une fleur : camélia ou rose pour une coiffure du soir ;
- un confiturier romantique monté sur pied, en verre ou en opaline, très précieuse boîte à poudre pour sa coiffeuse ;
- une jolie pièce de lingerie : chemise de nuit, combinaison, jupon (si vous êtes une de ses amies intimes) ;
- une petite valise de beauté en tissu plastifié piqué, contenant un démaquillant, un tonique, deux pots de crème, une boîte de poudre, du rouge à lèvres, ce qu'il faut pour se faire les yeux, le tout portant la marque d'un institut de beauté de renommée internationale.

• **Pour une femme qui travaille :**
- un grand bloc-notes gainé de cuir et frappé à ses initiales qu'elle puisse emporter dans son sac ou dans un porte-documents ;
- une trousse de beauté qu'elle pourra laisser dans un tiroir de bureau ;
- une pendulette de bureau indiquant la date en même temps que l'heure ;
- un plan de Paris ou de la grande ville où elle habite portant indications des sens uniques (si elle a une voiture) ;
- un vase Soliflor pour son bureau ;
- un stylo de bonne qualité se rechargeant avec des cartouches d'encre ;
- une très petite machine à écrire qu'elle puisse emporter en voyage ;
- une valise « portable » dans laquelle les robes suspendues sur des cintres arrivent sans être froissées (si elle doit voyager) ;
- un élégant et léger porte-documents à poignées escamotables ;
- une boîte à compartiments dans laquelle vous mettrez tous les petits accessoires nécessaires au travail de bureau : gomme synthétique (qui efface bien), taille-crayons, cartouches de rechange pour son stylo, papier spécial pour effacer les fautes de frappe faites à la machine à écrire, trombones, épingles, punaises, élastiques ;
- une boîte de fiches que vous aurez fait imprimer à son nom ;
- du papier carbone qui ne tache pas les doigts ;
- un bloc-notes gainé de tissu éponge qu'elle accrochera dans sa salle de bains (pour noter les idées qu'elle a toujours à ce moment-là).

• **Pour les fanatiques de l'aiguille, tricoteuses et couturières :**
- le sac à tricot long et étroit dans lequel rentrent aiguilles et ouvrage en cours ;
- l'étui gainé de velours ou de cretonne pour ranger la collection de crochets et d'aiguilles à tricoter ;
- un mannequin aux mesures de celle qui fait elle-même ses robes ;
- de grands ciseaux de couturière et

des ciseaux à cranter ;
- une nappe dessinée prête à broder, avec le coton ou les soies nécessaires à cette réalisation ;
- la boîte à ouvrage avec plateau compartimenté pour les accessoires ;
- le joli et confortable sac à ouvrage que l'on peut emmener en promenade ou en vacances ;
- un canevas tout préparé avec les laines de différentes couleurs pour mener à bien un travail de tapisserie : tabouret, chaise, tapis, etc. ;

Le grand succès « cadeaux »
La poupée porte-épingles, porte-bijoux, porte-échantillons et porte-bonheur, petit chef-d'œuvre de Janie Pradier.

- un joli patron de robe d'enfant et le tissu nécessaire à sa confection (pour celles qui habillent elles-mêmes leur petite fille) ;
- l'appareil spécial pour faufiler les coutures ;
- un petit appareil qui permet de régler les ourlets des robes ;
- le moteur qui transforme une machine à coudre à main ou à pied en machine électrique moderne.

• **Pour des amis célibataires :**
- le service à café en porcelaine d'Arzberg dont les pièces sont superposables ; dans l'ordre : assiette à lunch, soucoupe, cafetière, tasse, couvercle, pot à crème ;
- l'œil magique que l'on fixe à la porte palière (grâce à ce judas optique, il est facile de voir qui sonne et de ne pas ouvrir si c'est un importun ou un inconnu lorsqu'on est seule à la maison) ;
- le plateau à compartiments semblable à ceux dans lesquels on sert les repas en avion, pour le dîner solitaire en face de la télévision ;
- le grand miroir dans lequel on peut se voir en pied afin de vérifier sa tenue avant de sortir ;
- le tire-zip, accessoire qui permet aux femmes de fermer une fermeture à glissière placée dans le dos d'une robe, sans avoir besoin d'aide ;
- l'ardoise joliment encadrée pour communiquer par écrit avec la personne chargée du ménage, qu'un célibataire qui travaille ne voit en général que le samedi (voir dessin, chap. « Attentions », p. 259 : les cadeaux d'installation) ;
- la robe de chambre stricte et correcte avec laquelle une femme peut se permettre d'aller ouvrir la porte au concierge, à un livreur, au facteur, etc. ;
- l'abonnement à un club de livres (CAL) ;
- l'abonnement annuel au service téléphonique des « abonnés absents », si commode pour ceux qui sont partis toute la journée au travail ;
- une tringle électrique pour les rideaux, équipée d'un dispositif télécommandé qui permet d'ouvrir les doubles rideaux sans avoir à se lever de son lit ou de son fauteuil ;
- le « transistor » qui nous suit de la cuisine à la salle de bains en passant par le living-room ;
- le téléviseur (cadeau très important) mais qui transforme la vie de ceux qui sont solitaires.

Les cadeaux « savoir-vivre »

Noël et le Jour de l'An nous offrent l'occasion d'envoyer un cadeau dit « de politesse » à des relations envers qui nous avons certaines obligations.

• **Pour un médecin ou un avocat ami.** Vous voulez prouver votre reconnaissance à un médecin ou à un avocat de vos relations qui a poussé la délicatesse jusqu'à refuser les honoraires que vous désiriez lui régler. Le cadeau que vous lui ferez parvenir en remerciements sera évidemment fonction de votre budget, mais également de l'importance du service rendu.

o *Si vos moyens vous le permettent*, vous lui offrirez un objet dont la valeur se rapprochera du montant des honoraires qu'il aurait perçus.

o *Pour une opération ou une plaidoirie :*
- la pièce d'argenterie (ancienne ou moderne suivant son appartement) ;
- la gravure ancienne, la toile moderne, le tableau abstrait (à la condition qu'il aime ce genre de peinture) ;
- la porcelaine de Chine, le tapis de prières persan, l'estampe japonaise ancienne, l'icône russe ou grecque ;

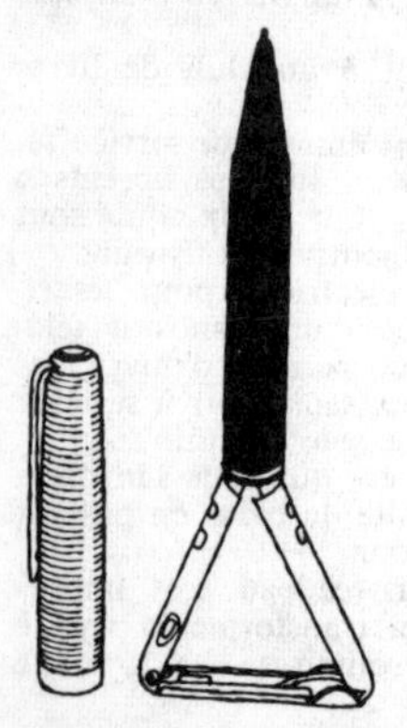

Cadeau astucieux
Le stylo à bille à tampon incorporé (surtout utile aux médecins obligés de tamponner les feuilles de Sécurité sociale) (Galeries Lafayette).

- le soleil en bois doré d'époque Louis XIV ou le miroir également en bois doré d'époque Directoire. Le trumeau Louis XVI (ou sa copie) ;
- un téléviseur, un magnétophone, un électrophone ou mieux une chaîne stéréophonique (s'il est amateur de musique).

o *Pour de nombreuses visites médicales ou consultations juridiques :*
- une pendulette de bureau de belle qualité, avec calendrier incorporé ;
- un « transistor » à modulation de fréquence ;
- une très belle valise pour ses fréquents déplacements (s'il voyage) ;
- une caisse de bouteilles de champagne millésimé portant étiquettes à son nom ;
- un choix varié de « grandissimes bouteilles » de vin rouge ou blanc ;
- un sac de crocodile à sa femme (cadeau qui porte bien son prix) ;
- un livre de chasse (s'il est chasseur) ;
- un gros bloc de foie gras d'Alsace ou du Périgord ou une grande boîte de véritable caviar russe (notez que les disciples d'Esculape comme les hommes de robe apprécient beaucoup ce genre de cadeau. Ce sont en général de fins gourmets et leur profession les obligent à beaucoup recevoir).

o *Si votre situation est modeste*, surtout ne vous croyez pas obligé d'offrir un cadeau important. Le traitement de faveur qui vous a été consenti est une gentillesse à laquelle vous enlèveriez tout son prix. Le geste serait déplacé et aurait pour effet de contrarier votre bienfaiteur. Dans votre cas précis, seule l'intention compte. Vous avez le choix entre ;
- un livre d'art ou un beau disque (l'un comme l'autre échangeable si d'aventure il fait double emploi. Prévenez libraire ou disquaire) ;
- des fleurs à sa femme (s'il est marié), des bonbons à ses enfants (s'il est père de famille) ;
- un étui pour feuilles d'ordonnan-

ces, feuilles de Sécurité sociale, feuilles d'arrêt de travail (s'il s'agit d'un cadeau pour un médecin) ;
- un beau et lourd presse-papiers (pour un avocat).

o *Attention* n'offrez pas un cadeau personnel, même quand ce monsieur est de vos amis, vous risqueriez de froisser sa femme s'il est marié.

N'envoyez jamais de fleurs à un homme si vous êtes une femme.

● **Pour une amie en religion.** Vous ne pouvez faire un cadeau personnel. Offrez-lui un don en espèces pour son ordre, ou des fleurs pour sa chapelle. Une exception cependant, un livre de messe si elle en souhaite un nouveau. Faites-vous bien préciser l'éditeur et le format.

● **Pour des collègues de bureau.** Lorsqu'une certaine camaraderie amicale règne entre collègues travaillant dans une même entreprise, l'échange de cadeaux au moment de Noël est monnaie courante. Il s'agit simplement de marquer sa sympathie, mais en aucun cas d'offrir des objets de prix.

Les bénéficiaires n'ayant pas la possibilité financière d'en faire autant pourraient en être gênés.

o *A un collègue, vous pouvez offrir :*
- un livre, un couvre-livre, un coupe-papier, un signet ;
- un disque 45 tours (s'il possède un électrophone) ;
- une cravate en tricot (noire, vert foncé, bronze ou tabac) ;
- un sablier pour conversations téléphoniques interurbaines ;
- un guide touristique sur le pays où il compte passer ses vacances ;
- une brosse à habits fixée aux extrémités d'un cintre pliant ;
- un décapsuleur en métal doré surmonté de la copie d'une belle pièce ancienne ;
- un jeu « décontractant » du genre cartes à jouer géantes pour châteaux de cartes, boule japonaise, anneau-ressort, solitaire.

o *A une collègue :*
- un petit filet de mailles dorées, élégant cabas pour les courses du soir ;
- une boîte à pilules (qui lui permettra d'avoir sur elle ses médicaments) ;
- un ou plusieurs torchons imprimés ou des petits pots à épices ;
- un petit miroir de sac ;
- une trousse à bas avec une ou deux paires de bas en nylon ;
- une paire de boucles d'oreilles fantaisie ;
- de jolis mouchoirs imprimés ;
- un cintre à vêtement gainé de velours sur lequel les blouses ne glissent pas (certains modèles portent des crochets pour ceintures) ;
- une pointe Bic portant à l'autre extrémité une rose artificielle ;
- ses deux initiales en métal doré montées en broche ;
- une plante verte.

● **A votre secrétaire.** Une très bonne secrétaire qui pratique avec intelligence et efficacité un métier difficile, parfois ingrat, mérite que son patron fasse preuve de générosité lorsque arrive la période des étrennes. A cette indispensable personne, offrez un objet de qualité, luxueux même, que ses appointements (ou ses charges familiales) ne lui permettent pas de s'offrir elle-même ;
- un beau sac de ville en cuir noir, marron ou marine qu'elle puisse utiliser longtemps sans qu'il soit défraîchi ;
- une ou deux paires de gants portant la griffe d'une grande maison (en spécifiant qu'elle pourra les échanger si la pointure n'est pas exactement la sienne) ;
- un fourre-tout élégant pour ses vacances ou pour le marché qu'elle fait le soir en rentrant du bureau ;
- un « bon » pour un chandail qu'elle aura le plaisir de choisir elle-même dans la boutique que vous lui désignerez.

A moins qu'elle ne préfère un accessoire ménager (vous pouvez le savoir en faisant une petite enquête auprès de ses collègues, c'est-à-dire de vos autres employées). Ce peut être :
- un ouvre-boîtes électrique, une cafetière perfectionnée, un robot électrique, des casseroles en acier inoxydable, une table roulante, une lampe, un service à café ou à thé, un batteur électrique, etc.

● **A l'ami d'un de vos amis qui vous a rendu service.** Tout dépend du ser-

vice rendu. En ce qui vous concerne, l'important est de faire preuve de bonne éducation en marquant votre reconnaissance par un cadeau approprié :
- le briquet de bureau toujours utile aux fumeurs ou aux visiteurs ;
- un « minutier » (élément de verre dans lequel trois liquides de densités différentes mettent exactement trois minutes pour reprendre leur place une fois secoués).

o *S'il s'agit d'une femme :*
- un foulard Hermès (cadeau classique mais qui fait toujours plaisir) ;
- un grand plateau très léger en teck cerclé d'étain et portant un écusson en son milieu (création de l'Etain à la Rose) ;
- une nappe « blanc sur blanc », dessins opaques sur fond de voile tergal qui se lave et ne se repasse pas (nappe Floregalle) ;
- une boîte à fanfreluches habillée de velours turquoise ou rose, pour ranger les bijoux fantaisie, les fleurs de boutonnière, ou tout simplement les mouchoirs ;
- de très belles roses à longue tige, ou un « bouquet composé ».

• **A des relations qui vous ont invitée sans réciprocité :**
- une bourriche d'huître (en saison d'hiver seulement) ;
- une bourriche de gibier (si votre mari est chasseur) ;
- une belle corbeille de fruits composée par un spécialiste de luxe (à Paris : Hédiard, Fauchon, Vicens, etc.) ;
- une série de pots de miel (à la rose, à la lavande, au pin) ;
- une coupe en céramique, en verre ou en cristal remplie de bonbons ;
- des coupes à pamplemousses auxquelles vous joindrez quelques-uns de ces excellents fruits ;
- une plante verte accompagnée de l'indispensable arrosoir d'appartement ;
- une boîte à thé japonaise, remplie d'un excellent thé de Chine ou de Ceylan ;
- un vase Soliflor et une unique, mais magnifique rose Baccarat ;
- des cendriers ou porte-verres de jardin fixés à l'extrémité d'une longue tige qui se plante dans le sol ;
- un « X » de métal doré ou argenté sur lequel on pose un plateau ;
- un élégant répertoire pour le téléphone ou des couvre-annuaires ;
- une jolie vannerie remplie de fruits en sucre filé (création Marguerite Lapierre) ;
- un vase ou une coupe de cristal, remplis de chocolats ;
- une boîte de métal argenté compartimentée pour les amandes, noisettes, cacahuètes que l'on sert avec les apéritifs.

• **Au professeur de vos enfants,** si vous avez particulièrement apprécié son dévouement.

o *Pour une femme :*
- un foulard ou un châle en laine fine de jolie couleur ;
- un flacon d'eau de toilette ou un parfum ;
- une boîte de chocolats, de pâtes de fruits, de marrons glacés ;
- des fleurs coupées ou en pot ;
- une pince à papiers, un crayon à pendeloques, un serre-livres ;

o *Pour un homme :*
- un coffret rempli de cigarettes ou de cigares (s'il est fumeur) ;
- un beau disque classique (si vous êtes sûre qu'il a un électrophone ;
— un livre ou un abonnement à une revue qui l'intéresse ;
- une serviette de cuir si vous avez remarqué que la sienne était un peu « fatiguée ».

Les cadeaux « professionnels »

Leur choix dépend essentiellement de la profession que vous exercez et de celle qu'exerce la personne à qui vous désirez offrir un cadeau. Le savoir-vivre exige que l'on ne fasse jamais don d'un objet personnel à ceux qui sont d'un rang social plus élevé que le vôtre (secrétaire à patron par exemple). Qu'une femme n'envoie pas de bonbons (ni de fleurs) à un homme. Et qu'il est de mauvais goût de donner un cadeau disproportionné par rapport à sa situation financière.

● **Cadeau au supérieur hiérarchique.** Rien n'empêche que vous lui exprimiez votre reconnaissance s'il vous a rendu un service personnel. Offrez :
- des fleurs à sa femme ou des jouets ou bonbons à ses enfants ;
- un accessoire de bureau qui lui fait justement défaut : presse-papiers, cendrier automatique, « épinglier » (récipient à compartiments pour épingles, trombones, timbres, élastiques, punaises, coins), ou un étui à lunettes de bureau.

Mais, à l'exception du cadeau « reconnaissance », le cadeau au supérieur hiérarchique est presque toujours un cadeau collectif, pour l'achat duquel tout le personnel d'un service ou d'une entreprise se cotise. A moins d'être précisément la personne chargée de l'achat du cadeau, vous n'avez pas à vous en préoccuper. Si vous êtes chargée de cet achat, demandez à sa secrétaire, à son plus proche collaborateur... ou même à sa femme, de vous révéler ce qu'il désire.

Lorsque le « patron » est une « patronne », une très charmante idée consiste à offrir autant de roses que le personnel compte de membres. A partir de vingt-cinq personnes, ce cadeau modeste pour chacun devient véritablement somptueux pour celle qui le reçoit.

● **Souvenirs aux collaborateurs.** Certains patrons ou supérieurs hiérarchiques, désirent parfois marquer leur satisfaction à des collaborateurs dévoués en leur offrant un petit souvenir, indépendant de la « gratification » allouée. L'important dans ce cas est de trouver des objets différents mais d'égale valeur pour éviter de froisser des susceptibilités. Ce qui compte plus que l'idée originale c'est l'intention qui prouve que « le patron » (ou sa secrétaire !) a su tenir compte de la personnalité de chacun.
- le briquet de poche gravé aux initiales du destinataire ;
- le coffret à cigarettes rempli de ses cigarettes préférées ;
- le porte-documents en cuir, sur lequel seront frappées ses initiales ;
- un accessoire pour la voiture de celui qui fait professionnellement beaucoup de route : cale-dos, plaid, ceinture de sécurité, auto-radio, étui pour cartes routières, valise porte-habits, etc. ;
- le stylo (pour celui qui perd inévitablement le sien) ;
- la bouteille de whisky, de cognac ou tous autres alcools.

○ *Si ces collaborateurs sont des collaboratrices.*
- le foulard, le flacon de parfum, la grande boîte de chocolats qui sont les classiques du genre ;
- la pendeloque en or ou en argent pour la gourmette (si elle en porte une) ;
- l'étui de maroquin en forme de grande enveloppe qui permet de grouper tous les papiers dans un sac à main ;
- une ou deux cartouches des cigarettes blondes qu'elle préfère ;
- et... comme pour les collaborateurs hommes : stylo, briquet, porte-documents.

● **Cadeaux dits « d'affaires ».** Ce sont des cadeaux à de gros clients, à un administrateur, à quelqu'un qui vous a facilité une transaction (il ne s'agit pas de « cadeaux commissions » mais de « cadeaux remerciements ») :
- la belle pendulette de bureau à calendrier incorporé ;
- le coffret bridge en cuir comprenant deux jeux de 52 cartes, un marqueur et un crayon ;
- l'écrin contenant un stylo et un stylo à bille de grande marque ;
- un très beau flacon de cristal taillé accompagné d'une grandissime bouteille d'alcool ;
- une cave à liqueurs sous forme de boîte faite avec des reliures anciennes ;
- un cache-bouteille d'eau minérale en métal ajouré doré ou argenté ;
- le socle pour téléphone dissimulant un tiroir contenant répertoire téléphonique, ou bloc et crayon ;
- une lampe de bureau qui soit non seulement jolie mais rationnellement conçue pour très bien éclairer ;

- la serviette « bureau de voyage » pour homme d'affaires voyageur ;
- le baromètre-thermomètre de bureau ;
- la boîte de cuir coffret-correspondance contenant du papier à lettres, des cartes, gravés à ses adresse et numéro de téléphone personnels ;
- la corbeille à papier électrique qui mâche les papiers et les réduit en poudre ;
- la pince à billets en or ou en argent gravée à ses initiales ;
- le « bureau de voiture », double tablette pliante qui s'accroche au dossier du siège avant, sur laquelle on peut poser un magnétophone ou une petite machine à écrire, ou plus simplement un dossier (classique aux U. S. A., on commence à le trouver en France) ;
- un coffret de cuir havane frappé à l'or fin, dissimulant le téléphone, le répertoire et le carnet de notes.

● **Cadeaux d'entreprise.** Maintenant entrés dans les mœurs françaises, ce sont des objets qui tiennent le milieu entre le cadeau d'affaires et l'objet publicitaire.

Il y a même chaque année à Paris une exposition des cadeaux d'entreprise. A titre d'exemple, voici les plus classiques :
- l'agenda de poche ou de bureau, l'étui à papiers d'identité, l'étui à carte grise ;
- la lampe électrique rechargeable sur le secteur ;
- la règle de bureau aux extrémités de laquelle sont dissimulés coupe-papier et stylo à bille ;
- le cendrier de bureau ou de fauteuil (posé sur une lanière plombée, en tissu ou en cuir, il tient sur l'accoudoir sans tomber) ;
- la trousse à outils pour la voiture ou pour la maison ;
- l'aimant en métal argenté qui permet de fixer un papier pense-bête sur le tableau de bord lorsque celui-ci est métallique ;
- le support-tampon en métal argenté cannelé portant le tampon de caoutchouc dont se sert habituellement le destinataire du cadeau ;
- le répertoire téléphonique à clavier ;
- la pince à papiers en forme de pince à linge géante en bois de teck ;
- le mètre-ruban dont l'étui est gainé de cuir ;
- le dérouleur pour Scotch lourd et stable, et des bobines de Scotch ;
- les taille-crayons en métal doré ou argenté, têtes d'animaux ou signes du Zodiaque ;
- les porte-clefs en tous genres : lumineux, portant les initiales du destinataire ou le numéro de sa voiture ; symbolique de ses goûts : balle de golf, ski, voilier, automobile, trèfle à quatre feuilles, etc.
- **et... bien entendu bouteilles de vin, d'alcool ou de liqueur.**

Les étrennes traditionnelles

Chaque année, à la période des fêtes, on se retrouve dans le même embarras. Combien faut-il donner à la concierge ? Les coups de sonnette se succèdent : facteurs, éboueurs, pompiers vous présentent leurs calendriers. On est, une fois de plus, pris de court, on craint de donner trop ou trop peu...

Pour ne pas être pris au dépourvu, calculez d'avance les étrennes que vous devez donner, prévoyez-les dans votre budget « cadeaux » et préparez vos enveloppes.

LES CONCIERGES

Selon que l'on est locataire, copropriétaire, selon que l'on habite un immeuble classique, vétuste ou luxueux, ou un grand ensemble, selon les rapports que l'on a avec sa concierge, le problème des étrennes se pose tout différemment.

On a cependant tendance à croire que les obligations des concierges sont illimitées. D'où des rapports parfois tendus. En fait, selon leur catégorie, les concierges ont des devoirs et des charges bien délimités.

o *Les portiers-concierges*. Ils assurent, sans dérogation, le service, l'entretien et la surveillance de l'immeuble. Ils sont, à tout moment, à la disposition de leur employeur.

o *Les concierges de catégorie normale*. Leurs obligations sont les suivantes :

- ils sont tenus de signaler au propriétaire ou au gérant les dégâts survenus dans l'immeuble (fuite d'eau, de gaz, court-circuit) et d'alerter en cas d'urgence les entrepreneurs compétents :
- présenter et percevoir, s'il y a lieu, les quittances de loyer ;
- sortir et rentrer les poubelles ;
- recevoir et distribuer le courrier ;
- effectuer le nettoyage de l'immeuble ;
- donner aux visiteurs les renseignements concernant les locataires (étages, durée de l'absence, date de retour) ;
- sauf le temps nécessaire aux courses, le concierge doit se tenir en permanence dans sa loge (ou se faire remplacer) ou indiquer sur une pancarte l'endroit où l'on peut le trouver ;
- faire respecter le règlement de l'immeuble : en interdire l'accès, s'il y a lieu, aux quêteurs, démarcheurs, représentants.

o *La femme de ménage d'immeuble*. Elle est logée dans l'immeuble mais assure simplement la sortie et la rentrée des poubelles et le nettoyage des parties communes moyennant une rémunération horaire. De même, dans les immeubles où il n'y a pas de concierge, les employés qui assurent une fois par semaine l'entretien des escaliers.

● **Que doit-on leur donner ?** Voici donc les services que votre concierge est tenu de vous rendre : selon que vous faites plus ou moins appel à sa complaisance, selon qu'il est plus ou moins fréquemment dérangé à cause de vous, vous devez au moment des étrennes reconnaître les services qu'il vous a effectivement rendus en ne calculant pas mesquinement votre gratification.

La règle voulait autrefois que l'on donne aux concierges 5 à 10 % du loyer annuel. Mais il y a, à l'heure actuelle, de telles différences entre le montant des loyers dans les immeubles anciens et dans les immeubles neufs qu'il semble désormais impossible de prendre le loyer comme base de calcul.

La Chambre syndicale des propriétaires rappelle par ailleurs qu'il n'existe aucune loi réglementant la question et que chacun est, par conséquent, libre de donner ou de ne pas donner d'étrennes.

En fait, étant donné la modicité des ressources de la plupart des concierges et les services qu'ils sont appelés à rendre, il est absolument légitime de faire un geste à la fin de l'année en leur faveur. C'est une question de justice et de conscience. Il faudrait, vraiment, que vos griefs à l'égard de votre concierge soient bien sérieux pour que vous vous absteniez. Il serait aussi très mesquin de lui chercher querelle au mois de décembre... pour éviter d'avoir à lui donner des étrennes.

Vous devez tenir compte dans votre évaluation d'un certain nombre d'éléments personnels :

- si vous garez votre auto, dans la cour, sous les fenêtres du concierge lui retirant de la lumière et l'obligeant à respirer des vapeurs d'essence chaque fois que vous démarrez ;
- si le concierge ouvre et referme les portes de l'immeuble pour vous permettre de rentrer votre voiture ;
- si vous avez des enfants qui oublient de s'essuyer les pieds ou qui laissent tomber leur chewing-gum dans l'escalier ;
- si vous avez une voiture d'enfant ou un vélomoteur que vous garez dans les parties communes ;
- si vous avez un courrier de ministre ;
- si elle garde vos clefs en votre absence et si vous lui demandez d'ouvrir l'appartement aux employés du gaz et de l'électricité qui viennent relever vos compteurs ;
- si vous avez un chien qui laisse des marques dans l'escalier et aboie quand vous le laissez seul dans l'appartement, ou si vous le confiez au concierge en votre absence ;

- si vous avez un vide-ordures qui vous simplifie la vie mais qui représente un surcroît de travail pour le concierge : la poubelle à laquelle aboutit le conduit doit être plusieurs fois par jour, même le dimanche, renouvelée ; celles qui sont pleines doivent être montées du sous-sol.
- si vous êtes un célibataire souvent absent et si vous demandez à votre concierge de prendre pour vous vos paquets et lettres recommandés ou vos mandats et si elle vous rend fréquemment de menus services ;
- enfin, si vous êtes copropriétaire : un propriétaire habitant sur place est souvent plus exigeant sur la tenue ou l'état de l'immeuble que le gérant lointain et surchargé de travail. Par ailleurs, la propriété d'un appartement représente plus qu'un simple statut de locataire.

Si vous êtes un nouvel occupant (locataire ou copropriétaire), sachez dédommager votre concierge à l'occasion du Premier de l'an, des tracas que lui a causé votre déménagement ou des travaux que vous avez effectués dans votre appartement et qui lui ont donné un surcroît de travail.

Enfin, efforcez-vous de ne pas considérer les étrennes comme une corvée désagréable, un impôt que l'on paie en maugréant : remettez votre argent sous enveloppe, avec un sourire : les étrennes ne sont pas une aumône.

● **Si vous avez de bons rapports avec votre concierge** si elle s'est toujours montrée serviable et aimable, pourquoi ne pas y joindre un petit cadeau (bonbons, plante, gants, écharpe, bibelot), c'est une attention qui lui fera autant de plaisir que le billet que vous avez glissé sous enveloppe à l'intérieur du paquet.

LES GENS DE MAISON

Ici encore aucune loi ne réglemente les étrennes à donner aux gens de maison. L'employé de maison n'a pas pour l'employeur un but lucratif. Il n'entre pas dans la catégorie des salariés grâce auxquels l'employeur augmente son chiffre d'affaires et qui reçoivent, en fin d'année, une gratification prélevée sur les bénéfices réalisés par l'entreprise.

Les avantages en nature (logement, nourriture, blanchissage) dont bénéficient les gens de maison sont près de doubler leur salaire.

Néanmoins, le nouvel an est pour vous l'occasion de reconnaître la qualité des services rendus, la conscience apportée au travail, le dévouement, la bonne humeur, la ponctualité, l'efficacité de ceux qui vous servent. Dans certaines maisons, la domestique employée depuis de nombreuses années fait partie de la famille, est associée à ses difficultés, à ses joies.

Les étrennes sont, en ce cas encore, fonction de considérations personnelles : elles dépendent naturellement du temps de présence dans la maison, des moyens de chacun, des salaires pratiqués dans la région, du désir que vous avez de vous attacher votre employée de maison. Il est évident qu'à notre époque où le service est rare et la surenchère fréquente, les avantages tels que les gratifications de fin d'année entrent sérieusement en ligne de compte.

● **Combien et quoi leur donner ?** A titre indicatif, au bout de huit mois de présence, vous pouvez verser l'équivalent d'un demi-mois, au bout de deux ans de service, il semble légitime de verser un double mois à la fin de l'année.

N'oubliez pas non plus que si vous recevez fréquemment, vous imposez à votre employée un lourd travail supplémentaire. Si elle s'y prête de bonne grâce, le nouvel an est l'occasion de reconnaître ses services et ses talents. Il est alors légitime de se montrer plus généreux et d'arrondir la somme que vous avez l'intention de lui donner.

● **Lorsqu'une domestique fait un peu partie de la famille,** l'usage veut qu'on ne l'oublie pas lors de la distribution des cadeaux accrochés à l'arbre de Noël.

Vous pouvez lui offrir :
- un cardigan de laine fine ;
- des gants fourrés ou non ;
- des serviettes de toilette en tissu

éponge imprimé ou de couleur ;
- un porte-monnaie commode pour aller au marché ;
- une écharpe de laine ou un foulard ;
- des chaussures d'appartement dans lesquelles elle sera à l'aise pour travailler ;
- un chemisier, un chandail, un imperméable ou une bonne jupe ;
- un parapluie classique ou pliant.

LA FEMME DE MENAGE

Les étrennes sont naturellement fonction du nombre d'heures de travail que la femme de ménage fournit chez vous. Si elle est employée à la journée, les règles sont à peu près les mêmes que pour une employée de maison.

• **Combien lui donner ?** Si elle ne vient que trois heures par jour, il est légitime de lui donner l'équivalent de quinze jours de salaire.

Vous pouvez difficilement lui donner moins de 50 F. Mais tout dépend évidemment de la qualité de son travail, de son temps de présence chez vous, des responsabilités et des travaux que vous lui confiez et surtout de sa fidélité : il est évident que si vous ne pouvez jamais compter sur sa ponctualité, si elle vous fait faux bond une semaine sur deux, si elle puise sans discrétion dans vos provisions de cigarettes ou considère votre réfrigérateur comme un libre-service, vous n'êtes pas tenu de lui témoigner exagérément votre satisfaction.

LES FACTEURS

La question des étrennes aux facteurs se pose d'une manière un peu particulière. Il y a, en effet, plusieurs catégories de facteurs : celui des lettres, celui des recommandés, paquets ou lettres, celui des mandats, le télégraphiste.

o *Le facteur des mandats.* Il est normal, lorsqu'un facteur vous apporte un mandat à domicile de lui donner un pourboire. Ceux-ci sont parfois assez substantiels : lorsque le mandat représente une somme importante, il n'est pas rare de voir un facteur recevoir un billet de 5 F. Le « préposé aux mandats » arrive ainsi, grâce aux pourboires, à doubler son salaire.

o *Le facteur des recommandés* est, lui aussi, assez favorisé : il est légitime, lorsqu'il a monté plusieurs étages pour vous porter une lettre ou un paquet, de lui glisser une pièce.

o *Le télégraphiste,* bien qu'à un degré moindre, bénéficie également de certaines gratifications.

o *Le facteur des lettres* est, en revanche, tout à fait défavorisé. Il passe deux fois par jour mais dépose le courrier chez la concierge et il est rare que vous le connaissiez. Il n'a donc pas le moindre pourboire. Il est juste qu'au moment des étrennes, lorsqu'il vient vous présenter son calendrier, vous fassiez un geste pour compenser cette inégalité de traitement.

Jadis, chaque catégorie de facteur venait offrir son calendrier. Depuis 1961, il n'est présenté qu'un seul calendrier des postes. C'est généralement le facteur des lettres qui fait la tournée traditionnelle au nom de ses collègues. La somme recueillie est ensuite partagée entre tous. Le montant de ces étrennes est évidemment très variable, selon les régions, les quartiers.

N'oubliez pas que ces calendriers ne sont pas fournis gracieusement aux employés des P.T.T. Ils sont imprimés avec l'accord et sous le contrôle du ministère mais les facteurs les achètent.

• **Combien doit-on donner à un facteur ?** Tout dépend naturellement de l'abondance du courrier que vous recevez. Il est correct de donner de 4 à 5 F pour un courrier normal, de 5 à 10 F pour un courrier important. Si vous exercez une profession dans l'immeuble et si vous recevez, trois fois par jour, une pile de lettres et de journaux, il vous est difficile de donner moins de 50 F.

o *Il est aussi une catégorie de facteur qu'il ne faut pas oublier :* celui des vacances, qui vous porte votre courrier pendant les mois d'été, souvent au terme d'une longue route, qui ne pourra vous présenter son calendrier au moment des fêtes et auquel il convient de donner une petite gratification en fin de séjour.

● **Une dernière recommandation.** N'accueillez pas le facteur qui vient vous offrir son calendrier comme un fâcheux, même s'il vous dérange dans vos occupations ménagères ou au milieu de votre déjeuner. Le calendrier est une institution plus que centenaire : sachez respecter la tradition avec le sourire.

LES EBOUEURS

Les éboueurs n'ont, en principe, pas « droit » aux étrennes. L'administration interdit les tournées de fin d'année.

En pratique, elle les tolère et ferme les yeux. Il est correct de donner de 3 à 5 F selon la catégorie de l'immeuble. Vous serez plus généreux s'ils vous ont enlevé, à la campagne, de lourdes charges ou des objets encombrants.

LES POMPIERS

Dans les villages et les petites agglomérations où il n'y a pas de corps de pompiers permanent, il existe des équipes de volontaires qui assurent la lutte contre l'incendie. Ils s'entraînent régulièrement et ne sont pas rémunérés ; ils reçoivent, simplement, de la municipalité une prime de feu. Il est d'usage qu'une délégation vienne, à la fin de l'année, en uniforme, vous présenter les vœux des pompiers de la commune. Vous pouvez leur donner de 5 à 10 F selon l'importance de votre habitation.

POUR LES ENFANTS : LA NUIT DES MILLE ET UN CADEAUX

Le sapin qu'ils attendent

A Noël, le sapin est de rigueur. Sans lui ni rêves ni joujoux. Il est entré dans la tradition populaire depuis quelque six cents ans. Il s'habille de fils d'anges, se pare d'or et d'argent et s'illumine de bougies et de boules multicolores depuis une centaine d'années.

Un sapin étique aura l'air triste même s'il croule sous des flots de guirlandes. Achetez-le bien touffu et sain. Sa taille idéale se situe entre 90 cm et 1,10 m. A taille égale, les prix varient le plus souvent suivant la beauté de l'arbre.

o *Votre budget est modeste :* achetez une tête de sapin, c'est-à-dire le haut d'un tronc ;

o *Vous manquez de place :* ébranchez-le sur toute sa moitié et appliquez-le contre un mur. Agissez de même pour le placer dans un angle. Dans ce cas ébranchez-le davantage.

• **Les sapins en plastique.** Ces sapins synthétiques viennent d'Amérique. Leurs avantages : ils peuvent être utilisés indéfiniment, se démontent, sont absolument imputrescibles et ressemblent à s'y méprendre à de vrais sapins.

• **Pour décorer votre arbre,** choisissez un thème conducteur. Des accessoires trop variés et de styles différents nuiront à son harmonie.

Réalisez par exemple un sapin tout or et tout argent ; rouge et or ou bleu et argent ; ou tout simplement rouge et vert. Souvenez-vous que les enfants préfèrent aux décorations raffinées (rubans et nœuds, découpages, fruits secs, etc.) les décors scintillants et chatoyants (fils d'anges, boules brillantes, étoiles de clinquant, guirlandes lumineuses.

Faites de votre arbre une gigantesque et merveilleuse fleur s'épanouissant pour eux seuls, chaque année, durant la nuit de Noël.

o *L'étoile* sera placée en premier, au faîte du sapin.

o *Les boules de verre multicolores :* elles seront choisies de trois tailles différentes. Réservez les plus grosses pour décorer le bas de l'arbre, la taille moyenne pour le centre et les plus petites pour le haut du sapin. Si vos boules ne sont pas incassables, prenez le temps, avant de les suspendre, de vérifier leur système d'accrochage en écartant les agrafes métalliques qui les soutiennent. Passez dans l'anneau de chacune d'elles de petits fils de laiton (ceux dont se servent les fleuristes), ce moyen de fixation sera infiniment plus solide et plus pratique que le simple fil, ou même le fil de nylon.

o *Si vous préférez les bougies aux guirlandes lumineuses :* vous placerez d'abord les pinces à bougies. Ne disposez les petites bougies que lorsque chaque pince aura trouvé son emplacement définitif. Veillez ensuite à maintenir chaque bougie dans une position verticale parfaitement stable afin d'éviter tout risque d'incendie.

o *Les clinquants, les accessoires scintillants* viendront se grouper autour de chacune des boules brillantes, augmentant ainsi leur éclat et formant des taches colorées disposées irrégulièrement dans l'arbre.

o *Les guirlandes (fils d'ange et guirlandes électriques)* se placent toujours en dernier, car ce sont elles qui, en soulignant les lignes générales du sapin, meublent les espaces dénudés et les branches les moins décorées.

La crèche qu'ils retrouvent

Si le décor du sapin se renouvelle chaque année, adoptant pour émerveiller l'enfant les formes et les couleurs les plus variées, l'ordonnance de la crèche, image de l'auguste scène, reste immuable : Marie, Joseph, l'Enfant Jésus sont disposés selon l'ordre rituel entre l'âne et le bœuf, au centre de l'étable dans laquelle se groupent bergers et Rois mages, porteurs d'offrandes.

Le choix des personnages, leur taille, leur matière, leur interprétation font l'originalité de la crèche.

o *Les santons provençaux* en terre cuite peinte aux couleurs tendres sont les plus connus.

La crèche provençale a pour toile de fond un village accroché au versant d'une colline plantée de cyprès.

Gravissant les chemins de terre menant à l'étable sainte, tout le peuple de Provence participe à l'adoration de l'Enfant Jésus : le maire, le berger et son troupeau, le meunier, le pêcheur, la fileuse, etc.

La vente des santons, en Provence, est presque constante, mais c'est entre la Saint-Nicolas et la fête des Rois que se déroule à Marseille, dans les allées de Meilhan, la foire aux santons, l'une des merveilleuses survivances de l'art populaire.

Dans toutes les grandes villes de France, vous trouverez sans difficulté au moment de Noël les célèbres petits personnages. En les achetant à la pièce vous pourrez chaque année compléter votre crèche en l'enrichissant de quelques nouveaux personnages pour présenter un jour à vos enfants le village au complet.

• **Pour les petits.** Parce qu'ils ne savent encore apprécier ni le charme ni le pittoresque des santons de Provence, parce qu'ils se font de la crèche une image à cinq personnages ou à dix, tout au plus, vous veillerez à ne pas les décevoir.

Vous choisirez l'Enfant Jésus, la Sainte Vierge, saint Joseph, l'âne et le bœuf, le berger et les Rois mages en céramique colorée, aux lignes simplifiées comme le sont celles des silhouettes présentées dans leurs livres d'images. La Sainte Vierge est vêtue de bleu, saint Joseph de brun, l'Enfant Jésus est blond et a de belles joues roses. De grands personnages à bon marché frapperont plus leur jeune imagination que de coûteuses miniatures. Quelques brindilles de paille et quelques planchettes de bois suffiront à symboliser l'étable sainte, surtout si une belle étoile scintillante apparaît au faîte.

• **Pour les plus grands.** Dès l'âge de huit ans, l'enfant aimera « monter » sa crèche lui-même. Décor et personnages auront alors pour lui une importance égale.

Vous pouvez déjà envisager l'achat de personnages fins et originaux qu'il saura manipuler avec précaution et respect. Vers douze ou treize ans, peut-être désirera-t-il créer pour Noël un cadre étudié en fonction de ses personnages ou bien encore choisir lui-même, en votre compagnie, la petite construction de bois, d'argile ou de terre cuite qui servira de décor à sa mise en scène. Les maisons spécialisées dans la vente d'objets pieux lui proposeront de nombreux modèles, de prix et de tailles différents.

• **Pour les grands.** Seuls des adolescents et des adultes peuvent être sensibles au modernisme austère dè certaines figurines modelées dans du papier mâché, sculptées à l'emporte-pièce dans du bois ou confectionnées en paille, vêtues de daim ou de tissages de tons peu conventionnels, dont les formes stylisées évoquent plus les personnages de l'histoire sainte qu'ils ne les représentent.

Les cadeaux du ciel

IL A UN AN

• **Offrez à votre enfant** l'ours qui dort et qui endort. Quand on le couche, Nounours ferme les yeux ; par un simple tour de clé il endort l'enfant en égrenant les notes d'une berceuse ;
- Caroline et ses petits amis : les chats Pouf et Noiraud, le chien Bobi et l'ourson Boum ;
- la famille canard, jouet en bois, à traîner ;
- des cubes en caoutchouc souple à angles arrondis ;
- un rouleur musical : un coq en bois monté sur deux roues avec une longue tige qui permet de le traîner.

• **A un enfant d'amis.** Vous lui offrirez des animaux ou personnages incassables en caoutchouc mousse. Ils sont nombreux et très divers : des personnages de Walt Disney, des quilles dont l'extrémité supérieure est une tête de canard, de petit cochon, de cheval ;
- des jouets qui roulent : animal en bois, rouleau musical, etc.

Vous pourrez aussi offrir un cadeau utile :
- des chaussures (car l'enfant qui apprend à marcher les déforme vite) ;
- une petite veste ou un joli bonnet (à un an on aime les promenades).

• **A un filleul.** Offrez-lui « son » ours en peluche qui deviendra l'inséparable compagnon ;
- un animal à bascule : choisissez celui qui possède un siège ;
- un coffre à jouets (pour lui apprendre très tôt qu'il faut avoir de l'ordre).

• **A votre neveu, votre nièce** : un « baby relax » à la fois chaise et pot ;
- un porte-bébé léger, un siège-auto confortable (cadeaux que la maman saura apprécier) ;
- un fauteuil-jouet, à la fois fauteuil, table, maison de poupée, garage, estrade (cadeau que l'enfant appréciera mieux un peu plus tard, mais qui flattera en attendant son sens du confort) ;
- le lapin jardinier en peluche habillé d'une salopette en feutrine rouge (dont l'enfant aimera les couleurs vives) ;
- un sulky à pédales, poney en matière plastique ;
- cet animal charmant venant d'Australie, réalisé avec de la peau de kangourou, le « kaola » qui se lance à la conquête du marché parisien. Il est drôle, il est doux et paraît-il porte chance.

Faites aussi votre choix parmi les personnages de Walt Disney, par exemple le fameux dalmatien à poils blancs et oreilles noires.

• **A votre petit-fils, à votre petite-fille,** vous offrirez son premier chien fidèle : il vient d'Italie avec de longues oreilles et de longs poils sur le museau ;
- le pélican fourre-tout qui possède une grande poche sous son bec. On peut mettre et retirer sans fin des objets que maman cherchera...
- Donald, qui porte cravate et chapeau, est un ami bien sympathique pour le tout-petit ;
- le chat Barberousse en peluche de laine beige-doré, avec gilet et nœud papillon en feutre bleu ciel et noir le ravira ;
- une famille de chiens en caoutchouc souple et lavable, présentée sous une très jolie boîte de rhodoïd décorée. Elle comprend maman chien et ses chiots « aboyeurs » ;
- des jouets « nageurs » en matière plastique souple : canard, cygne, poisson, tortue, grenouille, etc.
- des cubes en caoutchouc souple à angles arrondis pour que l'enfant puisse jouer et jeter ces cubes sans risquer de se faire mal.

IL A DEUX ANS

• **Offrez à votre enfant** un jeu de construction simple en bois vive-

ment coloré (100 pièces), le tout enfermé dans un sac de sport en forte toile caoutchoutée ;
- Félix le chat avec sa bonne grosse tête à moustaches et sa queue en panache. Sa peluche est douce et soyeuse, son rembourrage est souple.
- Nounours, Nicolas et Pimprenelle... quel bonheur de pouvoir serrer sur son cœur les chers petits amis de la télévision ! Et on les gardera longtemps, très longtemps car ils sont incassables ;
- un petit chat qui marche sans se presser et qui miaule en dodelinant de la tête ;
- un canard pyramide, c'est un jeu éducatif en matière plastique colorée. Montés sur socle de bois, des anneaux de diverses couleurs sont enfilés et superposés ;
- un train, une locomotive en matière plastique colorée lavable, deux wagons indépendants garnis de tonnelets et caissettes en matière plastique de couleur (sa longueur totale : 1,20 m) ;
- une petite gardeuse d'oies roulante en matière colorée, lavable. En roulant, les petites oies se balancent ;
- une tortue porteuse (on peut s'asseoir dessus), elle est en matière plastique colorée ; quand elle avance, la tortue dodeline de la tête et remue la queue.

Offrez toute la série : Caroline et ses amis Pouf et Noiraud, Bobi et Boum, mais un seul de ces jouets peut suffire à ravir l'enfant ;
- des quilles en peluche lavable représentant des petits animaux familiers : chien, chat, ours, mouton, petit cochon ;
- le petit frère et la petite sœur sont des poupées de chiffon, bourrées, merveilleusement cocasses. Leurs cheveux sont en laine, leurs vêtements en feutrine ;
- les joyeux compères de Walt Disney. Blanche Neige et les sept nains sont articulés et mesurent 25 cm. Ils sont en matière plastique.

• **A un enfant d'amis.** Vous pouvez lui offrir des poupées amusantes pouvant venir s'ajouter à sa collection : le dandy et la midinette par exemple, charmantes poupées habillées.

Parmi les jouets en peluche, le choix est considérable : depuis l'ours classique jusqu'au chat qui miaule, en passant par le singe qui joue des cymbales, sautille et remue la tête.
- la housse pour pyjama représentant Nicolas, Pimprenelle ou Nounours de la télévision, apprend à avoir de l'ordre ;
- le poisson à roulettes qui tourne et évolue aura sans aucun doute un vif succès ;
- un jeu simple de construction, car ce type de jeu éducatif passionne toujours les petits.

Parmi les jouets à tirer et à pousser vous choisirez :
- une cocotte en bois, crête et plumes en vinyle flexible. Elle agite les ailes et imite la poule à s'y méprendre ;
- un chien de chasse en bois, sa démarche est comique et son aboiement amusant ;
- un petit bateau en matière plastique, dont la cheminée sert d'embout à un ballon de baudruche gonflé. L'air en s'échappant fait avancer le bateau.

Vous pourrez aussi accompagner votre présent d'une boîte de confiserie, d'une paire de chaussons ou de gants, d'un petit livre de toile inusable, d'un petit peigne et d'une brosse personnels pour la toilette de l'enfant.

• **A votre filleul.** Offrez-lui une parure (drap, taie d'oreiller pour son lit), un pyjama, une chemise de nuit, mais ajoutez à ce cadeau un petit (ou un grand) jouet, par exemple :
- un ânon humoristique en peluche soyeuse à rembourrage souple, monté sur chariot en métal avec roues en matière plastique. Le harnachement est en peausserie vive (hauteur 45 cm) ;
- un poney qui se déplace sur roulettes et bascule. Il est d'une solidité parfaite, la crinière et la queue sont à poils longs, le reste du corps est en peluche soyeuse souplement rembourrée ;
- les mosaïques en matière plastique colorée qui donnent à l'enfant la notion des formes et des couleurs ;
- des poneys jumeaux en bois munis

Pour remercier

Devant ces délicieux chocolats fourrés,
les femmes oublient leur crainte de grossir,
les hommes deviennent aussi gourmands que des enfants.

Remerciez souvent vos amis avec des fleurs ou une belle plante d'appartement qui, peut-être, sera d'autant mieux soignée parce qu'elle vient de vous. N'est-ce pas une idée charmante ?

(Aux Spécialités de France)

Cadeaux originaux, joies en perspective...
quelques douceurs ou spécialités provinciales.
Qu'il soit tout petit ou... tellement affolant,
le cadeau-remerciement doit, pour atteindre son but,
être choisi avec soin.

(Création des Etains de Paris - Pompons, M. B. Cazaux - Aux Tissus Décoratifs)

Que choisir :
ces flacons bleus, élégants et sobres,
ou ces pompons de passementerie qu'elle
suspendra à la clef de sa penderie ?

de ressorts, dansant et sautillant, tirant un carillon musical richement décoré ;
- un jeu de briques, images multifaces (12 briques, 72 faces, 6 couleurs, 5 images complètes, 64 combinaisons sons à plat et en volume) ;
- Billie et les sept tonneaux qui se dévissent, s'emboîtent et se superposent ;
- un champignon gigogne ;
- et bien entendu toute la série des jeux que l'on monte et démonte : moulin à vent, locomotive avec wagons, animaux, personnages. Tous ces jouets sont formés d'anneaux et de boules multicolores, lavables et incassables, qui s'emboîtent indéfiniment.

• **A votre neveu, votre nièce.** Offrez-leur des jouets bourrés, en feutrine : le chien étonné, le canard élégant, le chat qui arbore un joyeux nœud papillon et un gilet agrémenté de gros boutons, la vache qui broute tranquillement une jolie marguerite en agitant une clochette accrochée à son cou, le poisson qui se distingue par ses écailles multicolores. Ajoutez à cela une housse à pyjama qui représente le même animal.
- un ourson ou une poupée moulée en caoutchouc recouverts de fourrure nylon, le type même du jouet hygiénique, lavable et indéformable ;
- une toupie en matière plastique et métal, de couleurs vives ;
- une très amusante grue-pelleteuse en matière plastique incassable vivement colorée, elle s'actionne au moyen d'une manivelle, la cabine orientable est montée sur chenille. C'est un jouet stable et robuste ;
- un bon petit fauteuil pliant : le piètement est en tube d'acier blondi, les accoudoirs en bois verni et le siège en toile forte ;
- un tricycle sans pédales : l'enfant assis tient les poignées placées de chaque côté de la tête du cheval et avance avec ses pieds ;
- une charrette en bois tirée par un cheval : les roues font de la musique et l'animal hoche la tête.

• **A vos petits-enfants.** Puisque vous veillez toujours à ce qu'ils ne manquent de rien, vous leur achèterez le manteau, la robe ou le pantalon dont ils ont besoin.

Pour ses jeux vous offrirez à votre petite fille une poupée facile à habiller et à déshabiller ;
- **Poil de carotte** est un agréable bambin joufflu au teint de lait et aux cheveux du plus beau roux. Il est en matière plastique et mesure 50 cm. Il est vêtu d'une culotte en grosse toile écrue et d'un tablier à carreaux bleus et blancs.
- une auto de pompier entièrement en matière plastique et téléguidée, elle avance, recule et fait monter et redescendre son échelle ;
- le canard en peluche de nylon qui sert de coussin roulant ;
- un basset télécommandé ;
- des marionnettes (animaux en peluche et feutre) ;
- des chevrons en matière plastique, jeu de construction comprenant 16 éléments identiques de couleurs vives et permettant un nombre illimité de combinaisons géométriques, de formes et de couleurs différentes.

IL A ENTRE TROIS ET CINQ ANS

• **Offrez à votre enfant** une poupée qui a l'air d'un vrai bébé, elle suit du regard et ne ferme les yeux que lorsqu'on la berce ;
- un loto de la campagne, jeu composé de quatre planches (animaux, fleurs, fruits et légumes) ; à chaque planche correspond un jeu de 12 cartes : une série d'animaux, une série de fleurs, une série de fruits, une série de légumes. L'enfant commencera à repérer les noms qui figurent au verso des planches et au verso des cartes, classera les cartes en identifiant les images et apprendra en jouant une belle leçon de choses ;
- son premier train. Il est incassable. La locomotive et les wagons de bois roulent facilement sur des voies en matière plastique, simples à monter ;
- ses premiers patins à roulettes en matière plastique incassable ;
- une bicyclette ;
- un établi en bois comprenant un

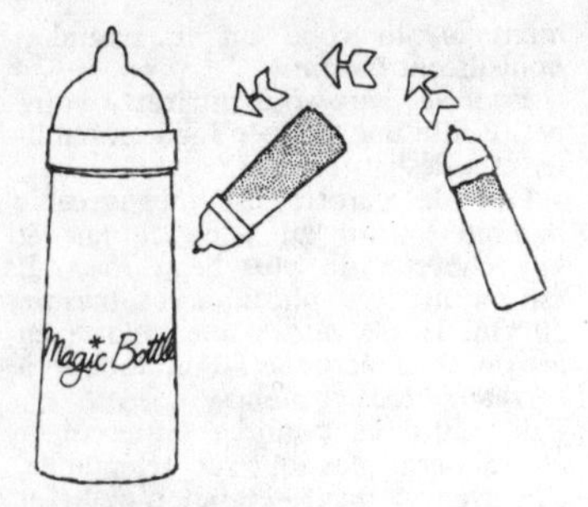

Le biberon magique
fait partie de la catégorie « cadeaux peu coûteux faisant très plaisir ». Il se vide lorsque la petite fille donne à boire à son bébé et se remplit dès qu'elle le redresse (made in U.S.A. vendu à Monoprix).

marteau, des clous et des boulons ;
- une pendule qui lui permettra d'apprendre l'heure sans difficulté avec cadran rouge et disques jaunes indiquant les heures.

● **A votre filleul.** Offrez-lui un camion-porteur en bois. L'enfant peut s'asseoir dessus et diriger les roues ;
- une voiture ou un kart à pédales ;
- une panoplie d'Indien ou d'infirmière ;
- une épicerie pour jouer à la marchande ;
- une patinette ;
- un seau avec pelle et râteau, un arrosoir, une brouette, jouets qu'il appréciera en vacances ;
- un garage très simple ;
- une dînette en matière plastique ;
- une poupée et sa garde-robe ;
- un jouet éducatif éveillant le goût de la décoration florale par le simple assemblage d'éléments de grandeur réelle, recréant la fleur telle qu'elle apparaît dans la nature : « Baby-Floralies » ;
- un chalet géant « Herméto » en bois laqué de couleurs vives, il comporte 4 portes et une fenêtre totalisant 6 systèmes de fermeture différents, la cheminée est coiffée d'un couvercle percé de trous : ronds, carrés, losanges, rectangles par lesquels l'enfant peut faire passer, après les avoir triés, les douze éléments fournis avec le chalet ;
- des poupées décroissantes, jeu éducatif de classement. Elles sont de même épaisseur mais de grandeurs différentes. L'enfant les insère sur des socles appropriés et trouve mille manières amusantes d'utiliser ces socles. Les figurines sont en bois peint, verni et lavable ;
- un jeu de construction « Batimodern », boîte contenant de gros éléments en pin naturel finement poncé ;
- un puzzle en couleur dont les découpages présentent une progression étudiée dans la difficulté. Les éléments reconstituent le sujet à l'intérieur d'un cadre en bois. Chaque planche est très finement décorée de couleurs vives et laquée sur bois. Vous choisirez : la poire, le chat, l'âne, la maison, la basse-cour, la charrette, le lapin, le train ou la roulotte.

● **A votre neveu, votre nièce.** Offrez-leur un téléphone démontable. L'enfant aura la joie de monter ce joli téléphone composé de huit éléments en bois laqué verni (existe en quatre couleurs) ; un cadran mobile permet de composer les numéros ;
- un jeu de construction simple « Educa-bois », attrayant, éducatif ; il permet de faire des assemblages faciles (lettres, chiffres, etc.) ;
- un électro-livre « Minou-flash », méthode visuelle active qui permet d'assimiler avec une prodigieuse facilité, les premières notions de lecture et d'orthographe. Ce jeu comporte une série d'images représentant des objets familiers à l'enfant avec leurs désignations, imprimées en caractères très lisibles au bas de

Le tricycle de jardin
fait partie de la catégorie des cadeaux utiles. L'enfant transportera dans sa remorque, terre et outils de son propre jardin à celui de papa (au Train bleu).

chaque page. Le jeu consiste à identifier, à l'aide de deux fiches chercheuses et de contacts électriques, le mot qui correspond à chaque image. La solution trouvée, les yeux de Minou s'éclairent ; ce système fonctionne avec une simple pile ;
- son premier jeu de cartes, composé de 38 cartes représentant des animaux bien connus des enfants, qui s'assemblent par paire : le lion sur une carte, la lionne et les lionceaux sur une autre... le coq, la poule et ses poussins, etc. ;
- le domino des images : un jeu de dominos dont les points sont remplacés par des images faciles à identifier ;
- de la pâte à modeler. Les pâtes qui existent maintenant sont toutes de qualité parfaite. Elles ne tachent pas, ne salissent pas les mains et ne durcissent pas ; les couleurs : bleu, rouge, jaune, vert, blanc, ocre, gris. Vous les offrirez accompagnées d'une boîte de moules en matière plastique.

• **A vos petits-enfants.** Pour faire comme maman, vous offrirez des gros ustensiles de ménage en matière plastique souple très épaisse, incassable et lavable (broc à eau, cuvette, seau, poubelle) ;
- le fer à repasser qui se démonte en six morceaux ;
- un aspirateur, une machine à laver ;
- une bouteille à lait démontable, multicolore, dont les éléments peuvent être intervertis ;
- des boîtes en matière plastique « range-tout » qui s'encastrent les unes dans les autres ;
- un mobilier décoratif, constitué d'éléments en carton lissé que l'enfant assemblera aisément ;
- une grande poupée qui crie gentiment quand on la berce dans ses bras, elle ferme les yeux et porte une jolie robe èt de longs cheveux bouclés que l'on peut coiffer. Pour l'habiller : une garde-robe complète ou que vous offrirez par éléments ;
- un landau ;
- une poussette pliante, forme hamac, en métal laqué ;
- un berceau romantique garni de volants en mousseline.
- une locomotive western. Elle fonctionne sur pile, et fume en se déplaçant ;
- des autoscooters avec 4 voitures (fonctionnent également sur pile) ;
- une brouette qui résiste aux chocs ;
- une panoplie de Thierry la Fronde, elle contient 1 carabine à flèches, 2 canons avec bretelles, 4 flèches, 8 animaux sauvages à découper formant cibles.

IL A ENTRE CINQ ET HUIT ANS

• **Offrez à votre enfant** un triporteur à pédales dans lequel il peut transporter ses jouets ;
- une voiture à pédales en matière plastique incassable ;
- son premier jeu de société, version originale du jeu de l'oie. Il permet aux enfants de faire un parcours agréable au milieu de friandises qu'ils connaissent bien : partant du jardin des tartelettes, on arrive à la gare du nougat, après s'être plus ou moins attardé dans les environs de la mare au chocolat ou de la vallée des crèmes ;
- des puzzles très simples, avec de jolies illustrations colorées représentant des scènes d'animaux ;
- un loto-puzzle sur le thème « cris d'animaux » si l'enfant sait que le chat miaule, que le pigeon roucoule et que le lion rugit, s'il ne sait pas comment se nomment les cris du lapin, du rhinocéros, de l'ours ou du chameau ; ou encore le loto de la nature, de la mer et des rivières ; le loto des petites bêtes ; le loto des fruits, des fleurs ; le loto des oiseaux ;
- des coloriages sur une très belle ardoise en matière plastique incassable accompagnée de 8 dessins en couleur avec étui de crayons gras spéciaux ;
- des découpages à coller que l'enfant sera fier d'utiliser pour sa correspondance, chaque boîte de découpage contient une paire de ciseaux et une éponge ;
- un baigneur dans sa baignoire avec tous les accessoires du bain ;
- une batterie de cuisine en tôle

peinte ;
- une machine à laver électrique qui lave vraiment. Elle fonctionne sur pile et ne présente aucun danger de manipulation.

Pour « aider » maman à faire le ménage :
- la panoplie parfaite de la petite ménagère. Elle comprend : le tablier en matière plastique imprimée, le balai à poussière, le balai O'Cedar, la pelle et la balayette.

• **Pour le frère et la sœur.** Deux téléphones électriques qui leur permettront de se téléphoner à une distance de 10 mètres.

• **A des enfants d'amis.** Offrez-leur un bloc-cuisine composé d'un élément bas, d'une armoire à balais, d'une cuisinière avec four et boutons mobiles, d'un évier avec armoire de rangement et égouttoir à vaisselle, d'un élément mural à portes transparentes et coulissantes, d'un chauffe-eau qui peut réellement fournir de l'eau, d'une pendule de cuisine, le tout accompagné de nombreux accessoires de cuisine (hauteur 32 cm) ;
- un jeu d'adresse : l'arc-sport. Il a une longue portée, et mesure environ 80 cm ;
- une Ferrari grand sport, décapotable, en tôle métallisée, c'est une très jolie production équipée d'un moteur à pile. L'intérieur est aménagé (siège, volant, tableau de bord), pare-brise et lunette arrière en plexiglas, marche avant et marche arrière ;
- une reproduction authentique de la « Caravelle », l'avion le plus confortable, feux de position rouge et vert, éclairage intérieur et manipulateur de morse (70 pièces à monter, en polystyrène) ;
- un tracteur agricole très robuste équipé d'un puissant mouvement mécanique à ressort, en belle matière plastique, benne basculante et ouvrante ;
- un coffret de pâte à modeler « scultoplast ». Cette pâte ne sèche pas et peut être repétrie indéfiniment (7 gros bâtons de cire, 16 moules, 1 flacon de vernis pour « fignoler » le personnage, 1 spatule, 1 pinceau) ;
- une boîte d'Indiens et de « fédéraux » en matière plastique de couleur, incassables, décorés à la main, 16 sujets au combat ;
- des constructions à l'infini qu'ils pourront réaliser à l'échelle de leur train électrique et de leur circuit de course automobile « Mobitec » ;
- pour les sculpteurs en herbe, un beau coffret « presto-moulage ». En suivant les instructions indiquées sur la boîte, ils créeront sans difficulté de jolis sujets en plâtre à colorier qui pourront décorer leur chambre (4 moules représentant des personnages de Walt Disney, 5 godets de couleurs, 1 pinceau, 1 pelle, 1 sac de plâtre, 1 support de moule) ;
- « le cochon qui rit », jeu de société très amusant qui consiste à reconstituer un cochon entier en jouant aux dés ses yeux, ses oreilles et autres parties du corps (existe pour deux ou quatre joueurs).

• **A votre filleul.** Offrez-lui une véritable machine typographique, reproduction exacte des machines d'imprimerie. Impression parfaite, tirage illimité. Elle marche avec n'importe quel papier coupé au format. Elle imprime des cartes de visite, dessins, figurines, etc. Cette machine est livrée avec des lettres et des plaques typographiques (Oscar du jouet) ;
- une tente de Sioux en forte toile à décor typique, vivement colorée. Elle est surmontée de 4 superbes plumes, son tapis de sol est en matière plastique. Le montage de son armature en bois est facile et rapide ;
- une jolie ferme en isorel et bois peints dans des coloris très frais.

• **A votre neveu, à votre nièce.** Offrez une station-service pour autos miniatures avec avance automatique des voitures, lavage et séchage rapide ;
- un porte-avions atomique lanceur de rockets, copie fidèle du plus grand des porte-avions américains ;
- un circuit automobile ;
- une guitare à cordes de nylon, style guitare américaine-junior ;
- un camion-bétonnière électrique avec marche avant et marche arrière ; la bétonnière tourne, bascule en arrière et revient à sa place.

Comme celui de la petite sœur
Le berceau de sa poupée sera choisi en manille ou malacca. Il mesure 60 cm de long et possède une literie garnie de plastique. Ainsi, les petites filles, peuvent donner à boire à leurs enfants sans craindre le pire... (La Palma).

Le tout s'actionne par de simples poussoirs placés sur le camion ;
- la boîte « du jeune artiste » composée de 12 crayons de couleur, 24 godets de peinture et 1 pinceau. Elle est extra-plate avec couvercle transparent ;
- une balançoire d'appartement que l'on peut facilement installer dans l'embrasure d'une porte, sans clous ni vis ;
- un canot automobile électrique de course, en matière plastique antichocs ;
- un karting, jeu de circulation magnétique, permettant de faire circuler les karts parmi les obstacles (bannières et bottes de paille préalablement installées), en actionnant un volant téléguideur ;
- une panoplie de jardinier en herbe composée des outils à manche essentiels, d'un grand tamis pliant, d'un seau et d'un arrosoir ;
- un porte-documents à double fermeture éclair avec pochette extérieure en tissu plastifié lavable ;
- deux poupées : Clémentine « la chipie » et Gustave « le vilain garnement ».

• **A vos petits-enfants.** Offrez un matériel de « piquages magiques » constitué de 8 cartons avec d'un côté un dessin inachevé en couleur, de l'autre des numéros placés à côté de trous pré-perforés, l'enfant devra passer la laine de couleur dans les trous suivant l'ordre des chiffres. Lorsqu'il arrive au dernier trou, il retourne le piquage et il a alors la surprise de découvrir son très joli ouvrage terminé ;
- un « Ciné-Print », série de 14 timbres en caoutchouc qui permet de réaliser et d'animer de drôles de petits personnages : 11 des 14 timbres constituent le corps des sujets, offrant de très nombreuses possibilités d'attitudes, 3 timbres-têtes différents donnent aux personnages leur expression ;
- un puzzle joliment illustré qui permet de reconstituer : « chaton prend son bain », « les souris mignonnes », « les lapins aux champs », « chien-chien en vacances », le « caneton gourmand », « l'ourson paresseux » ;
- un séchoir à linge pliant ;
- des gants et serviettes de toilette pour la poupée ;
- des draps brodés pour le lit de la poupée avec taies d'oreiller ;
- une chambre à coucher en bois ou en matière plastique ;
- une salle à manger ;
- deux poupées « jumeaux » dans leur nid-d'ange ;
- un bulldozer sur piles, démontable, dont le moteur, utilisé seul, peut servir de base pour la construction d'une grue ou de tout autre engin mécanique ;
- un garage-ascenseur qui s'éclaire et dont la porte s'ouvre automatiquement ;
- un circuit routier composé d'une petite piste, de trois voitures qui roulent, s'arrêtent aux croisements et repartent ;
- une Floride commandée à distance : son téléguidage fonctionne mécaniquement.

IL A ENTRE HUIT ET ONZE ANS

• **Offrez à votre enfant** des découpages et des jeux de société (loto, nain jaune, dada, jeu de l'oie, domino, jeu de dames, etc.).

Vous choisirez aussi tous les dérivés de ces jeux tels que le loto du marché : comme maman, l'enfant fera son choix parmi les étalages représentés sur les grandes cartes (étalage du charcutier, du poissonnier, de la fruitière et de l'épicière) ; 40 petits cartons portent chacun l'un des produits qui figurent dans les étalages. Il faudra donc placer le sucre chez l'épicier, les cerises chez la fruitière, les crabes chez le poissonnier, etc. ;

- le loto des boutiques : même principe, avec la boutique du papetier, de la mercière, du marchand de couleurs, etc. ;

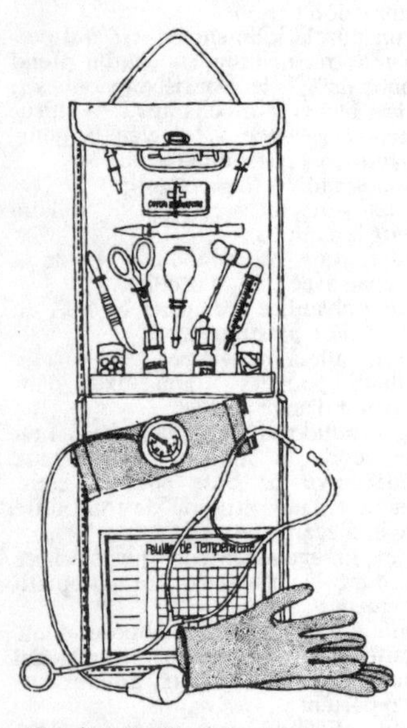

L'âge des vocations
La sacoche médicale si elle est très complète est fort utile jusqu'à 10 ans surtout lorsqu'il y a un petit frère ou une petite cousine qui accepte de se laisser soigner (Monoprix).

- le loto des drapeaux : 6 planches en couleur représentant 60 drapeaux du monde entier et 60 cartes géographiques, d'une lecture facile, des pays auxquels ils appartiennent ; 60 petits drapeaux correspondant à ceux des planches servent de jetons ; 60 fiches portent chacune un texte bref et clair donnant les renseignements essentiels sur chaque pays.

- le jeu du savoir-vivre sera son premier guide des bonnes manières : 36 petits cartons numérotés portent chacun une question bien précise relative à une règle élémentaire de politesse. Les 6 planches reproduisent chacune 6 scènes amusantes également numérotées illustrant les réponses à ces questions ;

- un Boeing 707 à construire soi-même, son train d'atterrissage est mobile ;

- une panoplie de prestidigitateur ;

- une paire de patins à roulettes ;

- une poupée avec de longs cheveux plats que l'on peut soi-même mettre en plis ou permanenter. Elle sera accompagnée d'un séchoir électrique et d'un petit fauteuil.

● **A un enfant d'amis.** Offrez le « Didelec », dictionnaire électrique à deux fiches : la première pose les questions, la seconde y répond par une lumière qui s'allume ;

- une maquette à construire soi-même ;

- une 404 avec un vrai coffre et beaucoup de manettes ;

- une voiture championne de vitesse, elle roule à 60 km/h, son moteur fonctionne au carburant spécial ;

- une panoplie de chimiste ;

- un réfrigérateur garni ;

- un métier à tisser ;

- pour servir l'orangeade, un joli service de verres en matière plastique, présenté sur un plateau en métal émaillé, gaiement fleuri, trépied démontable en métal gainé de matière plastique ;

- un avion télécommandé par câble, comprenant un vrai moteur à explosion. Son vol est circulaire ;

- un jeu de construction qui permet de réaliser, à l'aide d'éléments très légers et qui s'emboîtent les uns dans les autres, une maison habitable ; le montage et le démontage sont extrêmement faciles ;

- une poupée mannequin que vous choisirez parmi la série à succès : Mily (29 cm), taille articulée, présentée en sous-vêtements mais accompagnée de 12 trousseaux, Sindy (30 cm) en blue-jean et tricot rayé (15 trousseaux), Tammy (30 cm) en tenue sport (30 trousseaux), Barbie

(30 cm) en maillot de bain (55 trousseaux), Skipper (24 cm) en tenue de plage (10 trousseaux), Ken (31 cm) en costume de plage (30 trousseaux).

• **A votre filleul.** Offrez un bureau-pupitre et sa chaise, pour faire ses devoirs et ranger livres et cahiers ;
- un coffret-menuisier très complet : 9 pièces d'outillage pour apprendre à travailler en s'amusant ;
- un « Electro-tutor » : jeu contenant 2 fiches chercheuses commandant l'éclairage et 1 carte électrique au choix. Il fonctionne sur piles. Les cartes s'achètent avec le jeu ou séparément, il en existe 20 : géographie, histoire, sciences, calcul, mécanique, etc. ;
- le jeu Intervilles, circuit électrique avec 336 questions passionnantes et instructives, possédant un sélecteur de réponses. Si la réponse est exacte la lampe-témoin s'allume ;
- une série de jeux de société contenus dans une seule boîte ;
- le jeu de Monopoly donnant une image vivante de la vie des affaires, ventes, achats, hypothèques, etc. ;
- un train électrique « Hornby » fonctionnant sur transformateur redresseur 12 volts ; la locomotive, puissante et rapide, possède 8 grandes roues motrices dont 4 sont en laiton nickelé ; 2 voitures deuxième classe indépendantes ; 8 rails, 2 aiguillages à commande ;
- pour faire du vrai café... un service à café comprenant : un moulin à café, tasses, sous-tasses, sucrier en matière plastique, cafetière et bouilloire en matière plastique et aluminium poli accrochés sur un présentoir en fil de métal laqué noir ;
- offrez-lui également des livres instructifs et des disques.

• **A votre neveu, à votre nièce.** Pour sa chambre, offrez-lui une table en bois ou en rotin, une chaise, un fauteuil ;
- des jeux de société. « Le tordu » est un jeu de cartes qui s'apparente au bridge simplifié. Il comporte cinq couleurs : pique, cœur, carreau, trèfle et « tordu » ;
- un circuit de voitures : il retrace une course d'autos, chaque joueur a en main le « tableau de bord » de sa propre voiture ;
- une machine à écrire pour futures dactylos. Elle écrit vraiment et possède un chariot mobile, un clavier complet avec lettres minuscules, majuscules et chiffres. Elle écrit en rouge et en bleu ;
- une vraie guitare : 4 cordes en acier filé lui donnent une belle musicalité, 4 boutons de réglage permettent de l'accorder ;
- un bowling de salon, aussi passionnant que le vrai, pourvu d'un système à ressort et aimant permettant le retrait et la remise en place automatique des quilles en matière plastique. Le corps est en bois laqué couleur ;
- un train électrique ;
- un vrai billard électrique et automatique. Il est alimenté par deux piles. Chaque « dix points » marqués au compteur totalisateur est annoncé par un éclair lumineux avec sonnerie. Lorsque les 1 000 points sont atteints, un second dispositif lumineux avertit les joueurs.

• **A vos petits-enfants.** Offrez-leur un cartable qui ressemble au sac de voyage de « grand-papa » ;
- une trousse scolaire en forme d'énorme crayon entièrement en matière plastique. Dans la pointe en vernis noir, on peut loger 15 crayons, dans le couvercle on placera la gomme ou la petite éponge ;
- une boîte d'aquarelle comprenant 10 godets de couleurs plus une palette contenant 10 godets vides servant à faire des mélanges ;
- les jeux de Radio-Luxembourg : « le personnage mystérieux » consiste à reconstituer des visages de vedettes en utilisant des tiers de photos mélangés ; « Seul contre tous » est un jeu-questionnaire que l'on choisit plus ou moins difficile selon l'âge des joueurs ;
- une table roulante, à l'échelle de la poupée, que vous accompagnerez ou non de vaisselle ;
- une boîte institut de beauté : elle contient poudre, crème, rouge à lèvres, fard, etc., et une tête en matière plastique fort utile pour les essais malheureux ;
- une robe de chambre, une chemise de nuit, un joli jupon ou encore une robe.

IL A ENTRE DOUZE ET QUINZE ANS

• **Offrez à votre enfant** des livres, des disques, des jeux de société contenus dans une mallette ou vendus séparément : dames, échecs, cartes, roulette ;
- des jeux inspirés des émissions de radio ou de télévision : Intervilles, la Tête et les Jambes, Cinq Colonnes à la une ;
- un circuit pour voitures électriques : la piste du Mans à l'échelle. En course Aston Martin ou Jaguar à phares éclairants, Lotus, Cooper ou Porsche ;
- un ballon et un panier de basket qui s'accroche à la porte du garage ;
- une guitare, une mandoline, un harmonica ou tout autre instrument de musique ;
- une boîte « minéralogie » avec de très nombreux échantillons de roches et tous les moyens nécessaires pour leur analyse ;
- une boîte « biologie » avec de véritables animaux conservés dans le formol et tous les instruments permettant leur dissection ;
- un microscope binoculaire, venant d'Amérique, qui grossit mille fois ;
- un four électrique permettant de fabriquer de petits jouets au moyen d'une pâte plastique pouvant être réutilisée indéfiniment.

• **A un enfant d'amis.** Offrez-lui des livres (*La cuisine est un jeu d'enfant* donnera à une fille le goût de la cuisine), des disques, des jeux de société, des jeux éducatifs électriques : l'Homme du XXe siècle, le Gros Lot, la Roue tourne, les Cinq Dernières Minutes ;
- des patins à roulettes, un ballon de basket, de volley, de hand-ball ou de football ;
- des maquettes de fusées, d'avions, de voitures, de bateaux, à assembler et à peindre ;
- la vingtième poupée de sa collection ;
- une petite valise en feuilles de palmier, très, très légère ;
- une tirelire-mappemonde lui sera deux fois utile ;
- un coffret « chimie élémentaire » ou, selon l'âge de l'enfant, « chimie expérimentale », « chimie organique », etc.

• **A votre filleul (e).** Offrez-lui des livres, des disques, des jeux de société ;
- des bibelots pour sa chambre : une lampe, un vase, une pendulette ;
- ou des meubles : la première étagère d'une bibliothèque par éléments, un bureau ;
- une trousse de manucure, un parapluie ;
- des patins à glace, une raquette, des balles de tennis.

• **A votre neveu, à votre nièce.** Offrez des livres, des disques, des jeux de société ;
- des patins à roulettes, un jeu de ping-pong, un jeu de fléchettes ;

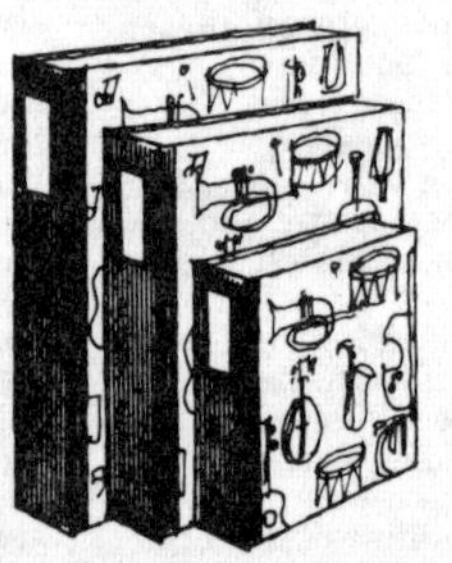

Pour ranger leurs disques
offrez ces classeurs-reliures qu'ils glisseront facilement parmi les livres de leur bibliothèque (Prisunic).

- un abonnement à la Comédie-Française ou à un club sportif ;
- un poste émetteur-récepteur à transistors qu'il montera lui-même ;
- des vêtements. Pour lui : un pantalon, une chemise, des chaussures. Pour elle : un twin-set, un jupon, une liseuse en laine.
• **A vos petits-enfants.** Offrez des livres, des disques, des jeux de société ;
- des animaux miniatures en fourrure qui deviendront fétiches ;
- des « Vieux Tacots » : maquettes, à assembler et à peindre, des plus anciennes voitures françaises (Clément De Dion 1898, De Dion-Bouton 1899, Darracq 1904, Renault 1907, Peugeot 1908, etc.) ;
- un appareil photographique simple, des pellicules couleur, une visionneuse... et un coffret permettant de développer les photos soi-même ;
- des leçons d'équitation ou de natation ;
- une écharpe, des gants, un bonnet de fourrure, une casquette, des bottes, des mocassins, un manteau, une robe, un costume.

IL A SEIZE OU DIX-SEPT ANS

• **Offrez à votre enfant** des livres reliés, des disques, un électrophone, un poste à transistors, un instrument de musique ;
- son premier séjour aux sports d'hiver ;
- un équipement complet : anorak, fuseaux, gros chandail, après-ski, bottes fourrées, skis, etc. ;
- un meuble pour sa chambre : quelques éléments supplémentaires pour sa bibliothèque, un fauteuil ;
- un nécessaire de toilette en cuir contenant brosse, peigne, flacons, savonnière, glace, etc ;
- des flacons en opaline ou porcelaine de Paris à décor romantique ;
- une statuette en porcelaine, un tableau ;
- une caméra, des films, un projecteur ;
- un bijou fantaisie, une montre ;
- une pendulette de voyage,

Votre petite fille est moderne
Achetez ces coquillages qui s'ouvrent dans l'eau et fleurissent « à la japonaise » (Diptyque).

• **Offrez-lui un séjour à l'étranger.** Un peu pour assurer ses connaissances en anglais, en espagnol, en allemand ou en italien, beaucoup pour réaliser le grand désir des jeunes : voir du pays.

Ce cadeau qui enrichira toute sa vie est aujourd'hui à la portée des bourses les plus modestes. En effet, les échanges scolaires, le tourisme universitaire, les billets collectifs et les villages de toile sont autant de solutions économiques mises à votre disposition.
• **À un enfant d'amis.** Offrez, bien sûr, des livres ou des disques.
- du papier à lettres à ses initiales ;
- des bibelots pour sa chambre :

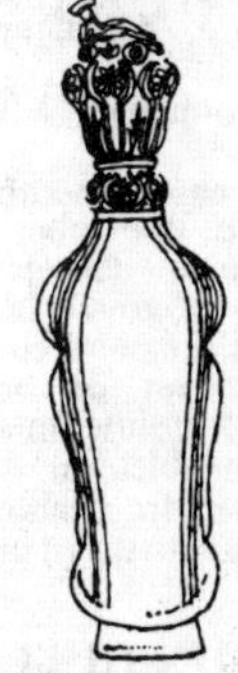

Elle est romantique
Fouillez dans vos trésors vous trouverez sûrement le petit flacon de parfum dont elle rêve.

une lampe de chevet, un vase en cristal, une gravure ancienne, une jolie corbeille à papiers chinoise avec l'abat-jour assorti, des petites poupées japonaises à tête oscillante, une glace sorcière, des petites statuettes en ivoire ;
- un coffret contenant plusieurs paires de bas, une boîte à bigoudis en bois peint ;
- des cintres garnis de tissu qu'elle pourra parfumer ;
- pour lui, une cravate, une ceinture avec ses initiales.

• **A votre filleul (e).** Offrez un pull-over, un twin-set, une jupe, un chemisier, une chemise et une cravate ;
- un agenda relié cuir pour noter ses rendez-vous, un portefeuille en cuir, un porte-photos pour le sac ;
- des rideaux pour sa chambre, un dessus de lit, un tapis ;
- un abonnement à un club : tennis, lecture, musique.

• **A votre neveu, à votre nièce.** Offrez une sortie de bain en tissu éponge, un pyjama, une chemise de nuit ;
- des mocassins d'appartement, des mules brodées, des panchos mexicains ;
- de la laine à tricoter, une coupe de tissu, un canevas à broder ;
- la caravelle de Christophe Colomb, en maquette à assembler et à peindre ;
- une sacoche « grand reporter » comprenant un appareil photo à flash incorporé, des lampes, une pile et un film ;
- un abonnement à un magazine, à un club.

• **A vos petits-enfants.** Offrez un manteau, une robe, un costume, des chaussures, des gants fourrés, un bonnet en grosse laine tricotée, une écharpe écossaise en cachemire ;
- un coffret de bas « sport », un collant Mitoufle fin comme des bas ;
- des meubles ou des bibelots pour leur chambre : table, fauteuil, tapis, tableau, coussins, porte-revues.

IL A DIX-HUIT ANS

• **Offrez à votre fils, à votre fille** la peinture et la tapisserie de sa chambre ;
- un poste à modulation de fréquence ;
- un magnétophone, des bandes magnétiques ;
- des leçons de conduite... une voiture !

Pour elle. Une parure assortie : **soutien-gorge, slip, porte-jarretelles, jupon ;**
- une doublure en fourrure pour l'imperméable ;
- une voilette brodée pour cacher sa mise en plis, un casque-séchoir à cheveux ;
- un carnet de chèques « institut de beauté » ;
- un poudrier, un étui à rouge et un atomiseur de parfums assortis ;
- un bracelet ou un collier : fine chaînette d'or et perles ;
- des cartes de visite gravées à son nom.

Pour lui. Son premier rasoir électrique et des lotions « avant » et « après » rasage ;
- un briquet à gaz, extra-plat, qui ne déformera pas ses poches ; s'il fume la pipe : un briquet « plein vent » ;
- des boutons de manchettes en argent, style pièces anciennes ;
- un gilet de peau anglaise suédée à petits boutons médailles ;
- un sac à dos en peau, ultra-léger, pour ses excursions en montagne ;
- un fusil-harpon à longue portée pour la chasse sous-marine ;
- une raquette de tennis de compétition, le cadre en métal pour la tenir bien en forme, des balles ;
- deux places pour le spectacle (concert, récital, théâtre, music-hall).

• **A un enfant d'amis.** Offrez des livres, des disques ;
- des mouchoirs avec leurs initiales ;
- un bracelet en écaille ou en bois avec les boucles d'oreilles assorties ;
- un petit nécessaire de couture pour le sac, une petite bourse, en peau souple et douce, munie d'une longue chaînette dorée ;
- une eau de toilette et le savon assorti à son parfum ;
- un vaporisateur de parfum en cristal ou en porcelaine décorée de petites fleurs roses, une glace à main pour la coiffeuse et la brosse assortie ;

- une cravate avec pochette assortie, des boutons de manchettes-boules en pierre dure ;
- un briquet Zippo en métal chromé, simple ou orné d'un écusson de l'armée américaine.

• **A votre filleul (e).** Offrez un meuble pour sa chambre : bureau, secrétaire, bibliothèque, coiffeuse ;
- un canot pneumatique pour ses prochaines vacances à la mer ;
- un porte-documents en cuir, une valise, un sac de voyage pliant en toile écossaise pour le week-end : vidé et plié il se range dans un tiroir ;
- un séchoir pour cheveux, un peigne électrique ou un fer à friser, des rouleaux pour la mise en plis... ou un carnet de chèques « coiffeur » ;
- une chemise de nuit et une robe de chambre assorties ;
- une garniture de toilette gainée de toile rose, galonnée de blanc : plateau, peigne, brosse, boîtes pour le coton et le talc ;
- un serre-tête, habillé ou sport : velours, nylon, cuir, gros-grain.

• **A votre neveu, à votre nièce.** Offrez deux billets pour assister à un récital unique (classique ou de jazz), à un match international ;
- un porte-clefs précieux, amusant ou utile : vieille voiture, pièce ancienne, saint Christophe, poisson articulé, montre — moulée dans une boule en matière plastique qui laisse voir le mouvement — boussole, briquet, lampe électrique, mètre-ruban, coquillage, caillou ;
- un jeu d'échecs aimanté qui se glisse dans une poche ;
- une corbeille à papiers : en grosse paille tressée, en métal décoré de roses, en bois cerclé de fer, dans le style des mesures à grain ;
- une boule à musique, brillante et colorée comme une boule de Noël : un petit cordonnet, qui s'enroule à l'intérieur, libère en se déroulant quelques notes d'une sonate de Mozart ;
- une breloque en or pour accrocher à sa gourmette ;
- un petit col en perles, un bracelet au point de tapisserie, une ceinture en perles de bois ;
- un abonnement à sa revue ou à son magazine préférés.

• **A votre petit-fils, à votre petite-fille.** Offrez à tous deux des vacances de Noël à la montagne ;
- un imperméable d'étudiant américain pour lui ; pour elle, l'imperméable : Burberrys ;
- un pull en shetland, un twin-set en cachemire, un bonnet de fourrure, des gants doublés de soie ;
- le sac à main à la mode ;
- une coupe de tissu, une « façon » chez la couturière ;
- des cravates en tricot de soie, en daim, en twill de soie avec la pochette ou l'écharpe assorties ;
- plusieurs bracelets-montres de couleurs différentes qu'elle assortira à ses robes d'été, une pochette en satin à fermoir doré pour le soir ;
- votre petite boîte à musique ancienne qui l'émerveillait petite fille ;
- la belle chaîne de montre en or de son grand-père, toute chargée de ses pompons, cachets et clefs ;
- le bilboquet d'ivoire jauni et patiné, tout marqué de patiente maladresse.

Evénements et cérémonies

- Je cherche des amis, dit le petit prince au renard. Qu'est-ce que signifie « apprivoiser » ?
- C'est une chose trop oubliée, dit le renard. Ça signifie « créer des liens ». Le petit prince de Saint-Exupéry, venu de sa minuscule planète n'avait rien à donner au renard que sa radieuse présence et c'était suffisant pour l'apprivoiser. Mais en d'autres circonstances, s'il était tombé sur la planète « terre » ailleurs que dans un désert, il eût pu offrir au renard de menus cadeaux. Car le propre du cadeau n'est-il pas de « créer des liens » ?

Il faut ouvrir, ouvrir à tout prix, le cercle douillet où nous avons tendance à nous laisser enfermer, savoir donner, savoir recevoir. La vie est faite d'échanges incessants, multiples, inlassablement renouvelés, vivants.

Dans cette politique d'échanges, le cadeau est l'instrument le plus souple, le plus adapté, le plus diversifié, l'instrument idéal. Autrefois ceux qui participaient aux fêtes offraient le lait et le miel, et les fruits de la terre bienveillante. A nous que la civilisation a coupé des réalités humbles et nécessaires, il reste la profusion des merveilleux petits cadeaux.

Voici donc les cadeaux « attendus » les cadeaux rituels que l'on offre à l'occasion de certaines grandes dates, de certains grands jours.

Ils comptent pour ce qu'ils sont, pour le bonheur qu'ils donnent, pour les traditions qu'ils entretiennent. Ils tirent leur valeur de ce que signifierait leur absence. Le cadeau attendu et qui ne vient pas inflige une blessure. Il faut d'abord qu'il soit là, afin qu'aucun mal ne soit fait. Ensuite, vient le bien qu'on tire de sa présence.

LA NAISSANCE

Grand événement d'une vie, la naissance d'un enfant est évidemment prétexte à de nombreux cadeaux. Cadeaux « polis », cadeaux « affectueux » viendront ajouter une note « exceptionnelle » au bonheur de la maman ce jour-là.

Les cadeaux des amis

Les amis, les cousins et cousines et la famille éloignée, conviés à contempler pour la première fois le nouveau-né, rendent visite à la jeune maman soit à la clinique, soit chez elle. Il ne serait pas très gentil d'arriver les mains vides. Ils feront un cadeau soit au bébé, soit à la maman, soit... aux deux.

POUR LA MAMAN

• **A la clinique,** elle appréciera : les livres qui la distrairont. Elle pourra profiter de son immobilité pour lire les derniers ouvrages parus qu'elle n'a pas eu le temps de lire encore. Choisissez soigneusement les livres que vous offrez : une jeune maman est très impressionnable ;
- les friandises. Une jeune accouchée a généralement très bon appétit et les menus de la clinique ou de l'hôpital lui paraissent bien maigres. Apportez-lui des gâteaux, des chocolats, des friandises variées, de beaux fruits.

Certaines épiceries fines réalisent des corbeilles de fruits dont la seule vue est déjà un plaisir. Rien ne réjouira plus une jeune maman qu'une corbeille de pêches ou de raisins. Faites ajouter quelques fruits exotiques aussi amusants à voir qu'agréables à manger. Cependant, évitez les ananas, les melons dont l'odeur incommode et certains fruits, tels que les fraises, qui provoquent parfois de l'urticaire, les pastèques qui contiennent trop d'eau, etc. ;
- les fleurs bien entendu seront toujours les bienvenues (vous reporter p. 240. Les fleurs « attentions ») ;
- un flacon d'une bonne eau de Cologne, une eau de toilette très fraîche ou, si vous connaissez le parfum qu'elle porte, offrez-lui l'eau de toilette correspondant à son parfum ;
- un petit écritoire de voyage (étui de cuir avec papier, enveloppes et plan rigide pour écrire) sera aussi très utile ;
- une paire de pantoufles de voyage dans un étui de velours ou de cuir, ou tout simplement une paire de mules « saut de lit ». La jeune maman sera ravie d'en avoir une paire neuve pour la clinique ;
- une liseuse seyante pour recevoir ses visites, en dentelle, en mousseline ou en voile brodé en été, ou en fin lainage, en velours, en tricot fin au crochet, en nylon molletonné bordé de volants en hiver ;
- des mouchoirs fins, brodés à ses initiales ou ornés de dentelle. Le mouchoir est une chose que l'on oublie souvent. Elle gardera celui-ci à portée de la main ;
- des magazines, cadeau inattendu mais faisant toujours plaisir à quelqu'un qui ne peut sortir. Faites une moisson de journaux illustrés féminins hebdomadaires et mensuels avant votre visite à la clinique.

• **Chez elle.** Vous lui offrirez, bien entendu, fleurs, fruits, livres, journaux, toujours indiqués, ainsi que parfums et eaux de toilette. Mais voici quelques autres idées :
- une petite lampe veilleuse pour éclairer sa chambre sans la fatiguer

si elle a des insomnies, ce qui arrive souvent à ce moment-là ;
- une jolie petite boîte à cachets en argent ou en émail décoré ;
- un disque nouveau ou un disque de son musicien préféré ;
- une jolie tasse à déjeuner (ou un tête-à-tête) ;
- un dessus de plateau et sa serviette assortie pour rendre plus attrayante l'heure du petit déjeuner généralement solitaire ;
- un joli plateau qui lui servira ensuite au salon ;
- une jolie glace à main pratique pour vérifier sa coiffure et qui trouvera sa place plus tard sur sa coiffeuse ;
- une lampe brûle-parfum pour assainir et rafraîchir l'atmosphère de la chambre en même temps que pour chasser la fumée ;
- un sachet parfumé de lavande ou de son parfum habituel pour parfumer ses armoires ;
- une boîte à Kleenex élégante. On en fait de toutes sortes ; en plumetis de nylon, en vichy, en velours, en plastique, en gros-grain. Elle sera plus raffinée sur la table de chevet que la simple boîte de Kleenex en carton ;
- une bonbonnière en cristal ou en porcelaine, remplie de chocolats ou de ses friandises préférées ;
- une jolie petite clochette qu'elle gardera à portée de la main pour appeler lorsqu'elle désire quelque chose. Il en existe de toutes sortes : en argent, en métal chromé, en verre, en cristal, en porcelaine. C'est un petit cadeau auquel on ne pense pas et qui se révèle souvent très pratique :
- une liseuse, couverture de livre, avec un joli signet pour marquer la page. En effet, lorsqu'on lit dans son lit, on laisse souvent son livre pour le reprendre plus tard et, le livre s'abîme vite ;
- si vous êtes une amie intime et si vous connaissez parfaitement ses goûts, vous pourrez apporter un bijou fantaisie qui lui plaira (boucles d'oreilles, bracelet, pendentif, broche) ;
- des draps brodés ou imprimés sont un très joli cadeau, mais si leur prix

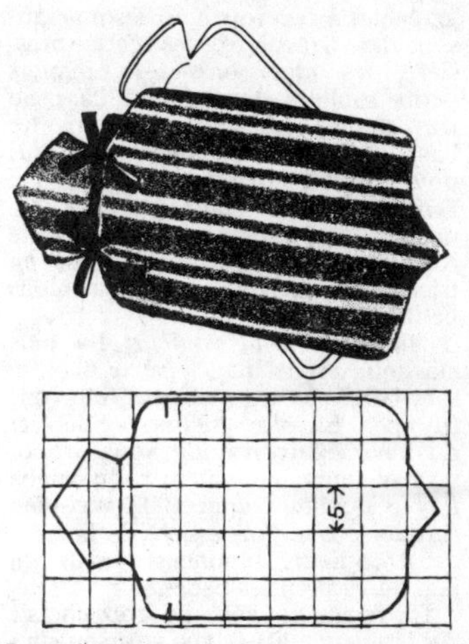

Pour réaliser la housse vous-même
Fournitures : 45x46 cm de tissu-éponge, autant de molleton, 21x17 cm de vliseline adhésive, 1 m de ruban (pour un modèle de bouillotte standard).
La vliseline sera appliquée au fer chaud sur la partie haute du molleton afin de lui donner plus de tenue. Molleton et tissu-éponge seront superposés et piqués ensemble. Les nœuds de ruban seront cousus de chaque côté de la housse.

est trop élevé pour votre budget vous pourrez vous contenter d'offrir un cache-retour de drap qui transformera le classique drap blanc en un joli drap soit orné de dentelles ou de broderies, soit égayé de fleurs ou de galons de couleur ;
- offerte avec la bouillotte de caoutchouc, une housse élégante en tissu-éponge fleuri ou à rayures sera certainement très appréciée s'il fait très froid ou si la jeune femme vit à la campagne.

POUR LE BEBE

Que vous fassiez ou non un cadeau pour le baptême, vous apporterez dès votre première visite un cadeau pour le nouveau-né.

• **Pour son élégance,** les cadeaux les plus classiques mais toujours agréables à recevoir pour les mamans sont les brassières, les cache-brassière, les chaussons, les premiers petits souliers de satin ou de peau très souple, les petits bonnets, les bavettes et bavoirs américains. Vous pouvez aussi offrir un vêtement que l'enfant portera dans quelques semaines ou quelques mois : petite robe pour une fille, barboteuse en tricot pour un garçon, passe-couloir, petit manteau.

o *Attention à la couleur.* La plus classique est le blanc. En le choisissant vous ne risquez pas de vous tromper. En plus du rose « fille » et du bleu « garçon », on vous proposera le jaune poussin très en vogue il y a quelques années, le vert-bleu turquoise que l'on essaye de lancer : deux couleurs lumineuses mais un peu dures pour les bébés.

En revanche, vous pourrez choisir des couleurs assez vives lorsqu'elles sont utilisées en petits motifs (broderies, galons, ganses, festons) car elles ravivent l'éclat d'un vêtement blanc et ne peuvent nuire au teint de l'enfant.

o *Choisissez la matière.* Pour les sous-vêtements ou les petites robes, ne sachant pas comment le bébé peut réagir aux textiles synthétiques, vous donnerez votre préférence aux brassières et aux petites robes de coton fin, de batiste et de linon. En revanche, pour les manteaux, les passe-couloirs, vous pourrez faire votre choix parmi les textiles synthétiques ou les mélanges de laine et fibres synthétiques si pratiques d'entretien.

• **Pour sa « vie pratique »,** vous avez le choix entre : une serviette brodée au nom de l'enfant (si vous l'avez su à temps) et son enveloppe de serviette ;
- une assiette à bouillie ;
- un hochet pour son berceau ;
- une croix d'ivoire ou une petite gravure religieuse à accrocher dans sa chambre ;
- une couverture de berceau ;
- une parure de lit : draps et oreiller ;
- un chauffe-biberons (pour ce type de cadeaux-accessoires, il faudra, avant de réaliser votre achat, vous renseigner discrètement pour savoir s'ils n'ont pas déjà été achetés en prévision de la naissance).

• **Pour ses jeux et son décor.** Si vous achetez un jouet, pensez que l'enfant doit pouvoir le palper, le serrer contre lui, le mordiller sans aucun danger. Veillez toujours à ce que la matière soit souple et les formes rondes, pas d'angles durs ou de montures métalliques. Evitez les animaux à poils trop longs que l'enfant peut arracher et avaler. Attention aux couleurs : elles ne doivent pas déteindre. Evitez aussi les couleurs trop vives qui « énervent » ; choisissez des teintes très douces. Enfin le jouet d'un bébé doit pouvoir se laver très facilement et très souvent, il doit pouvoir tomber sans se casser, être piétiné et décortiqué sans danger.

Si vous offrez quelque chose pour sa chambre, évitez les couleurs trop vives, les formes trop étranges ou

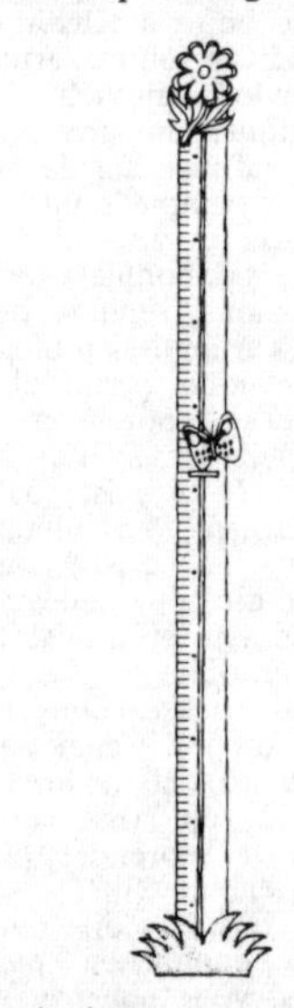

Une petite fleur qui grimpe *jusqu'à 1,40 m contre le mur de sa chambre. Un petit papillon souligne la taille de l'enfant indiquée par cette charmante toise de bois peint et laqué (Bonnichon).*

massives. Dans la chambre de l'enfant, tout doit être calme et douceur.

o *Vous offrirez :* un petit animal en peluche ou en caoutchouc qui servira, en attendant l'âge des jeux, à décorer sa chambre ;
- une lampe amusante en forme de poupée, d'animal ou de fleur. Choisissez-la, si possible, équipée d'un système mixte : veilleuse et éclairage normal ;
- un petit tableau naïf aux couleurs fraîches pour sa chambre ;
- une fleur géante en papier (coquelicot, marguerite) très à la mode actuellement ;
- le « livre d'or » de bébé. Relié en cuir ou en toile blanche, il est gentiment illustré et toutes les dates de la vie de bébé y sont prévues. On y inscrit son poids quotidien, sa taille, les progrès qu'il fait, le jour de sa première dent ou de ses premiers pas. Plus tard, ce sera un souvenir attendrissant pour les parents et amusant pour l'enfant devenu grand ;
- une boîte à musique en forme de manège, d'animal ou de petit personnage et qui joue une berceuse tout doucement ;
- un ensemble « personnalisé » pour la toilette de bébé : peignoir-éponge, serviettes, gants de toilette assortis, ornés de fleurs ou brodés à ses initiales ;
- un « mobile » pour suspendre soit à son berceau, soit au plafond de sa chambre. Il en existe de ravissants, composés de personnages, de petits animaux découpés dans du papier ou faits de plumes légères qui font entrer dans la chambre de l'enfant un petit air de rêve. Le « mobile » fait de motifs légers (poissons, oiseaux, fleurs), montés sur des fils métalliques assez fins pour remuer au moindre souffle d'air, est un cadeau charmant qui décorera la chambre et distraira l'enfant. Ne le choisissez ni trop important ni trop rapide, il risquerait d'effrayer l'enfant ;
- un petit tapis pour sa chambre, en coton de couleur, en toile de jute ou en forme d'animal (peau de mouton, d'ours, de chat).

Cadeaux de la famille

La famille proche — parents, grands-parents, beaux-parents, frères et sœurs — marqueront cet événement par un double cadeau.

POUR LA MAMAN

● **Les beaux-parents** feront, en principe, un cadeau plus important, un peu plus officiel, que celui des parents. Ils pourront offrir à la jeune maman des cadeaux personnels ou encore des cadeaux-maison utiles ou décoratifs. C'est le moment ou jamais de compléter les cadeaux de mariage avec une ou deux pièces de valeur ou tout simplement jolies : un service à thé, une cafetière en argent, un très joli sucrier en argent, des petites cuillères en argent ou en vermeil, une garniture de toilette à flacons de cristal avec bouchon d'argent, un ensemble brosses et peignes en argent, en ivoire ou en écaille. S'il s'agit d'un souvenir de famille, d'un objet que la jeune femme aura admiré chez ses beaux-parents, l'intention de faire plaisir sera alors soulignée d'un geste plein de gentillesse.

● **Les parents** de la jeune femme feront, eux, des cadeaux plus « quotidiens » : une très jolie parure de lit : draps et taies d'oreiller brodés ou ornés de dentelle afin que la jeune femme reçoive ses visites dans un cadre raffiné ;
- un plateau-table pour le lit afin qu'elle puisse confortablement prendre ses repas.
- un couvre-pieds élégant pour dissimuler les couvertures pendant la journée. Il pourra être soit assorti à l'ensemble de la décoration de la chambre, soit original et amusant :

patchwork de toutes les couleurs, grosses mailles de crochet, piqué de coton frais et blanc orné d'une petite ganse fleurie, style poncho mexicain ; soit plus précieux : en dentelle, en fourrure, en soierie damassée.

- s'il n'y a pas de table roulante dans la maison, c'est le moment pour les parents d'en offrir une. La jeune maman pourra ainsi y ranger à portée de son lit toutes ses affaires de toilette, de couture, ses livres, le plateau de déjeuner, etc. Les plus pratiques sont à plateaux amovibles. La table roulante servira ensuite dans la maison à tout moment, évitant bien des va-et-vient à la jeune femme.

Enfin le dernier, le plus nouveau parmi les cadeaux utiles : le petit **micro à placer au-dessus du lit de** l'enfant, avec haut-parleur dans la chambre des parents, qui permettra à la maman fatiguée de ne pas avoir à se lever la nuit pour s'assurer que son bébé dort bien.

Bien entendu, vous n'apporterez à la clinique que les cadeaux de petite taille pouvant lui être utiles sur place. Les cadeaux encombrants seront livrés directement à son domicile.

POUR LE BEBE

Sans attendre le baptême, parents, beaux-parents, frères et sœurs offriront des cadeaux utiles : une corbeille de layette avec tout le nécessaire pour langer, changer et baigner l'enfant (talc, eau de Cologne, boîte à coton, etc.) — il en existe de bien charmantes, doublées de tissu pastel, fleuri ou à petits carreaux.

● **Parents et beaux-parents** s'uniront pour offrir une partie du mobilier de la chambre d'enfant. La mère offrira le berceau, la belle-mère le landau ou la table à langer (ces cadeaux seront achetés et offerts avant la naissance du bébé).

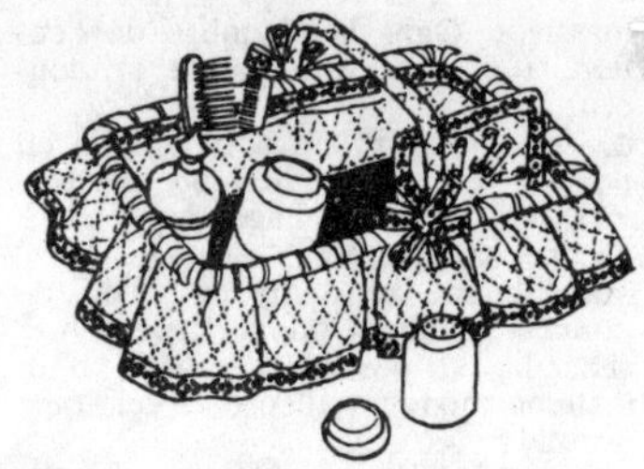

Offrez une corbeille *habillée de batiste légère, de fine cotonnade, de vichy, de piqué ou de tout autre tissu facilement lavable. Choisissez-la suffisamment vaste, équipée intérieurement de poches déjà garnies de l'indispensable : boîte à poudre, à coton, brosse et peigne.*

● **Frères et sœurs, beaux-frères et belles-sœurs** offriront le porte-bébé en toile, indispensable pour les voyages en voiture ou en train ;

- la chaise pliante qui servira six mois plus tard à asseoir le petit neveu ou la petite nièce ;
- le petit fauteuil-pot qu'ils choisiront le plus accueillant possible ;
- le siège pliant, adaptable sur tous les fauteuils et même sur les sièges de voiture, très utile pour les week-ends futurs ;
- une jolie couverture de berceau ou une parure de lit (drap et oreiller).

● **Le parrain et la marraine** pourront, dès la naissance, gâter leur filleul. Le parrain ouvrira un carnet à la Caisse d'Epargne qu'il alimentera régulièrement chaque année pour son anniversaire. La marraine offrira la couverture de berceau ou le couvre-pieds pour le landau en peluche de nylon ou en fourrure.

Si la marraine fait partie de la famille, elle s'entendra avec les parents pour offrir le lit d'enfant, le landau ou quelque objet utile de cette importance.

Le cadeau du mari

● **Des fleurs.** Il les fera porter à la clinique dans l'heure qui suit la naissance de son enfant afin que la jeune maman les trouve dans sa chambre au retour de la salle d'accouchement ou dès son réveil si elle a été endormie.

Il prendra bien soin ensuite de renouveler le décor fleuri de sa chambre durant son séjour en clinique et n'oubliera pas de faire livrer un bouquet, à son domicile, le jour du retour à la maison de la mère et de l'enfant.

• **Un joli souvenir.** La tradition veut que le mari offre un bijou à sa femme qui a bien voulu lui donner un enfant. Généralement ce bijou est une bague et plus particulièrement une perle s'il s'agit d'un premier enfant. Il pourra aussi, si l'alliance offerte le jour du mariage est un simple anneau d'or, lui offrir, à cette occasion, une seconde alliance plus précieuse, en diamants (voir pp. 177 et 178 les bagues de fiançailles).

o *Un autre cadeau luxueux :* l'étole ou le manteau de fourrure que le mari offrira à sa femme le jour même de sa sortie de clinique ou encore le jour de sa première sortie.

Tous les maris, hélas ! n'ont pas les moyens, surtout au début de leur mariage, de faire de tels cadeaux...

o *Pour eux ces quelques suggestions* de cadeaux-souvenirs plus modestes mais tout aussi tendres et reconnaissants que les premiers :

- un poudrier en argent ou en plaqué or joliment travaillé, en laque de Chine, en écaille, en nacre pour le soir.
- une ravissante parure en soie naturelle ou fin linon, une chemise de nuit et son déshabillé vaporeux qu'elle aimera porter aussitôt pour recevoir parents et amis ;
- une élégante trousse de toilette avec flacons de cristal et boîtes argentées sera d'autant plus appréciée qu'elle sera utilisée dès le premier jour à la clinique ;
- un très joli sac à main, en peau de crocodile par exemple, si elle rêve de ce cadeau depuis longtemps (il existe actuellement quantité de sacs en peau de crocodile à des prix abordables).

o *Pour la naissance d'un deuxième, d'un troisième ou d'un quatrième enfant*, le problème du choix d'un cadeau se complique un peu. Indiquons cependant une jolie coutume d'autrefois qui consiste à offrir à sa femme, à chaque naissance, un fin anneau d'or ou d'argent, simple ou incrusté de pierreries, chaque anneau se portant au même doigt et formant une bague unique qui s'enrichit au cours des années. Inconvénient ou avantage de la formule : l'esthétique de la bague limite forcément un jour le nombre des naissances...

LE BAPTEME

Première grande cérémonie de la vie chrétienne, le baptême donne lieu à une fête familiale entourée d'usages et de traditions.

La coutume réserve au parrain et à la marraine les principaux cadeaux. Famille et proches adresseront leurs présents essentiellement à l'enfant, contrairement aux cadeaux de naissance offerts à la mère en même temps qu'à l'enfant.

Petits et grands cadeaux seront, pour cette occasion, choisis plus particulièrement parmi les objets capables de constituer pour l'enfant un souvenir durable de ce grand jour.

Seront exclus jouets et gadgets que l'on réservera pour d'autres circonstances (par exemple la fête ou l'anniversaire de l'enfant voir p. 62, 84). Lingerie et cadeaux « coquets » seront cependant autorisés.

Les cadeaux « tradition »

A la marraine est dévolu le privilège d'offrir la symbolique robe blanche et la médaille d'or. Si la marraine n'est encore qu'une enfant ou encore si la jeune femme ne peut s'engager dans de tels frais, les deux cadeaux traditionnels seront le plus souvent offerts par la ou les grands-mères.

Pour la robe, il est aussi de tradition, dans certaines vieilles familles de faire porter à l'enfant la robe de baptême qui servit à parer successivement chaque nouveau baptisé de la famille, et cela depuis deux et parfois trois générations... Devant autrefois cacher des maillots larges et compliqués, ces robes sont généralement amples et longues, ornées de magnifiques dentelles et de riches broderies.

L'enfant peut également « hériter » d'une médaille ayant appartenu à l'un de ses aïeuls. Le bijou sera confié à la maman le matin même de la cérémonie.

LA ROBE DE BAPTEME

• **Les plus classiques, les plus flatteuses** pour le nouveau-né de quelques jours, fille ou garçon, sont les robes longues, à manches longues, d'organdi tuyauté ou festonné, de dentelle ou de fin linon brodé à la main, avec dessous et bonnet assortis.

Ne servant qu'une seule fois, ce type de robe représente un cadeau coûteux pouvant parfois faire regretter à une maman pratique un achat plus modeste mais aussi plus facilement réutilisable après le baptême.

• **Les plus charmantes, les plus pratiques,** faciles à raccourcir et à transformer en robes d'été ravissantes, sont les robes de baptême à manches courtes en broderie anglaise de coton ou de nylon, les robes en voile de nylon rebrodé et celles en piqué de coton ou de tergal galonnées de fine guipure ou ornées de rubans et d'entre-deux à trou-trous (cette solution n'est valable bien entendu que s'il s'agit d'une petite fille).

• **Les plus simples, les plus modernes** sont les tenues de baptême courtes : petite robe pour la fille, bloomer et guimpe pour le garçon. Tous les tissus conviendront à ces modèles pourvu qu'ils soient blancs frais et légers si l'enfant est baptisé en été, fins et douillets si le baptême est célébré en hiver. Cette solution ne peut pourtant convenir qu'à des bébés de plus de trois mois ou dans le cas de nouveau-nés suffisamment potelés pour supporter d'avoir les jambes découvertes. Pour tous les autres cas on préférera la solution sobre et toujours jolie du cache-maillot, vêtement long de piqué ou de linon légèrement amidonné, entièrement croisé dans le dos et noué par-devant à la taille, par un joli nœud de satin blanc.

• **Longues ou courtes, simples ou somptueuses,** toutes les robes de baptême devront pouvoir s'ouvrir aisément pour permettre au prêtre de faire l'onction d'huile sainte sur la poitrine et entre les épaules de l'enfant.

o *S'il s'agit d'un baptême orthodoxe,* la tenue de l'enfant devra être particulièrement facile à ôter car le bébé est alors plongé entièrement dans l'eau. La marraine ou la maman devra aussi prévoir une chaude couverture de lainage blanc afin d'envelopper l'enfant aussitôt après, car on ne le rhabillera qu'après la cérémonie.

LA MEDAILLE

La médaille du baptême est le premier bijou que reçoit un enfant. Cette médaille, il la portera toute sa vie, tout d'abord par respect envers sa religion, ensuite parce qu'elle représente à elle seule son enfance et sa toute première possession.

Parce qu'elle est sienne, il l'aimera tout autant qu'elle soit d'or, d'argent ou de vermeil.

Généralement de forme ronde, cette médaille gravée au nom de l'enfant et à sa date de baptême, est frappée à l'effigie du saint dont il porte le nom (sainte Catherine, sainte Cécile, saint François, sainte Geneviève, saint Michel, etc.), effigies plus ou moins belles, plus ou moins austères, parfois difficiles à faire porter à un tout jeune bébé. Dans ce cas peuvent être offertes à leur place :

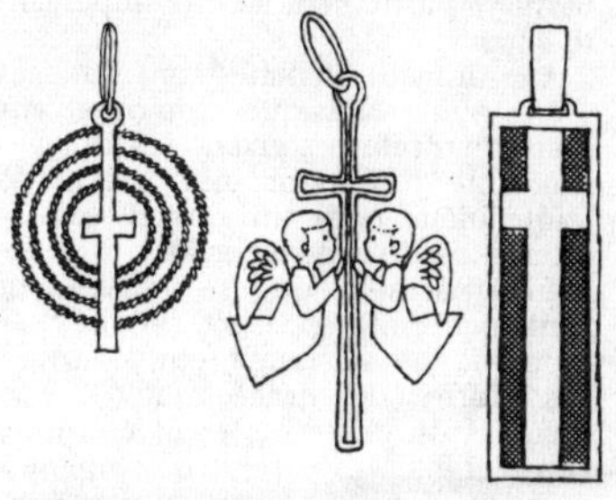

Trois jolies croix
en vermeil, encadrée de deux anges adorateurs ; en or, entourée de quatre fils cordés ou simplement présentée sur plaque filetée (Lucienne Lazon et Argel).

• **pour une petite fille,** toutes les médailles représentant la Sainte Vierge (vierges modernes, profils de vierge et de madone, la Vierge couronnée, la Vierge à l'auréole, la Vierge et l'Enfant Jésus) ;

• **pour un petit garçon,** toutes les médailles représentant le Christ (visages, profils et Christ en croix) ;

• **pour fille et garçon,** toutes les médailles représentant l'Enfant Jésus, anges et angelots.

o *S'il s'agit d'un baptême orthodoxe,* le cadeau traditionnel offert à l'enfant n'est plus une médaille mais une croix d'or.

LES DRAGEES

L'offrande des dragées a gardé à travers les siècles une même valeur symbolique et l'on ne peut concevoir un baptême sans le partage de cette succulente et précieuse friandise.

Puisqu'en cette occasion le rôle principal revient traditionnellement au parrain, c'est lui qui offrira les dragées et se chargera de leur achat.

Cependant, si le parrain est un très jeune homme ne disposant pas d'un grand budget, et si les parents du bébé ont de nombreuses relations, il est tout à fait admis que ces derniers participent à cette importante dépense.

Les dragées blanches sont jolies et d'un goût classique toujours sûr mais on préfère souvent les dragées de teinte rose pour une fille et de teinte bleue pour un garçon, mêlées ou non de dragées blanches.

Les parrains qui se laisseraient facilement influencer et séduire par la mode ne se risqueront pourtant pas à offrir des dragées jaunes, vertes, lilas ou café sans avoir consulté, au préalable, les parents de l'enfant à ce sujet. La même précaution sera prise en ce qui concerne l'intérieur des dragées (dragées aux amandes ou bien assortiment de noisettes, pralines, nougatines, caramel, etc.).

Le nombre de boîtes nécessaires sera calculé par les parents et indiqué au parrain aussitôt la date du baptême arrêtée. Ce nombre sera très soigneusement déterminé, afin d'épargner au parrain une commande supplémentaire qui entraînerait de nouveaux frais d'inscription.

En effet, le prix de revient de l'impression du prénom et de la date du baptême devant figurer sur la boîte ou le ruban du coffret est fixé forfaitairement, quel que soit le nombre de boîtes, à chaque commande.

• **Seront livrés directement chez la maman,** quelques jours avant le baptême :

o *pour elle personnellement :* une boîte spéciale, de plus grande taille et de présentation plus luxueuse que les autres ;

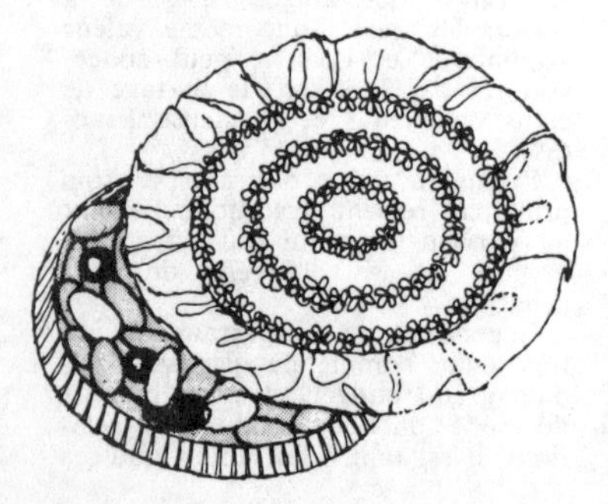

o *pour sa table :* une provision de dragées destinées à garnir coupes, assiettes ou drageoirs (prévoir un maximum de 100 g par invité) ou quelques petits bouquets ou branches « décoration » qui seront groupés dans un vase puis séparés et offerts après le repas à chacun des invités ;

Nouveautés Martial
les bouquets « edelweiss », « petite fleuriste » ainsi que les branches fleuries de dragées blanches, roses ou bleues.

o *pour offrir à ses amis et parents :* un certain nombre de boîtes de même taille auxquelles viendront s'ajouter quelques boîtes plus petites. aumônières ou cornets destinés aux enfants de la famille présents à la cérémonie ainsi qu'aux enfants des amis et relations à qui l'on veut faire plaisir, ainsi qu'à de fidèles domestiques.

• **au domicile de la marraine :**

o *un coffret spécial « marraine »* de présentation très soignée et de taille assez importante ;

o *quelques boîtes « invités »* identiques à celles livrées le même jour chez la maman afin que la marraine puisse aider la maîtresse de maison et la décharger, en partie, du souci de la distribution finale.

• **au domicile du parrain :**

o *la boîte destinée au curé ou au prêtre* qu'il remettra lui-même aussitôt après la cérémonie et à laquelle

Bouquet, aumônière et cornets de dragées Martial.

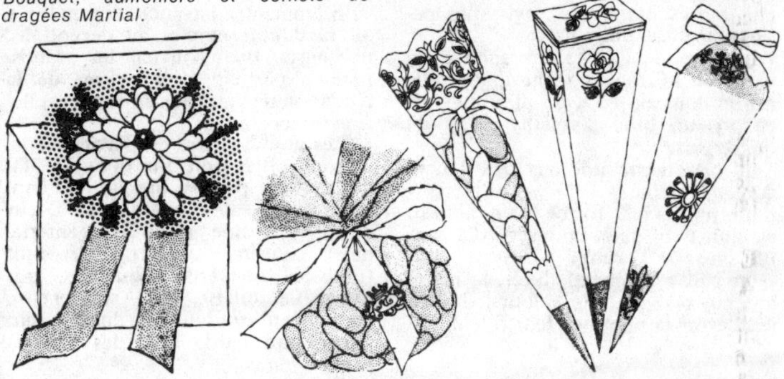

il joindra l'offrande à la paroisse.
o *les cornets ou aumônières destinés aux enfants de chœur* afin de les leur remettre à la sortie de l'église. Un petit billet glissé dans chaque cornet leur fera très certainement plaisir ;
o *une ou deux très belles boîtes* que les parrains respectueux des traditions aimeront conserver à leur filleul afin de les leur remettre le jour de leur communion solennelle ou de leur mariage. Pour conserver si longtemps ces dragées intactes, il sera prudent de demander à la maison spécialisée où la commande aura été passée de bien vouloir sceller ces ou cette boîte sous emballage spécial en polyéthylène.

Les cadeaux « souvenirs »

Les cadeaux du parrain

• **A son filleul.** Si ses moyens le lui permettent, le parrain offrira à son filleul, en plus des dragées, un cadeau personnel, généralement en argent ou en métal argenté.
o *Par exemple :* un ensemble timbale coquetier, cuillère à œuf en métal argenté, marqué aux initiales ou au prénom de l'enfant ;
- un couvert en argent, fourchette et cuillère marqués à son chiffre, en prenant soin de s'adresser pour cet achat à une maison qui en suit la fabrication. Il pourra ainsi ajouter, chaque année, une nouvelle pièce au service que le jeune homme ou la jeune fille ne manquera pas d'apprécier au moment de son mariage ;
- une tasse à lait en argent et sa cuillère ;
- un service à vitamines composé de quatre pièces : presse-fruits, gobelet, soucoupe et cuillère, en métal argenté, doré ou en porcelaine ;
- un rond de serviette en argent massif gravé aux initiales de l'enfant ;
- un ensemble peigne et brosse en ivoire ou en argent, avec une brosse très douce spéciale pour bébés.

• **A la marraine.** La marraine qui partagera avec le parrain les honneurs de la journée recevra de ce dernier, en plus du joli coffret de dragées, un petit cadeau-souvenir personnel, coutume charmante qu'il serait regrettable de voir disparaître. Autrefois l'usage voulait que le parrain offrît des gants de peau.
o *Aujourd'hui il offrira plus volontiers :*
- **une boîte à gants de velours rose,** doublée de moire et signée Dior ;
- un foulard, de jolis mouchoirs, un charmant petit miroir de sac ou de coiffeuse ;
- un cendrier de nacre, une petite coupe d'opaline ;

- une bougie-statuette en cire blanche représentant une ravissante petite marquise, imitation Saxe ;
- un presse-papiers : un sulfure en verre de Murano ou une immortelle noyée dans un bloc de plastique, ou encore un bloc d'améthyste ou de quartz rose ;
- un oiseau empaillé aux très douces couleurs satinées ;
- un porte-clefs formé d'un anneau et d'un petit galet noir serti d'argent (dessiné par Torun) ;
- un cadre de métal doré, de métal argenté ou gainé de velours, destiné à recevoir la photo de leur filleul.

LE CADEAU DE LA MARRAINE

Si la médaille et la robe de baptême sont offertes par les grands-parents, la marraine devra porter son choix vers d'autres cadeaux, bijoux classiques pour bébés que sa filleule aimera, plus tard, donner à ses enfants :
- une petite broche de bavette où s'incrit le nom de bébé. Il faut alors bien veiller à choisir une excellente fermeture de sécurité afin d'éviter tout accident ;
- un bracelet d'identité, petite gourmette très fine en or, portant une petite plaque sur laquelle sont inscrits le nom de l'enfant et sa date de baptême. La gourmette peut être remplacée par un jonc d'or très fin ou par quelques perles reliées entre elles par une fine chaînette d'or ou d'argent ;
- ou bien, enfin, une très belle chaîne d'or, épaisse et peu fragile que l'enfant conservera de longues années (se renseigner, avant d'acheter la chaîne, si la médaille que portera l'enfant a été choisie en or jaune ou en or rose).

LE CADEAU DES GRANDS-PARENTS

Faisant un peu le même type de cadeau que les parrain et marraine, il est souhaitable que les grands-parents fassent part de leurs projets suffisamment à l'avance afin qu'il n'y ait ni double emploi, ni déceptions, ni heurts. Bien souvent les grands-parents participent aux frais de la réception de baptême, surtout si celle-ci est importante.

Les grands-mères en particulier aimeront offrir soit un bijou de famille (leur propre broche de baptême si elle n'est pas gravée à leur nom), soit une pièce d'argenterie, objet souvenir utile ou décoratif (timbales, couverts, coquetiers, garniture de toilette, etc.), soit encore un cadeau pratique et durable qui puisse être gardé pour les arrière-petits-enfants.

o *Par exemple :*
- une très jolie couverture de voiture en fourrure blanche, ou bien en dentelle ;
- un très joli berceau, une bercelonnette ou un moïse si l'enfant baptisé vient de naître et ne possède encore que le porte-bébé qui servit à son transfert clinique-maison. Selon les goûts de la maman, vous choisirez un berceau rustique, breton, savoyard ou alsacien, un berceau romantique à flèche, en fer laqué blanc ou en cuivre, une bercelonnette style Empire, un moïse en rotin, un berceau moderne en bois laqué, en bois naturel ou en manille et malacca ;
- le garnissage du berceau réalisé par une lingère spécialisée (rideaux brodés à la main, volantés, tuyautés, festonnés) ;
- le burnous blanc classique et douillet qui servira peut-être le jour même du baptême, s'il fait mauvais temps, pour envelopper l'enfant à la sortie de l'église. Choisi en laine fine, tricoté à la main et entièrement doublé de tissu ouatiné, il pourra réchauffer plusieurs générations successives.

LES CADEAUX DE LA FAMILLE ET DES AMIS

Ils offriront, sinon un cadeau important, du moins un cadeau de qualité.

● **L'objet-souvenir** : un hochet en

argent ou en ivoire que l'on pourra suspendre au berceau ;
- une petite boîte à musique (cage à oiseaux ou manège de chevaux de bois) qui joue une petite berceuse. Certaines sont combinées boîte à musique et lampe-veilleuse ;
- un coquetier et sa cuillère en argent ;
- une boîte pour le coton ou pour le talc en cristal ou en opaline ;
- un petit confiturier de cristal ou de jolie porcelaine peinte ;
- une casserole à bouillie en argent ou en métal argenté.

• **De jolies pièces de layette ou de lingerie,** blanches de préférence : les cache-brassière en linon ou en coton très fin, brodés ou bordés d'une très fine dentelle sont toujours des cadeaux appréciés ;
- les petits pulls-brassières tricotés à la main ;
- les chaussons de fine peau blanche ou de satin ;
- le petit manteau classique de piqué blanc ou de lainage fin pour sa première sortie ;
- l'ensemble en tissu-éponge de teinte pastel ou brodé de fleurs, comprenant le peignoir miniature pour bien envelopper bébé à sa sortie de l'eau, le grand drap de bain, le gant de toilette, etc. ;
- la serviette à bouillie et son enveloppe assortie en tissu-éponge brodé ;
- la parure pour le berceau de l'enfant (drap, taie d'oreiller) en coton très fin, bordé de dentelle, de volants de broderie anglaise. Plus de petits canards et d'ours roses brodés sur l'oreiller, le style romantique a eu raison du style « bébé ».

LA COMMUNION SOLENNELLE

Le jour de la communion solennelle est un grand jour pour l'enfant et l'occasion d'une fête familiale : déjeuner, goûter, cadeaux... Il ne faudrait pourtant pas faire oublier à l'enfant la signification essentielle de cette journée, c'est-à-dire le renouvellement de ses vœux de baptême, premier acte religieux conscient de son existence avec tout ce qu'il comporte de simplicité et de recueillement.

Les cadeaux que l'on offrira à cette occasion revêtiront un aspect, sinon pieux, du moins sérieux et durable, de manière à marquer d'un souvenir concret la date de cette importante cérémonie.

La tenue du premier communiant

Généralement achetée par les parents, elle est quelquefois offerte par les grands-parents de l'enfant ou par sa marraine.

Deux formules (et même trois pour les petites filles) sont à envisager.

La gêne causée à l'enfant par l'encombrement de certaines toilettes de petites filles, le prix trop élevé des costumes classiques de premier communiant et enfin la différence de classes sociales que risquaient de souligner certaines tenues de première communion exagérément riches ont amené, suggérée par l'Eglise, la formule « aube » pour filles et garçons. En moins de trois ou quatre ans, ce vêtement strict a dû, concession après concession, se transformer pour répondre aux souhaits des mamans (surtout les mamans de petites filles) un peu effrayée par cette étonnante austérité. Il a donc fallu étoffer cette aube, élargir ses formules étriquées, peu à peu l'enrichir d'un décor, bref, l'amener détail après détail à un compromis, formule aussi proche de la robe que de l'aube.

LA FORMULE TRADITIONNELLE

Vous la choisirez si votre paroisse l'autorise ;

- si vous possédez encore la robe d'organdi ou le costume Eton de votre fille ou de votre fils aînés ;
- si vous préférez, après la cérémonie, voir porter en ville à votre enfant ces vêtements de fête plutôt que l'aube symbolique réservée aux offices.

• **Pour les petites filles, la robe.** La traditionnelle robe de première communiante a su rapidement s'adapter à notre époque, s'assagir en limitant son volume et son décor afin de suivre la discipline de rigueur imposée par certaines paroisses.

Dans le même esprit raisonnable, tandis que l'aube se voyait contrainte d'élever ses prix en fonction de ses transformations, la robe a baissé les siens en supprimant dentelles, broderies et dessins compliqués pour se présenter, simple et jolie, à portée des bourses les plus modestes, afin que chaque petite fille puisse garder le souvenir d'une robe charmante associé au souvenir de ce grand jour, sans en modifier le sens réel. Rarement en mousseline, les robes sont le plus souvent réalisées en organdi ou en linon de coton, tissu solide dont l'apprêt permanent lui assure une excellente tenue. Le nylon très inflammable, rendu dangereux par la proximité possible des cierges durant la cérémonie, ne sera pas retenu.

• **Le voile.** En organdi, les voiles conservent à égalité deux tendances : ils descendent jusqu'au bas de la robe ou s'arrêtent à la hanche dans un mouvement enveloppant qui exige une ampleur suffisante. Quand ils ne sont pas bordés du biais plat assorti à celui de la robe, ils reprennent naturellement la bordure à jours, le tuyauté à picot, la ganse chargés d'assumer le charme de la toilette.

• **La parure.** Souvent la marraine ou la tante se charge d'offrir à la jeune communiante, sinon la robe, du moins la parure assortie à celle-ci.

o *Pour le bonnet, elle choisira :* le bonnet à passe plate si l'enfant à un visage joufflu ;
- le bonnet à passe dégagée, légèrement en auréole, pour une petite fille au visage mince.

Mais les fillettes, elles, manifestent toujours une certaine préférence pour le bonnet « Marie Stuart » très seyant.

o *Les aumônières plates* seront complétées par un joli mouchoir assorti. sorti.

o *Les ceintures nouvelles* ont le grand nœud alsacien et deux pans généralement arrondis, plutôt que coupés en biseau.

Des gants courts, volantés, tricotés en coton compléteront la toilette.

• **Pour les petits garçons.** Vous aurez le choix entre le costume de flanelle grise ou bleu marine.

o *Le brassard.* Seul ornement du costume de communiant : le classique brassard de soie blanche que l'enfant portera au bras gauche. Les plus nouveaux sont sobres et peu brodés.

o *La chemise, les chaussettes et les gants* seront choisis blancs et la cravate soyeuse, gris argent.

LA FORMULE « AUBE »

Vous l'adopterez si votre paroisse vous y oblige ;
- si vous êtes touché par sa forme symbolique ;
- si vous aimez plus que toute autre chose la simplicité.

• **Pour les petites filles comme pour les petits garçons,** l'aube est une longue robe blanche, aux larges manches, toute droite, resserrée à la taille par une ceinture cordelière.

o *Les garçons* ont, le plus souvent, une aube à petit capuchon.

o *Les filles* portent sur la tête un petit voile court, de même tissu que la robe, que l'on fixe soit sur un bandeau, soit sur un petit calot rond.

Bien que d'allure monacale, ces robes sont réalisées non en bure mais en coton, en fin lainage, en tergal, en mélange de tergal et laine ou coton. Vous trouverez à acheter des aubes neuves dans tous les grands magasins et les boutiques spécialisées pour enfants.

o *Mais vous pourrez aussi :*
- les acheter à très bon marché, d'occasion, en vous adressant au pensionnat de votre enfant ou directement à votre paroisse ;
- les louer seulement pour le jour de la cérémonie. Elles seront lavées et repassées ensuite sans aucun frais de nettoyage.

Les aubes sont parfois prêtées à titre gracieux par les paroisses ou les pensionnats. Il conviendra alors de remercier par une offrande d'une valeur inférieure ou égale, selon vos moyens, à celle d'une location (de 10 à 30 F environ). Certaines paroisses fournissent également gratuitement les accessoires liturgiques afin d'éviter les surenchères de jadis sur les cierges et les missels.

LA FORMULE « ROBE-TUNIQUE »

Vous la préférerez si vous condamnez le caractère mondain de la robe traditionnelle ;
- si vous jugez inopportune un jour de fête l'austérité biblique de l'aube ;
- et s'il s'agit, évidemment, de la communion d'une petite fille.

• **La robe** est généralement droite, marquée par quelques plis ou groupes de plis partant de chaque épaule et retenus à la taille par une cordelière.

Si l'organdi, le linon de coton, matières fines et transparentes, sont empruntés à la robe traditionnelle, la tunique garde de l'aube l'absence d'aumônière et le voile court. Résultat d'un compromis, cette formule propose une solution sage et de bon goût convenant assez bien à la solennité de ce jour de fête.

Les cadeaux « pieux »

La difficulté que pose à chacun de tels cadeaux ne réside pas ici dans l'embarras que l'on peut éprouver à trouver ce qu'il convient d'offrir mais plutôt dans le choix de l'objet même. En effet, la liste des cadeaux « première communion » types est limitée. Sensiblement la même depuis des siècles, bien connue, peut être même dirons-nous la mieux connue, parmi les listes des cadeaux rituels.

● **Les objets religieux.** Les boutiques spécialisées dans la vente de ces objets groupent et proposent missels, chapelets, crucifix, statuettes et bas-reliefs représentant le Christ, la Sainte Vierge et l'Enfant Jésus, ainsi qu'anges et angelots de toutes tailles et de toutes matières, médailles et croix, bénitiers, etc.

Mais ces objets ne sont pas aussi beaux qu'ils sont nombreux et variés.

Les croix d'aube
en bois sombre (Paris Rome) ; ou en or surmontée d'une flamme. «Lucienne Lazon).

Le dizainier basque
se fait en or ou en argent (Artisanat liturgique).

o *Notre sélection :* une statue de saint ou de vierge du Moyen Age en bois ancien doré, polychrome ou simplement naturel, sera à la fois un cadeau religieux et un élément décoratif très joli pour la chambre de l'enfant ;

- une reproduction d'icône ancienne ;
- un petit bénitier en marbre ou en albâtre, à accrocher dans une chambre de petite fille ;
- un crucifix pour accrocher au-dessus de son lit. Il en existe de fort jolis en bois peint, ou en ivoire. A signaler un cadeau, paraît-il très apprécié des enfants : le crucifix de voyage dans son étui.
- un chapelet : il sera à grains d'ivoire ou de nacre pour les petites filles ; à grains de bois, de buis, d'ivoire pour les garçons. Veillez à ne pas le choisir trop lourd ni trop encombrant. Dans certaines familles il est de tradition de remettre à l'enfant le chapelet ayant appartenu à plusieurs générations successives de premiers communiants. Ne s'offrent ainsi que les chapelets de valeur, en or ou bien en argent ;
- la croix de première communion sera choisie, pour une petite fille, en nacre, en ivoire, en argent ou en or, incrustée de perles. Elle la portera autour du cou accrochée à un fin ruban blanc. Le petit garçon portera sur l'aube une large croix, de préférence en bois (olivier ou buis) ;
- un missel : avant de l'offrir il sera prudent de vous renseigner auprès des parents de l'enfant ou auprès de la paroisse, car beaucoup d'enfants sont tenus d'avoir un simple livre de prière, identique pour tous, afin de suivre plus facilement l'office. Si l'on vous y autorise, vous offrirez

un joli missel, le plus complet possible, relié en cuir blanc pour les filles, brun pour les garçons. Les grands-parents offrent parfois leur propre missel ancien, à couverture d'ivoire ou relié en cuir et gravé à l'or fin. Il constitue ainsi un double souvenir pour l'enfant.

• **Les livres religieux.** Afin qu'ils intéressent l'enfant, choisissez de jolies éditions illustrées et reliées avec goût. Par exemple : une bible ancienne joliment reliée en cuir, une Imitation de Jésus-Christ, les Quatre Evangiles.

• **Les images souvenirs.** Elles sont offertes soit par les parents, soit par le parrain ou la marraine afin que l'enfant, le jour de sa première communion, distribue à la famille, aux amis et invités, des images pieuses où sont inscrits ses nom et prénom ainsi que la date de sa première communion et le nom de sa paroisse.

Attention, il faut compter au moins de quinze jours à trois semaines pour faire graver ou imprimer au dos des images les mentions que l'on souhaite.

Comme pour le vêtement, il existe une mode en matière d'images de première communion. Au siècle dernier elles étaient très décorées, bordées de papier dentelle, ornées de guirlandes aux couleurs fines.

Aujourd'hui, elles sont beaucoup plus dépouillées et se présentent sous deux aspects bien distincts : l'image photo et l'image dessinée, très stylisée.

o *Les images photos noires* représentent généralement un paysage-symbole : une route, une barque, un ciel, un arbre, une église. Certaines reproduisent les œuvres de sculpteurs célèbres, des fragments de bas-relief, une statue de la Vierge.

Une phrase de l'Evangile, d'un cantique, de la Bible ou de l'ordinaire de la messe donne la signification symbolique de la photo.

o *Les images photos couleur.* Elles reproduisent également fresques ou monuments mais aussi et surtout des tableaux célèbres : madones, Chemin de croix, scènes de la vie du Christ ou représentent les plus beaux et plus célèbres vitraux.

o *Les images dessinées* sont en général d'un graphisme très dépouillé et très pur. Sur fond généralement blanc ou pastel, le motif est dessiné au trait dans une couleur plus vive.

L'enfant les offrira aux personnes présentes le jour de la cérémonie, mais les enverra aussi aux parents et aux amis qui seraient absents ce jour-là. A cet envoi l'enfant joindra un petit mot gentil (voir p. 340 et p. 358 des chap. « Présentés » et « Accompagnés »).

Les cadeaux sérieux

Ce jour-là, promu au rang de grande personne, le héros ou l'héroïne recevra de sa proche famille son premier cadeau sérieux. Le connaissant bien, parents et intimes choisiront leur cadeau en fonction des goûts de l'enfant.

• **Une montre.** L'âge raisonnable de la première vraie montre se situe à l'âge de la première communion. Aussi profite-t-on, pour l'offrir, de cette occasion marquant le début d'une étape qui mène de l'enfance à l'adolescence.

Le plus souvent offerte par les parents, grands-parents, le parrain ou la marraine, la montre « rituelle » doit être choisie parmi les modèles simples, plus robustes que précieux. Mieux vaut une solide montre en acier que l'enfant puisse utiliser immédiatement (l'exactitude ne s'apprend jamais trop tôt) plutôt qu'une fine montre d'or, bijou trop onéreux pour être mis régulièrement entre ses jeunes mains et qui sera inévitablement démodé lorsqu'il atteindra l'âge de la porter.

Pour les petites filles, on préférera cependant à l'acier les petites montres plaquées or dont la gamme des prix est extrêmement étendue.

Des objets précieux pour sa table de chevet
un répertoire gainé de velours rouge orné d'un motif en métal doré (Strich) ; un crayon à bille noir avec son pompon or (Rigaud) ; un coupe-papier en plexiglas et velours rouge brodé or (Delvaux).

Des breloques pour son bracelet
un petit bonhomme et un soleil en or et pierres fines : une croix du pont d'Estaing, en or (bijoux Lesieur chez tous les bijoutiers) ; une médaille de la Vierge, en or (Fredet).

● **Une gourmette** est le premier bijou que l'on peut offrir à une petite fille ainsi que le simple bracelet ou jonc en or.

Actuellement, la mode est surtout aux gourmettes assez larges pour supporter plus tard la fixation de petites breloques souvenirs et des médailles que la jeune fille ne porte plus autour du cou.

Plaisent également beaucoup les chaînettes d'or rehaussées de petites perles fines ou de petites turquoises que l'on trouve aisément à tous les prix.

● **Des boutons de manchettes** remplissent de fierté tous les petits garçons car ils représentent leur premier cadeau d'homme.

Vous les choisirez simples et discrets, en or ou en argent, incrustés d'une petite pierre de couleur ou gravés à ses initiales.

● **Un stylo de marque** que l'enfant pourra garder très longtemps et qui contribuera peut-être à lui donner une bonne écriture en le détournant des stylos à bille.

● **Des accessoires utiles :**
- une petite valise de cuir (ou de simili-cuir, genre skaï, cordoual ou rush). Si vous voulez faire encore mieux les choses, vous choisirez une petite valise avec nécessaire de toilette intérieur. Pour les enfants modernes, familiers des voyages, le premier bagage personnel est un cadeau très apprécié ;
- une trousse de toilette en cuir, qui servira à l'enfant, au collège s'il est pensionnaire, en vacances et en voyage. Pour donner encore plus de valeur à votre cadeau, faites graver ses initiales.
- un réveil de voyage dans son étui de cuir.

o *Pour une petite fille :* une lampe romantique en opaline, en albâtre ou en porcelaine décorée ;
- une jolie boîte à bijoux gainée de cuir ou de velours ;
- une jolie boîte à ouvrage (si elle aime la couture et la broderie) ;
- une bourse porte-monnaie en mailles d'argent comme on les faisait sous Napoléon III. Les pièces de plus en plus nombreuses les remettent à l'honneur.

o *Pour un petit garçon :* un appareil photos. On en trouve de très simples, fonctionnant parfaitement, à des prix très raisonnables. Choisissez-le équipé d'un flash, ce qui lui permettra de faire ses premiers essais de photographe amateur le jour même de sa communion ;
- un album de photos, pour archiver ses premières réalisations ;
- un portefeuille « comme papa » avec poches multiples pour l'argent, les papiers d'identité, les photos, les cartes de club, etc. Ne l'achetez pas en peau de crocodile ou de lézard, matières trop riches pour un enfant, mais en cuir uni noir, brun, rouge foncé, vert foncé ou encore en peau

de porc ;
- une ceinture en cuir portant ses initiales ;
- une caméra « premier prix » avec laquelle il fera le jour même ses débuts de « metteur en scène » ;
- dans une belle édition, ses auteurs classiques préférés.

Les petits cadeaux souvenirs

Cette liste est plus particulièrement destinée aux amis moins intimes et relations invités à un lunch de première communion. Elle s'adresse également aux camarades de l'enfant reçus au goûter organisé à cette occasion et aux frères et sœurs du premier communiant, ou de la première communiante, qui ne disposent souvent que d'un budget « argent de poche » bien modeste.

• **Pour une petite fille :** un mouchoir de dentelle, mouchoir fin brodé aux initiales de l'enfant, six mouchoirs dans un joli coffret, selon vos moyens ;
- un bon disque de chants religieux ou de musique classique ;
- un petit cadre pour y placer la photo de ses parents ou de ses frères et sœurs. Les enfants aiment les photos et tout ce qui s'y rattache (surtout les petites filles) ;
- un joli flacon d'eau de lavande ou d'eau de Cologne très légère ;
- un verre à dents en opaline, ou marqué aux initiales de l'enfant ;
- une boîte à gants ou à divers trésors, coffret de bois peint ou petite boîte gainée de cuir ou de velours. Les enfants aiment beaucoup les jolies boîtes car ils ont toujours mille petites choses personnelles à ranger ;
- un porte-monnaie en cuir de couleur ;
- un joli vase pour la chambre de la petite fille ;
- un cahier joliment relié pour « écrire son journal ».

• **Pour un petit garçon :** un agenda de poche avec un stylomine ;
- un album pour ses timbres-poste, s'il est collectionneur ;
- un presse-papiers orné d'une pièce de monnaie ancienne, ou un gros bloc de pierre brute ou d'un joli minéral ;
- quelques santons de Provence que l'enfant pourra ajouter à sa crèche pour Noël ou garder en permanence sur les étagères de sa chambre ;
- une cravate en daim, en cuir ou en gros tissage original, ou tout simplement la cravate à la mode « petits garçons » à ce moment-là. Ce pourra être un nœud de velours, un lacet de cuir, une cravate toute rouge ou bien toute noire ;
- un ensemble pique-nique comportant gobelet et couvert dans un étui de cuir, si l'enfant va camper ;
- un beau couteau suisse pour un jeune scout ;
- un grand récit de voyage ou un beau livre d'art.

• **Pour filles et garçons :** un buvard de voyage en maroquin noir, grenat ou vert foncé ;
- une liseuse en cuir avec signet pour retrouver la page du livre abandonné ;
- un marque-page portant initiales ou prénom en métal doré découpé ;
- un coupe-papier moderne ou ancien, en métal argenté, en ivoire ou en bois sculpté ;
- un stylomine ou un stylo à bille de plusieurs couleurs ;
- une jolie trousse pour son matériel d'écolier ;
- une règle de bureau ou un dérouleur à « scotch », tous deux en métal argenté.

LES FIANÇAILLES

La bague de fiançailles

Première préoccupation du fiancé dès l'annonce de ses fiançailles officielles : choisir le bijou symbole de sa promesse solennelle.

Cette préoccupation devient un problème lorsque le jeune fiancé ne peut assumer la dépense d'une bague, aussi simple soit-elle (c'est le cas de bien des jeunes gens sans situation, terminant leurs études ou encore au service militaire).

Pour un jeune fiancé impécunieux, quatre possibilités.
- offrir un bijou de famille ;
- faire acheter la bague par ses parents ;
- faire participer ses parents à l'achat ;
- faire monter la bague à ses frais avec une pierre que propose la famille de sa fiancée, si sa propre famille de situation plus modeste ne peut la fournir (solution pleine de gentillesse permettant à la jeune fille de posséder malgré tout un joli bijou).

• **Comment la choisir.** Evidemment selon ses possibilités financières, mais aussi selon le goût de la jeune fille. La bague de fiançailles est le bijou de toute une vie. Elle doit donc plaire avant tout à celle qui la portera. Ni trop excentrique ni trop au goût du jour, elle se choisit « classique » afin de se démoder le moins possible.

S'il s'agit de faire monter un bijou de famille, les parents du fiancé soumettront à la jeune fille plusieurs projets de monture afin qu'elle puisse choisir et, le cas échéant faire modifier l'un d'eux.

S'il s'agit de l'achat complet du bijou (pierre et monture), après s'être renseigné sur les goûts et préférences de la jeune fille, le jeune homme se rendra chez le bijoutier, seul ou accompagné de sa mère, pour faire, selon leurs possibilités financières, une première sélection.

La jeune fille viendra ensuite, accompagnée de son fiancé, fixer son choix parmi les bagues proposées.

Le plus souvent aujourd'hui, lorsque le jeune homme peut offrir seul le bijou, il se rend chez le bijoutier directement accompagné de sa fiancée. Là, ils choisissent ensemble une bague selon leurs goûts et selon leurs « futurs moyens ».

• **Que choisir.** La tradition voulait autrefois que la pierre qui orne la bague de fiançailles soit une pierre blanche : diamant, perle, pierre de lune ; à la rigueur le saphir était admis. A notre époque le choix des pierres est beaucoup plus vaste, et mises à part certaines superstitions (voir p. 216) on peut choisir un grand nombre de fort jolies bagues montées avec des pierres de couleur et des pierres semi-précieuses.

LES BAGUES « PETITS BUDGETS »

Une bague de valeur n'est pas forcément une jolie bague. La jolie bague est bien davantage celle qui sied à votre main, à votre style, à votre élégance, à votre charme, à votre jeunesse.

La jeune fille qui préfère « attendre plus tard », plutôt que d'accepter une bague modeste, commet sans aucun doute une erreur.

La bague de ses rêves offerte dix ans plus tard n'aura plus la même signification et n'aura plus d'autre valeur que celle du bijou.

Parmi les petites bagues simples, il en existe de bien charmantes et de très bon goût qui garderont leur valeur symbolique jusque dans le petit écrin blanc où, peut-être un jour, elles se verront replacées.

• **La solution « perle »**

o *La perle fine*. Devenue très rare, elle atteint aujourd'hui des prix exorbitants, aussi ne peut-elle faire partie de la catégorie « petit budget ».

(A Paris : Flor. Ceram, 131, rue de Vaugirard, 15e)

Petites attentions

A l'intention de vos amis, faites exécuter par un céramiste, selon vos propres désirs, de charmants flacons portant une inscription pour chaque destinataire.

Pour lui, le chien de chasse avec pedigree
qu'il n'ose vous imposer.
Pour elle, ce basset, adorable petit jouet
qu'elle n'ose vous demander.

(Niche, création Alcione)

(Epices de chez Hédiard)

Cette grappe de flacons d'épices, agrémentés d'un flot de rubans colorés, est un joli cadeau pratique. Pour son anniversaire de mariage, offrez-lui une pierre précieuse, un saphir, symbole de pureté, d'équilibre, de sagesse.

(Aux Galeries Lafayette et chez les naturalistes)

Les coquillages sont à la mode et chers.
Ceux-là, pourtant, sont à la portée de toutes les bourses.
Qu'ils soient montés en porte-clefs
ou placés dans une vitrine, vous les choisirez
en nacre, en porcelaine ou en onyx.

o *La perle de culture.* Son prix varie selon la qualité de sa couche perlière (voir p. 87). Les perles d'élevage font généralement des bagues élégantes, très accessibles.

Les perles ne se montent jamais sur or jaune, mais sur platine ou sur or blanc afin de leur conserver leur blancheur.

Une grosse perle se monte seule sur un simple anneau ou encore entourée de brillants disposés en forme de fleur, monture mettant bien la perle en valeur. Deux perles de taille moyenne montées soit légèrement décalées, soit l'une derrière l'autre de chaque côté de l'anneau, font une très jolie bague.

Trois bagues simples et de bon goût : *la perle grise et la perle rose montées sur or rose, la marguerite en perle et brillants montées sur or rose, la perle retenue par six griffes d'or blanc ou de platine.*

• **La solution « semi-précieuse »**

o *La turquoise.* Elle est opaque et d'une couleur très douce variant du bleu ciel au bleu-vert.

Elle se taille généralement ronde ou ovale et se monte, seule ou entourée de brillants, sur platine ou or blanc.

o *L'aigue-marine* est une pierre transparente d'un bleu-vert très limpide, de taille généralement rectangulaire et montée seule sur un anneau de platine, parfois entourée de petits diamants ou simplement de deux baguettes. Pour celles qui aiment les pierres bleues, c'est une pierre très abordable, mais très fragile et qui ne supporte pas d'être petite.

o *Le zircon.* Incolore, c'est la pierre qui se rapproche le plus du diamant. Il séduit celles qui rêvent d'un joli brillant.

Peu coûteux, il est aussi beaucoup plus lourd et beaucoup moins dur que le diamant. Bien qu'ils n'en aient jamais l'éclat, certains très beaux zircons peuvent, pour un œil non exercé, faire illusion.

o *Sachez que* les pierres semi-précieuses montées en bague sont surtout jolies en taille « émeraude », coupe à cinquante facettes.

o *Ne s'offriront pas pour des fiançailles* les bagues ornées de topazes, d'améthystes, d'opales et de péridots.

• **La solution bague-alliance.** Cette solution peu protocolaire, avouons-le, séduit aujourd'hui un grand nombre de jeunes fiancés «modernes » c'est-à-dire « pratiques ».

L'achat de ce bijou, à la fois bague et alliance, résoud d'une façon élégante les problèmes pécuniaires que posent à leur fiancé les jeunes filles n'appréciant les diamants qu'au-dessus du carat...

Anneau symbolique, cette bague-alliance ne quittera plus désormais le doigt de celle qui l'a choisie.

Elle n'exclut en aucun cas le simple jonc d'or ou de platine, anneau traditionnel qu'elle recevra le jour de son mariage, et accompagnera plus tard, à l'âge des bijoux, la bague précieuse promise depuis toujours.

o *L'alliance fantaisie.* Vous la choisirez en or, en vermeil, en argent même, de style moderne ou bien ciselée à l'ancienne, ajourée, torsadée, ornée de petites pierres précieuses ou semi-précieuses, ou encore de petites perles.

Conviennent plus particulièrement :

- l'anneau assez large, ciselé, formant une guirlande de feuilles ;
- la gourmette, bracelet miniature souple ou rigide mais toujours en or jaune ou rose ;
- la bague « semaine » formée de sept anneaux d'or ;
- les trois anneaux enchevêtrés, l'un en or blanc, l'autre en or jaune, le troisième en or rose ;
- l'alliance d'or jaune, rose ou blanc à facettes mates et brillantes qui forment des dessins géométriques, des stries ou des rainures ;
- l'alliance tressée ou torsadée, ou encore le cœur enchâssé dans le large anneau des accordailles bretonnes.

o *L'alliance en brillants.* Plus ou moins larges, plus ou moins importantes, il en existe à tous les prix.

Les moins chères sont celles ornées de **« roses » (éclats de diamants** de formes coniques, de très petites tailles) montées sur or blanc.

Les plus coûteuses sont en platine, ornées de brillants navettes (petits diamants de taille ovale à deux pointes) ou de baguettes (petits diamants de forme allongée et rectangulaire).

Les plus courantes sont en or blanc ou en or palladié (alliage aussi blanc que le platine) ornées de petits diamants ronds ou carrés. Leur prix varie selon la grosseur, le nombre, la pureté et l'éclat des pierres.

Les brillants sont généralement sertis dans l'anneau et non montés sur griffes, montage réservé à de plus grosses pierres.

• **La solution « bagues anciennes »** Elles sont toutes plus charmantes, plus discrètes les unes que les autres et n'atteignent généralement pas le prix de la monture d'une bague moderne.

Presque toutes sont en or, ornées de perles fines et de petites pierres précieuses montées sur griffes en or (brillants, saphirs, turquoises, émeraudes, rubis véritables).

o *Vous choisirez parmi les plus typiques :*

- en forme de marguerite ou de losange, une turquoise entourée de perles ou de brillants (l'association turquoise, brillants et or est particulièrement ravissante) ;
- en forme d'S : un rubis ou un saphir accompagné d'un brillant, entourés de « roses » (petits éclats de diamant) ;
- en « marquise » (bague de forme ovale très allongée) : une tourmaline ou un saphir entouré de brillants ou de perles. Une perle entourée de tout petits diamants ;
- en fleur ou en pavé : plusieurs grenats mêlés à des pointes d'or ;
- en forme de cœur : tout en or, enchâssé dans deux petites mains réunies ;
- carrée : un petit saphir plat entouré d'éclats de diamant ;
- tout en longueur : deux petites perles encadrant un brillant ;
- plusieurs anneaux d'or (en principe sept) formant semainier. Chaque anneau est orné d'une petite pierre précieuse différente (émeraude, saphir, rubis, brillant, turquoise, tourmaline et perle).

LES BAGUES PRECIEUSES

• **La pierre.** Qui dit bagues précieuses dit pierres précieuses : diamant, émeraude, rubis, saphir.

Faire un choix parmi elles est avant tout une affaire de goût, de personnalité et... de moyens. La pureté, la couleur, le poids et la taille de la pierre en font varier la valeur **(vous reposer p. 51 chap. « L'embarras** du choix »).

Un tel achat ne peut être fait à la légère et réclame certaines précautions : soit en vous faisant accompagner par un spécialiste, soit en vous adressant à un bijoutier en qui vous avez toute confiance. Sachez aussi qu'il existe une mode pour les pierres de fiançailles comme il en existe une pour tout ce qui a trait à la beauté et à la parure féminines.

o *Le diamant* reste malgré tout la pierre de fiançailles par excellence. La plus pure, la plus étincelante, elle demeure la pierre des femmes élégantes et raffinées.

o *Le saphir* est, après le diamant, la pierre des fiançailles. Les jeunes filles actuellement semblent préférer, à qualité et à valeur égales, un saphir de bonne taille à un diamant de petite taille. Le saphir Ceylan dont la gamme de couleurs et de prix est très étendue remporte en particulier un vif succès auprès des jeunes filles blondes qui l'assortissent à leurs yeux bleu clair, bleu sombre ou bleu bleuet.

o *Le rubis.* Sa rareté en double actuellement l'attrait mais aussi... la valeur. Lorsque ses qualités sont parfaites, la valeur du rubis dépasse celle du diamant. Peut-être est-ce pour cette raison que cette pierre, **dite autrefois de « couronnement »,** de « maturité », de « plénitude », se voit aujourd'hui admise parmi les pierres de fiançailles.

o *L'émeraude.* Pierre de l'espérance, elle est cependant, parmi les pierres précieuses, la moins offerte pour des fiançailles.

Sa couleur verte la rend difficile à porter et lui vaut une mauvaise réputation (voir p. 216 Pierres et superstitions »).

On dit pourtant que l'émeraude est l'une des rares pierres que l'on offre sur un coup de foudre, lorsqu'il y a accord évident, harmonie secrète entre la femme et la pierre.

• **La monture.** Pour une bague de fiançailles, comme pour toute autre bague, la monture doit être conçue en fonction de la forme, de la grosseur et de la couleur de la pierre, mais doit aussi tenir compte des proportions de la main de celle à qui on la destine.

o *Réservez :*
aux grandes mains les montures hautes et importantes ; aux mains délicates, aux doigts fuselés, les montures larges et plates.

o *Evitez :*
les montures chargées ou compliquées si la main est petite et les doigts courts ; les montures plates ou en largeur si la main est large et les doigts carrés.

o *Sachez que :*
- pour un diamant de bonne taille la monture classique demeure le solitaire. Le diamant entouré de deux diamants moins importants fait une fort jolie bague.

Signalons ici une monture spéciale permettant au cours des ans, de changer et d'augmenter la taille du diamant, sans en changer la monture. Cela au moyen de deux petits anneaux invisibles et extensibles ;
- pour un petit diamant on préférera l'entourer de brillants baguettes ou navettes, de brillants ronds ou carrés ou encore de simples roses, ou le monter avec une pierre de couleur à peu près de même taille et de même forme ;
- l'émeraude pourra être montée seule sur un anneau mais un léger entourage protégera davantage cette pierre fragile, par exemple : deux brillants baguettes de chaque côté ou un encadrement complet de petits brillants ;
- le rubis sera bien mis en valeur entouré de brillants baguettes ou de brillants ronds en couronne ;

o *Toutes les pierres précieuses :*
- paraissent plus grosses et plus éclatantes si elles sont montées sur griffes, bien en hauteur ;
- se montent sur or blanc, sur or palladié (dérivé de l'or blanc mais plus blanc afin de ne pas « jaunir » la pierre) ou sur platine (montures beaucoup plus chères) ;
- même dans le cas de montures en or blanc les griffes et le châssis qui soutiennent la pierre elle-même sont presque toujours en platine. Seul l'anneau est en or. Les montures en or jaune ou rose se font de moins en moins, surtout lorsqu'il s'agit de bagues de fiançailles. On les réserve davantage aux bagues fantaisie.

o *Montures valables pour toutes les pierres précieuses :*
- la pierre entourée de brillants en forme de marguerite, monture classique qui ne se démode pas. L'entourage prendra une forme carrée si la pierre est taillée carrée ;
- la marquise formée de plusieurs petits diamants (il peut y en avoir un plus important au centre) ;
- la fleur formée de quatre ou cinq pierres garnie de deux feuilles en diamant ;
- la monture cabochon formée de plusieurs petites pierres rapprochées les unes des autres ;
- la pierre carrée ou ovale entourée de diamants ronds intercalés avec des brillants baguettes.

Le cadeau de la fiancée

La tradition veut que la jeune fille offre à son tour un cadeau à son fiancé en souvenir de leurs fiançailles.

• **Qu'offre-t-on à cette occasion ?**
- une paire de boutons de manchet-

tes en or, modernes ou anciens, gravés à ses initiales ou ornés d'une pierre dure ou d'une petite pierre précieuse (rubis, par exemple) ;
- un briquet en or ou en argent ;
- une chevalière en or joliment gravée à ses initiales ;
- une belle épingle de cravate puisqu'elles redeviennent à la mode, avec une perle ou même un petit diamant (il en existe de ravissantes anciennes) ;
- une montre extra-plate en or ou plaqué or, ou encore en acier satiné mat convenant tout particulièrement aux formes modernes.

Les cadeaux des invités

o *Vous devez offrir un cadeau :*
- si vous êtes invité au déjeuner de fiançailles. Oncles et tantes, grands-parents, frères et sœurs, parrains et marraines et amis intimes feront chacun un petit présent ;
- si vous êtes invité au lunch de fiançailles. La famille, les amis offriront un souvenir ainsi que les relations ayant une dette de reconnaissance envers l'un ou l'autre des fiancés ou envers leurs parents respectifs.

Contrairement au cadeau de mariage qui doit être essentiellement un cadeau pour le couple, le cadeau de fiançailles offert par les amis pourra être adressé plus personnellement à l'un des deux fiancés.

La famille, elle, offrira plutôt un cadeau pour le futur couple.

Le présent que vous ferez à cette occasion sera avant tout un cadeau-souvenir car il précède de quelques mois le cadeau de mariage qui, lui, sera plus important.

● **Le cadeau du parrain ou de la marraine.** Bien qu'offert à leur filleul leur cadeau sera pourtant destiné au couple :
- des fleurs présentées dans un vase, une coupe, une jolie timbale, objets que les fiancés garderont pour leur futur intérieur ;
- une garniture de toilette en opaline blanche ou de couleur, en porcelaine décorée, en verre de couleur et étain, ou en cristal avec les bouchons de flacon en argent. Elle enrichira plus tard la coiffeuse de leur chambre ou la tablette à maquillage de leur salle de bains ;
- un vase soliflore en cristal très fin, en verre gravé et étain, en faience et étain, présenté avec une très belle fleur blanche ou rose ;
- un plateau de vestiaire gainé de velours présentant peigne et brosse à habits ;
- une lanterne de fiacre électrifiée que l'on trouve chez tous les brocanteurs et antiquaires de campagne. Le jeune ménage saura apprécier ce charmant cadeau dès que se poseront les problèmes de décoration, en particulier celui de l'éclairage d'une entrée ou d'un couloir.
- une valise et un sac de voyage assortis, frappés à leurs initiales. Vous les choisirez en toile, en tissu écossais, en skaï ou, si votre budget vous le permet, en cuir ;
- un petit bar portatif en rotin, en

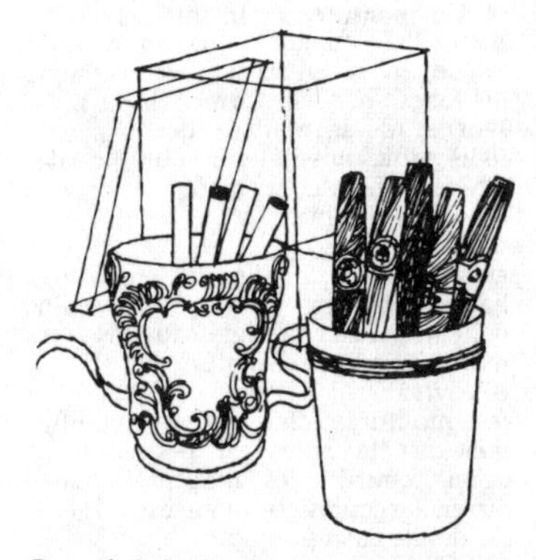

Deux timbales anciennes en argent
- que vous garnirez pour lui de bons cigares, pour elle de ses cigarettes préférées ;
- que vous présenterez côte à côte dans un coffret de rhodoïd enrubanné de satin blanc ou gris argent.

osier ou en bois. Il permettra aux fiancés d'inviter chez l'un ou chez l'autre leurs amis communs en attendant de pouvoir les recevoir chez eux ;
- un oiseau-bibelot en porcelaine blanche ou polychrome ou toute une volière sous globe (on en trouve encore d'anciennes très jolies). Elle égaiera la chambre de la jeune fille puis décorera le futur appartement.

• **Le cadeau des frères et sœurs.** Ils offriront à chacun un gadget drôle ou un objet charmant. Par exemple :
- deux petits porte-clefs en argent avec leurs initiales gravées, ou en pierre dure, chrysoprase ou cornaline, en forme de cœur ;
- deux étuis pour le carnet de chèques, identiques, en box ou en madras. Pour personnaliser le cadeau, les initiales de chacun s'y trouveront gravées ;
- deux petites lampes de chevet identiques en opaline blanche, si les fiancés sont romantiques, en étain ou en cuivre si leurs goûts sont à tendance rustique, en métal argenté pour des jeunes gens classiques ;
- deux coffrets contenant enveloppes et papier à lettres de luxe. Le coffret masculin sera choisi parmi les modèles conçus pour le voyage, pratique et sobre, facile à glisser dans un tiroir de bureau ; choisissez le coffret féminin parmi l'une des jolies et nouvelles présentations gainées de tissu pastel ou de broderie anglaise blanche, véritable petit coffre de mariage ancien à couvercle bombé ;
- pour leur faire prendre patience, offrez à chacun d'eux l'un de ces fameux « casse-tête » en fer, jeu constitué d'éléments qui semblent à première vue emmêlés inextricablement ;
- pour mettre à l'épreuve leur humour, offrez à un très jeune fiancé un jeu de cartes « yéyé » : les honneurs ont le visage de Lucky Blondo, de Hugues Aufray, etc., à une très jeune fiancée une tirelire fusée : la monnaie est projetée par un ressort ;
- pour tous les deux enfin, offert par le grand frère ou la grande sœur, un cadeau original qu'ils sauront certainement apprécier : « Bon pour un dîner dans le grand restaurant de votre choix », libellé en lettres d'or.

• **Le cadeau des oncles, tantes et grands-parents.** Ils offriront plutôt un cadeau pour le futur jeune ménage :
- une jolie coupe en métal argenté garnie pour l'occasion de fleurs blanches et roses. Elle servira plus tard à composer le surtout de table des grands jours ou présentera avec élégance les fruits sur la desserte ;
- un jeu de deux brosses à habits amusantes en forme d'animaux, en forme de lettres initiales des prénoms de chacun d'eux, gainées de velours ou de cuir de tons différents, ou classiques et charmantes, les deux brosses à habits identiques portant en lettres d'or : « Elle » et « Lui ». Elles sont en velours de couleur garni de clous dorés et toutes deux accrochées à un petit écusson recouvert de velours assorti ;
- une très jolie boîte à biscuits, ancienne ou moderne, pouvant servir un peu à tout : boîte « urgence-couture », boîte à biscottes, à biscuits ou à bonbons ;
- une ardoise pense-bête à suspendre à la cuisine ou dans l'entrée. Il en existe de très amusantes avec un cadre de bois peint et verni de couleur vive ou décoré, ou plus raffinées avec encadrement fin et doré. Le joli crayon d'ardoise suspendu à un lien de passementerie est de ceux que l'on ne peut égarer ;
- une gravure ancienne ou moderne joliment encadrée. En choisissant des planches de botanique — plantes, fleurs, fruits — ou les célèbres roses de Redouté, vous éviterez tout risque d'erreur car elles conviennent aussi bien à un cadre moderne qu'à un décor ancien.

• **Le cadeau des amis.** Les amis intimes offriront de préférence un cadeau personnel au fiancé ou bien à la fiancée, selon qu'ils connaissent l'un ou l'autre.

o *Pour la jeune fille :*
- un joli coffret à bijoux en cuir ou gainé de velours, formant petit coffre. Vous pouvez aussi rechercher une jolie boîte ancienne en bois, en nacre ou en écaille ;

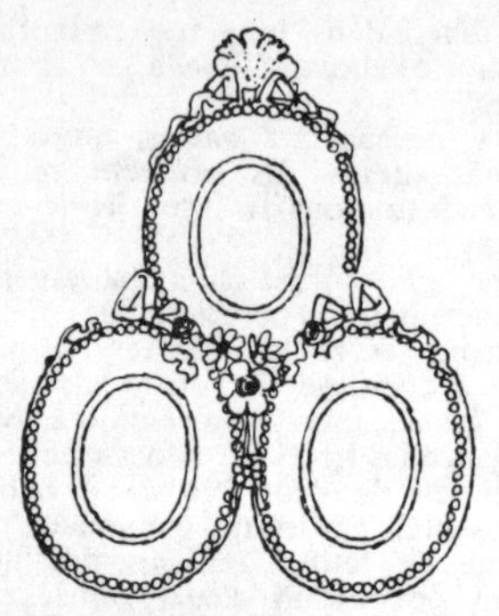

Le cadre aux trois visages
Pour sa chambre : Elle et Lui ; Lui ; Elle. Plus tard, pour leur chambre : Elle, Lui et leur bébé (Cadre en majolite blanche. Kletzel).

- un foulard de soie, choisi avec soin dans les tons qui conviennent à ses goûts et à sa personnalité ;
- un poudrier extra-plat en argent, en écaille ou en métal doré ;
- un flacon à parfum ancien ou moderne, en verre gravé, en opaline, en cristal. Vous le remplirez d'un parfum léger ou plutôt d'une eau de Cologne parfumée plus fraîche et plus jeune qu'un parfum (voir p. 41, l'Embarras du choix) ;
- une garniture de coiffeuse, brosse et peigne en ivoire, en argent, en porcelaine ou gainée de velours.
- un coffret à maquillage très élégant, recouvert de peau de pécari que vous choisirez marron, grenat, bleu ou rouge. Il est gainé intérieurement de matière lavable et aménagé soit avec séparations intérieures, soit avec des plateaux extensibles. Vous l'offrirez vide mais en prenant soin d'y glisser une petite carte : « La garniture de ce coffret attend impatiemment à l'adresse ci-jointe afin d'être mieux choisie » (coffrets et fards Leichner) ;
- une glace coiffeuse. Vous en trouverez de tous les styles : de style danois, un miroir surmontant un coffret ouvert destiné aux bijoux ou aux produits de beauté (la Boutique danoise), de style anglais, un élégant miroir orientable sur pied en cuivre à poser sur une commode ou sur une tablette de la chambre ou de la salle de bains (Printemps) ; de style ancien, très beau miroir orientable monté sur un support de métal argenté et ouvragé (Richard Ginori).

o *Pour le jeune homme :* un étui à cigarettes en cuir noir ou en peau de crocodile, cadeau que l'on ne peut offrir qu'à des intimes dont on connaît la marque de cigarettes préférées car elle conditionne les dimensions de l'étui.

Un porte-cravates perfectionné,
premier pas vers l'embourgeoisement. Il remplacera avantageusement la ficelle du célibataire (Argil).

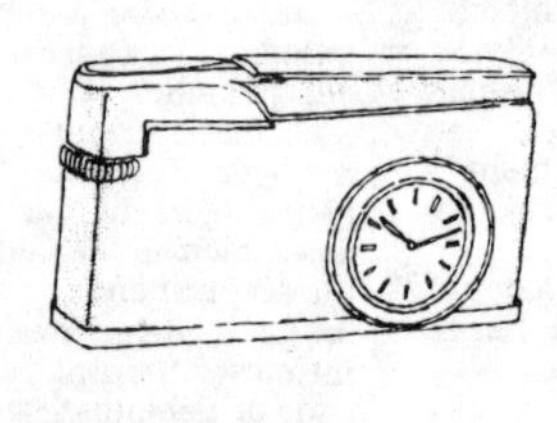

Un porte-clefs-montre étui de cuir contenant une petite montre plaquée or, suspendue à l'anneau porte-clefs (Dorian Guy).

Une montre-briquet : mouvement suisse et recharge standard de gaz (Drugstore).

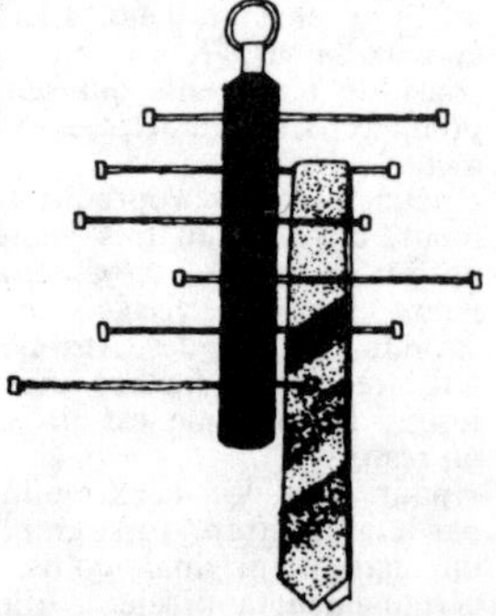

LE MARIAGE

Les exigences de la vie moderne, la rareté et la petitesse des appartements ainsi que leur installation coûteuse et difficile, les nouvelles conditions de vie des jeunes femmes qui travaillent à l'extérieur... tout enfin a contribué à une nouvelle orientation du cadeau de mariage.

Aujourd'hui, proches et parents recherchent avant tout le cadeau utile capable d'aider les jeunes gens, faisant à leur place la dépense d'un objet indispensable au ménage, écartant définitivement les cadeaux « à multiples exemplaires » du type vase de cristal ou pelle à tarte...

Famille et amis admettent volontiers qu'un « beau » cadeau, fait à plusieurs, est de beaucoup préférable à mille petits objets inutiles et disparates.

On admet également, au siècle du « plus urgent », du « pratique » et de « l'essentiel », qu'un cadeau de mariage n'est pas destiné à faire « de l'effet » mais à rendre service ;
- qu'une série de casseroles puisse être mieux accueillie par un jeune couple qu'un magnifique seau à champagne ;
- que de jolis porte-serviettes pour la salle de bains puissent être préférés à un ravissant bibelot digne d'une vitrine... qu'ils n'ont pas.

On admet enfin que son propre goût en matière de cadeaux n'est pas obligatoirement celui de ceux à qui on les destine, et qu'il est souvent moins agréable, mais toujours beaucoup plus sûr, de laisser choisir les intéressés — ou du moins de les consulter afin de connaître leur avis sur l'objet que l'on désire offrir.

Les cadeaux de la tradition

• **Autrefois,** l'usage voulait que le futur époux offrît quelques jours avant le mariage une corbeille contenant bijoux, fourrures, dentelles et mille autres choses charmantes capables de plaire à la fiancée.

• **Aujourd'hui,** le coffre de mariage n'est plus chose courante. Pourtant, traditionnellement, le jour même du mariage, le mari offre toujours à sa femme une très belle corbeille de **fleurs** **(voir p. 237, chap. « Dites-le avec** des fleurs ») contenant parfois un bijou, bijou de famille ou bijou dont il fera lui-même cadeau : bague, perle, pierre précieuse, collier ou broche.

Les maris les plus fortunés font don à leur jeune épouse d'une voiture destinée à son usage personnel, achètent au nom de leur femme l'appartement dans lequel ils vont vivre ou lui offrent un manteau de fourrure, un meuble ou tout autre objet utile et de valeur.

• **La dot.** Le « sus-dot » de l'avare n'a plus semble-t-il la même résonance à notre époque. Le mot lui-même paraît être dépassé. En se mariant la jeune fille moderne possède aujourd'hui un bagage qui lui assure, au même titre que le jeune homme, un métier et la possibilité de gagner sa vie pour subvenir à ses besoins. Si l'usage de la dot subsiste encore dans certaines familles soucieuses des traditions, celle-ci prend la forme concrète d'un appartement ou d'une voiture, ou encore celle d'un chèque destiné à régler les travaux de remise en état effectués dans un appartement ancien que les futurs époux ont en location, ou à payer la « mise de fonds » nécessaire à l'achat d'un appartement à crédit que les jeunes mariés finissent de payer par mensualités.

● **Le trousseau.** L'usage veut que ce soit la jeune fille qui apporte, en plus de son trousseau personnel, le linge destiné à sa future maison.

Le jeune homme apporte son trousseau personnel.

L'ensemble du linge est marqué aux initiales des noms de famille des deux époux. Le nom du mari précède toujours celui de la femme.

Le temps n'est plus aux grandes armoires remplies de linge entouré de faveurs… le trousseau se réduit au strict minimum. Les parents achètent l'indispensable que le jeune ménage complète peu à peu. Voici deux trousseaux tels qu'ils doivent être conçus, l'un très complet, l'autre suffisant.

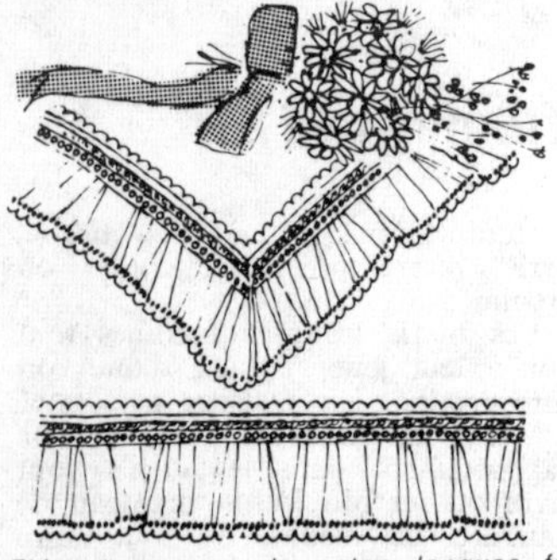

Elégante parure de coton longues fibres rehaussée d'un volant façonné blanc, délicatement monté sur une passementerie pastel (linge Franc-Or).

o *Trousseau idéal :*
- 6 paires de draps, dont 1 fin et brodé ;
- 3 paires de draps en plus (s'il y a plusieurs lits) ;
- 1 douzaine de taies d'oreiller ;
- 2 couvertures : 1 de laine, 1 de coton ;
- 1 édredon ;
- 18 serviettes-éponges ;
- gants de toilette assortis aux serviettes ;
- 6 serviettes de toilette « nid d'abeilles » ;
- 2 peignoirs de bain ou draps de bain ;
- 1 douzaine de torchons ;
- 6 torchons essuie-verres ;
- 6 essuie-mains ;
- 1 nappe et ses serviettes (pour 12 couverts et, de préférence, brodées et blanches) ;
- 1 nappe de toile (8 couverts) et ses serviettes ;
- 1 tablier blanc, 1 blouse de travail ;
- 2 services à thé ;
- des napperons de toutes formes et de différentes grandeurs.

o *Trousseau minimum :*
- 4 paires de draps ;
- 1 paire de draps en plus (s'il y a plusieurs lits) ;
- 6 taies d'oreiller ;
- 1 couverture ;
- 12 serviettes-éponges, 6 gants de toilette ;
- 6 serviettes « nid d'abeilles » ;
- 2 nappes (6 couverts) ;
- 12 torchons dont 6 essuie-verres ;
- 2 essuie-mains ;
- 1 tablier.

o *Conseils à la maman ou à la belle-maman :*
- Les nappes simples seront choisies aux dimensions de la table, plus une retombée de chaque côté de 20 à 25 cm, tandis que pour les nappes habillées sera prévue une retombée d'environ 45 à 50 cm de chaque côté.
- Si la table des jeunes mariés est ronde, préférez les nappes rondes, dont la retombée atteint parfois presque le sol, à moins que le juponnage ne se présente comme un volant froncé de 20 cm environ de haut.

- Les serviettes de table se font maintenant carrées et moins minuscules qu'il y a quelques années. Pour « tous les jours », achetez des pochettes ou enveloppes à serviettes plutôt que des ronds de serviette, car elles protègent mieux.
- Sachez que si nos grand-mères ne connaissaient que le « blanc » uni ou damassé et si nos mères ont eu la folie de la couleur, les jeunes, plus éclectiques, aiment aujourd'hui le blanc (quelquefois brodé d'or) pour les nappes habillées et les coloris vifs pour les repas intimes.
- Une nappe se choisit en fonction du décor de la pièce. Une nappe fleurie n'est acceptable dans une pièce tapissée de fleurs que si elle rappelle le dessin et les coloris de cette tapisserie. A défaut de cela, elle « hurlera », donnant à l'ensemble un aspect chargé et de mauvais goût.
- Nappe et vaisselle doivent constituer un ensemble harmonieux. Une vaisselle blanche et or nécessite une nappe classique, de préférence blanche.

Aux services de faïence blanche conviennent les nappes de coton fleuri.

Avec les fines porcelaines, les nappes seront choisies en dentelle, en linon, en mousseline brodée ou réalisées dans des tissus nouveaux tels que le Yorgall-Tergal, à effets opaques et transparents, ou mats et brillants. Bien entendu le blanc, même s'il est légèrement ivoire, fera ressortir la pureté et la finesse de la porcelaine.

Les faïences modernes unies et blanches s'accordent bien aux rayures des toiles basques ou de Mayenne.

Les vaisselles unies et de couleur seront bien mises en valeur par des toiles à matelas, fleuries ou rayées, du vichy à carreaux ou même des tissus plastifiés à décor. A la vaisselle de verre, opaque ou translucide, s'harmonisent des nappes de couleurs assez vives, dont elle atténue les ardeurs.

Pour les faïences décorées, comme celles de Strasbourg, des nappes unies, blanches ou dans le ton dominant du décor, mais toujours en cotonnade ; avec le Gien, monochrome, des nappes en camaïeu du même bleu seront de bon goût.

Enfin les damassés offrent l'avantage de se marier à tous les styles et reviennent très nettement à la mode. Les broderies au point de satin, les incrustations, les entre-deux de dentelle font des tables riches, mais bien des maîtresses de maison y renoncent, en raison de leur entretien coûteux et difficile, et leur préfèrent les textiles nouveaux, moins somptueux mais plus pratiques. Cependant, les jolies nappes habillées restent chiffrées, le ou les chiffres étant un élément décoratif remarquable par sa simplicité.
- Pour les nappes de « tous les

Les lois de l'harmonie

- aux nappes rayées ou quadrillées conviennent les services unis ;
- aux nappes unies, les assiettes fantaisie ;
- aux services décorés conviennent également les nappes dont l'impression (fleurs ou motifs) est identique ou rappelle par ses coloris le décor des assiettes.

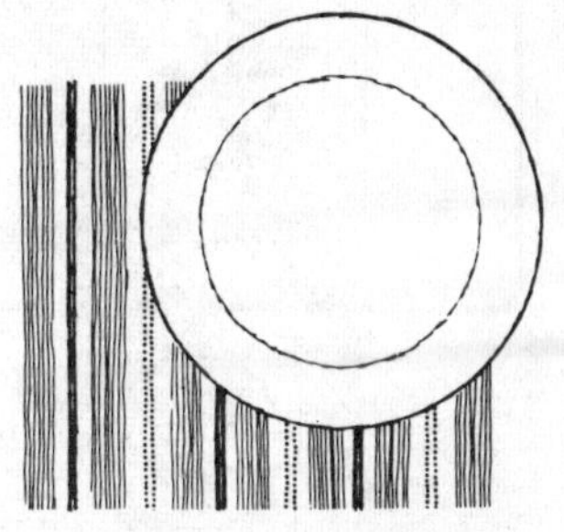

jours », vous avez le choix entre le tissu plastifié (trois couches de vinyl sont appliquées sur le tissu pour empêcher la pénétration des taches.

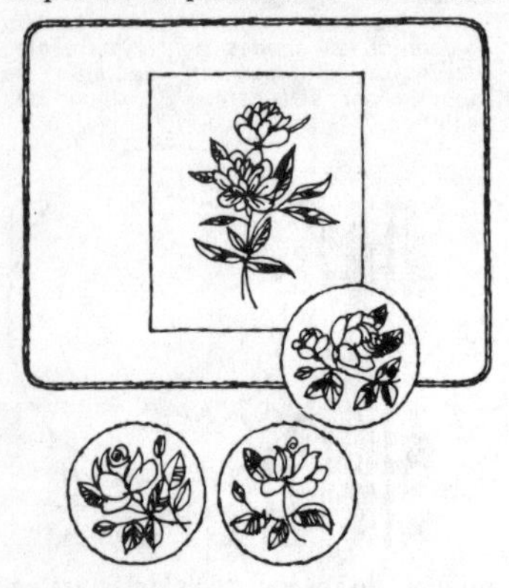

Dessous-d'assiettes et dessous-de-verres assortis
en carton plastifié à fond blanc et décor de roses. Un léger filet or en souligne les bords (Jeanne le Roy).

Les serviettes assorties sont en lin ou en toile métisse), la matière plastique (la toile cirée a pratiquement disparu de nos tables) ou le rhovyl, trois matières faciles d'entretien, intéressantes soit par leur prix d'achat peu élevé, soit par leur longue durée. Choisies avec goût, dans de jolis coloris, elles sont gaies, simples et restent toujours nettes.

Signalons, dans cette catégorie « pratique », les nouveaux services imprimés, en tissus frais et légers, ayant subi un traitement spécial (traitement scotchguard) permettant de faire disparaître les taches après chaque repas, en épongeant doucement avec un tissu absorbant les liquides répandus ou les traces de corps gras, à l'aide d'un solvant (linge Franc-or).

- Les sets de table (dit sets américains) sont des cadeaux très abordables. Rectangulaires ou ronds, ils auront 30 x 40 cm ou 40 x 50 cm ou encore 30, 40, 50 cm de diamètre, selon les proportions de la table. Ils permettent de nombreuses fantaisies et s'accommodent parfaitement à des verres en cristal taillé et de l'argenterie Louis XIV.

Choisissez-les en toile écrue, de couleur vive ou imprimée, en vichy à petits carreaux sur lesquels la vaisselle rustique et moderne, mettent en valeur le couvert de tous les jours. Même s'ils sont très précieux, il sera cependant difficile de les employer avec grands carreaux, en toile à torchon, en toile de store, en raphia naturel, en rabane plastifiée.

Pour mieux préserver la table, des dessous en tissu caoutchouté (mêmes matières que pour les sous-nappes) seront glissés et dissimulés sous chacun d'eux.

On trouve dans toutes les boutiques de cadeaux des sets de fabrication anglaise en carton épais imprimé et plastifié, avec dessous de verres assortis lavables à l'éponge. Leurs motifs sont variés : fleurs, oiseaux, natures mortes célèbres ou scènes typiquement anglaises telles que les chasses à courre.

Trois formules pour vos cadeaux

S'il est une catégorie de cadeaux qui demande réflexion, c'est bien celle des cadeaux de mariage.

● Dans quel cas devez-vous faire un cadeau :

- si un quelconque lien de parenté vous lie à l'un des deux fiancés ;
- si vous êtes invité au déjeuner ou au lunch de mariage ;
- si vous travaillez avec l'un des deux jeunes gens (collègue, supérieur, patron et employés) ;
- si vous faites partie des amis ou relations de leurs parents ;
- si vous avez connu les jeunes mariés, enfants, et désirez qu'ils conservent de vous un petit souvenir ;
- si vous désirez remercier le jeune

couple d'un service qu'il vous a rendu, ou profiter de cette occasion pour remercier les parents en offrant un cadeau aux enfants.

FORMULE NOUVELLE : LA LISTE DE MARIAGE

Le principe de la liste de cadeaux dressée à l'intention des donateurs par les futurs bénéficiaires semble être définitivement entré dans les mœurs. Instituée il y a une dizaine d'années par quelques boutiques parisiennes, cette formule directe et commode est aujourd'hui fort répandue. En effet, très nombreux sont les magasins qui ont créé, à l'intention des fiancés, des bureaux « listes de mariage » des « boutiques mariage », des stands « cadeaux de mariage », ou qui mettent à leur disposition des vendeuses chargées de les conseiller sur la manière de dresser la liste des cadeaux qu'ils soumettront aux amis et relations qui voudront bien venir faire leur choix.

• **Ses avantages.** La liste de mariage permet aux jeunes gens de ne recevoir que des cadeaux qui leur plaisent, sans faire double emploi, et permet aux amis et connaissances d'échapper au « casse-tête » du choix puisqu'il s'agit de ratifier celui des jeunes époux, assurant ainsi un maximum d'efficacité pour un minimum d'effort et de temps perdu.

• **Ses inconvénients.** La situation où l'on se trouve de se voir imposer un lieu d'achat déterminé ainsi qu'un choix restreint d'objets précis peut choquer ceux pour qui le cadeau est un moyen d'expression personnel. L'affichage des prix peut faire naître une gêne entre-donateur et bénéficiaires.

• **Son fonctionnement.** Trois semaines environ avant la date du mariage, les fiancés déposent, dans un ou plusieurs magasins de leur choix, une liste d'objets variés présentant une gamme de prix très étendue.

Une carte du magasin est alors remise à chaque personne manifestant le désir d'adopter cette formule-cadeau.

Il ne reste plus aux généreux donateurs qu'à venir consulter la liste, choisir le cadeau qu'il désirent offrir et remettre au magasin leur carte de visite. Cette carte sera jointe au paquet si celui-ci est livré aussitôt aux futurs époux, ou bien jointe à la lettre du magasin signalant qu'un nouvel objet a été choisi (cela dans le cas où les fiancés préfèrent recevoir leurs présents groupés, après le mariage ou à leur retour de voyage de noces, directement à leur nouveau domicile).

o *Les personnes habitant la province* qui désirent acheter un cadeau sur une liste de mariage établie à Paris, par exemple, écriront au magasin afin de recevoir une copie de cette liste mentionnant les prix de chaque objet.

o *Si la liste s'épuise* ou si la catégorie « petits cadeaux » n'offre plus assez de choix, les fiancés sont conviés à refaire un choix complémentaire.

o *Dans le cas où un ensemble reste incomplet*, le service de table ou le service de verres par exemple, le magasin accepte volontiers d'échanger un ou plusieurs des cadeaux reçus contre les pièces complémentaires, jugées plus utiles. Mais cet « arrangement » pratiqué est toujours délicat et risque fort de blesser l'ami qui ne retrouverait pas ensuite chez les jeunes mariés le bougeoir offert, devenu petites cuillères. Aussi agira-t-on dans ce domaine avec tact et gentillesse soit en prévenant l'intéressé de l'échange désiré, soit en abandonnant tout simplement son projet d'échange s'il doit risquer de déplaire.

• **Où déposer votre liste de mariage ?**

Vous avez le choix entre les innombrables boutiques de cadeaux et les grands magasins. Les grands magasins offrent l'avantage de grouper sur une même liste tous les éléments devant y figurer : vaisselle, accessoires décoratifs, meubles, ainsi que les appareils ménagers, le linge de maison, la literie, etc. Si vous préférez vous adresser à des boutiques, trois listes au minimum devront être déposées dans trois magasins différents : la première pour les appareils et accessoires ménagers, la deuxième chez un orfèvre, la troisième dans une boutique « cadeaux ».

● **Comment la composer ?** On la compose en fonction de son futur train de vie, de sa situation, de son appartement mais aussi en fonction du nombre de personnes invitées à la cérémonie, du pourcentage famille et proches par rapport à celui des amis et relations et surtout en fonction de leur pouvoir d'achat.

Voici quatre listes types adaptées à quatre cas différents.

o *1. Vous travaillez et devez peu recevoir*

- un service de table de 44 pièces :
12 assiettes plates,
12 assiettes creuses,
12 assiettes à dessert,
1 saladier, 1 légumier,
1 plat ovale, 1 plat rond creux,
1 plat rond plat,
2 raviers, 1 saucière ;
- un service de verres comprenant :
6 verres à eau,
6 verres à vin (bordeaux),
6 verres à vin blanc,
6 flûtes à champagne,
6 gobelets pour le whisky,
6 verres à jus de fruits ;
- une ménagère composée de :
12 cuillères à potage, 12 fourchettes,
12 couteaux,
12 cuillères à entremets,
12 fourchettes à dessert,
12 couteaux à fromage,
12 petites cuillères à café,
1 louche ;
- 12 porte-couteau ;
- 1 plateau ;
- une corbeille à pain ;
- 6 tasses à café, 1 cafetière ;
- 6 tasses à thé, 1 théière ;
- 1 sucrier, 1 confiturier ;
- 1 tête-à-tête pour le petit déjeuner ;
- 1 ensemble salière, poivrier ;
- plusieurs plats de différentes tailles en acier inoxydable ;
- 1 table roulante ;
- 1 ou 2 lampes ;
- 1 nappe plastifiée ;
- plusieurs sets de table faciles à laver et qui ne se repassent pas ;
- 1 série de casseroles,
- 2 poêles (1 petite et 1 grande) ;
- 1 autocuiseur ;
- 1 moulin à café électrique ;
- 1 combiné batteur-mixeur ;
- 1 fer à repasser ;
- 1 aspirateur ;
- 1 réfrigérateur.

o *2. Vous travaillez et devez recevoir*

- un service de table de 56 pièces :
24 assiettes plates,
12 assiettes creuses ou bols à bouillon,
12 assiettes à dessert,
1 saladier, 1 légumier,
1 grand plat ovale,
1 plat rond creux, 1 plat rond plat,
2 raviers, 1 saucière ;
- un service de verres comprenant :
12 verres à eau,
12 verres à vin rouge,
12 verres à vin blanc,
12 flûtes ou coupes à champagne,
12 gobelets pour le whisky et 12, plus hauts, pour les jus de fruits ;
- un service à liqueurs ;
- 12 verres à porto, 12 verres ballon ;
- une ménagère en métal argenté ou en argent massif composée de :
12 cuillères à potage, 12 fourchettes,
12 couteaux,
12 cuillères et 12 fourchettes à entremets,
12 couteaux à fromage,
12 petits couteaux à dessert,
12 fourchettes à gâteau, 1 pelle à tarte ;
- 1 service à poissons avec 12 couteaux et 12 fourchettes ;
- 12 cuillères à café ;
- 12 cuillères à moka ;
- 12 fourchettes à huîtres ;
- 12 fourchettes à escargots ;
- 1 service à découper ;
- 1 couteau à fromage à deux dents ;
- 1 service à salade ;
- 12 porte-couteau ;
- 1 pince à sucre ;
- 1 pince à glace ;
- 1 plateau à fromages ;
- 1 théière, 1 cafetière, 1 sucrier, 1 pot à lait, 1 plateau, en argent ou métal argenté ;
- 1 ou 2 plats d'argent (1 ovale et 1 rond) ;
- 1 paire de chandeliers ;
- 12 tasses à thé ;
- 12 tasses à café ;

- 1 corbeille à pain ;
- 3 vases dont 1 grand en cristal ;
- 5 ou 6 cendriers ;
- 1 briquet de table ;
- 1 seau à glace ;
- 1 seau à champagne ;
- 1 table roulante ;
- des tables gigognes ;
- 1 réfrigérateur ;
- 1 table à repasser ;
- 1 fer à repasser ;
- 1 aspirateur ;
- 1 moulin à café électrique ;
- 1 combiné batteur-mixeur ;
- des sets de table fantaisie.

o *3. Vous restez chez vous et recevez peu*
- Un service de table (même composition que pour la première liste à laquelle vous ajoutez une soupière) ;
- 1 service de verres (voir liste n 1) ;
- 1 ménagère (voir liste nº 1) ;
- plusieurs plats en acier inoxydable ;
- 1 batterie de cuisine très complète : (casseroles poêles, cocotte, fait-tout, etc.) ;
- plusieurs plats en terre à feu ;
- une foule de gadgets : cuillères en bois, ouvre-boîtes, coupe-tomates, ouvre-bouteilles, tire-bouchon, etc. ;
- 1 rouleau à pâtisserie ;
- des moules à gâteaux de toutes sortes ;
- des pots à épices ;
- 1 combiné batteur-mixeur ;
- 1 moulin à café électrique ;
- 1 cafetière électrique ;
- 1 planche à repasser ;
- 1 fer à repasser ;
- 1 machine à coudre ;
- 1 aspirateur ;
- 1 cireuse (si vous avez un parquet) ;
- 1 table de cuisine ;
- 1 tabouret de cuisine qui fait escabeau ;
- 1 cuisinière ;
- 1 machine à laver ;
- 1 réfrigérateur ;
- plusieurs lampes dont 1 lampadaire ;
- 1 porte-revues ;
- 1 corbeille à papiers.

o *4. Si vous restez chez vous et devez beaucoup recevoir.* Aidée ou non par une employée de maison, vous établirez une liste à peu près semblable à la liste type nº 2.

Si vous n'êtes pas aidée, vous choisirez cependant un service de table plus important, 74 pièces par exemple, service qui comprend surtout un plus grand nombre d'assiettes, afin de ne jamais avoir à laver les assiettes entre les changements de plats, la maîtresse de maison ne devant quitter la table que le moins souvent et le moins longtemps possible. N'oubliez pas la table roulante. Ajoutez un chauffe-plat à la liste, accessoire très pratique qui évite bien des pas.

• Comment choisir votre vaisselle ?
La porcelaine, la faïence, les poteries et les grès vernissés sont autant de matières différentes, dont les qualités et l'aspect ne peuvent être comparés, et qui déterminent le décor et le style d'un service.

La vaisselle de porcelaine n'est plus considérée aujourd'hui comme étant la seule véritablement belle.
- Si vous devez peu recevoir, mieux vaut choisir une jolie faïence qu'une porcelaine de qualité médiocre.

La faïence est plus chaude à l'œil. Les décors gais et les couleurs vives de la faience régionale donnent à la table un aspect « bon vivant » qui sied aux tables familiales, leur ôtant tout esprit ennuyeux et banal. Quelques grandes faïenceries restent fidèles aux lignes et formes anciennes qui rendirent autrefois célèbres certaines villes de France.

Le style des faïences scandinaves influence de plus en plus la production nouvelle de nos faiences. Une clientèle jeune lui est déjà toute acquise. Mais attention au décor, à la teinte des assiettes et des tasses ! Le morceau de viande ou le café servis doivent rester appétissants. Le noir et l'orange, surtout, sont des couleurs à éviter.

o *La porcelaine* est plus habillée. Sa finesse, sa transparence lui donnent un aspect précieux, plus particulièrement destiné aux tables de réception ; aussi faut-il recevoir plus d'une fois l'an pour justifier son achat prohibitif.

Le « Limoges » (cuit à 1 400°) ne se raye pas. Cette porcelaine de qualité est représentée sur nos tables soit par des services copies d'ancien, à décors de style, de formes anciennes ou classiques, soit par des services unis ou à décors de lignes modernes.

La porcelaine de Sologne, peu différente de la porcelaine de Limoges, offre la même qualité de pâte. Seuls cuisson et décors diffèrent.

Les porcelaines étrangères importées d'Angleterre, d'Allemagne et de Scandinavie sont meilleur marché (leur prix d'achat en France est augmenté par les taxes douanières) mais leur pâte est plus tendre, donc plus fragile.

Ne croyez pas que la porcelaine blanche soit moins chère que la porcelaine décorée. Les dessins, en effet, servent souvent à dissimuler quelques petites impuretés du grain.

o *Les poteries vernissées* ont un charme certain. Le grès, en particulier, plaît aux jeunes et aux artistes. Il correspond parfaitement à l'esprit moderne, amateur de formes simples et de matières brutes. La matière elle-même, porte déjà son décor. A la cuisson, la pâte garde ses rugosités ou bien, si elle est lisse, elle prend certaines nuances allant du bistre au grège. Parfois l'émail, en couche fine, laisse apparaître volontairement la pâte rouge-brun de la poterie (Grès de Pierlot).

La poterie provençale est recouverte d'un émail vert-jaune très nuancé. Ses formes sont simples et rustiques. Ses prix sont avantageux mais il sera prudent de prévoir, au départ, un plus grand nombre d'assiettes, car cette poterie est particulièrement fragile.

Cette vaisselle sera plus tard tout indiquée pour dresser vos tables d'été au jardin ou à l'intérieur de votre future maison de campagne.

o *Ce qui se fait de plus en plus :*

- la vaisselle vendue à la pièce ou par douzaine d'assiettes (en ayant soin de s'assurer que le modèle choisi sera suivi) ;
- les assiettes seules. Pour les plats, préférez de belles pièces d'orfèvrerie ou encore l'acier inoxydable, peu fragile et allant au four ;
- la série d'assiettes amusantes qui vient rompre, au fromage ou au dessert par exemple, la monotonie d'un service très classique ;
- le choix par douzaine d'assiettes différentes afin de changer de décor à chaque plat ;
- la vaisselle toute blanche dont les avantages sont certains : elle réduit au minimum les risques de fautes de goût. Unie ou décorée de motifs légèrement en relief, la vaisselle blanche est rarement vulgaire. Elle permet d'utiliser élégamment les vestiges de services anciens (et décorés) décimés par les ans, dont on fait souvent héritage.

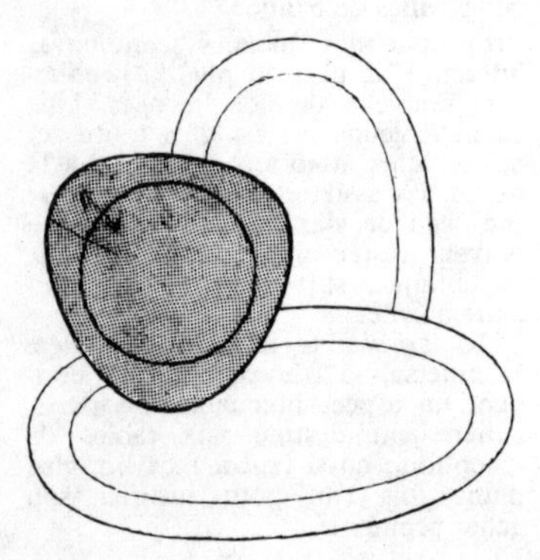

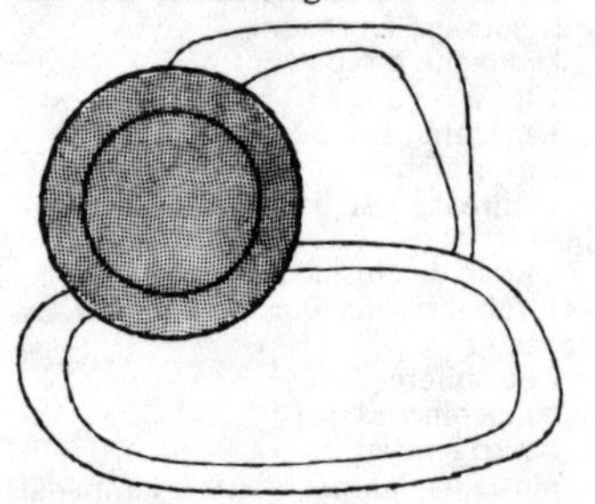

Une règle
Si l'assiette ronde admet toutes les formes de plats, l'assiette fantaisie de forme irrégulière ne peut, elle, s'accompagner que de plats très classiques.

Les services dont on ne se lasse pas

- En porcelaine Haviland (Limoges), le modèle « Sèvres » tout blanc dont les lignes modernes et pures restent malgré tout très classiques ou le service blanc, à marli côtelé, très passe-partout malgré son air de style.

- En faïence Villeroy et Boch (Saar) le modèle « Rusticana » dont le décor champêtre rose ou bleu rappelle celui des classiques faïences anglaises de Seaforth.

- En porcelaine de Paris, tous les modèles à décors de fleurs auxquels s'assortissent les plats, les sauteuses, les casseroles etc., en porcelaine à feu.

• Comment choisir votre service de verres ? Ce sont eux qui donnent au décor de la table sa lumière, sa légèreté et son élégance (voir p. 48 le cristal, le cristallin et le verre, chap. « l'Embarras du choix »).

Il était courant autrefois de voir rangés côte à côte, par ordre décroissant de taille, le plus petit à l'extrême droite : le verre à eau, le verre à bordeaux, le verre à bourgogne (ou à vin blanc et vin rouge), le verre à vin du Rhin, coloré, la coupe ou la flûte à champagne. Même pour un repas très officiel, il est rare aujourd'hui de voir placer sur la table plus de trois verres : eau, vin blanc, vin rouge.

La faveur du public se partage à peu près également entre les modèles classiques et les formes modernes.

o *Les verres à pied* règnent toujours en maîtres sur les tables élégantes.

- Les décors classiques, verres taillés à côtes plates, à pointes de diamant,

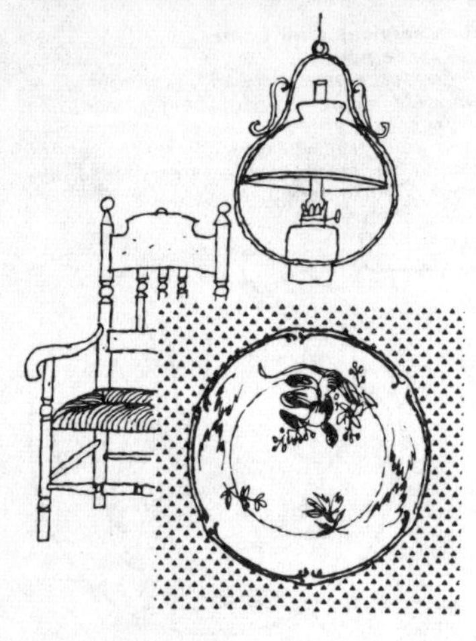

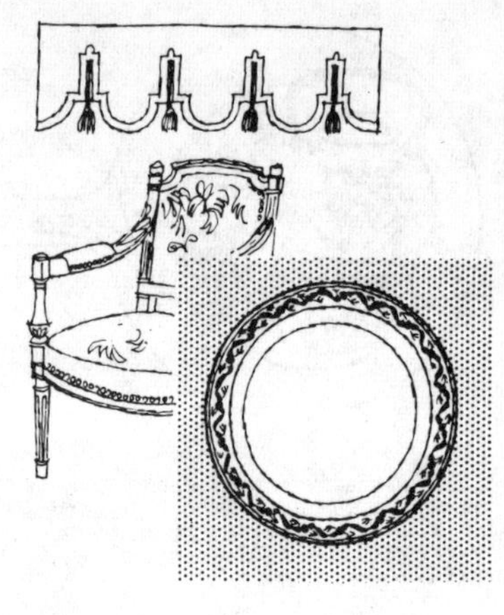

Harmonies des styles et des décors
Un joli service est avant tout celui qui convient au cadre dans lequel il est utilisé, au train de vie et à l'âge de ses propriétaires.
A un intérieur rustique conviendront les vaisselles fleuries et les fleurs fines de Strasbourg.
La faïence régionale met en effet particulièrement bien en valeur les meubles anciens paysans. Elle rappelle, sur la table, les assiettes du vieux vaisselier et s'harmonise aux étains et aux cuivres du décor.

L'intérieur de style
préférera les porcelaines simples ou précieuses dont la forme (sinon le motif) sera choisie en fonction du mobilier.
Il existe pour chaque époque d'excellentes copies « d'ancien » ou des services d'inspiration ancienne dont les lignes et les décors évocateurs suffisent à préserver l'harmonie d'un ensemble (bords chantournés et festonnés, marli vannerie et chinoiseries : Louis XV ; le treillis d'or, les entrelacs, les guirlandes : Louis XVI ; les palmettes, les feuilles d'eau dorées et les grecques : Empire ; les bouquets et les fruits rehaussés d'or : XIXe siècle).

L'intérieur moderne
s'accommodera de faïences comme de porcelaines pourvu que leurs lignes soient pures.
La faïence blanche ou ivoire de style rustique (à bords festonnés) ou scandinave (formes le plus souvent triangulaires), la porcelaine d'un blanc pur et de formes simples (évoquant la vaisselle paysanne d'autrefois) mettent particulièrement en valeur la table du XXe siècle.

verres gravés et guillochés, pied torsadé et à facettes, conviennent aux tables riches et de style, accompagnés de porcelaine et d'argenterie.
- La ligne « tulipe » et les formes scandinaves, marquant très nettement le style moderne (formes cylindriques, parfois légèrement renflées) conviennent à une table simple et dépouillée, accompagnée d'une vaisselle de ligne moderne. Pour ce type de table, le verre unique, dont on achète deux douzaines et dans lequel on sert toutes les boissons (excepté les apéritifs et les alcools), est une solution heureuse, à la fois économique, pratique et esthétique. On choisira, par exemple dans la série « tulipe », le verre de taille moyenne, destiné au vin rouge.
o *Les verres gobelets.* Plus stables et moins fragiles, ils sont réservés aux tables familiales et aux dîners « entre amis ».
- Sachez cependant, qu'à deux ou trois tailles par convive, ils prennent, sur la table, plus de place que les verres à pied.
- A un service de gobelets ne comportant pas de verre à vin blanc, vous ajouterez un gobelet très simple, en verrerie verte.
o *Les verres de couleur.* Les verreries italiennes nous ont donné le goût des verres de couleur : bleu, fumé, vert olive ou rouge sombre, ces verres se marient fort bien à la faïence moderne et conviennent aux réceptions entre jeunes.
- Pour un dîner plus important, préférez-leur les verres incolores car les verres de couleur donnent au couvert une note fantaisie parfois déplacée et risquent de déplaire aux amateurs de bons vins qui les accusent à juste titre de dénaturer la teinte du vin.
● **Comment choisir votre argenterie?** On désigne sous ce nom (souvent à tort lorsqu'il ne s'agit pas d'argent ou de métal argenté) l'ensemble d'une ménagère, composée de fourchettes, de cuillères, de couteaux et d'une louche ; les accessoires tels que cuillères à mélange, salières, pinces, etc., ainsi que les plateaux, les plats, légumiers, saucières, théières, verseuses, sucriers et

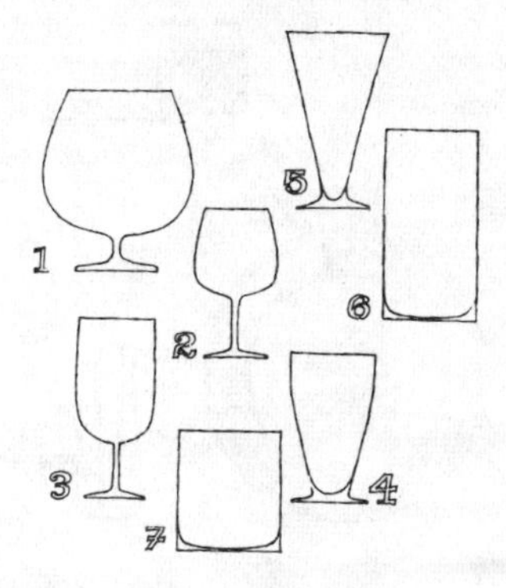

Formes et boissons
1. Verre à dégustation (cognac, fine et alcool blanc)
2. Verre à liqueur (Cointreau, Grand Marnier, etc.)
3. Verre à porto
4. Verre à cocktail
5. Verre à pastis, anisette, Suze, etc.
6. Verre à jus de fruits
7. Gobelet à whisky.

pots à lait.
o *Votre liste-cadeaux engagera l'avenir !*
Adressez-vous à une maison sérieuse, qui suive ses modèles ; redoutez ceux trop fantaisie, dont vous risquez de vous lasser très vite. Préférez la qualité à la quantité et assurez-vous que vous pourrez compléter peu à peu votre patrimoine par des achats isolés... qui feront ensemble.

La liste de mariage donne la possibilité de se constituer une argenterie plus complète (tout en restant assortie), chacun pouvant offrir une ou plusieurs pièces suivant ses moyens.
o *Le décor « coquille »,* très découpé, s'ouvrant à la base du manche, est le motif le plus apprécié. Devenu très classique, ce décor Louis XIV s'emploie couramment avec une vaisselle de style Louis XV.
o *Le manche uni et plat* se terminant en forme de spatule est un décor Louis XIII mais, passe-partout, il s'harmonise aux vaisselles de style Louis XIV et Louis XV. Le

Harmonies de style
Mariez le cristal, la porcelaine avec l'argent ou le vermeil.
Le verre lourd, de taille simple, en cristal, le couvert d'argent uni et plat, feront valoir la porcelaine de Limoges à large filet or.

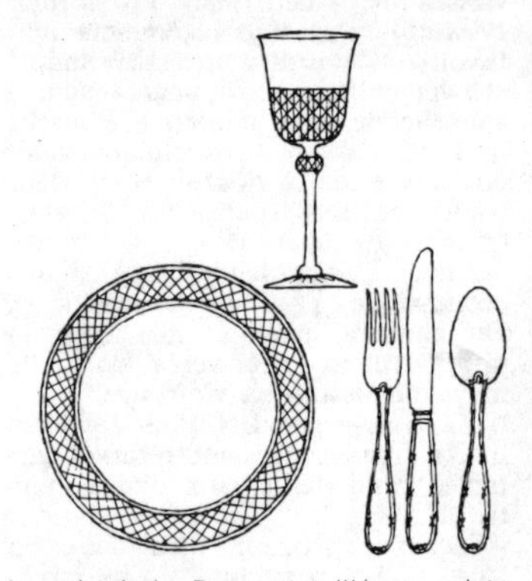

Le cristal de Baccarat taillé en pointe de diamant s'harmonisera à la belle porcelaine de Sèvres. Les couverts d'argent ou de vermeil seront choisis à contour Louis XV.
Plus fine encore, l'assiette Louis XVI exige un verre plus léger. Les couverts seront aussi choisis plus minces, moins volumineux.

couteau sera de préférence avec écusson et manche d'ébène.

o *Le contour Louis XV*, cernant avec finesse le manche, convient évidemment aux vaisselles de style Louis XV mais aussi à la sobriété de nouvelles formes de porcelaine.

o *Le laurier ou la perle Louis XVI* s'harmonisent avec une vaisselle de même style, mais aussi à la vaisselle Napoléon III et romantique ainsi qu'aux décors modernes, d'inspiration ancienne (fleurs, oiseaux).

o *Les entrelacs ciselés et guillochés* sont Empire mais ils peuvent aussi convenir à un service de style Louis XVI.

o *Les couverts modernes* sont sans aucun décor mais leurs lignes sont très typiques. L'orfèvrerie scandinave a, sans conteste, influencé l'orfèvrerie française. Les angles sont effacés, les lames de couteau s'arrondissent dans le prolongement du manche, les dents des fourchettes sont courtes et semblent inscrites dans un ovale, les cuillères sont peu profondes, à bout rond, parfois formant un carré à angles arrondis. Certains manches sont en bois — teck, ébène, macassar — ou, tout simples, en matière plastique imitant ces bois. Ils sont en général de taille réduite. Ils ne conviennent qu'aux vaisselles modernes extrêmement dépouillées.

o *Les couverts fantaisie* ont des manches en bambou, en corne ou en patte de biche. Ils ne conviennent qu'aux faïences modernes, gaies et champêtres et aux vaisselles rustiques en grès ou en poterie.

o *Vos couteaux de tous les jours.* Choisissez-les d'une seule pièce (lame et manche), ce qui évite de voir se décoller les manches à l'eau chaude.

○ *Vous pourrez négliger dans votre liste de mariage :* les pinces à sucre, les manches à gigot, les cuillères à sauce. Six couverts supplémentaires vous rendront bien plus de services et vous permettront de ne pas faire la vaisselle entre deux plats.
○ *Pensez à tout :*
- si vous désirez de minuscules tasses à moka, choisissez de petites cuillères en rapport, sinon elles feront des malheurs au salon.

Harmonies modernes
Faïence, acier inoxydable et cristallin réalisent de bons ensembles. Le verre scandinave corrige par son galbe et sa légèreté ce que le couvert pourrait avoir de sévère et d'un peu strict.
- Avec l'assiette ronde et très plate le verre sera trapu, les couverts longs et légers en acier mat.
Au couvert rustique conviendront la terre brune, les formes « écuelles » et les couverts à manche de bambou. Au couvert fantaisie : les verres gobelets de couleur rappelant les tons de l'assiette et les couverts d'acier à manche d'ébène.

FORMULE FAMILIALE : LE CADEAU COLLECTIF

La formule du cadeau collectif est aujourd'hui souvent retenue. Elle permet en effet, grâce à une collecte, d'offrir un objet qui aidera réellement les jeunes mariés à « monter leur ménage ».

● A qui peut-on demander d'adopter cette formule ?

○ *Dans la famille*, aux frères et sœurs, aux oncles et tantes, aux parrains et marraines.
○ *Parmi les relations de travail :* cette formule est pratique et très courante.
○ *Aux amis*. A la rigueur, les deux meilleures amies de la mariée ou les deux meilleurs amis du marié peuvent s'associer pour offrir un cadeau

commun, mais seulement s'ils se connaissent bien et s'ils en manifestent le désir.

• **Que peut-on offrir « en commun » ?** Les fiancés, informés de la somme approximative consacrée au cadeau, déterminent généralement eux-mêmes l'objet qu'ils désirent. Dans cette catégorie de cadeaux entrent le plus souvent :

o *La machine à laver* (voir p. 99 les machines à laver, chap. « Fêtes et Anniversaires »). Les baby-machines peuvent suffire pour deux personnes. Ces nouvelles machines sont à très bon marché et peu encombrantes : on peut les poser dans l'évier ou dans la baignoire.

o *La cuisinière*. Se renseigner pour savoir si les jeunes mariés préfèrent un appareil électrique, à gaz, mixte ou à charbon (cette dernière formule est moins courante, sauf pour une habitation à la campagne).

o *Le réfrigérateur*, indispensable à notre époque pour les couples qui travaillent. On en trouve maintenant à très bon marché (voir p. 96, les réfrigérateurs, chap. « Fêtes et Anniversaires »).

o *Le service de table, le service de verres et la ménagère* sont les types mêmes du cadeau « à plusieurs ». (Pour leur choix, vous reporter p. 188, liste de mariage).

o *Le lit*. Cadeau coûteux auquel on ne pense généralement pas. Il comprend l'achat du sommier, du matelas, du traversin et des deux oreillers.

o *L'ameublement complet du living-room*. Moins connue, plus originale, est l'idée de cadeau que nous présentons ici, en « avant-première ». Elle nous est venue en découvrant au dernier Salon du meuble les nouvelles créations de jeunes décorateurs. L'ensemble d'angle se monte à partir de simples cubes et de quelques planches, et est constitué temps, à partir de simples cubes et de quelques planches, est constitué d'éléments parfaitement indépendants, que l'on peut, sans difficulté, acheter à la pièce. Pour les assembler, tel un jeu de constructions, il suffit d'empiler, à partir du sol, planches sur cubes et cubes sur plan-

Deux bons modèles

- Une valise de toile très légère, aussi pratique quand on s'en sert que lorsqu'on ne s'en sert pas, car elle s'escamote et tient un minimum de place dans un placard : les côtés rigides se rabattent et se replient sur eux-mêmes.

- Un sac-valise en toile de toutes les couleurs, garni de cuir naturel (La Bagagerie).

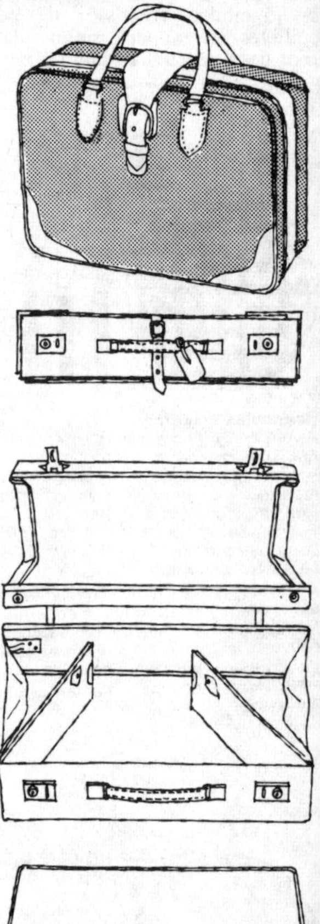

ches pour obtenir, sans outils d'aucune sorte, un ensemble parfaitement stable (la longueur et l'épaisseur des planches ainsi que les proportions et le poids des cubes ont été calculés en fonction de ce parfait équilibre). La composition, s'adaptant à l'architecture de la pièce et aux besoins particuliers à chaque cas, est laissée à l'imagination et au goût de chacun.

Il existe, en trois essences différentes de bois (teck, pin d'Orégon et acajou), en tout et pour tout trois sortes de cubes, grands et petits formats (niche, tiroirs et porte) et quatre tailles de planches de trois largeurs différentes.

Chaque élément constituant, seul, un cadeau très abordable, vous offrirez :

- groupés à trois : la table basse qui servira peut-être un jour à construire un bureau d'écolier (quelques cubes à tiroirs peuvent être ajoutés afin de monter la surface de travail à bonne hauteur) ;
- à six ou huit : la banquette dont la planche principale servira à l'occasion de dessus de bahut (peuvent être ajoutés des cubes à tiroirs et des cubes à portes grands formats) ;
- à dix, douze ou quinze : la bibliothèque murale dont les dimensions seront momentanément proportionnées au montant de la collecte, en attendant de grandir rapidement en fonction des besoins et des économies du jeune couple — ensembles **exposés au Bûcheron, 10, rue de Rivoli).**

(Eléments Otary, 22, avenue Jean Aicard).

o *La rôtissoire électrique* équipée d'une broche rotative pour les volailles et d'un gril fixe pour les rôtis et les grillades. Les rôtissoires à infrarouge ont la réputation de cuire « à point » et de conserver à la viande toute sa saveur.

o *La table-téléphone*, toute en acajou, ou en cuivre avec dessus en verre. Petit meuble très pratique qui permet de ranger les annuaires encombrants et de les garder à portée de la main.

o *Les tables gigognes*, très utiles dans un petit appartement, parce que peu encombrantes malgré leur nombre.

o *Le porte-revues* moderne : en bois noir, en teck ou en cuir ; copie d'ancien : en acajou, ou plus original encore un casier à musique ancien Louis-Philippe ou Napoléon III.

o *L'électrophone.* Si l'un des fiancés n'en possède pas déjà un.

o *Une valise ou un sac de voyage.* Cadeau qu'il n'est pas courant d'offrir et qui rendra service aux jeunes mariés dès le premier jour, pour partir en voyage de noces.

FORMULE CLASSIQUE : LE CADEAU INDIVIDUEL

Tous ceux pour qui le mot cadeau signifie surprise, attention, souvenir personnel restent fidèles à l'ancienne formule quelque peu individualiste, avouons-le, mais pleine de gentillesse. Chercher, personnellement, à faire plaisir ne veut pas dire pour autant offrir le cadeau gratuit, l'objet décoratif et superflu. Rien n'empêche au contraire de choisir « son » cadeau parmi les objets utiles, voire utilitaires. Il est évident que le degré d'intimité qui vous lie aux fiancés ou à leur famille entre, ici aussi, en ligne de compte, ainsi que le budget dont vous pouvez disposer pour son achat.

• **Le cadeau des grands-parents, des oncles et tantes.** Généralement assez importants, ces cadeaux se présentent couramment sous la forme d'un chèque ou, selon les moyens, d'une simple enveloppe destinée à l'achat complet ou partiel d'une des « grosses pièces » manquantes de l'installation. Les fiancés, à la remise du cadeau, devront indiquer leurs projets quant à l'utilisation de cet argent.

Le montant de ces sommes peut parfois aussi correspondre à l'achat d'un objet défini mais dont on laisse aux jeunes gens le soin de choisir eux-mêmes le modèle.

Sous la forme « espèces » ou sous leurs formes concrètes, tous les cadeaux importants cités plus haut, faisant l'objet de cadeaux collectifs, pourront ici être envisagés.

o *A cette liste ajoutons :*

- un meuble ancien ou moderne : par exemple une commode, une table ou un secrétaire ;
- un service à thé, à café ou un « tête-à-tête » sur son plateau pour le petit déjeuner ;
- une table à repasser pliante (très pratiques, ces tables sont bien stables et se rangent aisément dans un placard) ;
- un fer à repasser. Vous le choisirez très léger et à thermostat (afin d'éviter les étourderies éventuelles de la jeune maîtresse de maison);
- un radiateur d'appoint, électrique, à gaz butane ou gaz de ville que l'on choisira peu encombrant. C'est un cadeau qui sera très utile (même à ceux chauffés par l'immeuble) dans la cuisine ou la salle de bains s'il n'y a pas de radiateur, ou dans la chambre à la mi-saison.
- un séchoir électrique ou une armoire à sécher le linge (très utile également au printemps et en automne lorsque l'appartement n'est pas chauffé) ;
- un valet de nuit en bois verni ou en métal doré, pour éviter les repassages fréquents et délicats des plis de pantalon. Certains modèles, pliants, tiennent peu de place ;
- une ou plusieurs chaises pliantes en métal doré ou en acajou, recouvertes de velours ou de skaï. Elles serviront les premiers temps de chaises de salle à manger et plus tard de chaises de secours, les jours de réception ;
- 12 assiettes à dessert qui, différentes du service de table, apporteront une note de fantaisie. Vous les choisirez toujours en fonction de la vaisselle du futur jeune ménage : assiettes unies de couleurs différentes, assiettes anciennes trompe-l'œil décorées de fruits, en porcelaine à dessins, en faïence blanche décorée de scènes noires et blanches, en faïence anglaise bleue ou rose ;
- un plat à rôti en acier inoxydable, comprenant un plateau de découpage équipé d'un pique-rôti avec emplacements prévus, pour la sauce et deux variétés de légumes.
- **et pourquoi pas ? une bassine à friture que les jeunes gens ne peuvent pas toujours s'acheter, se privant ainsi des fritures qu'ils aiment.**

● **Le cadeau des grands frères et des grandes sœurs.** Ce sont à eux que les fiancés pourront le plus facilement demander l'objet, l'accessoire qui manque à leur installation.

o *Quelques idées à leur suggérer :*

- une lampe, car on n'en a jamais assez si l'on désire éviter d'éclairer les pièces par des plafonniers. S'ils aiment l'ancien, vous la rechercherez chez les antiquaires, aux marchés aux puces et chez les brocanteurs. Vous la choisirez en porcelaine peinte, en faïence blanche ou en opaline.

Si au contraire ils aiment le moderne, vous choisirez parmi les jolies lampes tout en verre : éprouvettes ou loupes de dentellière. Les lampes-bougeoirs en cuivre, conviendront à tous les intérieurs, qu'ils soient modernes ou anciens ;
- une batterie de cuisine en acier inoxydable ou en émail de couleur. Présentées dans un carton à chapeau ou garnies de fleurs et de rubans, les casseroles deviendront un cadeau **très séduisant** **(voir p. 349, les cadeaux fleuris, chap. « Dites-le avec des fleurs »)** ;
- un autocuiseur en acier inoxydable cuira les légumes en un temps record et sera très utile si la jeune mariée travaille ;
- un moulin à café électrique : accessoire indispensable qui facilite la préparation du petit déjeuner, retardant ainsi de quelques minutes l'instant pénible du lever ;
- une bouilloire en émail de couleur vive que vous choisirez rouge, bleue ou verte, ou encore mieux, décorée. Elle sera plus gaie et plus charmante pour un jeune ménage que la bouilloire classique en métal ;
- un grille-pain, si vous savez que les jeunes époux ont un faible pour le pain grillé ;
- un moulin à poivre : vous le choisirez moderne, en bois noir ou naturel, rustique en noyer, ou très élégant en bois verni ;
- une paire de ciseaux de cuisine pour découper les poissons ou les volailles : il en existe de très perfec-

tionnés qui servent en même temps de casse-noix, de décapsuleur et peuvent découper aussi le plastique ou le cuir. C'est un cadeau inattendu qui ravira les jeunes cordons-bleus ;
- une chaise de cuisine, en bois blanc naturel avec siège paillé, en bois peint de couleur vive et décoré, ou encore une chaise ancienne rustique, à toute épreuve, style Western ;
- un pèse-personne recouvert de caoutchouc antidérapant pour lutter contre l'effet désastreux des « bons petits plats de la grande sœur ». C'est un cadeau auquel on pense rarement et qui sera certainement très apprécié ;
- un rocking-chair, fauteuil à bascule, très agréable pour se relaxer. Vous le choisirez en bois naturel ou en bois noir, de style moderne ; ou en acajou, style anglais ; ou encore en noyer entièrement canné, style 1900 ;
- un poste de radio à transistors, cadeau qui n'est pas indispensable mais qui remplit de joie tous ceux qui n'aiment pas beaucoup sortir.

● **Le cadeau de la jeune sœur ou du petit frère.** Pour l'enfant qui ne possède pas beaucoup d'argent et qui aimerait pourtant tellement faire plaisir, le choix d'un cadeau n'est pas toujours aisé.

o *Pour eux, des idées charmantes et à très bon marché :*
- une petite coupe ou une bonbonnière de foire en opaline bleue ou blanche, copie d'ancien ;
- des dessous de verre en bois de teck, ou égayés de gravures plastifiées. Ils seront très pratiques les jours de réception ;
- un cintre gainé de velours de couleur, toujours apprécié par une jeune femme un tant soit peu raffinée ;
- un flacon aux senteurs de pin, d'orange et de citron qui supprime les odeurs de cuisine dans l'appartement tout en le parfumant ;
- un couvert à salade en bois ou en matière plastique de couleur, petit cadeau classique mais bien utile ;
- six coquetiers : ils peuvent être de formes amusantes, en verre, en faïence ou en bois ;
- une timbale en étain, en métal argenté, en faïence, en bois, en verre ou tout simplement en carton recouvert d'une gravure plastifiée. Elle servira de porte-crayons, de pot à cigarettes ou de vase pour un petit bouquet rond, de violettes, de pâquerettes ou d'anémones ;
- un torchon drôle qui sera présenté de manière amusante en le « cachetant » comme un parchemin ;
- un bocal en verre ou en cristal, ancien ou moderne. De toutes formes et de toutes grandeurs, ils sont très décoratifs remplis de sels de bain, de bonbons, de fleurs séchées, de pierres de couleur, de billes ou, tout simplement, d'une eau colorée.

● **Le cadeau du parrain et de la marraine.** Généralement, le parrain et la marraine offrent, si leurs moyens le leur permettent, un cadeau important, dernier cadeau, en principe, qu'ils font à leur filleul : la ménagère, le service de table, le service à café, à thé (vous reporter pour ces **cadeaux p. 193, choix de l'argenterie, p. 189, choix de la vaisselle).**

Si votre filleul possède déjà son argenterie, voici d'autres idées de cadeaux qui lui plairont à coup sûr :
- un plateau avec deux anses, en métal argenté ou en argent massif, très élégant pour servir le thé, le café ou l'apéritif ;
- la cafetière, la théière, le pot à lait ou le sucrier soit en métal argenté ou en argent massif, soit en étain ou encore en bel acier inoxydable ;
- un grand plat en étain ancien ou moderne, plutôt plat et de forme ovale pour les rôtis, les gibiers ou même la choucroute. Ces sortes de plats complètent utilement le service de table et conviennent à tous les styles de vaisselle, aux faïences et aux porcelaines ;
- 12 petits couteaux à manche de nacre, d'ivoire ou d'ébène ou 12 petites cuillères à moka en vermeil que vous rechercherez chez les antiquaires. Cadeaux utiles et de bon goût qu'apprécieront toutes celles qui rêvent d'une table élégante ;
- une table roulante. Elle peut être en acajou, style anglais, avec deux grandes roues : en rotin, en bois de

teck, en métal doré ou chromé, ou tout simplement en bois peint. Elle servira de desserte dans la salle à manger, facilitera la mise du couvert, permettra de desservir rapidement, transportera le linge une fois repassé ou gardera tout prêt le repas du soir prévu le matin avant de partir au bureau.

● **Le cadeau des cousins, des cousines et de la famille éloignée.** Que choisir si l'on ne connaît pas bien les goûts des fiancés, si l'on ne sait pas où les jeunes gens vont vivre, et comment ils vont vivre, et surtout si l'on n'habite pas la même ville ?

o *Voici pour eux quelques cadeaux prudents* qui ne risqueront pas d'être mal accueillis :

- un vase en cristal, en opaline blanche, en verre de couleur ou en verre blanc, en forme de gros verre à cognac ou encore un joli verre de mariage à l'ancienne, en cristal gravé ;
- un flacon pour le whisky en cristal taillé, cadeau classique mais toujours apprécié ;
- un appareil spécial pour cirer les chaussures et pour faire briller l'argenterie sans la rayer. Nouveauté très utile à toutes femmes ;
- un poêlon-légumier, très décoratif, en métal argenté avec son couvercle et son manche en bois ;
- un moufle magnétique pour la cuisine, assortie à un joli tablier, pour préserver vêtements et doigts en sortant les plats du four ;
- une table de bridge qui sera la bienvenue chez tous ceux qui jouent

Deux cartons-cadeaux au choix
- l'un contient le véritable caquelon ou pot bourguignon en fonte émaillée avec réchaud à flamme réglable (sans mèche) ainsi qu'un jeu de six fourchettes spéciales pour chaque type de fondue (Le Creuset chez Simon) ;
- l'autre présente un caquelon de cuivre jaune, argenté intérieurement, un réchaud à alcool en cuivre également, une assiette spéciale pour les sauces de la fondue bourguignonne, une « pique » à fondue en bois et la recette de ce plat unique, sur napperon de fil (Jacques Franck).

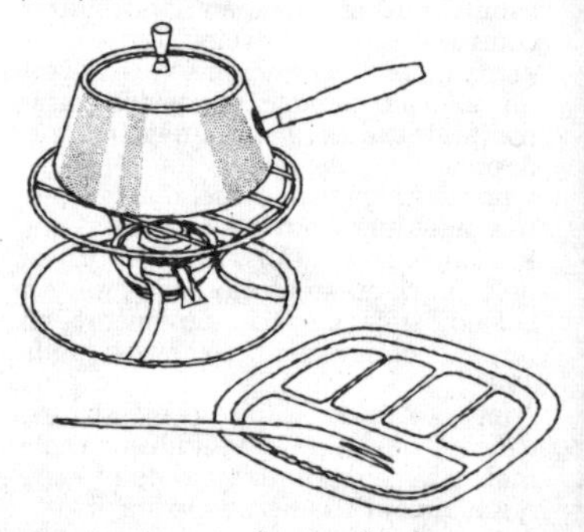

aux cartes, mais aussi chez une jeune femme qui reçoit beaucoup ;
- un réveil de voyage, que les jeunes mariés emporteront le soir même dans leurs valises ou garderont pour leur chambre, s'ils en possèdent déjà un ;
- une couverture en laine de couleur, ou un plaid écossais qui pourra servir pour le lit ou pour la voiture. C'est un cadeau indispensable, jamais inutile même en double ;
- un cadre pour photo, en cuir, en argent, en cuivre ou en bois ;
- un tête-à-tête en faïence ou en porcelaine. Utilisé chaque matin, il est, de tous les services, certainement le plus exposé. Aussi constitue-t-il l'un des rares cadeaux que l'on puisse éventuellement recevoir deux fois sans déplaisir ;
- un grand plateau, ou plusieurs de tailles différentes, emboîtables les uns dans les autres. Vous les choisirez en teck, en tôle peinte ou plastifiée, ou en métal anglais gravé de motifs semblables à ceux dont se servent les pâtissiers anglais. On n'a

jamais assez de plateaux pour servir le petit déjeuner, le thé de cinq heures et l'apéritif ;
- une boîte à cigarettes et la boîte à allumettes assortie. Il en existe de très jolies en albâtre, en cuir ou en bois.
- un joli cendrier, cadeau banal que personne n'ose plus offrir. Pourtant, en préférant au cristal et à la céramique, l'étain, la nacre, la faïence ou la porcelaine blanche, il devient charmant. Les formes coquilles, cœur ou coupe ancienne le rendent original.

• Le cadeau des invités

o *Quelques idées pour les amis :*
- une paire de draps finement brodés, marqués aux initiales du futur couple ou, cadeau plus nouveau : un drap housse pour le matelas. Il est léger, se lave à la maison sans difficulté, sèche rapidement et ne se repasse pas ;
- un service à thé ou à café. Les 12 tasses ne sont pas de rigueur : vous pouvez offrir 6 ou 8 tasses seulement, pourvu qu'elles soient jolies. Vous choisirez en fonction des goûts des jeunes époux : des tasses de couleur, de grosses tasses en faïence « style bistrot », des tasses fleuries ou toutes blanches, cannées, imitant l'osier ou simplement festonnées ou bien encore décorées de scènes de chasse, en faïence anglaise bleue ou rose ;
- un service à fondue, si vos amis aiment la fondue savoyarde ou la fondue bourguignonne. Ils seront enchantés de ce cadeau qui leur permettra d'organiser des réceptions jeunes et amusantes ;
- un service à paella composé de la grande poêle ronde classique à deux oreilles, de la spatule de bois dont

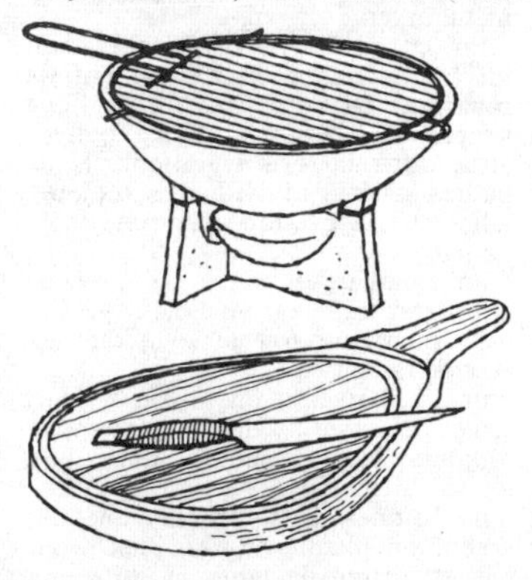

Pour griller et découper
- un barbecue d'intérieur à charbon de bois (Le Creuset — Galerie Maison et Jardin) ;
- une belle planche en bois de teck (Formes Nouvelles).

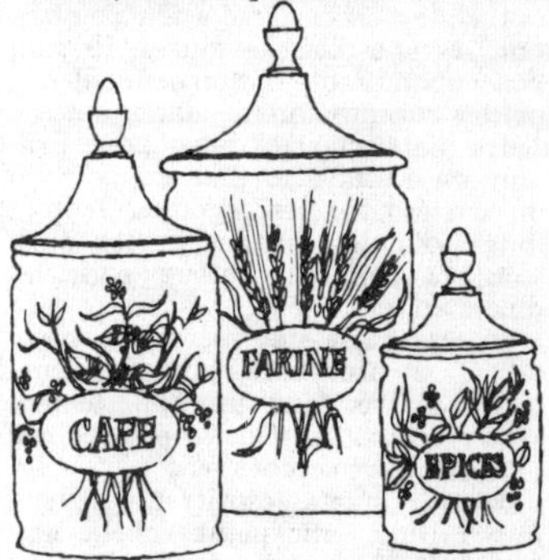

Pour ranger, conserver et décorer
Une série de pots « Etain à la rose » dont le décor botanique illustre avec art le contenu. Ils sont en porcelaine blanche de Hairland coiffés du même étain que leurs étiquettes indicatrices. La série complète comprend cinq pots : thé, café, sucre, farine, épices (Strich).

Pour présenter et faire circuler
les fromages sur la table : un joli plateau de macassar porté au centre par une tige-fleur en bronze (Rigaud).

on se sert pour remuer le riz et d'un torchon d'autant plus indispensable que la recette de la paella y est imprimée et illustrée ;
- une série de pots à épices, sur une étagère de bois. Ils seront charmants et si utiles pour les fines cuisinières, remplis d'herbes et d'épices diverses. Il en existe de tout genre : en terre, en joli bois brut, en faïence décorée, en verre de couleur et étain, en matière plastique et même en opaline décorée ;
- une série de plats à gratin en porcelaine ou en terre à feu s'emboîtant les uns dans les autres. Ils sont peu encombrants et conviennent aux petites cuisines comme aux grandes ;
- des plats en acier inoxydable brillant ou satiné : le plat creux rond ou carré pour les légumes, le plat long pour les viandes et les poissons, le petit plat creux pour les dîners en tête à tête ;
- un escabeau que personne n'ose offrir, si nécessaire pourtant lorsqu'on arrive dans un appartement sans rideaux, sans lustre et avec des placards haut perchés ;
- dans le même esprit, un cadeau plus raffiné : une petite échelle gainée de velours, très commode pour ceux qui ont déjà une bibliothèque à garnir ou des placards de rangement ;
- un nécessaire pour le feu, si le jeune ménage a la chance d'avoir une cheminée… et la ferme intention d'y faire du feu ;
- un porte-parapluies qui, bien choisi, servira à « meubler » l'entrée ;
- un hygromètre, un radiomètre ou un ludion. Jolis objets donnant de la vie à un appartement : l'hygromètre change de couleur selon le temps ; les palettes du radiomètre se mettent en mouvement dès les premiers rayons du jour ; les boules colorées du ludion tournoient et scintillent baignées d'eau.

o *Quelques suggestions pour « relations » :*
- un bon livre de cuisine fait toujours plaisir à une jeune mariée quelque peu soucieuse de son nouveau métier. Choisissez-le clair, comportant tout ce qui est élémentaire mais essentiel dans la cuisine, à savoir : les temps de cuisson et la façon de préparer chaque denrée, sans négliger, surtout, la recette de l'œuf à la coque, du steack pommes frites, des pâtes et du riz. Vous pourrez aussi compléter ce premier cadeau par un second : « le livre de ses recettes » où elle inscrira ses propres découvertes, ses inventions et innovations ;
- une casserole électrique où les légumes cuiront sans surveillance, à la température désirée. Autre perfectionnement capable de séduire celles qui ont vingt ans : la cuisson terminée, elle s'arrête toute seule ;
- un seau à glace isothermique : indispensable pour conserver les glaçons toute une soirée sans avoir à les renouveler au fur et à mesure des besoins. Tous plus jolis et plus originaux les uns que les autres, ces seaux prennent la forme de fruits ou de petits tonnelets. Ils sont en bois, en métal argenté ou doré, en matière plastique... de luxe ;
- un seau à glace en métal argenté, en cristal taillé, en verre de couleur et étain pour présenter les glaçons à leurs futurs invités. Vous y joindrez la cuillère à glace, complément indispensable ;
- une paire de ciseaux à raisin en métal argenté ;
- un ensemble poivrière-salière ou un huilier-vinaigrier. On en fait de ravissants en verre très fin de ligne simple et élégante. Vous pouvez aussi offrir la série traditionnelle de petites salières individuelles toujours jolies et très pratiques sur une table de fête ;
- un saladier en verre de couleur, en cristal taillé ou en bois, toujours utile quel que soit le style du service de table ;
- un tire-bouchon ou un ouvre-bouteille amusant : deux accessoires toujours bien accueillis dans une maison ;
- un briquet de table classique, en argent ou plaqué or, ou, plus original, en forme de tambour ou caché dans une petite mesure d'étain ;
- un ramasse-mégots argenté ou un « étouffe-mégots », sorte de petit cône doré et guilloché à peine plus large que le diamètre d'une cigarette

et qui empêche les mégots de fumer d'une manière déplaisante ;
- une grosse bougie parfumée et désodorisante ;
- un accroche-clefs très utile dans l'entrée ou la cuisine, en métal doré, bronze, argent, plus fantaisie sur un fond de gravure plastifiée ou plus rustique sur fond de bois ;
- un, deux ou trois jolis coussins de velours noir ou de couleur, recouverts de soie à rayures ou à carreaux, de toile imprimée ou tissée à la main ou dans une housse de laine entièrement faite au crochet. Cadeaux charmants qui trouveront toujours leur place quelque part dans l'appartement ;
- des protège-annuaire en tissu écossais, en cuir, en velours, ou en carton dissimulé sous une jolie gravure plastifiée ;
- un sablier ancien (ce sont les plus chers), copie d'ancien, ou moderne en bois noir et verre de couleur ;
- un joli bloc-répertoire téléphonique en cuivre ou gainé de cuir, de velours ou d'ottoman : très pratique et toujours plus élégant que le simple bloc de papier que l'on pose généralement près du téléphone ; une pochette de très beau papier « à la planche » accompagné d'un stylo à bille orné d'une longue plume de faisan ou d'une plume d'autruche ;
- un album de photos gainé de velours de couleur ou de cuir blanc, gravé à leurs initiales où ils conserveront pour la vie, les photos-souvenirs de leur mariage.

Fruits et fleurs

- Une coupe pique-fleurs transformant l'inesthétique (mais utile) bloc de verre à alvéoles en un petit cadeau précieux et argenté (Jacques Franck).

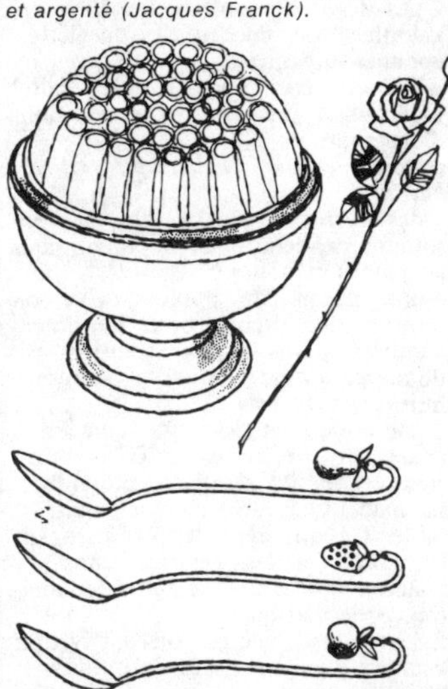

- En guise de breloque ces cuillères à confitures portent un fruit d'identité. Leur forme « crochet » les empêchant de tomber au fond du pot en fait un cadeau utile. Leur métal doré à la feuille fait de chacune d'elles un charmant petit cadeau (Elisabeth Arden).

Feuilles et fruits

- Cette copie très charmante d'un chandelier XVIIIe siècle exécutée par un artisan italien est à la portée de toute gentille « relation » (R. Ginori).

- Ce serviteur muet d'inspiration ancienne est à votre disposition quant au choix de son décor. Il s'assortit sur commande à tous les services de chez Richard Ginori.

LES CADEAUX DE CIRCONSTANCE

La pendaison de crémaillère

Des amis, des parents viennent de s'installer et vous invitent à leur « pendaison de crémaillère ».

Quels que soient le style et l'importance de la réception, vous devez marquer cette joyeuse circonstance par un petit souvenir ou par un grand cadeau, selon votre désir de faire plaisir et selon vos moyens. Certains autres impératifs importants guideront votre choix : l'âge de vos amis, la raison qui motive leur installation et le lieu de celle-ci (ils sont jeunes mariés, ils sont nouveaux propriétaires en ville, à la campagne, etc.), leur situation financière et leur train de vie et, bien entendu, le style de leur ameublement, car la lampe suédoise fait partie de la catégorie des cadeaux « ratés » lorsqu'elle arrive dans un intérieur Louis XV…

DES JEUNES MARIES S'INSTALLENT

Mariés depuis peu de temps, ils manquent encore de tout et d'un « tout » souvent indispensable.

• **Si vous êtes très intimes,** vous choisirez un objet vraiment utile qu'ils ont dit leur manquer, par exemple :

o *pour la cuisine :*

- un autocuiseur. C'est un achat qu'une jeune femme ne fait généralement pas tout de suite et qui pourtant lui simplifiera énormément la vie ;
- un de ces merveilleux gadgets ménagers auxquels maintenant nous sommes si bien habitués (mixer, moulin à café électrique, centrifugeuse pour les jus de fruits). Mais avant de faire ce genre de cadeau, renseignez-vous pour savoir s'ils ne l'ont pas déjà reçu en cadeau de mariage. Sinon pensez en achetant à prévenir le marchand d'un éventuel échange, ce qui simplifiera tout.

o *pour la table :*

- des couteaux à poisson qui ne figurent pas toujours dans la ménagère offerte pour le mariage. Si vous pouvez connaître, sinon la marque, du moins le motif des couverts qu'ils possèdent déjà, assortissez aux leurs les pièces que vous offrez ou choisissez un modèle très simple convenant à tous les styles d'argenterie ;
- une panoplie « crustacés » composée des cuillères-fourchettes spéciales, de la pince à langouste et de la curette à homard, ou bien un service à escargots : assiettes, pinces et fourchettes à deux dents.

o *pour la maison :*

- des draps de couleur, imprimés ou galonnés, ou encore des serviettes-éponges imprimées ou brodées.

• **Si vous êtes moins intimes,** faites jouer votre imagination et vos dons d'observation.

o *Reçoivent-ils beaucoup ? Offrez-leur :*

- des verres à whisky. On en consomme beaucoup actuellement chez les jeunes ménages !
- une nappe de couleur vive ou imprimée de fleurs, pour les dîners « entre copains »(mais, attention, pas de nappe à quatre couverts, au moins huit couverts) ;
- une collection de petits cendriers à poser un peu partout. Très appréciés, ces petits cendriers individuels se placent devant chaque invité à table. Ce qui évite les brûlures sur la nappe et les cendres dans les assiettes que n'aiment guère les maîtresses de maison ;
- des raviers à pickles, hors-d'œuvre ou « amuse-gueule », pour les olives et les petits gâteaux de cocktail ;
- un shaker pour confectionner des cocktails « maison » avec des recettes inédites et qui surprendront les invités ;
- des sous-verres originaux pour éviter les ronds de verres sur les meubles, inévitables si l'on est nom-

breux autour d'un petit guéridon. Il existe des sous-verres de toutes sortes : en forme de gros sous doré ou argenté ; en forme de feuille, de fruit ou encore décorés de gravures et même en tapisserie.

o *Sont-ils bricoleurs ?*

- un marteau équipé de deux bouts amovibles : l'un en matière plastique sert à enfoncer les clous, l'autre en caoutchouc sert à poser les revêtements plastifiés, à coller les carreaux, etc. ;
- un marteau à tête amovible cachant dans son manche une série de tournevis et de poinçons ;
- un tournevis à ressort revenant de lui-même à sa position initiale ;
- un tournevis « intelligent » muni d'une petite pince qui tient la tête de la vis ;
- une toute petite scie très efficace, à lames interchangeables ;
- une boîte à clous, à tiroirs, en matière plastique transparente ;
- un niveau permettant non seulement de déterminer l'horizontale, mais aussi les angles à 45 ou 90 degrés ;
- un mètre à ruban contenu dans un dérouleur muni d'un voyant, permettant de lire la mesure très exactement ;
- un pistolet à peinture atomiseur ;
- une petite armoire « à ranger les outils » (dessin ci-contre) toute garnie intérieurement, et toute fleurie extérieurement des roses célèbres de Redouté (Jacques Franck).
- un bon manuel de bricolage.

o *Sont-ils « fins gourmets » ?*

- choisissez pour eux une caisse de vins fins, qu'ils boiront dans les grandes occasions ;
- une panetière en roseaux tressés garnie de condiments divers ;
- un coffret de sauces variées (anglaise, indienne, etc.) ;
- un couteau à découper… électrique, branché sur secteur ou sur piles (on fait les deux actuellement), dont on confiera le mode d'emploi au maître de la maison ;
- une pendule de cuisine complétée d'une minuterie qui sonne pour annoncer que le plat est cuit ;
- un chauffe-plat électrique, à alcool ou à bougies, pour garder au chaud les plats succulents et mijotés qui sont l'orgueil de la jeune maîtresse de maison ;
- une cafetière style « Cona » (voir **dessin p. 97 chap. « Fêtes et anniversaires »**) ;
- un petit chauffe-cognac individuel.

UN COUPLE AMI CHANGE D'APPARTEMENT

Ils ont déjà tout ce qu'il leur faut ou presque. Mobilier et accessoires se contentent de changer de lieu. Mais un nouvel appartement n'étant jamais conçu comme le précédent, ils seront obligés de modifier ou de compléter leur équipement.

• **Informez-vous** discrètement de leurs problèmes d'installation afin de leur offrir très exactement ce qu'ils souhaitent.

• **Recherchez,** pour ceux qui paraissent avoir « tout », les gadgets, les objets tout nouveaux qu'ils ne risquent pas d'avoir déjà.

o *Voici quelques idées :*

- un carillon musical pour leur porte, afin de remplacer le timbre strident de la sonnette. On en trouve à tous les prix, à deux, trois ou plusieurs notes ;
- un mortier avec pilon en étain, cendrier idéal pour un bureau d'homme ;
- un coq, un faisan ou une oie, lampion décoratif ou utile lorsque, monté électriquement, il sert de lustre dans l'entrée en attendant de se

(Lampions animaux des Arcades du Marais).

voir placer dans une chambre d'enfant ;
- une petite glace ancienne ; elle trouve toujours sa place dans une chambre, une entrée ou même une salle de bains ;
- une jolie corbeille à papier de salle de bains ou une boîte à kleenex gainée à la mode du moment ;
- un attrape-casserole molletonné, décoré d'un gros fruit ;
- de longues allumettes pour allumer les flambées ou le four sans se brûler les doigts. Elles seront présentées dans une jolie boîte ;
- un doseur à whisky en étain ;
- des batteurs à champagne en forme de petits balais de paille ;
- un couvre-théière en feutrine pour tenir au chaud le thé ou le petit déjeuner ;

Charme et fantaisie du nouveau
Une bouteille cocasse et des graines pour oiseaux choisies dans les tons mode (pistache, tabac, gris et brun), cela suffit pour faire un joli bibelot (Dyptique).

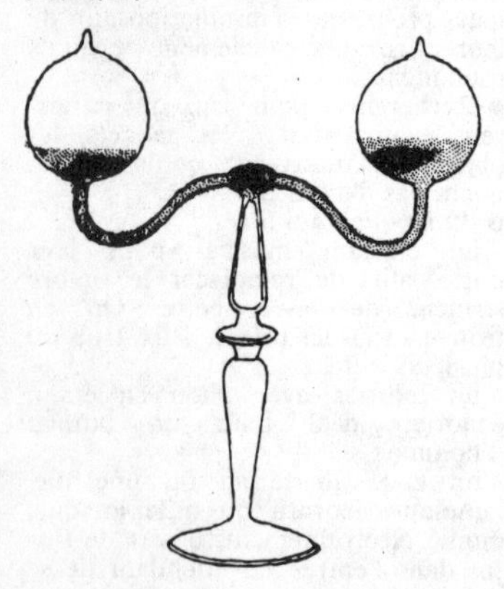

- une carafe en verre italien avec poche à glaçons ;
- un plat en argent (ou plus modestement en métal argenté) est également un cadeau apprécié de toutes les maîtresses de maison ;
- une série d'assiettes spéciales pour artichauts, en faïence de Gien. Elles sont blanches ou tabac blond.
- un très joli bouquet de fleurs séchées mêlées d'épis de blé et de maïs ;
- un grand classique de chez Boissier : le flacon de verre taillé contenant les fameux bonbons « cerises », cadeau de taille variable, mais toujours cacheté et enrubanné.
- une caisse de champagne ou quelques bouteilles de whisky seront toujours appréciées, surtout le jour de la pendaison de crémaillère ;
- un panier de charcuterie avec terrine de foie gras et saucissons divers ;
- un panier de fruits hors saison et quelques bouteilles de porto ;
- un « chapeau des îles » contenant dans sa forme de paille : ananas, fleurs bizarres en pâte d'amandes, pistaches en bouquet, fleurs en noix de coco et une bouteille de l'euphorisant punch créole (spécialités Hédiard).

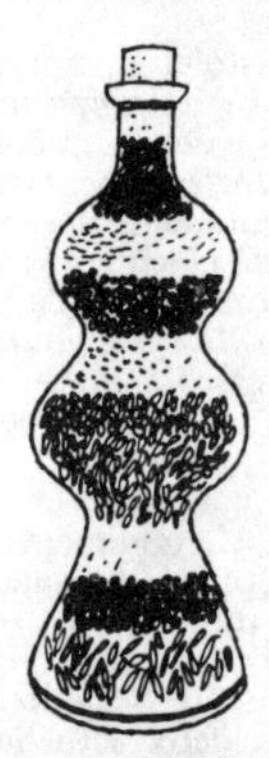

Baptisé « bouillant de Franklin », ou « baromètre d'amour », cet étrange chandelier contient un liquide rouge qui, chauffé par une main plus ou moins chaude passe plus ou moins vite d'une boule à l'autre et bout plus ou moins fort (la Boutique du Palais Royal).

Elégance pratique du classique
- Pour décorer le centre de la table : une coupe de faïence blanche florentine présente une pyramide de citrons garnis de leurs feuilles vertes. Coupe et fruits ne font qu'une seule pièce (Richard Ginori).

DES AMIS INAUGURENT LEUR MAISON DE CAMPAGNE

Installés en ville, cette maison est celle de leurs week-ends où ils aimeront se détendre, respirer et recevoir leurs amis. Pour choisir leur cadeau, pensez donc « rustique » et « vie au jardin ».

• S'ils sont jeunes, vous offrirez :

- un barbecue, pour organiser des déjeuners « plein air » qui ne retiendront pas la maîtresse de maison à la cuisine ;
- s'ils ont déjà un barbecue, offrez-leur les accessoires qui le complètent. Il en existe de toutes sortes : panoplies de gril, longues fourchettes, brochettes, tablier à grande bavette spécial pour le barbecue, gants à barbecue très utiles pour ne pas se brûler les doigts, etc. ;
- un amusant grattoir d'entrée, prenant la forme allongée d'un teckel ou celle de l'encolure d'un cheval, en vrai fer forgé. Il évitera bien des traces sur le sol du rez-de-chaussée ;
- un panier-bar en osier pour transporter verres et bouteilles au jardin et supprimer les va-et-vient ;
- un conservateur à glace que vous choisirez le plus grand possible, pour transporter, une fois pour toutes, la provision de glaçons nécessaire pour l'après-midi au jardin ;
- un hamac, cadeau assez cher mais tellement séduisant. Assurez-vous pourtant, avant de le risquer, qu'il existe bien dans le jardin de vos amis un endroit où le suspendre, par exemple entre deux arbres ou entre deux murets ;
- des coussins. A la campagne, les coussins sont toujours les bienvenus. Ils serviront de sièges au coin du feu, sur l'herbe ou sur la terrasse. Vous les choisirez en matière lavable avec housse amovible de préférence. Vous les préférerez de couleurs vives, style patchwork bariolé ou en cretonne provençale, ou encore en nylon uni bleu, orange ou rouge. Offrez-les par deux ou par trois de différentes tailles, et présentez-les attachés ensemble par un gros ruban ;
- un photophore pour éclairer les dîners au jardin, les soirs d'été. On en fait de très jolis en verre blanc, en verre italien avec piètement de fer forgé. Les porte-bougie que l'on

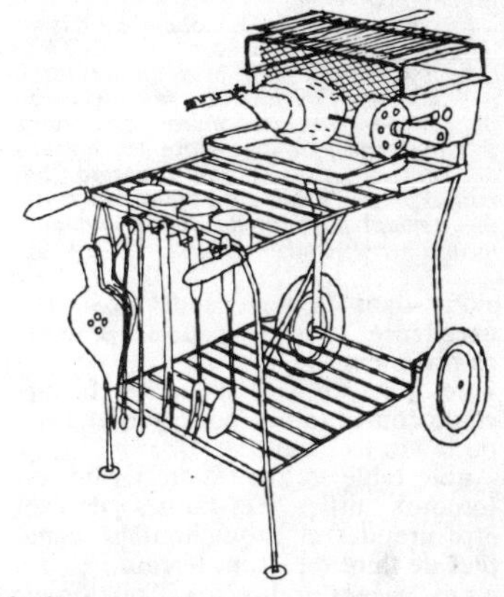

Le barbecue-charrette
se déplace au gré du vent pour trouver l'endroit propice à la cuisson, des rôtis, volailles et brochettes.
La partie supérieure proche du foyer sert de table de service, la partie inférieur de desserte (« Week-end » de cocambroche).

Un bouquet vert pour le jardin
composé de plusieurs variétés de plantes décoratives groupées dans un même et lourd panier en grès brun (panier en grès sylvestré).

Des accessoires pour la table ou la cuisine
- Un gril à homard ou à fenouil pour les cuissons sur feu de bois (tous les grands magasins).
- Des noix géantes, en guise de casse-noix (Pagé).
- Tout un choix d'articles en fer forgé destinés aux placards de la cuisine ou du living-room campagnard : charnières à l'ancienne, clous décoratifs, entrées de serrures, plaques de propreté, béquilles, etc., jusqu'au porte-clefs mural qui devient élément du décor (quincaillerie d'art M. Gad).

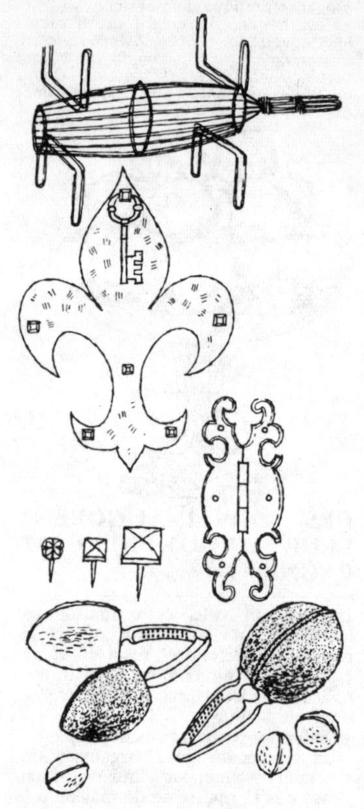

pique dans la terre sont aussi une excellente idée de cadeau pour la campagne ;
- des pots en grès de toutes formes et de toutes tailles pour garder l'eau ou le vin très frais.
- une table roulante de jardin est toujours utile. Les roues doivent être grandes et caoutchoutées, capables de faire du « tout terrain » ;
- des sièges relax en toile pour prendre des bains de soleil.
● **S'ils sont « un peu moins jeunes »,** vous choisirez alors des cadeaux plus « confortables », plus sérieux :
- un arroseur jet d'eau à rotation automatique (cadeau important que l'on peut faire à un ami assez intime ;
- des lampes conçues spécialement pour éclairer les plates-bandes et les fleurs. En forme de grande corolle, elles se dissimulent dans les massifs, ne laissant passer que leur bel effet lumineux ;
- un grand cendrier de jardin, cadeau auquel sera certainement très sensible le responsable de la pelouse ;
- un porte-revues pour lire au jardin ou sur la terrasse, complément indispensable au rocking-chair ;
- une cloche ancienne pour la grille du jardin annoncera gaiement l'arrivée d'amis imprévus.

Vos cadeaux d'avance

La chasse aux trésors est ouverte toute l'année.
Ce gibier, très recherché, ne se prend pas à date fixe.
Sachez rester à l'affût avant de « lever » la pièce unique !

(Lampe radiomètre de chez Nohalé -
Albums 1900 du Moulin de la Brocante, à Juziers)

Deux bons achats :
la lampe qui peut ne pas être classique ;
l'album de photos qui peut ne pas être banal.

La porcelaine 1830 est presque toujours fine,
le plus souvent rose, blanche et or ;
mais elle n'est, hélas, presque jamais intacte.
Que vos cadeaux soient toujours impeccables !

(Aux Occasions, R. Bienfait)

(Masseron-Dubois, stand 178, marché Paul Bert, Saint-Ouen)

Offrez de l'utile en y ajoutant du superflu !
Le rouleau à pâtisserie s'achète chez un antiquaire.
Ce cylindre de verre soufflé,
décoré intérieurement de décalcomanies,
est d'origine anglaise, fin du XIXe siècle.

La remise d'une décoration

Toute distinction honorifique donne lieu sinon à une cérémonie officielle, du moins à une réception (dîner, lunch ou vin d'honneur) où sont généralement conviés proches et amis. A cette occasion il convient de féliciter le nouveau promu par quelques mots d'usage accompagnés le plus souvent de cadeaux.

LA LEGION D'HONNEUR

La nomination au grade de chevalier de la Légion d'honneur ou la promotion au grade de commandeur ou de grand-croix impliquent certains présents d'usage.

• **La croix** sera offerte soit par la famille, soit par les amis du récipiendaire, ou bien encore par l'ensemble des membres de l'association dont il fait partie.

o *La croix d'ordonnance*, remise le jour même de la cérémonie, est offerte dans un écrin gravé à ses initiales et portant la date du jour de sa remise.

On joint parfois au cadeau une chaînette souple en or ou vermeil, destinée à retenir les décorations, et on l'accompagne généralement d'un très beau bouquet de fleurs que l'on adresse à l'épouse de celui qui a mérité cette haute distinction.

De taille imposante, la croix d'ordonnance ne se porte plus aujourd'hui que pour de rares cérémonies très officielles ou militaires.

o *La croix d'apparat* de taille beaucoup plus petite est plus facile à porter. Elle remplace sur l'habit la croix d'ordonnance les jours de grande réception et les soirs de gala.

Celle-là, par tradition, est offerte par les enfants qui se groupent pour acheter selon leurs moyens une croix toute simple, en vermeil ou plus luxueuse enrichie de pierreries : petites roses ou petits brillants. Véritables bijoux, leur prix variant en fonction du nombre, de la taille et de la qualité des pierres, ces croix peuvent atteindre des sommes exorbitantes.

• **Les cadeaux collectifs et individuels.** A l'occasion de la décoration de la Légion d'honneur, amis, collègues de travail, employeurs ou employés se cotisent pour offrir au héros du jour un présent qui lui sera remis au cours d'une petite réception. Ses amis intimes pourront également lui offrir un souvenir personnel accompagnant les félicitations traditionnelles.

o *Cadeaux d'usage :* le livre de la Légion d'honneur, des médailles commémoratives de la création de la Légion d'honneur, un vase gravé, des verres de cristal gravés au nom du titulaire, un objet d'argenterie, un presse-papiers de laque noire sur lequel figure, incrustée, la croix symbole de la récompense, un tableau, une gravure rappelant par leur sujet l'activité du décoré ou un livre ayant trait soit à la vie militaire, soit à l'activité civile ou artistique qui lui a valu ce mérite.

o *Cadeaux « personnalisés » :*

- à un fumeur : un très grand coffret plat en bois précieux, garni de paquets de cigarettes pour tous les goûts ou de cigares de toutes provenances ; un porte-pipes à poser sur le bureau ; un râtelier à pipes ; un stylo à bille-briquet ; un briquet de bureau ; un porte-lunettes de bureau monté sur socle avec cendrier incorporé ; un fume-cigarette dénicotinisant ; une pipe ancienne de collection ; un étui de métal doré guilloché contenant des cure-pipes ; un coupe-cigares.
- à un grand voyageur : une télévision miniature portative ; une balance de poche présentée dans un étui de cuir rouge, pouvant peser jusqu'à 30 kilos, très utile pour connaître le poids des bagages avant de prendre l'avion ; une belle trousse de toilette en cuir avec flacons de cristal ; une petite valise avion ultralégère ; une minuscule trousse de première urgence, pas plus encombrante qu'une boîte d'allumettes.
- à un amateur d'ancien et d'art : un livre d'art ; une lithographie, la re-

production d'un tableau de son peintre préféré ; un bougeoir ancien ; une boîte à cigarettes faite dans une reliure ancienne ; une statuette de pierre dure ou d'ivoire pour son bureau ; une lampe projecteur pour mettre en valeur un tableau ; un autographe ; un livre rare.
- à un chasseur : un très beau fusil de chasse.
- à un ami des livres : les œuvres complètes d'un auteur célèbre qu'affectionne particulièrement l'intéressé, et choisies dans une très belle édition.
- à un mélomane : un album de disques donnant intégralement une œuvre de musique classique ou un grand opéra.

LA MEDAILLE DU TRAVAIL

Cette distinction se remet généralement à l'occasion d'une fête nationale, au cours d'une réunion organisée par l'établissement employeur.

• **La médaille** est offerte soit par le directeur, soit par les employés réunis. Elle peut être très simple, mais parfois aussi sertie de brillants.

• **L'enveloppe.** Le directeur ou le chef d'entreprise présent au banquet ou à la réception où tous les employés sont cordialement invités remet lui-même l'enveloppe d'usage ce jour-là de préférence à un cadeau.

Le départ en retraite

Si, après de longues années, un employé, un ouvrier ou le directeur d'une entreprise prend sa retraite, la coutume veut que l'on organise une petite réception d'adieu à l'issue de laquelle un cadeau lui est offert. Il s'agit là le plus souvent d'un cadeau collectif auquel ont participé directeurs et employés.

Qu'offre-t-on à cette occasion ? Le cadeau se choisira en fonction de la personnalité et des goûts du bénéficiaire.

• **Voici quelques suggestions :**

- un poste de télévision. Ce cadeau devenu presque classique en la circonstance est donné dans l'espoir de distraire le nouveau retraité (homme ou femme) qui peut souffrir d'une oisiveté à laquelle il n'est pas encore habitué ;
- s'il compte voyager : des bagages élégants ;
- s'il est pêcheur : un attirail de pêche très perfectionné ;
- s'il est technicien dans l'âme : une caméra, un magnétophone ;
- une garniture de bureau en très beau cuir, si sa profession libérale lui permet encore de travailler un peu ;
- s'il est collectionneur : une pièce rare pour sa collection ;
- et les cadeaux ultra-classiques, tels que tableaux, livres d'art, argenterie, ou encore la montre ou le briquet en or, la pendule décorative, le service fumeur, le pot à tabac, la boîte géante de cigares, les accessoires de maroquinerie (le portefeuille dans lequel la direction glisse un chèque est déjà plus original) ;
- enfin certains directeurs ont parfois l'excellente idée d'offrir à leurs vieux serviteurs, le jour de leur mise à la retraite, un beau voyage, qu'ils ont prévu avec un maximum de confort et un minimum de fatigue.

Cadeaux et superstitions

Le réseau des significations attachées aux fleurs, aux pierres précieuses est la survivance, dans notre monde rationalisé, d'un monde magique où le « présent » d'un être humain à un autre était lourd de pouvoir secret.

Le devoir sacré de l'hospitalité impliquait l'offrande de présents. Et ces présents étaient aussi riches que le permettaient la fortune de celui qui les offrait, puisque l'hôte était l'envoyé des dieux. Ces cadeaux puisaient dans le vieux fond comme des forces occultes et portaient bonheur, et parfois, malheur.

Prolongement encore de ce grand devoir d'hospitalité, de ce pouvoir accordé aux présents de l'ami à l'ami, des parents à l'un des leurs : les morts de l'Antiquité étaient comblés de présents. Les cadeaux déposés auprès du cercueil étaient comme des talismans destinés à aider le défunt dans son grand voyage outre-tombe.

Ainsi l'échange de présents se retrouvait-il partout : dans les rets de la mort, de l'amour, de l'amitié, du mariage... Est-ce un écho de ces croyances ancestrales ?

Les comédiens craignent les œillets, les fiancées redoutent l'opale, et les talismans astraux se révèlent aujourd'hui d'une excellente vente. Les pages qui suivent feront sans doute sourire certains d'entre vous. A ceux-là nous conseillerons malgré tout de rayer de leur liste tous les cadeaux dits « maléfiques » ou bien alors de « toucher du bois » dans l'espoir de voir leurs présents toujours bien accueillis... Les autres, ceux qui respectent de ces croyances, craintes et symboles, accorderont à ce chapitre des vertus informatrices capables de les diriger vers la source inépuisable des cadeaux talismans.

ATTENTION AUX COULEURS !

Blouse de mousseline ? écharpe de soie ? twin-set de cachemire ? A coup sûr vous ferez plaisir en offrant ces « cadeaux parures » qui joignent l'utile au merveilleux. Mais attention : ne commettez pas d'impair quant au choix de leur couleur. Pas de violet pour une jeune fille. Pas de jaune pour une célibataire de quarante ans. Et pas de vert... en règle générale.

Il y a correspondance entre les êtres et les couleurs. Psychanalistes, poètes et magiciens sont d'accord sur ce point. Avant d'acheter des draps roses sous prétexte que vous, vous aimez le rose, cherchez plutôt parmi les couleurs celle pouvant le mieux convenir à la personne qui recevra votre cadeau.

• **Le bleu,** couleur du ciel. On prête au bleu des vertus très bénéfiques. Il est le symbole de la sagesse : Krichna, incarnation de la sagesse divine, avait un corps de couleur bleu céleste.

Il est le symbole de la fidélité : des scarabées en pierre bleue ornaient les anneaux offerts par leur épouse aux guerriers égyptiens.

Il est le symbole de la maternité : les Anciens l'avaient consacré à Junon, déesse du mariage.

Couleur essentiellement féminine mais chaste, le bleu s'offre à la femme mariée, qu'elle ait vingt ans ou cinquante ans, et à la célibataire forcée. A la première, il apporte stabilité et loyauté. A la seconde, il donne la résignation sans amertume.

• **Le vert,** couleur de l'eau. C'est une conviction très répandue que le vert porte malheur. A moins de savoir que la personne à qui vous allez offrir votre présent aime tout particulièrement le vert (il y en a heureusement), n'offrez jamais aucun vêtement de cette couleur. La réputation maléfique du vert remonte au Moyen Age. Vert était le bonnet de malfaiteur cloué au pilori des Halles. Vert le manteau des fous. Dès lors, cette couleur fut considérée comme un emblème de ruine, d'affliction, de dégradation morale. Pendant l'Inquisition, une croix verte entourée d'un crêpe noir figurait dans la procession d'un autodafé. Swedenborg donna des yeux verts aux fous de l'enfer. Un vitrail de la cathédrale de Chartres, représentant la tentation de Jésus au désert, montre également Satan avec une peau verte.

Toutefois, si vous recevez un gilet vert — votre donateur ayant péché par ignorance — ne vous croyez pas obligé de l'abandonner dans votre armoire. Songez plutôt que le vert est aussi la couleur de l'espérance et de la charité. Verte était la croix du Christ peinte sur les vitraux par les imagiers. Verte la couleur des vêtements de saint Jean l'Evangéliste. Et verte aussi la pierre que Néron plaçait devant ses yeux pour apaiser ses crises de fureur et devenir doux comme un agneau.

• **Le rouge,** couleur de feu et de sang. Le rouge est consacré à Mars, dieu de la guerre, mais aussi dieu de l'amour sexuel. Le rouge, s'il est symbole de cruauté et de violence est aussi symbole de vie ardente, de passion, d'ivresse même. Il stimule l'enthousiasme et donne la joie de vivre.

C'est la couleur triomphante des femmes de trente ans dans tout l'épanouissement de leur beauté. C'est la couleur des personnes hardies et « arrivées », dont le bonheur est fortement établi et connu. C'est la couleur des monstres sacrés.

o *Note :* le mélange de rouge et de noir est fréquent. Si vous offrez une écharpe unissant ces deux couleurs, choisissez toujours un décor rouge sur fond noir, qui se rapporte aux divinités bienfaisantes, ne choisissez surtout pas un décor noir sur fond rouge, qui évoque une pensée de ténèbres et de mort.

• **Le jaune,** couleur à double signification. Pour les uns, le jaune signifie jalousie, inconscience, adultère et trahison. C'est la couleur du plumage de la femelle du coucou, cet oiseau qui pond dans le nid d'autrui, et dont le nom est à l'origine du vocable désignant les maris trompés. C'est la couleur avec laquelle on barbouillait la porte des traîtres (coutume appliquée au connétable de Bourbon).

C'est enfin, selon les traditions transmises par les rabbins, la couleur du fruit défendu du paradis terrestre qui était, non pas une pomme, mais un citron, fruit acide de l'arbre de la science.

Pour les autres, le jaune, couleur de l'or, représente toutes les vertus magiques de ce métal. C'est la couleur des habits de Vichnou, première expression de dieu. C'est la couleur consacrée en Egypte à tous les intermédiaires entre l'homme et le ciel, à tous les grand initiés, aux conducteurs des âmes, aux dépositaires des secrets divins.

C'est la couleur des pommes du jardin des Hespérides qui renfermaient le merveilleux secret de toutes choses. C'est la couleur des cheveux de Jésus et d'Apollon. Le jaune est bon pour les enfants. Il leur donne équilibre, douceur, sommeil.

Il est bon pour les intellectuels. Il incite aux travaux de l'esprit et développe la personnalité.

Pour d'autres encore, il signifie infidélité et adultère. Il serait donc maladroit d'offrir un bouquet de fleurs jaunes à une femme dont on suppose que son mari lui est infidèle.

• **Le blanc,** suprême expresssion de la couleur (puisqu'il est la combinaison de toutes les couleurs lumière).

Le blanc signifie pureté, chasteté. Il est dédié à la Vierge. Gabriel, l'ange de l'Annonciation, est représenté environné de lis. Les jeunes filles le jour de leur mariage et les premières communiantes sont enveloppées de voiles immaculés.

Il est de plus symbole de sagesse, de joie et de renouveau. C'est pourquoi il peut s'offrir à tous les âges de la vie. Il n'est jamais choquant et jamais ridicule.

• **Le rose.** Le rose, en revanche, ne s'offre qu'aux très jeunes femmes. Il est le symbole de la grâce et de la beauté. C'est l'emblème de la femme ou de la jeune fille idéale : délicate, douce, attentive, compatissante.

• **Le violet.** Comme le bleu, le violet symbolise la spiritualité, mais avec une nuance de tristesse ou de mélancolie. Il ne s'offre pas aux jeunes filles ni aux femmes actives qui dévorent le temps à toute allure. C'est la couleur des sages et des modestes. Il leur donne de l'esprit, du piquant et du charme.

• **Le noir.** Il ne s'offre jamais, mais... s'achète, car toutes les femmes l'adorent. Alors elles cessent de voir dans cette couleur un symbole de mort. Il n'est plus que symbole de recommencement, comme la nuit est le prélude d'une nouvelle aurore, et l'hiver l'annonce du printemps.

LES FLEURS « PARLENT »

• L'œillet. Depuis le Second Empire, on n'offre jamais d'œillets aux actrices. A cette époque, en effet, seules les roses étaient admises à venir fleurir les loges des comédiennes et des divas, au sommet de leur gloire. Hélas ! quand le déclin commençait, les œillets remplaçaient les roses trop chères. De là, sans doute, la répugnance des artistes pour l'œillet, qui attire les « fours » et les critiques défavorables.

• La pivoine. Elle est réputée depuis le Moyen Age pour apporter la guérison de toutes les maladies.

• Le gui. Symbole de l'invulnérabilité et de l'amour triomphant, le gui est vénéré depuis les temps les plus lointains. Les Celtes voyaient dans cette plante toujours verte le symbole de l'immortalité de l'âme et disaient que l'homme muni d'un morceau de gui ne pouvait être blessé, tandis que ses propres flèches atteignaient toujours leur but.

C'est la plante des couples heureux qui ont ensemble aplani toutes les difficultés de l'existence et forgé leur destin.

• Le muguet. Il fait partie de la tradition. L'offrir, c'est offrir du bonheur pour toute l'année, et même pour toute la vie, quand on en glisse quelques brins dans le bouquet de la mariée.

• Les soucis. Ils attirent, dit-on, des ennuis malgré leur belle couleur de flamme. Leur nom leur fait du tort !

Leur langage

Les fleurs avaient autrefois un langage ; elles étaient offertes et reçues comme un signe.

Le langage attribué aux fleurs met remarquablement en évidence la signification attachée au cadeau. Ainsi les roses rouges symbole de la passion ne s'offraient jamais à une jeune fille.

L'edelweiss, au contraire, parle d'un amour passé dont on garde le pur et noble souvenir.

La primevère qui naît au début du printemps exprime l'éclosion spontanée et joyeuse d'un premier amour comme ces petites fleurs éprises de soleil dans le gazon naissant.

La jacinthe, elle aussi, invite à participer, dans la bienveillance et dans la joie, à la fête du printemps, vainqueur lumineux de l'hiver.

En revanche, offrir un hortensia peut vouloir dire : « Madame, vous êtes belle, mais vous êtes distante et hautaine, et vos caprices me sont amers. » Et tout le monde sait que le myosotis évoque un cri désespéré : « Ne m'oubliez pas. »

Ce que les fleurs disent pour vous

Anémone : j'ai foi en mon amour
Campanule : pourquoi me faire souffrir
Capucine : rien ne vous charme
Chardon : vos paroles me chagrinent
Coquelicot : aimons-nous au plus tôt
Cyclamen : votre beauté me désespère
Dahlia : mon cœur déborde de joie
Genêt : vous ne pouvez aimer deux fois
Giroflée : mon cœur est fidèle
Iris : je vous aime avec confiance
Lilas : mon cœur est à vous
Marguerite : je ne vois que vous
Reine-Marguerite : vous êtes la plus aimée
Mimosa : personne ne sait que je vous aime
Narcisse : vous n'avez pas de cœur
Œillet : je vous aime avec ardeur
Œillet de poète : je suis votre esclave
Pavot : je rêve de vous
Pervenche : je ne rêve qu'à vous
Pied-d'alouette : je suis très occupé
Renoncule : vous êtes ingrate
Rose. Si elle est rose : je vous aime. Si elle est rouge : je vous aime ardemment
Zinnia : vous ne m'aimez plus.

● **Ce qu'indique la couleur des fleurs**.

o *Les fleurs blanches* expriment la pureté, la sincérité, la bonté et aussi le secret.

Des fleurs blanches à un mariage seront symbole de pureté, d'amour, de beauté, de fidélité.

o *Les fleurs rouges* expriment la passion, que ce soit la passion de l'amour ou celle de la haine. Le rouge est le symbole de l'amour fou, parfois de l'amour malheureux.

o *Les fleurs bleues* signifient la reconnaissance, la tendresse, l'amitié, la fidélité.

o *Les fleurs jaunes* signifient la mélancolie, mais aussi l'ironie, l'amertume, la jalousie.

o *Les fleurs mauves* sont les fleurs du souvenir, de la reconnaissance, de la douceur, de la fidélité, le symbole du temps qui passe, mais ne s'oublie pas.

QUELQUES BOUQUETS « BAVARDS »

● **Composition d'un bouquet « rendez-vous ».** Une pivoine au centre d'un bouquet d'œillets signifie rendez-vous. Le nombre d'œillets disposés autour de la pivoine indique l'heure du rendez-vous.

● **Composition d'un bouquet « amitié ».** Quelques œillets blancs, des petites pensées bleues, des anémones, deux iris bleus, des clématites. Ajoutez au bouquet quelques branches de buis.

● **Composition d'un bouquet « amour ».** Nombreuses sont les fleurs messagères d'amour et variés les bouquets amoureux.

- Un bouquet de roses rouges sera le témoignage d'un amour passionné, d'une admiration sans limites.
- Un bouquet de violettes révélera un amour timide, sincère et pur.
- Des orchidées aussi déclarent un amour caché, mais un amour plus violent, moins doux que celui dont parlent les violettes.
- Après une rupture, il faudrait envoyer (si l'on désire une réconciliation) un bouquet de lilas mauves et blancs, accompagné de fougères ou de buis.
- Un bouquet de pivoines, de pensées, d'œillets roses et de feuillages de hêtre sera le symbole d'un amour avoué, réciproque.

● **Composition d'un bouquet « tendresse ».** Les fleurs de la tendresse sont souvent les mêmes que celles de l'amour tendre.

Pour que le bouquet implique seulement une idée de tendresse, il faut y ajouter non seulement beaucoup de feuillage, mais aussi une fleur symbolisant l'amitié. Composez un bouquet d'œillets roses et d'œillets blancs. Si le bouquet est présenté dans une corbeille, ajoutez-y quelques pensées et plusieurs branches d'eucalyptus.

● **Composition d'un bouquet « reconnaissance ».** La base du bouquet sera composée de dahlias : dahlias blancs pour un service peu important. Dahlias roses et dahlias rouges pour de grands services. Vous pouvez ajouter quelques chrysanthèmes car associés aux dahlias, ils signifient : souvenir du passé (alors que seuls, ils indiquent une certaine mélancolie). Ajoutez aussi quelques anémones. Si vous voulez exprimer une reconnaissance profonde, ajoutez comme feuillage de la fougère.

LES PIERRES « VIVENT »

Comme les fleurs, les pierres précieuses ou semi-précieuses ont aussi leur langage. L'aigue-marine parle d'amour et d'amitié fidèle, tandis que l'améthyste, pierre de l'épiscopat, est une invitation à la découverte de la connaissance.

La calcédoine laiteuse irriguée de reflets bleuâtres est signe de courage. On la sertissait dans la couronne des rois qu'elle protégeait de l'angoisse dans le péril ou la défaite. Quant au diamant, il parle le langage de l'amour franc, sincère et passionné.

LES PIERRES ET LEURS VERTUS

De tout temps les hommes ont cru aux vertus surnaturelles des joyaux. La pierre précieuse interprétait la volonté des dieux, ou même elle était le siège rayonnant de la divinité. On lui donnait des pouvoirs magiques, médicaux et psychiques.

Au IVᵉ siècle, le Synode de Laocidée réprouve l'attribution de pouvoirs surnaturels aux pierres précieuses ; mais, vers 1650, Albert le Grand consacre un chapitre de ses « Admirables secrets » aux vertus curatives des pierres.

Influencé par ce traité, le pape envoie alors au roi d'Angleterre une gemme magnifique dont il ne tardera pas, assure-t-il, à ressentir l'extraordinaire bienfait.

• **Leurs pouvoirs thérapeutiques.** Tel un baromètre, la pierre indiquait, disait-on, suivant l'éclat dont elle brillait, l'état de santé de celui qui la portait.

La malachite, selon Pline, préservait les enfants des convulsions. Ancêtre de l'anesthésiant, on la faisait autrefois absorber, dissoute dans du vinaigre, aux opérés afin de les insensibiliser.

Isabeau de Bavière fit broyer ses rubis et ses perles pour vaincre l'obésité…

La couleur d'une pierre suggérait aussi, parfois, son usage thérapeutique. Ainsi attribuait-on au jaspe pigmentée de rouge — formé, selon la légende, des gouttes de sang du Christ lorsqu'elles tombèrent de la croix — le pouvoir d'arrêter les hémorragies. Girogio Vasani, peintre de la Renaissance, raconte comment, lorsqu'il fut pris soudain d'une terrible hémorragie, son ami Luca Signorelli arrêta le flot de sang en lui appliquant une pierre de jaspe sur la nuque.

• **Leurs pouvoirs magiques.** Seules les pierres sans défaut étaient considérées comme talismans, toutes les autres étaient une source de malheurs. On prétendait aussi qu'une pierre changeant de nuance avertissait son possesseur d'une danger imminent.

LES PIERRES ET LEURS SYMBOLES

Ces pouvoirs, la pierre précieuse les tira d'abord de l'astre dont elle avait déjà emprunté la splendeur. Puis on établit un rapport entre chaque pierre et chaque mois de l'année.

Les gens superstitieux n'avaient donc plus qu'à se procurer douze bagues avec douze pierres différentes, et porter chacune de ces bagues pendant un mois, celui pendant lequel la pierre possédait des vertus bénéfiques.

Mais cela parut encore insuffisant et au IVᵉ siècle, les Frères Hermétiques enseignèrent que devaient seulement être portées les pierres correspondant aux jours de la semaine.

• **Correspondance pierres-planètes**
L'onyx tient ses pouvoirs de Saturne, le saphir de Jupiter, le diamant de Mars, l'escarboucle du So-

leil, l'émeraude de Vénus, l'agate de Mercure, le cristal de la Lune.

• **Correspondance pierres-mois**

L'hyacinthe se porte en janvier
l'améthyste en février,
le saphir en mars,
le jaspe en avril,
l'émeraude en mai,
la calcédoine en juin,
la carnérole en juillet,
la sardoine en août,
la chrysolithe en septembre,
l'aigue-marine en octobre,
la topaze en novembre,
l'onyx en décembre.

• **Correspondance pierres-jours**

le dimanche : l'or et les pierres jaunes
le lundi : les perles et les pierres blanches sauf le diamant
le mardi : le rubis et les pierres ayant l'éclat du feu
le mercredi : les turquoises, les saphirs et toutes les gemmes reflétant le bleu de la voûte céleste
le jeudi : l'améthyste et les pierres rouges
le vendredi : l'émeraude et l'hyacinthe
le samedi : le diamant.

Hélas ! tout le monde ne peut faire comme le grand magicien Apollonios de Tyane, qui portait chaque jour de la semaine ces sept anneaux différents. Ni comme Néron qui s'allongeait chaque soir sur un lit incrusté de la pierre précieuse réputée magique à ce moment.

On trouve enfin dans les prodigieux « Grand et petit Albert », ouvrages rédigés vers 1250 et publiés en 1651, les plus secrètes recettes de magie jamais éditées. En voici une : « On gravera sur les pierres les figures mystérieuses en taille-douce, des nombres mystérieux des planètes. Et, parce qu'il n'est pas si aisé de graver les figures sur les pierres promptement, comme sur les métaux où on peut imprimer avec des ferrements, il est bon d'avertir ceux qui entreprendront ces opérations que, pourvu qu'ils commencent leur travail au premier moment de l'heure favorable de la planète et qu'ils continuent sans désister, l'anneau sera en valeur et aura l'influence souhaitée ».

LES PIERRES ET VOUS

Comme le plus souvent il faut nous contenter d'acheter une seule pierre précieuse, sachons la choisir en rapport avec le caractère, l'âge, le métier, les goûts, en un mot avec la personnalité de la personne à laquelle nous désirons l'offrir. L'action magique des pierres repose en effet sur la loi de sympathie qui unit le joyau à celui ou à celle qui le porte. Les pierres ne sont pas des objets inertes, simplement destinés à rendre plus belles et plus désirables les femmes qui les possèdent. Les pierres précieuses, comme les êtres, vivent et meurent. (Voir Marabout Flash n° 65 : Couleurs, joyaux, parfums, fleurs.)

PORTE-BONHEUR ET PORTE-MALHEUR

Les cadeaux bénéfiques

Amulettes, fétiches et talismans, à tous on attribue des vertus surnaturelles. Ils donnent à celui ou à celle qui les porte la santé, l'amour, l'argent, la réussite. Ils préservent des accidents et de la mort.

Autrefois les talismans n'étaient faits que de métal qui avait été fondu sous l'influence d'une constellation et doté par elle d'une vertu particulière. Quant aux amulettes elles étaient constituées par des plantes ou par quelques dessins figurés sur l'ivoire, le métal ou les pierres précieuses. On appelait ces dessins des gamahez, d'où est venu le nom de camées. Aujourd'hui il y a des talismans de toutes sortes et en toutes matières, depuis la main de Fathma en or jusqu'au chat en papier mâché. On en fait des bijoux, des presse-papiers, des porte-billets, des porte-clefs, des objets de vitrines en porcelaine, en jade, en ivoire, en argent ou en verre filé.

• **Les signes du Zodiaque** ont toujours eu la faveur. Mais savez-vous que pour recevoir du bijou représentant votre signe la meilleure chance possible, ce bijou doit être fait dans le métal et la gemme correspondant à votre mois et doit être acheté un jour donné ? Voici à ce sujet les indications que nous donne le grand astrologue Campigny :

o *le bélier :* bijou en fer forgé avec améthyste ou rubis, acheté un mardi
o *le taureau :* en cuivre argenté ou doré avec émeraude ou saphir, acheté un vendredi
o *les gémeaux :* en platine avec agate ou béryl, acheté un mercredi
o *le cancer :* en argent avec une pierre de lune, acheté un lundi
o *le lion :* en or avec un rubis, acheté un dimanche
o *la vierge :* en platine ou en argent avec jaspe, acheté un mercredi
o *la balance :* en or ou en cuivre doré avec un diamant, acheté un vendredi
o *le scorpion :* en fer forgé avec topaze ou rubis, acheté un mardi
o *le sagittaire :* en argent avec turquoise, acheté un jeudi
o *le capricorne :* en or rouge avec onyx, acheté un samedi
o *le verseau :* en or ou platine avec saphir ou améthyste, acheté un lundi
o *les poissons :* en platine ou argent avec chrysolithe, acheté un jeudi.

• **Le trèfle à quatre feuilles :** on le trouve gravé sur des médailles, peint sur des signets, mêlé à quelques fleurs champêtres dans des sous-verres. Une très vieille croyance qui vient de Livonie veut que ces quatre petites feuilles en forme de cœur mettent ceux qui les possèdent à l'abri des déceptions. Pour les jeunes filles c'est un vœu de mariage heureux.

• **Le fer à cheval :** il apporte le bonheur dans la maison où il est accroché. Un cadeau original à faire pour la maison de campagne d'un ami : on en fait des marteaux de porte, des portemanteaux, des porte-pipes, des porte-brosses. Il sert aussi comme porte-clefs et comme breloques de bracelets.

• **La main de Fathma :** très à la mode dans tout l'Islam (en Turquie on la suspend au bonnet des nouveau-nés ; au Maroc on la peint sur les portes et les proues des navires ; en Tunisie elle décore les cafés maures et les demeures des marabouts ; à Grenade elle est sculptée au-dessus de la porte de l'Alhambra ; en Egypte on la suspend entre les yeux des chevaux), la main de Fathma est devenue un talisman en Europe également. En or ou en argent, on la suspend aux gourmettes, ou on en fait des pendentifs très ajourés et fort jolis.

• **Le croissant de lune :** il est considéré comme talisman depuis que Philippe de Macédoine s'étant approché pendant la nuit avec ses troupes pour escalader les murs de

Byzance la lune éclaira tout à coup la contrée et découvrit aux assiégés l'armée ennemie qu'ils repoussèrent avec furie. On en fait des breloques de gourmettes.

• **Les animaux :** la puissance que la superstition populaire attribue aux représentations d'animaux est aussi ancienne que le monde. Dans la mythologie, les animaux jouaient un très grand rôle et on en vénérait même un certain nombre. D'autres, comme le coq, le chat, le crapaud, le chien, étaient très réputés dans la sorcellerie.

De nos jours, on continue à croire à leur puissance. « Vrais », on les coule dans du verre ou du plastique pour faire des pendentifs, des porte-couteau, des presse-papiers (scarabées, coccinelles, papillons). En métal, on en fait des breloques porte-bonheur pour les bracelets. En corne, on en fait même des bracelets tout entiers (serpents). Nous ne pouvons donner ici le symbole se rattachant à chaque animal. Parmi les plus souvent représentés, sachez pourtant que :

o *l'abeille* signifie courage, persévérance et fidélité
o *le coq :* victoire sur les difficultés et réussite certaine
o *le lion :* force et puissance
o *la coccinelle :* annonce un bonheur prochain
o *le grillon :* protège le foyer
o *l'hirondelle :* tous ceux qui la portent attirent la sympathie
o *le lézard :* est signe d'argent
o *la tourterelle :* est l'emblème d'amour et de fidélité conjugale.
o *le papillon :* signifie « je pense à vous toujours ».

Sachez enfin qu'à chaque mois correspondent un animal et un oiseau porte-bonheur. A défaut de pouvoir l'offrir vivant à la personne pour qui vous faites des souhaits de bonheur, demandez à un orfèvre de le représenter sous forme de bijou talisman. En or, garni de pierres précieuses, c'est un merveilleux cadeau.

---

janvier : la brebis et le paon
février : le cheval et le cygne
mars : la chèvre et le pivert
avril : le bouc et la colombe
mai : le taureau et le coq
juin : le chien et l'ibis
juillet : le cerf et l'aigle
août : le sanglier et le moineau
septembre : l'âne et l'oie
octobre : le loup et la chouette
novembre : la biche et la corneille
décembre : le lion et l'hirondelle.

---

o *une patte de lapin :* porte-bonheur aux Etats-Unis et, en haute Bretagne, elle préserve du mal de dents si elle est portée sous l'aisselle gauche.
o *une queue de lézard :* placée dans le soulier procure argent et bonheur.
o *les plumes de paon :* portent malheur en Angleterre, dans la Gironde, l'Orléanais, en Loire-Inférieure... Elles portent bonheur dans le Midi, en Auvergne et en Rouergue.

LES OBJETS « FEES »

N'importe quoi peut être objet « fée » : un morceau de pierre brute, une pièce de monnaie, un œuf de cristal ou d'agate, une racine naturelle aux formes humaines ou animales, un morceau de bois flottant, une rose des sables, un galet rond et veiné.

L'objet « fée » peut être luxueux, mais il peut être aussi sans valeur. Seulement, dès que vous l'aurez reçu, il se créera entre vous et lui une espèce d'entente secrète, comme un envoûtement.

Pourquoi ne serait-il pas porte-bonheur ce caillou gris sans beauté rapporté à votre intention du fond du lac de Tibériade ? Pourquoi ne serait-il pas enchanté ce bloc d'aragonite blanche cherché à 240 mètres sous terre dans une mine d'Europe centrale ? Et pourquoi ne serait-il pas doté de pouvoirs magiques, ce simple cercle d'or sans pierre et sans formule gravée que votre mari vient de découvrir pour vous dans le bric-à-brac d'une boutique du passé.

L'objet « fée » est inappréciable. C'est l'amour ou l'amitié qui vient à vous à travers lui, et c'est votre regard de joie qui lui conférera ses vertus et ses pouvoirs.

Les cadeaux maléfiques

• **Les mouchoirs :** offrir des mouchoirs, dit-on, c'est offrir des larmes. Il existe pourtant deux moyens de conjurer le mauvais sort : soit donner en échange de ce cadeau une petite pièce de monnaie, soit présenter les mouchoirs pliés en forme de fleurs. Devenus roses rouges, blanches ou jaunes, ils perdent alors leur pouvoir maléfique pour transmettre à celui ou à celle qui les reçoit toutes les vertus de la fleur qu'ils symbolisent.

• **Les couteaux :** leur réputation maléfique date de la Renaissance, cette époque où, à son « meilleur ami », on tendait un couteau à double tranchant (l'un des tranchants ayant été empoisonné) pour couper la pomme ou le gâteau que l'on devait partager.

De nos jours, cette superstition s'est étendue à tous les objets coupants ou piquants (ciseaux, épingle de cravate, roses épineuses, stylet, coupe-papier). Pour conjurer le « mauvais œil » il faut, comme pour les mouchoirs, donner une pièce de monnaie en échange d'un semblable cadeau.

QUELQUES MOTS SUR... LES CADEAUX « EN ESPECES »

Le pourboire

Le pourboire est une convention, souvent une obligation. Celui qui en bénéficie s'attend à le recevoir.

• **Il est considéré comme un dû** et représente souvent une partie substantielle du salaire : l'employé reçoit un « fixe » assez faible et sa principale source de revenus est, en fait, constituée par les pourboires. C'est le cas des garçons de café ou des serveurs de restaurant, des ouvreuses de cinéma ou de théâtre, des divers employés de salon de coiffure, du personnel des hôtels, des chauffeurs de taxi.

La règle veut que l'on verse à titre de pourboire de 12 à 15 % de la note si le service n'est pas compris et de 0,50 F à 1 F, selon la catégorie de l'établissement, au préposé au vestiaire.

• **Les pourboires que l'on a pris l'habitude de donner** pour reconnaître un service supplémentaire : c'est la pièce que l'on glisse au pompiste qui nettoie les vitres de votre voiture ou remet de l'eau dans votre radiateur, au livreur qui vient vous porter votre commande à domicile, à l'ouvrier qui vient chez vous effectuer une réparation, au poissonnier qui ouvre vos huîtres.

Donner un pourboire est un geste simple : on glisse sa pièce où l'on abandonne sa monnaie en s'efforçant de ne pas calculer trop juste.

Les enveloppes

Il y a un certain nombre de circonstances où le « cadeau en espèces » que l'on peut classer sous la rubrique « enveloppes » s'impose : à l'occasion de certains événements — mariage, baptême — ou d'un séjour chez des amis après lequel il est normal de remercier ceux qui vous ont servi.

POUR UN BAPTEME

Le parrain doit obligatoirement remettre une enveloppe au prêtre. Il est normal de donner environ 50 F. Les parents de l'enfant ou ses grands-parents compléteront souvent cette somme en faisant une offrande personnelle. Il est aussi de tradition d'offrir au prêtre qui a baptisé l'enfant une boîte de dragées. On distribue aussi quelquefois aux enfants de chœur des cornets de dragées dans lesquels on aura glissé de petites enveloppes contenant un billet (voir p.167 de ce chapitre).

POUR UN MARIAGE

• **A l'issue du mariage civil,** il est d'usage que le marié remette au maire ou à l'adjoint qui a célébré le mariage une enveloppe pour les œuvres sociales ou les employés de la mairie. La somme dépend évidemment de la situation de fortune des conjoints et de leur famille.

En règle générale, il est parfaitement correct de donner 100 F pour un mariage. Il s'agit ici d'un chiffre indicatif qui peut être modifié en fonction de considérations personnelles.

• **Après la cérémonie religieuse** il est traditionnel de remettre une enveloppe au curé de la paroisse.

Si vous payez la cérémonie religieuse, cet usage est facultatif et tout dépend alors des liens que vous avez avec la paroisse. Un mariage est une occasion de joies et de festivités.

Il est normal que vous souhaitiez manifester votre gratitude à la paroisse qui vous accueille (en règle générale, celle de la mariée) et que vous pensiez, en un jour heureux, à faire un geste en faveur de ceux qui ont besoin d'aide. C'est là une question de conscience et d'appréciation personnelle. L'argent que vous remettrez (un minimum de 50 F, plus couramment 100 F) ira non au denier du culte, mais aux œuvres de la paroisse.

Pour une messe

Les prêtres des paroisses vivent généralement des ressources modestes du denier du culte. Les messes qu'ils célèbrent à une intention particulière sont rémunérées par ceux qui les leur demandent.

Mieux vaut se renseigner à la sacristie sur les tarifs d'usage. Rien ne vous empêche d'ailleurs d'arrondir cette somme en fonction de vos possibilités. Le tarif minimum est de 5 F.

POUR UN SEJOUR CHEZ DES AMIS

Il est absolument normal lorsque vous faites un séjour chez des amis, même lorsqu'il s'agit d'un week-end que vous pensiez à remercier ceux qui vous ont servi. La présence d'un hôte, si discret soit-il, procure toujours un surcroît de travail au personnel de la maison.

Lorsque vient la fin du week-end ou du séjour, vous devez reconnaître les attentions que les membres du personnel ont eues pour vous et leur remettre, discrètement, une enveloppe. C'est une question de justice à leur égard et aussi de courtoisie envers vos hôtes qui ont donné des ordres pour que vous soyez servi le plus agréablement possible.

• **Sont dispensés de cette obligation :** théoriquement une femme célibataire, un tout jeune homme, une jeune fille. Mais en pratique, il leur est difficile de s'abstenir. Une femme indépendante, qui exerce une profession, a, à cet égard, les mêmes obligations qu'un homme. Les parents des jeunes gens qui sont invités chez des amis et qui n'ont pas de budget personnel doivent penser à leur remettre une somme destinée aux gratifications.

• **Que doit-on donner ?**

o *Après un week-end,* vous donnerez, selon vos possibilités et le standing de la maison, de 10 à 30 F ; après un séjour d'une certaine durée de 30 à 50 F.

o *Pour des repas fréquents.* Il arrive aussi que, sans faire de véritables séjours chez des amis, vous soyez un « habitué de la maison ». Votre couvert est mis, vous pouvez arriver à l'improviste une ou plusieurs fois par semaine, vous venez dîner tous les soirs au mois d'août parce que vous êtes un « célibataire de l'été ». Vous êtes classé dans la catégorie des « intimes ». Peut-être ne prépare-t-on rien de spécial pour vous, mais vous êtes là, souvent, avec ce que cela comporte de retards, d'attentes... et de vaisselle supplémentaire. Il est normal que vous ayez de temps en temps un geste à l'égard de la domestique qui vous sert, et vous accueille avec un sourire. Vous pouvez, à l'occasion du nouvel an, lui remettre une enveloppe contenant 30, 50 ou 100 F, selon le cas, ou lui offrir, si vous connaissez ses goûts, un cadeau bien choisi. Mieux vaut au préalable vous renseigner à ce sujet auprès de la maîtresse de maison (voir p. 139, chap. « Noël et Jour de l'An »).

Le chèque-cadeau

Vous êtes parfois embarrassé pour le choix d'un cadeau. Vous n'avez guère le temps de chercher, de faire des courses. Vous craignez de commettre une erreur ou vous savez que le destinataire rêve d'un objet trop coûteux qu'il ne pourra donc acheter que grâce à un certain nombre de contributions. Le chèque (ou l'enveloppe) est alors le cadeau idéal. Certaines personnes montrent quelque réticence à l'égard de ce cadeau-argent. Elles hésitent, pensant que ce petit capital sera dilapidé en fantaisies au lieu de se matérialiser en un objet précis, et le trouvent en outre parfaitement dépourvu de charme et de poésie. Il est pourtant fort apprécié par les jeunes et particulièrement par les femmes qui ne manquent en général pas d'idées pour l'utilisation de cet argent et redoutent fort le choix de ceux qui n'ont pas leurs goûts. Mais puisqu'il manque à ce cadeau, avouons-le, un « petit-quelque chose » pour être un vrai cadeau, ne serait-ce que le temps passé à choisir un objet, remplacez ce « petit-quelque-chose » par un « petit-rien » qui laissera de ce jour-là un souvenir moins rébarbatif, moins anonyme et moins éphémère... que celui d'un « ticket » détaché de votre chéquier.

CONSEILS AUX MARIS

Vous voulez faire un cadeau à votre femme, mais vous ne savez que choisir. C'est alors que vous adopterez la formule « chèque » tellement pratique.

• **L'art et la manière d'offrir un chèque**

o *Avec des fleurs.* Toutes les femmes aiment les fleurs. Certaines en reçoivent rarement de leur mari. Voici le moment venu pour ces maris-là de se faire pardonner. Sur un bouquet des fleurs préférées de votre femme, épinglez votre chèque que vous accompagnerez d'un petit « billet » doux.

o *Avec des bonbons.* On dit aussi que toutes les femmes sont gourmandes. N'hésitez donc pas à glisser votre chèque dans une boîte de chocolats, de marrons glacés ou autres friandises.

o *Avec un livre.* Vous ne vous tromperez pas en offrant à votre femme le dernier livre dont on parle, ou l'un des derniers prix littéraires, car toutes aiment « être à la page ». Epinglé sur la page de garde, votre chèque prendra un petit air « pensé » qui plaira.

o *avec un parfum* (le sien, bien entendu), vous attacherez tout simplement le chèque au bouchon du flacon avec un petit ruban.

o *D'autres idées :*

- pour une sentimentale : elle a le culte du souvenir, de l'objet-fétiche que l'on garde parmi lettres et fleurs fanées.

Achetez-lui un tout petit animal en peluche (il en existe d'adorables) ou en bois tourné (de ceux qui arrivent depuis quelques années des pays scandinaves...). Et c'est alors l'ours ou la marmotte qui présenteront votre chèque serré contre leur cœur ;

- pour une raffinée : pliez votre chèque soigneusement, et, offrez-le dans une toute petite boîte à pilules en métal doré, en argent ou en émail ;

- pour une économe : rangez le précieux chèque dans un petit porte-monnaie. On en fait de très jolis, en forme de bourse souple, en peau de toutes les couleurs, en métal doré grillagé ou en fil de métal argenté, comme les bourses Napoléon III ;

- et pour celle qui n'est jamais à l'heure : suspendez-le à un petit sablier, symbole du temps que vous passez à l'attendre.

Pour remercier

La sagesse populaire assure que la reconnaissance est un sentiment insupportable aux âmes sans grandeur. Cette sagesse montre-t-elle, là, le scepticisme qui naît d'une connaissance trop certaine des cœurs ? Ou bien fait-elle preuve d'une rigueur excessive ?

La reconnaissance pèse-t-elle vraiment sur certains esprits, sur certains cœurs, comme la consécration d'une situation d'infériorité par rapport à autrui ?

Apprendre à dire « merci » cela s'apprend tout petit. Grâce aux cadeaux, grâce à leur multiplication pour les anniversaires, pour les fêtes, pour Noël, pour le Jour de l'An, l'enfant apprend à recevoir, à remercier et à penser à donner en retour.

Le goût de cet échange, de ces signes d'un échange affectif lui devient naturel. Il fait ainsi, doucement, sans effort, l'apprentissage d'une morale, l'apprentissage d'un art.

Car il y a une bonne et une mauvaise façon d'offrir pour dire « merci ».

Ainsi, le cadeau qui répond, du tac au tac, ressemblé à un paiement, et de ce seul fait se dépersonnalise. Il ne dit plus « merci » avec la chaleur, l'amitié qu'il faut. Il est une manière un peu plus élégante qu'un chèque de se débarrasser d'une dette de reconnaissance et de n'y plus penser. Au contraire, le cadeau qui remercie, au « bon » moment, chargé de pensées délicates, ajoute un lien de plus au lien initial de reconnaissance.

De même que les liens qui nous unissent aux autres sont multiples et nuancés, il est facile de trouver dans la gamme des cadeaux « remerciements » que nous pouvons offrir le reflet de cette multitude et de ces nuances. C'est ce que nous avons voulu prouver dans les pages qui suivent par une foule d'idées « en situation ».

INVITATIONS ET SAVOIR-VIVRE

Il est important de laisser un bon souvenir à ceux qui nous reçoivent. Pour cela le meilleur moyen est d'en offrir un, aimable coutume donnant au « merci » de rigueur un accent personnel, plus sincère, plus délicat.

Comme tous les autres dons, le cadeau-remerciement doit, pour atteindre son but, être pensé et choisi avec soin.

Vous êtes invités à dîner

S'il est charmant d'offrir un petit souvenir pour remercier d'un repas, faire un cadeau somptueux serait manquer de tact, car vous placeriez alors votre hôte dans la situation anormale et gênante de « l'obligé ».

Si l'on veut se donner la peine de chercher un peu en dehors des fleurs, bonbons et chocolats (les plus couramment offerts), il existe une quantité d'autres petits cadeaux délicats et reconnaissants.

Par exemple
S'il se trouve parmi vos amis des amateurs de thé, offrez cette jolie boîte de biscuits anglais dont le couvercle peint sert de plateau (Fauchon).

LE DEJEUNER OU LE DINER « EN FAMILLE »

Il autorise les cadeaux familiers, c'est-à-dire le vin préféré de votre oncle Paul, le saint-honoré ou la glace, desserts dont raffolent vos petits neveux.

- **Si vous offrez du vin,** n'oubliez pas que le nombre de bouteilles à offrir se calcule en fonction du nombre de convives. Apporter une seule bouteille de bourgogne, même excellente, où l'on compte neuf personnes à table, plongera la maîtresse de maison dans un cruel embarras : ou bien elle néglige les règles du savoir-vivre en ne servant pas le vin, ou elle se voit obligée de gâcher son repas en mélangeant bourgogne et bordeaux, vin prévu initialement.
- **Toujours dans la catégorie des cadeaux gourmands,** offrez des fruits de votre jardin, si vous avez la chance d'en avoir un ;

- les confitures que vous faites vous-même, et qui régaleront plusieurs semaines de goûter ;
- les fruits à l'eau-de-vie de votre confection, réputés pour être les meilleurs ;
- le cake que vous réussissez si bien, ou les truffes au chocolat que vous accompagnerez de leur recette.

o *La recette du cake aux fruits.* Mettez 500 g de beurre dans une terrine, avec 500 g de sucre en poudre. Mélangez et tournez jusqu'à ce que le mélange forme une pâte lisse et jaune clair. Ajoutez 6 œufs, un par un, sans cesser de fouetter. Ajoutez 150 g de raisins de Smyrne et 150 g de raisins de Corinthe gonflés dans du rhum.

Mettez 250 g de fruits confits coupés en petits morceaux, sauf les cerises que vous laisserez entières.

Ajoutez 500 g de farine mélangée à 6 g de levure chimique, le zeste râpé d'un citron et 4 cl de rhum. Beurrez un moule à cake. Garnissez-le intérieurement de papier sulfurisé en laissant celui-ci dépasser de 4 cm environ et en le découpant en dents de scie.

Versez la pâte dans le moule. Elle ne doit occuper que les deux tiers de la hauteur pour pouvoir monter.

Faites cuire trois quarts d'heure à four moyen.

o *La recette des truffes au chocolat.* Faites fondre 250 g de chocolat dans une cuillerée à soupe d'extrait de café. Ajoutez 60 g de beurre. Travaillez, sur feu doux, pour obtenir une pâte lisse.

Retirez du feu. Ajoutez 2 jaunes d'œuf, 50 g de sucre glace et battez à la fourchette ou au batteur jusqu'à ce que ce mélange devienne souple et s'éclaircisse. Prenez la pâte par cuillerée que vous roulerez dans du chocolat granulé ou dans du cacao.

Mettez les truffes dans des « caissettes » de papier et gardez-les au frais jusqu'au lendemain.

• **Des cadeaux pour chacun**

- pour votre grand-mère : un sachet parfumé pour mettre dans l'armoire qui fait sa fierté ;
- pour votre tante : une statuette chinoise en bougie ;
- pour votre oncle : un flacon géant d'« after shave » ;
- pour votre filleule : un crayon à bille que vous « habillerez » avec une fleur artificielle ; choisissez celle-ci avec tige creuse en matière plastique afin d'y introduire une recharge de crayon à bille. Fixez le tout avec du fil vert enroulé, bien serré ;
- pour votre filleul : un stylo à bille géant qu'il ne pourra décemment plus perdre ;
- pour votre nièce de 13 ans : un flacon d'eau de Cologne ;
- pour votre neveu de 14 ans : un 45 tours de son « idole » ;
- pour les enfants de toute la famille : des sucettes géantes, des voitures miniatures en matière plastique, des perles à enfiler, des crayons de couleur.

LE DINER CHEZ DES AMIS INTIMES

Le cadeau-remerciement prendra des formes utiles et inattendues ou des aspects gourmands aux saveurs raffinées ou inhabituelles.

• **Des gadgets :** un moule à glaçons à placer dans le réfrigérateur, qui permet d'obtenir des glaçons en forme de bille ou de cœur, ou encore ces glaçons éternels qui rafraîchissent les boissons sans fondre et se « rechargent » dans le réfrigérateur ;
- un broyeur à glace pour faire de la glace pilée ;
- un bouchon hermétique argenté pour les bouteilles de champagne ;
- un tire-bouchon à air comprimé ;
- une bougie, style porcelaine de Delft à fond blanc, décorée en deux tons de bleu de fleurs stylisées ;
- une boîte trompe-l'œil de fruits confits contenant quinze bougies en forme de fruits divers (prunes, abricots, etc.) présentés dans un panier plat en jonc.

• **Des « bonnes choses » :** une vraie bouteille d'alcool blanc, de fine ou de liqueur, cadeau classique toujours apprécié ;
- une spécialité de votre région : gâteau basque ou breton, kugelhof, quenelles de Lyon, chorizo du Sud-Ouest, rillettes de Tours, confit d'oie, etc. ;
- ou encore, une denrée particulièrement luxueuse dont vous savez vos hôtes friands : foie gras, caviar, langouste ou homard, produits exotiques et fruits rares (mangues, avocats, etc).

LES DINERS D'AFFAIRES

Organisés en général entre personnes se connaissant peu, ils n'autorisent la plupart du temps que ce qu'on pourrait appeler des cadeaux « mondains », interdisant tous cadeaux personnels. Cantonnez-vous prudemment dans les fleurs — envoyées de préférence après (voir p. 235 242, chap. « Dites-le avec des fleurs »), à la rigueur avant, mais ne les apportez jamais vous-même — les chocolats, marrons glacés ou fruits confits et les cigares.

• **Pour des relations plus intimes :**

- vous pourrez alors offrir du vin, à condition de le présenter en bouteille géante ou en caisse. N'existent pas dans le commerce que des caisses de 12 ou 6 bouteilles : une excellente marque de Sancerre, par exemple, présente ses vins en caissette-cadeau de deux bouteilles ;
- pensez aussi à la bouteille d'alcool exceptionnel par sa rareté (alcool de poire, de framboise), son âge (vieille fine ou whisky de vingt-cinq ans), son originalité (liqueur de framboise ou de whisky) ou sa présentation (bouteille de bar installée sur un support ou dans un joli flacon) ;
- si vous êtes originaire d'une province gourmande, certaines spécialités seront également accueillies avec plaisir par les maîtresses de maison. C'est le cas du foie gras du Périgord ou de Strasbourg, du confit d'oie, des terrines de gibier de Sologne ou d'Alsace, des pruneaux d'Agen à l'eau-de-vie, des marrons glacés d'Ardèche à l'alcool, etc.

• **Pour un déjeuner ou un dîner à la campagne.** Les fleurs seront bien entendu tout à fait déplacées et à éliminer. Cherchez plutôt la denrée ou les friandises qui ne sont pas faciles à trouver dans la région où vous allez et dont vos hôtes sont privés.

Vous êtes invités à un thé, à un cocktail

En règle générale, il n'est pas d'usage d'offrir un cadeau pour un thé ou un cocktail, sauf s'il s'agit d'une réception de genre surprise-party où chacun apporte sa quote-part.

QUE FAUT-IL APPORTER ?

S'il s'agit d'une réunion « quote-part », demandez à la maîtresse de maison de vous indiquer ce que vous devez acheter ou préparer. Mais vous pouvez aussi lui faire des suggestions.

• **Chargez-vous,** par exemple, de faire des petits fours, un cake ou une tarte pour un thé, une sangria ou un punch pour un cocktail.

• **Ou bien apportez** des bougies parfumées, de jolies serviettes en papier, des dessous de verres en ouate de cellulose imprimée, un « ensemble de fête » bougies et serviettes assorties, des marque-verres amusants (pinces à linge miniature, numéros, bandes de journaux).

o *N'oubliez pas,* pour cette occasion, la cohorte des décapsuleurs, tire-bouchons perfectionnés, bouchons à tout boucher, bouchons doseurs, étiquettes d'émail, d'étain ou d'argent pour les bouteilles, boîtes d'amandes, de cacahuètes, de noisettes, d'olives farcies, de pistaches, de pignons, de céréales grillées ou éclatées.

o *Pour un thé, plus spécialement, vous offrirez :*

- un couvre-théière que vous achèterez tout fait ou confectionnerez en intercalant une bonne épaisseur de molleton entre deux demi-cercles de tissu imprimé ou uni, de couleur gaie ;
- plusieurs petites caissettes de thé d'origines diverses (Chine et Ceylan) seront aussi très appréciées car elles permettent de faire un mélange dosé exactement au goût personnel de chacun.

o *Si vous apportez des boissons,* sauf s'il s'agit d'un alcool vieux et respectable qu'il est indispensable de laisser dans sa bouteille d'origine, et de champagne qu'on ne peut pas déboucher, vous pourrez transvaser vos « cadeaux liquides » dans un flacon de cristal, une bouteille amusante, un flacon spécial portant le nom de l'alcool qu'il contient, une fiasque de voyage, un tube semblable à ceux des laboratoires pharmaceutiques, qui servira ensuite de vase, un flacon d'opaline qui trouvera ensuite sa place dans la salle de bains. Prenez la précaution de décoller l'étiquette de la bouteille d'origine et de la recoller sur le nouveau flacon afin qu'il ne puisse pas y avoir d'erreur possible sur le contenu.

Vous pourrez « habiller » les bouteilles d'origine, par exemple déguiser une bouteille d'alcool de quetsche en Alsacienne, en lui mettant une large jupe de papier rouge, un tablier noir et un grand nœud de ruban noir autour du goulot ; enroulez du lierre vrai ou faux autour de la bouteille de cognac ; garnissez les alcools de fruits d'une grappe de fruits véritables (quand il s'agit d'un gros fruit, comme la poire, passez un fil fort dans la queue du fruit et attachez-le au goulot de la bouteille), nouez un joli mouchoir ou un foulard au col du flacon de liqueur.

o *Vous pourrez aussi :*
- apporter la bouteille de champagne dans son seau ;
- accrocher un décapsuleur au cou de la bouteille de whisky ;
- et même commander une bouteille d'armagnac portant, sur son étiquette, le nom du destinataire.

Vous êtes invités à la campagne pour le week-end

Dès les premiers beaux jours, les citadins se sentent pris d'une inextinguible soif de grand air. Ceux qui ont la chance de posséder une maison de campagne savent généralement faire profiter de leur bonheur les « autres » — pauvres amis deshérités — en les invitant quelquefois à passer un week-end plus ou moins prolongé dans leur résidence secondaire. A de si précieuses invitations vous réserverez vos cadeaux les plus amicaux et les plus reconnaissants.

• **Si vous connaissez déjà la maison** et savez ce qu'il y manque (car il manque toujours quelque chose dans une maison de campagne), vous choisirez l'objet et l'apporterez avec vous.

• **S'il s'agit d'une première invitation,**vous ferez, durant votre séjour dans la demeure, une enquête discrète mais efficace sur les besoins et les envies de vos amis, vous promettant de faire parvenir dans les jours qui suivront votre retour en ville le cadeau utile ou futile, résultat de vos observations et de vos sondages.

DES CADEAUX-REPONSES

• **Vos amis sont fiers de leur jardin ?** Vous offrirez : un arbre à choisir chez le pépiniériste le plus proche avec lequel vous prendrez un accord pour qu'il vous envoie la facture ;
- une boîte d'épouvantails miniatures à disposer dans les arbres fruitiers pour en éloigner les oiseaux gourmands ;
- des rosiers à planter, des bulbes de tulipes, des tubercules de dalhias, des plants de fleurs ou d'herbes aromatiques que vous choisirez après avoir attentivement observé les fleurs « présentes » au jardin et regretté certaines espèces « absentes » ;
- des outils de jardinage, depuis la brouette jusqu'au râteau géant, en passant par le plantoir sans oublier le sécateur pour les fleurs. A signaler notamment : le taille-fleurs, sécateur en forme de long revolver qui permet de cueillir des roses sans se piquer les doigts et, fermé, maintient la fleur afin de la ramener aisément jusqu'à soi ; le taille-haie à piles supprimant l'interminable fil que l'on traîne derrière soi depuis la maison jusqu'à la haie ;
- un tablier et des gants de jardinier choisis pratiques ou amusants ou, mieux encore, les deux à la fois ;
- un livre pratique, bien illustré, sur l'art de jardiner.

• **Vos amis sont casaniers ?**
- tout pour leur cheminée : une paire de chenets, un soufflet ; un panier à bois ; un écran pare-feu ; une longue fourchette à deux dents pour faire griller les toasts ; un gril-

le-pommes à étages pour faire cuire les pommes ; un gril ou une poêle à long manche pour faire les grillades ou l'omelette sur les braises ;
- un devant-de-feu (natte de corde, peau de mouton ou de chèvre, ou tapis de haute laine) ;
- une petite chauffeuse paillée, en hêtre ou un tabouret de vacher en bois d'olivier ;
- un assortiment complet des meilleures tisanes accompagnées d'un joli pot à tisane ;
- un catalyseur de poche, utile en promenade, l'hiver, pour se tenir les doigts au chaud ;
- le dernier livre dont on parle, un livre racontant l'histoire de la région.

● **Vos amis sont bohèmes ?**
- des verres de bistrot, des assiettes incassables ;
- un assortiment de boîtes de conserves suffisant pour improviser plusieurs repas copieux ;
- des tabliers et des torchons amusants (tablier de valet 1 900 ou torchon-recette pour les cocktails) plairont beaucoup aux maris qui ne répugnent pas aux tâches ménagères, et aux hommes célibataires ;
- tout ce qui est étrange, insolite, amusant, que ce soit un poncho mexicain, la reproduction d'un tableau ultra-moderne, un bijou futuriste ou bien un tamtam africain pour servir de tabouret.

● **Vos amis pêchent et chassent ?**
o *Pour les pêcheurs :* une canne à pêche très perfectionnée, en nylon, offerte dans une housse ;
- une boîte de cuillères à truites ;
- des balances à écrevisses ;
- une boîte du dernier-né des appâts miracles ;
- une boîte portative pour stocker le produit de la pêche ;
- une tête de brochet géant naturalisée pour authentifier les mirifiques histoires de pêche ;
- un couteau à manche de liège ;
- une bouteille thermos pour emporter une boisson fraîche ou chaude selon la saison et le temps ;
- un chapeau de paille à large bord, pour se protéger du soleil pendant les longues heures d'attente ;
- un chapeau à poches : autour de la calotte se trouvent des petites poches où placer cigarettes, allumettes, couteau et tous accessoires pouvant être utiles au pêcheur ;
- un roman policier pour attendre la « touche » sans impatience (d'autres idées pour pêcheurs p. 124. chap «Noël et Jour de l'An ») ;
o *Pour les chasseurs :*

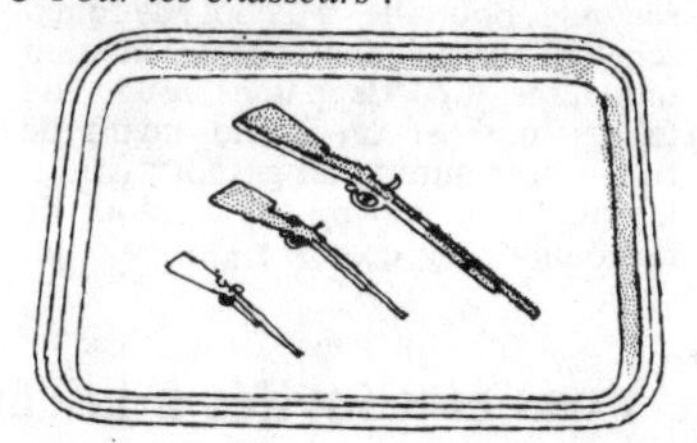

- un petit plateau en métal argenté pour présenter les cartes de visite et le courrier. Au centre, les trois fusils miniatures qui semblent attendre la prochaine battue ne quitteront pourtant pas la maison du chasseur à laquelle ils sont destinés (Air de chasse) ;
- des ramequins, des tasses à thé ou à café à décor « chasse » en faïence de Villeroy et Boch ou en porcelaine de Paris, ou encore des assiettes « gibier » en faïence de Gien. Sur chacune d'elles figure une recette qui sera précieuse à l'épouse du chasseur pour accommoder perdreau, faisan, lièvre, chevreuil, sanglier, etc. ;
- un service à découper avec manche en corne ;
- des gants de tir en belle peau souple, doublés d'un second gant de laine tricotée. Au gant droit une fermeture à glissière sur le côté de l'index permet de libérer le doigt « utile », seulement protégé par la laine afin d'être plus adroit pour tirer. Sur le dos du gant gauche, une double patte élastique est prévue pour recevoir deux cartouches ;
- un siège démontable et pliant, en forme de trépied, se terminant par un pieu que le chasseur enfoncera dans la terre durant les affûts ;
- une carte d'état-major de la région où est située la chasse ;
- un recueil d'histoires de chasse ;
- un livre sur le gibier et ses mœurs

(d'autres idées pour chasseurs p. 125, chap. « Noël et Jour de l'An ») ;

DES CADEAUX EVIDENTS

• **Pour les familles nombreuses**

o *Toutes les douceurs :* le merveilleux cadeau (voir hors-texte) qui fera la joie de tous, que représentent ces délicieuses gourmandises et spécialités de nos provinces, étiquetées et réunies dans un même vaste panier par un grand confiseur parisien (Aux Spécialités de France) ;

- des friandises aux saveurs nouvelles : sucettes au coca cola, à la banane, à la noix ; les berlingots de lait remplis de bouchées au chocolat praliné ; des tablettes de Croc'up, chocolat au lait et au riz. Autant de petits cadeaux originaux et de goûters en perspective.

o *Tout l'équipement pratique « spécial bambins » :* un gong... ou un clairon pour le rassemblement à l'heure des repas ;

- une trousse à pharmacie très complète pour soigner les coups et blessures ;
- des torchons humoristiques pour que les enfants essuient la vaisselle sans trop protester ;
- un vaste coffre à jouets ;
- un sèche-linge électrique qui se branche sur une prise de courant ;
- l'enregistrement d'un conte de fées pour endormir les petits le soir.

o *Tous les jeux de société :* échecs, dames, jeu de l'oie, dominos, nain jaune, roulette, cartes, puces, jacquet, jeu des sept familles, dés, osselets, 421, loto et lotos instructifs, monopoly, etc.

o *Tous les jeux sportifs :* auto à pédales, rameur, patinette, bicyclette, triporteur, tricycle, tracteur, kart à pédales et à moteur, scooter, corde à sauter, balançoire, ping-pong, golf miniature, ballon, bilboquet, boules, bowling, chistera, croquet, hockey sur gazon, diabolo, escrime, pelote basque, etc.

o *Tous les jeux de jardin :* portique et agrès avec balançoire, corde à nœuds, trapèze, corde lisse et anneaux (cadeau somptueux, qui n'est pas, hélas ! à la portée de toutes les bourses) ; cerf-volant, échasses, filet à papillons, articles de pêche ; golf miniature ; jeu de constructions permettant le montage de tentes et de cabanes gonflables.

• **Pour la fée du logis** : un heurtoir de cuivre, un baromètre et un thermomètre, utiles et décoratifs ;

- un cendrier aide-mémoire comportant les numéros indicatifs de téléphone pour chàque département ;
- une ou deux chaises métalliques qui se plient parfaitement à plat et qui peuvent être utilisées aussi bien à l'intérieur qu'au jardin ;
- des serviettes de toilette d'invités. Elles sont de petites tailles, en tissu-éponge de différentes couleurs ;
- des serviettes de table en papier de luxe décoré de fleurs ou de fruits ;
- un ensemble en toile basque présenté dans une housse de plastique de la grandeur d'une taie, comprenant : un couvre-lit et sa housse d'oreiller (pour lit à une ou deux personnes) ou bien une paire de doubles rideaux tout prêts à être posés après avoir fait l'ourlet du bas ;
- deux burettes anciennes pour servir d'huilier ;
- un service à œufs comprenant les six coquetiers en bois d'olivier et les petites cuillères assorties ;
- des chopes — pour boire la bière comme il se doit — que vous choisirez naturellement avec anse, à grosses côtes plates ou de forme « boule » ;
- une claie en osier pour servir les fromages et les fruits ;
- une série de pique-fleurs ;
- un chandelier en fer forgé égayé d'une grosse bougie rouge ;
- un livre illustré sur l'art de faire les bouquets.

• **Pour le cordon-bleu :**

- un plat à gratin en porcelaine de Paris à décor « gros légumes » ;
- une casserole décorative qui s'accroche au mur et sert aussi à faire la cuisine ;
- les torchons à images d'Epinal ;
- des petits plats en terre cuite pour les œufs sur le plat ;
- une série de mouvettes en beau

bois d'olivier ;
- un beurrier se composant de deux parties : l'une remplie d'eau fraîche, l'autre, percée de petits trous, dans laquelle on met le beurre et que l'on plonge dans l'eau ;
- un verre-mesureur pour la pâtisserie ;
- un moule de métal en forme de gros poisson, tout simplement parce qu'il sert à les cuire, à l'étouffée dans le four ;
- la louche de métal noir formant porte-savon, porte-éponge métallique pour la cuisine ;
- des boîtes à épices ;
- six petits pots de plusieurs sortes de confitures ;
- une bouteille dans une gaine d'osier, spéciale pour les cerises à l'eau-de-vie ;
- un assortiment de moutardes aromatisées ;
- une série de flacons remplis de sauces diverses ;
- une poivrière géante de table ;
- un bocal à pickels, plein, accompagné d'une pince à cornichons en olivier ;
- un pot à olives accompagné de la cuillère spéciale : en bois et percée de trous ;
- des flacons contenant toutes les variétés d'épices et d'herbes aromatiques des plus simples aux plus rares : poivre gris, poivre blanc, poivre de Cayenne, cari de Java, curry, persil, raifort, piment doux, thym, paprika, estragon, muscade, fenouil, clous de girofle, romarin, graines de papaye, cannelle, etc. Vous les présenterez en grappe, agrémentés d'un flot de rubans de couleurs vives. (voir hors-texte).

Vous êtes invités à passer « les vacances »

Si vous traversez une passe difficile motivant en partie l'invitation, n'ayez pas honte d'offrir un objet sans grande valeur. Seule l'intention compte dit à juste raison le vieil adage. Il ne faudrait pas que ceux qui ont eu le geste amical de vous inviter à ce moment-là aient l'impression que le cadeau offert peut nuire le moins du monde à votre « remontée » financière.

Dans tous les autres cas, vos cadeaux-remerciements seront choisis en fonction de vos possibilités financières, évidemment, mais aussi du temps que vous passerez chez vos amis.

POUR DES VACANCES AU BORD DE LA MER

• **Vos hôtes apprécieront :** des filets de pêche et des flotteurs de verre pour décorer la maison, ou encore des coquillages géants et rares ;
- un animal gonflable pour le bain des enfants ou un matelas pneumatique permettant un bain de soleil tout en se laissant balancer mollement par les vagues ;
- un petit bateau à fond transparent

Des moules en trompe-l'œil
Chaque fausse moule permet de saisir la vraie en pinçant, au bord, sa coquille. Ce service « déguste-moules » est en étain (Jacques Franck).

Des fausses noix
Une demi-coque géante sert à contenir les vrais fruits ; une grosse noix sert à les décortiquer. Ce service « casse-noix » en noyer... véritable est un petit cadeau idéal pour fin de vacances (Les Reflets).

pour regarder au fond de la mer ;
- un canot pneumatique gonflable ;
- un moteur auxiliaire, amovible, pour monter sur la simple barque à rames que vos amis louent chaque année ;
- des palmes et un masque perfectionnés pour se promener sous l'eau ;
- une tenue d'homme-grenouille ou un appareil dorsal à air comprimé, cadeaux à offrir à un jeune homme fanatique de la pêche sous-marine ;
- une chaise longue « relax » pour la dame qui a passé l'âge de s'asseoir par terre ;
- une « canne-pliant » pour pouvoir s'asseoir et se reposer un peu au cours de longues promenades à travers les dunes ;
- une ligne à moulinet et une épuisette légère et solide pour le monsieur tranquille qui préfère aller pêcher au bout de la jetée ;
- un drap-éponge géant et humoristique pour la plage ;
- un parasol léger et facilement transportable ;
- une « cabine de plage » en tissu-éponge, à l'abri de laquelle on peut se déshabiller ou se rhabiller en public ;
- la location d'une cabine pour la saison.

POUR DES VACANCES A LA CAMPAGNE

Des cadeaux pour embellir le jardin :
- une consultation de paysagiste pour créer un jardin à la place du champ qui s'étend devant la maison ;
- un massif de fleurs que plantera le jardinier local avec lequel vous vous entendrez ;
- assez de fusains pour former une haie séparant le jardin de celui du voisin ;
- un arroseur perfectionné pour la pelouse ;
- une tondeuse à gazon ;
- un râtelier à outils de jardinage, garni ;
- un ancien bec de gaz électrifié pour éclairer le jardin.

• **Des cadeaux pour vivre au jardin :** un salon « premier prix » très charmant en lames de châtaignier, composé de la table ronde et de ses quatre fauteuils à haut dossier ;
- un salon « romantique » peu encombrant et très élégant en fer laqué blanc, comprenant une table ronde, deux fauteuils et deux chaises ;
- un salon « typique » très léger, très robuste, ne craignant ni pluie ni vent, en rotin naturel, en manille (clair) ou en malacca (foncé) ;
- une desserte roulante, en rotin ou en hêtre laqué, pour éviter les allées et venues entre la cuisine et le jardin. Les plus originales, peintes en blanc ou en vert pré, évoquent nos anciennes charrettes des quatre-saisons ;
- un joli parasol orientable ;
- une balancelle à deux, trois ou quatre places : suprême confort dont rêve le vacancier, cadeau princier dont l'effet n'a d'égal que son prix de revient ;
- une glacière de camping pour garder les bouteilles au frais dans le jardin ;
- un présentoir à saucissons, potence en bois dont la base sert de plateau à découper.

• **Des cadeaux pour équiper et décorer la maison :** un moteur pour faire monter l'eau du puits ;
- un lit de camp de secours ;
- une armoire à pharmacie fermant à clef ;
- des draps de tergal qui se lavent dans le lavabo ;
- des draps-sacs de couchage pour économiser le linge et simplifier la lessive ;
- une couverture chauffante ou de mohair ;
- un radiateur électrique soufflant pour les soirées fraîches ;
- un nombre suffisant de rouleaux de papier peint pour tapisser une pièce de la maison ;
- un pistolet à peindre, électrique ;
- une grande glace à poser en face de la fenêtre pour que le paysage s'y reflète ;
- un coffre ancien pour ranger le linge ;
- une fontaine ancienne.

• **Des cadeaux pour ménager à vos amis de « vraies » vacances :** un magnétophone pour garder un souvenir enregistré des bonnes journées
- un électrophone à piles ;
- un magnetic kling, jeu de cartes avec tapis aimanté, permettant de jouer dans le jardin même les jours de grand vent (le coffret-cadeau contient le tapis et deux jeux de cartes) ;
- une bonne raquette et sa housse pour le tennisman de la famille ;
- un bowling miniature avec catapulte pour viser et renvoyer les boules (grâce à une tirette les quilles se relèvent automatiquement) ;
- la cabane (ranch ou maisonnette) dont rêvent les enfants afin d'y vivre leur vie au fond du jardin (cadeau assez coûteux) ;
- ou un abonnement à la piscine la plus proche, en leur promettant de les « voiturer » chaque jour ;
- ou encore l'achat de desserts succulents et dominicaux.

Dites-le avec des fleurs

Une fleur... des fleurs... c'est le cadeau le plus charmant et le plus classique, le plus simple et le plus délicat, le plus banal mais aussi le plus symbolique.

Toutes les occasions sont bonnes lorsqu'il s'agit d'offrir des fleurs à une femme. Les Français galants ne se privent pas de ce plaisir. Et, avouons-le, ce sont celles que vous nous offrez, Messieurs, qui nous donnent souvent le plus de joie. Là où le langage peut être trop clair, trop explicite — et qui sait ? dangereux —, le cadeau « fleurs » trouve sa place. Et là où les mots ont leur place, il vient alors enrichir, ennoblir les mots. L'amoureux qui n'a pas osé se déclarer peut envoyer des fleurs à une femme. Elles lui laisseront entendre qu'il éprouve pour elle de l'admiration, du respect, de l'amitié, et peut-être de l'amour. Le fiancé qui, officiellement, déclare sa flamme, offrira aussi des fleurs pour affirmer, pour proclamer la ferveur de son amour.

Pour l'envoi de fleurs « passion » il y a cent, il y a mille solutions plus séduisantes les unes que les autres, depuis la rose unique jusqu'à l'invraisemblable buisson de feuillages et de fleurs mêlés, disparates, échevelés, innombrables, devant lequel on se sent fondre de joie...

L'envoi de fleurs « bonne éducation » est un acte plus délicat soumis à certains usages, à certaines règles que l'on ignore le plus souvent. Les pages qui suivent ont pour but de vous les préciser en vous initiant à l'art le plus féminin et le plus subtil : celui des bouquets.

SACHEZ ORIENTER VOTRE FLEURISTE

Quelles fleurs offrir ? Il y en a tant et tant… Lorsque vous pénétrez chez un fleuriste vous ne savez que choisir. Des roses aux pâquerettes elles sont toutes aussi jolies les unes que les autres.

En vous adressant à un fleuriste qualifié vous simplifierez votre tâche en lui faisant confiance sur le choix, le mariage et la présentation des fleurs de votre bouquet.

Quelques indications, cependant, devront lui être données :
- l'occasion qui motive cet envoi de fleurs,
- le degré d'intimité qui vous lie à la destinataire,
- la personnalité, l'âge de celle-ci, dans la mesure du possible une description sommaire du cadre dans lesquel vos fleurs se verront placées. Et, bien entendu, quel budget vous avez accordé à ce cadeau…

L'occasion

Il y a au cours de la vie mille occasions d'offrir des fleurs mais certaines d'entre elles, si l'on veut respecter les usages, sont impératives.

LES FLEURS « REMERCIEMENTS »

Il y a des « remerciements » obligatoires régis par certains usages. D'autres, non moins nombreux, font simplement appel à votre tact et à votre intuition.

● **Invitation à déjeuner ou dîner.** Lorsque vous acceptez une telle invitation, vous devez dès le lendemain de la réception faire envoyer à la maîtresse de maison un bouquet de fleurs, avec votre carte accompagnée de quelques mots aimables de remerciements.

Certains se posent parfois la question : faut-il faire envoyer les fleurs « avant » ou « après » ?

o *Les arguments pour « avant » :* envoyer les fleurs après, c'est un peu vouloir payer son repas.

o *Les arguments pour « après » :* les envoyer avant semble vouloir dire : j'espère qu'après cela je serai bien reçu !

o *En fait, la régle est formelle :* les fleurs s'envoient après la réception, dès le lendemain. Cette formule présente un énorme avantage : vous pourrez, après la réception, choisir des fleurs mieux appropriées au cadre de la maison ou aux goûts de la maîtresse de maison, que vous connaîtrez mieux.

o *Cependant, une dérogation :* si vous êtes obligé au dernier moment de décommander une invitation déjà acceptée, vous enverrez des fleurs en même temps que votre petit mot d'excuses ou que votre coup de téléphone.

o *S'il s'agit d'amis très proches :* les règles strictes du savoir-vivre s'adoucissent. Vous pourrez par exemple apporter votre bouquet vous-même et l'offrir à la maîtresse de maison en arrivant. Cependant pour ne pas gêner les autres invités qui n'ont peut-être pas eu votre délicatesse, ne pénétrez pas dans le salon, votre bouquet à la main. Donnez-le à la maîtresse de maison, dans l'entrée, discrètement, ou encore remettez-le à la personne qui vous ouvre la porte.

o *Si c'est un homme célibataire (veuf ou divorcé) qui invite :* il n'est pas question d'envoyer des fleurs, car l'envoi de fleurs ne se fait qu'à une femme.

o *Si vous êtes invité chez une personnalité très importante :* un supérieur sous les ordres duquel vous travaillez par exemple, l'usage veut que l'on n'envoie jamais de fleurs mais seulement une carte avec quelques mots de remerciements.

• **Service rendu.** Il y a cent façons de remercier d'un service rendu. Cela dépend évidemment de son importance et du degré d'intimité qui vous lie à la personne vous ayant rendu ce service. Cependant l'envoi de fleurs reste encore le plus classique et le plus sûr des remerciements, lorsqu'il s'agit de petits services, par exemple : présentation d'une personne importante pour vous, recommandation auprès de quelqu'un, démarche faite à votre place, intervention pour hâter une formalité, transmission d'un paquet, etc. Si l'une de vos amies a gardé vos enfants, a fait une course pour vous, vous irez lui rendre une petite visite de remerciements en lui portant un bouquet. Si c'est une relation moins intime qui vous a rendu un service, vous ferez envoyer des fleurs chez elle avec un mot de remerciements.

LES FLEURS « OFFICIELLES»

Il est de tradition d'offrir des fleurs à l'occasion des cérémonies marquant les grands événements d'une vie. Notamment :

• **Pour un baptême.** Le parrain, bien sûr, la marraine et les autres invités enverront des fleurs blanches, mêlées parfois de fleurs roses s'il s'agit du baptême d'une fille, de fleurs bleues s'il s'agit du baptême d'un garçon. Bouquets ronds ou corbeilles conviendront.

• **Pour des fiançailles.** Que vous soyez ou non invité à un déjeuner, un dîner ou une réception de fiançailles, si vous êtes des amis proches, vous enverrez des fleurs blanches ou blanches et roses, de taille moyenne, de préférence en corbeille, au nom de la jeune fille et à l'adresse où ont lieu les fiançailles.

o *La corbeille du fiancé.* La composition florale offerte le matin des fiançailles par le fiancé à sa fiancée sera réalisée en fleurs blanches parmi celles que la jeune fille préfère dans cette couleur. Quelques fleurs roses, mêlées aux fleurs blanches sont aujourd'hui admises. Sans rien enlever à la fraîcheur du bouquet, ces quelques taches pastel raviveront l'éclat des lis, des arums, des glaïeuls blancs à tendances blafardes.

Plus importante ou plus originale que les autres, la présentation offerte par le fiancé sera seule placée sur la table, face au jeune couple.

• **Pour un mariage.** Ce sont toujours des fleurs blanches ou blanches et roses, que l'on doit offrir : œillets, certains glaïeuls, iris, arums, lilas blanc, lis, roses blanches (en hiver les roses de Noël), orchidées, etc.

Elles seront envoyées soit au domicile de la jeune fille tôt le matin, soit plus tard à l'endroit où à lieu la réception.

o *le bouquet de la mariée.* Il existe une mode pour les bouquets de mariée.

Depuis quelques années déjà, le bouquet rond semble avoir supplanté la traditionnelle gerbe d'arums ou de lis. Des roses blanches, habillées d'une collerette de dentelle ou de tulle, généralement retenues par un flot de rubans, est le bouquet type actuellement le plus apprécié.

Le petit bouquet de fleurs d'oranger semble vouloir refaire son apparition.

Si la coiffure de la mariée est réalisée en fleurs artificielles, il sera préférable de commander le bouquet dans le même esprit et composé des mêmes fleurs. (D'un blanc très différent, fleurs naturelles et fleurs artificielles se heurtent plus qu'elles ne s'harmonisent).

Ce bouquet que la mariée portera à l'église est offert le matin même de la cérémonie par le futur époux.

• **Pour un enterrement.** L'envoi de fleurs est, en cette circonstance, le dernier hommage, le dernier présent que l'on peut faire à un homme. Il prend, selon les liens qui vous lient au défunt, des formes et des dimensions différentes.

La croix que l'on dispose à l'arrière du convoi funèbre et les couronnes placées sur le cercueil et de chaque côté du convoi, seront offertes par le conjoint et les enfants du défunt.

La famille, les intimes ainsi que l'entreprise à laquelle appartenait la personne disparue pourront, soit individuellement, soit en se groupant, faire parvenir gerbes ou couronnes. Famille éloignée, amis et relations feront envoyer des gerbes, des coussins ou des « coussinets » de la taille qu'ils désirent, soit le matin même de l'enterrement à la maison mortuaire, soit à l'église avent le service religieux, soit encore au cimetière.

Les fleurs artificielles et les couronnes « perlées » d'autrefois ont disparu. Ne se font aujourd'hui que des compositions en fleurs naturelles. Les roses, les œillets, les glaïeuls, les chrysanthèmes (parfois les orchidées) sont les fleurs que l'on choisit généralement pour cette circonstance car elles sont plus résistantes et supportent mieux les changements de températures.

S'il s'agit de l'enterrement d'un enfant, vous enverrez des fleurs blanches. Pour une jeune fille également.

Les fleurs rouges sont réservées aux adultes. Le mauve et le violet sont les tons choisis pour les personnes âgées.

Si le faire-part où l'annonce parue à la rubrique d'un journal porte la mention « ni fleurs ni couronnes », vous vous abstiendrez évidemment de tout envoi.

LES FLEURS DE FETE

Il n'est pas de fête sans fleurs et les compositions florales parfaitement adaptées à l'événement célébré sont, plus que toute autre, une offrande délicate.

• **Les fêtes et anniversaires.** Selon les traditions familiales, ces jours-là donnent lieu à plus ou moins de réjouissances.

Offert seul ou accompagné d'un cadeau, le bouquet de fleurs marquera cette journée d'une gentille attention.

o *Pour un anniversaire :* offrir autant de fleurs que d'années écoulées est une idée amusante. Mais elle demande à être appliquée avec certaines précautions, par exemple s'il s'agit d'une dame qui veut cacher son âge ! D'autre part, à partir d'un certain nombre d'années le bouquet revient évidemment... assez cher ! Dans ce cas vous pourrez jouer avec le chiffre des dizaines ! Si la dame que l'on fête a 39 ans vous offrirez 3 merveilleuses roses rouges entourées de lilas, de prunus, d'iris, de fleurs légères et gaies. Par contre, si toute la famille s'unit pour offrir 60 roses à grand-mère le jour de ses 60 ans, cela fera un merveilleux feu d'artifice fleuri dans la maison et un bien beau souvenir pour celle qui les reçoit.

o *Les noces d'or ou d'argent.* 25 ans, 50 ans d'heureuse union sont deux belles et grandes fêtes de famille auxquelles l'on peut convier certains amis intimes.

- Les enfants se joindront pour cette occasion à leur père pour offrir à la maman une composition florale où chaque année de vie commune sera représentée par une fleur.

L'on peut faire faire chez un habile fleuriste d'étonnants bouquets comptant autant de variétés et de tons différents que de fleurs. Chacune d'elle prendra ainsi une véritable signification. Par exemple : les fleurs symbolisant les premières années de mariage seront discrètes, tendres, parfois même en bouton. La troisième et la septième fleur du bouquet seront (s'il y a lieu) plus sombres. La fleur correspondant à l'année de la 1re naissance sera tendre, mais épanouie. A partir de la dixième année, les fleurs deviendront plus ardentes, vives, écarlates. Les suivantes seront plus raffinées, plus sophistiquées. Enfin les dernières seront choisies dans des tons dégradés en demi-teintes, retrouvant la fragilité et le charme des premières fleurs du bouquet.

- La famille et les amis offriront également des bouquets présentés, pour des noces d'argent, sous un emballage argenté ou garnis de rubans et de nœuds argent.

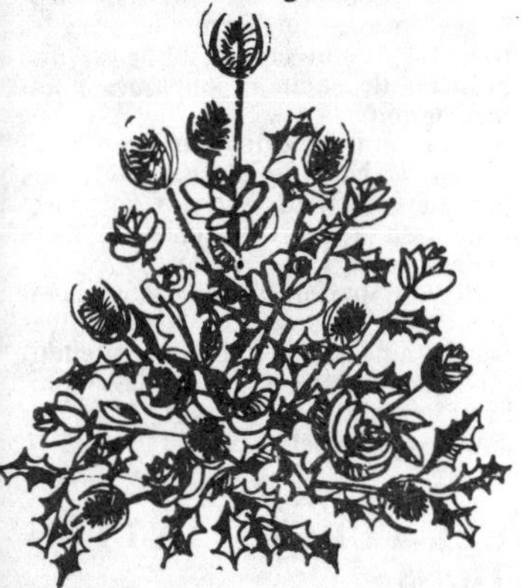

Pour les noces d'or
Une harmonie mordorée paraît toute indiquée : chardons et branches de houx s'habillent d'or pour mettre en valeur quelques roses de pourpre.

• **La pendaison de crémaillère.** Même si vous faites un cadeau pour cette occasion, il sera gentil de joindre un bouquet des fleurs préférées de la maîtresse de maison. Excellente occasion également d'offrir ce qui est très à la mode actuellement : un bouquet sec. Ces nouvelles décorations florales en forme d'éventail ou de pyramide se composent de graminées, d'immortelles, d'épis de blé et de maïs, de chardons blanchis, de plumets, de monnaie-du-pape, de feuillage de hêtre roux, parfois même de piments secs, de physalis et de coloquintes fichées sur des bâtonnets.

Ce cadeau « fleurs » durable, plus décoratif que n'importe quel bibelot ou objet, fera sans aucun doute plaisir à toute jeune maîtresse de maison soucieuse de voir se « réchauffer » un cadre un peu trop « dépouillé » à son goût !...

S'il s'agit d'une pendaison de crémaillère à la campagne, pensez que les fleurs seront peut-être superflues s'il y a un jardin. Offrez alors soit des fleurs rares de serre, soit des fleurs à bulbe ou des plantes fleuries que l'on puisse replanter : hortensia, rosier, tulipes, etc., ou encore une petite corbeille d'osier garnie de sachets de graines des plus belles fleurs.

• **Le 1er Mai.** C'est une bien jolie coutume ce jour-là que d'offrir le muguet porte-bonheur. Plus qu'un talisman c'est un souhait de bonheur que l'on affiche, c'est aussi l'annonce des beaux jours après l'hiver et le symbole d'un jour de vacances et de repos.

Offrir du muguet le 1er Mai n'a rien d'obligatoire, il n'y a pas de véritables usages qui en régissent l'envoi ou l'offre. Le muguet du 1er Mai est une affaire de gentillesse et de cœur. Si vous n'en offrez pas, vous ferez un peu de peine à tous ceux qui attendaient de vous ce charmant petit présent, et ceux qui ne s'y attendaient pas seront très touchés d'en recevoir.

Pensez ce jour-là à votre mère surtout, vos sœurs, votre femme bien entendu. Offrez-en à votre secrétaire, aux employées qui travaillent dans votre entourage proche. Offrez-en à votre concierge si elle est aimable, mais également si elle est détestable, dans l'espoir d'une heureuse métamorphose.

Si ce jour-là vous êtes invité à déjeuner ou à dîner chez des amis, c'est évidemment du muguet que vous apporterez. Si vous avez un « cadeau-remerciement » à faire à ce moment-là, vous enverrez une jolie corbeille de muguet.

Le matin du 1er Mai vous trouverez partout, à chaque coin de rue, des vendeurs qui vous proposeront muguet des bois et muguet de serre. Chaque espèce a ses qualités : le muguet des bois est moins fleuri mais plus odorant, le muguet de serre a des clochettes plus grosses, il est décoratif et tient mieux, il ne sent quelquefois pas grand-chose.

Ce muguet porte-bonheur, vous l'offrirez de plusieurs façons :

o - *en brin,* deux ou trois grappes de clochettes enroulées dans une ou deux feuilles ;

o - *en botte,* pour faire un vrai petit bouquet. Elle sera composée de plusieurs brins garnis de leurs feuilles ;

o - *en bouquet rond,* vous l'achèterez alors chez un fleuriste à moins que vous ne soyez assez habile pour le confectionner vous-même. Toutes les clochettes réunies au centre en boule légère et odorante, sont entourées d'une corolle de feuilles vert tendre. Parfois ces bouquets ronds sont présentés piqués de myosotis afin de mieux faire ressortir la délicate blancheur du muguet ;

o - *en corbeille,* dans une corbeille de vannerie, de métal ou de porcelaine, les brins de muguet sont piqués sur un coussinet de mousse humide, afin de les faire tenir bien droit et de prolonger leur vie, si l'on pense à humecter celle-ci régulièrement ;

o - *en vase,* même principe que la corbeille, mais les brins de muguet sont piqués dans un petit vase de forme Médicis, dans un vase d'opaline ou encore dans une timbale de métal argenté ;

o - *en pot,* l'usage veut que ne s'offrent jamais les plantes en pot (sauf à ses intimes) excepté pour le 1er Mai, afin que le muguet porte-bonheur puisse durer plus longtemps. A vrai dire le muguet en pot ne présente pas un gros avantage, car il ne refleurit pas et ne dure guère plus longtemps qu'un muguet fraîchement cueilli et piqué dans la mousse humide. Par contre si vous l'offrez à des amis qui ont un petit jardin ou un balcon, ils seront ravis de le planter pour le voir refleurir l'année suivante.

● **Noël.** Bien que Noël soit davantage le temps des cadeaux « objets », il n'est cependant pas interdit d'offrir des fleurs, bien au contraire.

Si vous vous trouvez loin d'une personne que vous aimez par exemple, les fleurs seront un peu comme le symbole de votre pensée et de votre présence. Egalement, si vous êtes invité à un réveillon vous pourrez ce jour-là vous permettre un bouquet sortant du classicisme habituel, mêlé de bougies, de branches de houx (symbole de Noël), de branches de sapin givrées, de pommes de pin, d'épis de blé dorés ou argentés.

Par exemple : piquées dans de la glaise recouverte de mousse, sept roses, choisies en harmonie avec les tons du ruban et des bougies, une branche de sapin et quelques pommes de pin.

Vous pouvez offrir aussi en cette saison de Noël un de ces ravissants bouquets de fleurs séchées qui dureront tout l'hiver en gardant leurs belles couleurs.

Si vous préférez rester plus classique, vous enverrez des roses rouges (sauf à une jeune fille bien entendu) ou roses entourées de feuillage sombre, le rouge et le vert étant les couleurs de Noël...

LES FLEURS « ATTENTIONS »

Si l'on a tout simplement envie de faire plaisir à quelqu'un, quelques fleurs en diront plus que de longs discours.

● **Visite à une personne malade.** Si vous rendez visite à une amie malade ou immobilisée, vous lui apporterez des fleurs pour faire pénétrer chez

(Bocal du Moulin de la Brocante - Nœud « Ambiance », laboratoire Lafayette)

Cadeaux présentés

Deux idées : un délicieux cadeau.
Le petit bocal, déniché chez un brocanteur ;
le nœud tout fait surnommé « chouquette ».

(Accessoires « Ambiance », laboratoire Lafayette)

Amusez vos paquets
en remplaçant vos créations personnelles
par les dernières nouveautés de ceux
qui ont travaillé toute l'année pour vous.

Pour Noël ou pour le Jour de l'An,
ces chocolats désertent leurs boîtes traditionnelles
pour se présenter aux gourmands
dans de jolis flacons rehaussés de satin,
d'or, de nœuds et de rubans.
(Verrerie ancienne de chez Peretti et du Moulin de la Brocante)

(Moulin de la Brocante, à Juziers)

Le bocal de laboratoire d'autrefois permet d'empiler sur toute sa hauteur fondants sur fondants. Un bouquet de houx en coiffe le bouchon.

Le verre de mariée conservera les pâtes de fruits au-delà de toute espérance.

Au gui l'an neuf !
La coutume consiste à s'embrasser sous le gui porte-bonheur lorsque sonnent les douze coups de minuit.
Une boule de gui sera particulièrement appréciée par vos amis le soir du réveillon de la Saint-Sylvestre, si vous l'offrez tel un oranger, planté dans une caissette ou un gros pot de fleur enrubanné.

elle un peu d'air frais et de verdure. Si vous ne pouvez aller la voir, vous enverrez « à votre place » des fleurs « messagères ».

o *Si la malade est à l'hôpital* ou en clinique, ne lui apportez pas de trop volumineux bouquets que l'on ne saurait où placer ni dans quel vase les disposer ; un bouquet rond composé avec art sera toujours plus apprécié.

Choisissez aussi des fleurs qui supportent la chaleur et qui ne risquent pas de se faner dans l'heure qui suit l'envoi. (Le mimosa par exemple devient terne et sèche rapidement). Veillez enfin, et surtout, à ne pas les choisir trop odorantes (le jasmin, les tubéreuses, les freesias, les narcisses ont un parfum entêtant qui peut incommoder).

o *Lorsqu'une personne malade est alitée pour longtemps*, elle risque moins de recevoir, en l'espace d'une journée, une demi-douzaine de bouquets de fleurs. Les fleurs en ce cas font toujours plaisir, à condition de tenir compte des superstitions qui s'attachent à certaines d'entre elles (voir pages 214, 215).

La présentation du bouquet comptera plus que jamais pour la personne malade qui s'ennuie. Pour la « distraire », offrez des bouquets originaux : bouquet japonais, bouquet mêlé de feuillages insolites et décoratifs, par exemple une branche de prunus ou d'amandier au printemps, de feuillage roux ou d'épis de maïs à l'automne.

Vous pourrez aussi offrir en la circonstance des plantes en pot (plantes vertes, violettes d'Abyssinie, étoiles du marin) dont la malade aura plaisir à suivre la croissance et l'évolution.

• **Visite à une accouchée.** Si la jeune accouchée est encore à la clinique ou à l'hôpital, vous lui rendrez visite en apportant quelques fleurs non seulement pour la distraire, pour égayer sa chambre, mais aussi pour la féliciter et pour fêter cet événement si heureux. Bien entendu, son mari avant toute autre personne aura déjà pensé à lui offrir des fleurs, mais celles des parents et des amis seront aussi les bienvenues.

Ne soyez pas trop déçue si vous arrivez, un petit bouquet à la main dans une chambre envahie de fleurs et de bouquets somptueux. Si le vôtre est charmant, original, harmonieux, scintillant comme un bijou, peut-être lui fera-t-il le plus grand des plaisirs et le gardera-t-elle, séché, en souvenir de ce très beau jour.

Pour ce petit bouquet «souvenir » trois tulipes roses, un brin de lilas blanc et deux ou trois feuilles vert tendre, joliment enveloppées dans un papier cellophane brillant, suffiront.

Pour une jeune maman vous prendrez les mêmes précautions que pour une malade : pas de fleurs trop odorantes et si elle est à l'hôpital, surtout pas de bouquets encombrants.

• **Pour un retour de voyage.** A une amie, à une parente, qui revient après une absence de quelques semaines (ou plus), vous ferez porter chez elle, afin qu'elle les trouve en arrivant, des fleurs qui animeront aussitôt sa maison. Car rien n'est plus triste que l'accueil d'une maison restée fermée quelque temps.

Et vos fleurs, quelles qu'elles soient, lui apporteront déjà un peu de votre présence et de votre amitié.

Le degré d'intimité

Suivant les liens qui vous unissent à la personne à qui vous destinez l'envoi, fleurs et bouquets seront choisis de formes et d'espèces très différentes.

• **Pour des personnes « officielles » ou que vous connaissez peu,** le fleuriste soignera particulièrement sa présentation. Votre bouquet sera joliment emballé dans un papier cellophane brillant, disposé dans une boîte en plastique transparent. Pour ce genre d'envoi vous pourrez aussi adopter la formule « corbeille » à condition de choisir une vannerie ou une vasque toute simple. Pas de corbeilles à treillage argenté ou doré ni de céramiques de couleur.

Afin d'éviter tout risque d'erreur, tenez-vous-en aux fleurs assez classiques laissant plutôt à la présentation l'attrait de l'originalité.

Les plus « nobles », les « toujours aimées » sont les roses. Les roses **rouges, roses, thé, soufrées,** s'offrent à tout le monde (sauf à une jeune fille, si elles sont rouges). Encore plus conventionnels, moins raffinés mais très décoratifs, des glaïeuls pourront être offerts en grande gerbe élégante. Glaïeuls et roses de tons identiques pourront d'ailleurs être mélangés.

Mais si vous voulez sortir des sentiers battus, choisissez alors, même s'il s'agit d'un envoi officiel, un grand bouquet savamment composé de plusieurs variétés de fleurs de tons différents. Certains grands fleuristes tels que Lachaume, Gabriel Debrie, Jean-Claude, sont passés maîtres dans l'art des bouquets, ne supportant pas la médiocrité, ne peuvent être commandés chez n'importe quel fleuriste.

A vous de trouver « le » bon fleuriste de votre quartier qui réalisera avec goût ces sortes de bouquets. Suivant les saisons il saura y mêler narcisses, lilas, lupins, delphiniums, iris, reines-marguerites, pois de senteur, renoncules, prunus, bleuets, roses, tulipes, crocus, pour obtenir de merveilleuses harmonies de couleurs.

Réussis, la plupart de ces bouquets en forme de pyramide, composés de simples fleurs champêtres, sont autant sinon plus appréciés que les plus belles roses.

• **A des parents, à des intimes,** vous pourrez alors vous permettre plus de fantaisie.

Pour eux évidemment ne sont pas exclus les merveilleux bouquets signés d'une grande maison, mais vous pourrez aussi vous permettre de leur apporter une brassée de fleurs de votre jardin, arrangées avec goût, ou un gros bouquet « bon enfant » qui vous a séduit à la vitrine de votre petit fleuriste de quartier, ou encore des brassées de fleurs coupées que vous aurez achetées aux Halles !

L'âge

Il n'y a pas de fleurs « jeunes » ou non ! Cependant le choix des fleurs sera différent suivant l'âge de la personne à qui on les offre.

• **A une jeune fille,** nous l'avons déjà dit, jamais de roses rouges ; on s'abstiendra aussi de lui offrir des fleurs trop « sophistiquées », trop somptueuses : pas d'orchidées par exemple. Choisissez plutôt pour elle des bouquets clairs et légers, soit des fleurs champêtres, soit des roses roses, des tulipes, des branches d'arbre en fleur, des camélias si vous n'offrez que quelques fleurs, et enfin tous les plus jolis bouquets composés et le traditionnel et bien charmant petit bouquet de violettes.

• **Pour une jeune femme,** toutes les fleurs sont permises. Sa personnalité étant en général plus affirmée, pensez en choisissant son bouquet à ses goûts, au cadre qui l'entoure. Evitez, messieurs, les roses rouges si elle a un mari anormalement jaloux !

• **A une dame âgée,** vous offrirez des fleurs douces aux couleurs tendres (des cyclamens, certains glaïeuls mauves, ou encore de très jolies fleurs assez peu connues que l'on nomme les scabieuses). Pas d'odeurs trop fortes surtout, car les parfums lourds risquent de gêner les personnes âgées, provoquant migraines ou nausées. A une dame âgée aimant le jardinage vous offrirez des fleurs en bulbe qu'elle pourra replanter sur son balcon ou dans son jardin.

Fleurs et psychologie

Le cadeau, qu'il soit fleurs ou tout autre chose, ne doit pas être choisi en fonction de la position sociale (ou financière) de quelqu'un. Si l'on peut prendre en considération cet état de fait lors de certains cadeaux officiels, il faut en amitié n'en tenir compte que pour justement effacer la différence qui existe. Autrement dit, si vous offrez des fleurs à une amie qui vit modestement, à votre employée ou même à votre concierge, choisissez-les avec autant de soin que si vous les destiniez à la femme de votre président directeur général. Il ne faudrait surtout pas leur donner à penser que, pour elles un petit bouquet acheté à la hâte est « bien assez bon ».

Par contre une femme vivant luxueusement, habituée à recevoir des bouquets de grands fleuristes, sera peut-être ravie, si vous lui apportez un jour une grande brassée de feuillages d'automne, des fleurs achetées en botte aux Halles ou en gerbe de fleurs des champs.

Le cadre et le style de l'appartement

Vos fleurs choisies en harmonie avec le décor de la pièce à laquelle elles sont destinées seront d'autant plus appréciées.

• **Pour un appartement moderne,** au mobilier dépouillé, aux lignes sobres et nettes, aux grandes surfaces nues ou monochromes, les grands branchages, les lignes pures et montantes, telles que branches d'amandier, d'aubépine, grandes tiges de chardon, d'épis de maïs, conviendront parfaitement ainsi que les fleurs stylisées telles que : iris à longue tige, tulipes aux contours nets et souples, fleurs tropicales insolites et aux couleurs violentes, grands feuillages sombres d'aspect brillant comme vernissé, les glaïeuls ou encore ces bouquets de fleurs séchées dont les belles couleurs un peu sourdes rappellent les matériaux « bruts » que l'on utilise dans la décoration moderne : le rouge de l'argile, le brun du bois, l'or du cuivre...

Certaines couleurs très éclatantes pourront aussi réchauffer l'appartement moderne : la tache flamboyante d'un bouquet de soucis sur une table en bois de teck (pour offrir ces fleurs, s'assurer que la personne n'est pas superstitieuse, car leur nom « fait du tort » à ces jolies fleurs), le nuage léger d'un grand bouquet d'asters blancs, la nonchalance échevelée des genêts blancs ou jaune d'or, le bleu profond, un peu « électrique » de certaines cinéraires...

• **Pour un appartement très « avant-garde »,** vous offrirez des bouquets « à la japonaise », dépouillés, étudiés, très « intellectuels » !

• **Pour un appartement ancien,** au mobilier « romantique » ou « XVIIIe », vous choisirez des bouquets, style anglais, bouquets composés de mille fleurs aux tons chatoyants ou pastels, par exemple : narcisses, lilas, roses roses et roses thé, prunus blancs et iris bleus.

Pour un mobilier Louis XIII, sombre et un peu austère, ou au contraire Louis XIV imposant, richement orné et somptueux, vos bouquets devront être un flamboiement de couleurs chaudes : du rouge, du violet, du jaune d'or, des feuillages vert foncé, roux ou or ; les anémones, les soucis, les roses rouges ou soufrées, les dahlias, les chrysanthèmes, les glaïeuls sont aussi tout indiqués.

• **A une personne habitant la campagne,** songez au moment de porter votre choix que toutes les fleurs champêtres et bien d'autres encore sont à la porte.

Offrez-lui des fleurs rares qu'elle ne connaît pas, des fleurs de serre, des fleurs tropicales, ou encore des plantes fleuries qu'elle pourra replanter (malgré l'usage qui interdit d'offrir des plantes en pot).

• **Pensez aussi**

- aux dimensions du cadre dans lequel vit la personne qui recevra vos fleurs. N'envoyez pas un énorme bouquet à celle qui habite une toute petite pièce.

- que de très longues tiges réclament un vase en proportion et ce vase tout le monde ne l'a peut-être pas ! Ne forcez jamais une amie à couper les tiges de merveilleuses roses ou à laisser ces somptueuses fleurs boire l'eau d'un seau.

La composition des bouquets

Voir Marabout Service n° 28 : L'Art du bouquet.

LE MARIAGE FLEURS-CADEAUX

Les bouquets cache-cadeaux

Présenter un cadeau avec des fleurs est une façon d'offrir extrêmement délicate à laquelle on pense trop rarement sauf, lorsqu'il s'agit d'offrir un bijou, quelquefois...

Tous les cadeaux, ou presque, peuvent donner lieu à une composition florale.

Les objets lourds et tout ce qui craint l'humidité feront exception à la règle.

LES BIJOUX

Les cadeaux les plus faciles à cacher dans les fleurs sont certainement les bijoux. Le poids et le volume d'un bijou, généralement très réduits, permettent leur disposition dans n'importe quel bouquet.

• **Le collier** se présentera avec ou sans son écrin. Les fleurs seront disposées de préférence en corbeille.

- Choisissez une composition comprenant une douzaine de roses jaunes accompagnées d'un simple feuillage vert sombre. Au milieu du bouquet, déposez le collier dans son écrin.

- Dans une corbeille avec anse le bouquet sera composé de quelques roses, rouges ou jaunes, ou rouges et jaunes, ainsi que des roses roses, quelques crocus, des narcisses et quelques baies de cotonéaster. Déposez le collier sans son écrin à même la mousse. Mais attention, la mousse doit être de première qualité, très douce et parfaitement sèche.

Son écrin : une simple fleur
Brillant à travers leur coffret de rhodoïd, perles et camélia rivalisent de blancheur sur le fond vert sombre de quelques belles et larges feuilles harmonieusement disposées.

• **Le bracelet** se présentera à peu près de la même manière qu'un collier.

o *Pour un bracelet d'argent, d'or ou de platine*, vous ferez composer un bouquet de fleurs multicolores, de préférence en corbeille ou en coupe. Mêlez les fleurs, en choisissant dans une même espèce plusieurs tons différents, par exemple des tulipes dont la gamme de couleurs est très variée.

- Dans une corbeille avec anse seront disposées sur de la mousse trois tulipes géantes, vermillon écarlate à cœur noir bordé de jaune. Leur hauteur doit être d'environ 50 cm ; deux tulipes saumon clair à grande fleur ; trois tulipes vieux rose à très grande fleur également ; une tulipe blanc crème ; une ou deux tulipes à fleur de lis jaune (grande fleur) et une tulipe mauve.

Quelques roseaux ou quelques genêts viendront terminer le bouquet. Sur la mousse, déposez alors le bracelet sans écrin ou, si vous conservez celui-ci, vous le présenterez ouvert afin d'enrichir le bouquet par l'éclat du bijou.

o *Pour un bracelet serti de pierres*, vous veillerez à harmoniser la couleur des fleurs à celle du bracelet.

— Si les pierres sont blanches, le bracelet sera présenté dans un bouquet composé de fleurs rouges ou roses (tulipes, camélias, pivoines, etc.) et de feuillages très verts.

- Si les pierres sont vertes ou bleues, le bracelet sera tout au contraire mis en valeur par un bouquet composé de fleurs claires, blanches,

crèmes, roses ou bleu pâle (dahlias roses et quelques chrysanthèmes blancs ; des roses roses et des tulipes roses entourées de quelques branches d'eucalyptus, etc.)

Comme dans les cas précédents, vous aurez disposé de la mousse.

• **La bague.** Bijou de petite taille, la bague ne nécessite pas toujours la confection d'un bouquet très important. Elle sera fort jolie présentée dans une boîte de rhodoïd, sans son écrin, au milieu des fleurs.

o *Si elle est très précieuse* elle sera présentée, par exemple, avec deux orchidées, ou encore avec quelques roses rouges. Vous confierez le bijou au fleuriste qui se chargera de le placer parmi les fleurs.

o *Si elle est plus modeste,* elle se nichera dans le cœur d'une jolie rose servant alors d'écrin ou s'accompagnera de muguet.

o *Attention !* Pas de fleur rouge si la pierre de la bague est rouge par exemple. La couleur de la fleur doit mettre en valeur les tons de la pierre et non les éteindre par un fond de même intensité. Un contraste sera donc établi entre fleur et pierre.

o *Dans une corbeille, dans un bouquet,* les fleurs seront arrangées en manière de coffret, lequel enfermera le bijou dans son écrin laissé ouvert.

• **Les briquets.** Certains jolis briquets peuvent être considérés comme de véritables bijoux. Les fleurs en coffret rhodoïd pourront donc servir d'écrin à votre cadeau. Il ne faudrait pourtant pas, pour l'accompagner, choisir des orchidées : elles s'accorderaient mal avec cet objet robuste et quelque peu masculin.

On peut cependant présenter un briquet en or par exemple avec une seule très belle rose. La sobriété de cette fleur correspond bien au caractère luxueux et pratique du cadeau.

LES PARFUMS

Plus que tout autre cadeau, parfum et eau de toilette suscitent la présentation de fleurs. Il est bien évident que les parfums composés essentiellement de l'essence d'une seule fleur nécessiteront un bouquet composé de cette même espèce (le muguet sera présenté avec un brin de muguet, de l'eau de lavande avec un bouquet de lavande, etc.). Si le parfum est un mélange savant de plantes et de fleurs, le bouquet évoquera ses qualités plutôt que ses composants :

o *S'il s'agit d'un parfum capiteux,* présentez-le avec des roses ou un mélange camélia, pivoine, fougère.

o *S'il s'agit d'un parfum léger et frais,* présentez-le avec des lis, symbole de pureté et de fraîcheur, et des primevères ou toute autre fleur printanière.

LES BIBELOTS

Tous les bibelots peuvent être offerts cachés parmi de jolies fleurs.

Vous réserverez

- *Aux vases fantaisies les bouquets fantaisistes et multicolores ;*
- *aux vases romantiques, les bouquets romantiques ;*
- *aux vases classiques, les bouquets somptueux ;*
- *aux vases « brocante », les bouquets vieillots ;*
- *aux vases rustiques, les bouquets des champs ;*
- *aux vases modernes, les bouquets dépouillés ou « à la japonaise » ;*
- *et aux vases chinois, les bouquets raffinés.*

A la « verrière » ancienne : les fleurs en corbeille
Vous les offrirez à des amis qui vous ont aimablement reçu ou à votre maman pour la fête des mères. Confiez cet objet charmant de tôle peinte à la **mode XIXe siècle au fleuriste dont** *vous appréciez le goût, afin qu'il le garnisse des plus simples et des plus tendres fleurs.*

Aux médaillons : les immortelles
Vous les offrirez à votre fiancée, à votre fille pour ses 15 ans, à votre filleule pour sa fête. La forme du cadre dictera la composition du bouquet en trompe-l'œil que vous réaliserez en collant une à une chaque tête de ces jolies fleurs sèches.

Au photophore : les roses écarlates
Vous les offrirez pour Noël ou pour le *jour de l'An à des amis qui vous invitent à réveillonner à la campagne ou pour remercier ceux chez qui vous avez fait un séjour agréable.*
Choisissez un photophore étroit et de haute taille qui nécessitera quelques roses à longues tiges. Si les roses sont rouges, préférez les bougies blanches.

Au « verre de mariée » : les fleurs sans eau
Vous les offrirez à la première occasion ou sans occasion du tout, simplement pour faire plaisir. Placez vous-même au fond du verre de la mousse humide qui conservera parfaitement les plus fragiles fleurs de printemps dans cette demi-atmosphère de serre. Pour présenter cette boule fleurie choisissez un joli coffret-velours.

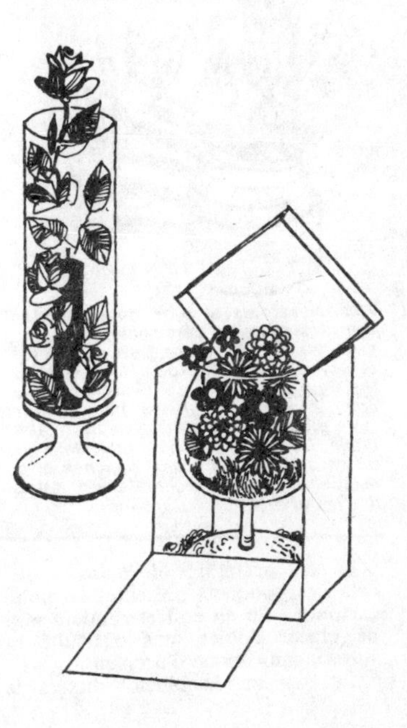

Au « verre d'eau » romantique : le petit bouquet rond
Vous l'offrirez à votre meilleure amie pour ses fiançailles. Confiez au plus minutieux des fleuristes cette précieuse opaline afin qu'il enferme fleurs et cadeau dans un joli coffret transparent.

A la lampe « gobe-mouche » ; les plus jolies roses
Vous les offrirez à votre sœur pour son nouvel appartement. Chargez-vous, vous-même, de fleurir ce joli cadeau. Votre travail consistera surtout à harmoniser le ton des fleurs avec celui de l'abat-jour.

Aux casseroles et à la poubelle blanche : les fleurs de cérémonie
Vous les offrirez à vos frères et sœurs, et à vos vrais amis pour leur mariage. Un fleuriste habile se chargera d'imaginer et de réaliser les plus jolis et les plus fantaisistes décors. Ainsi Paule Dedeban propose pour la série de casseroles des roses blanches et du muguet et pour la poubelle des arums, des lys et des flots de rubans.

Il sera préférable de choisir pour cela des bouquets présentés en boîte cartonnée ou en coffret rhodoïd afin de placer l'objet sans difficulté et surtout sans risque d'accident.

La matière du bibelot dictera le choix des fleurs :
- les bouquets champêtres seront réservés aux faïences ;
- les bouquets romantiques ou les roses pastel, aux opalines ;
- les bouquets secs, aux grès et aux

terres cuites ;
- les bouquets de fleurs de jardin, aux étains ;
- les feuillages, aux objets en bois, en cuivre ;
- les branchages fleuris (pommier du Japon, églantines, cerisier) aux chinoiseries ;
- les fleurs rares et précieuses (liliums, orchidées) aux porcelaines.

Les cadeaux fleuris

Le plus évident des cadeaux à fleurir est, sans conteste, le vase. Rien de plus triste en effet qu'un vase vide lorsqu'on le sort de sa boîte. Il ne fera réellement plaisir à une femme que lorsqu'elle le verra garni de fleurs. Jusque-là, elle ne saura dire si le cadeau lui plaît ni juger de son effet.

Le bouquet n'est donc pas ici considéré comme un présent supplémentaire mais comme un complément, comme « l'autre » moitié du cadeau.

Pour éviter que votre vase ne soit accueilli avec indifférence, il suffira de le déposer, la veille de votre envoi, chez votre fleuriste qui livrera l'ensemble, selon vos instructions, précieusement emballé.

Comme pour les bibelots à cacher dans un bouquet, ce sont la matière et le style du vase qui vous dicteront le choix des fleurs. La forme du vase, ses dimensions indiqueront la forme et l'importance du bouquet.

LES OBJETS LES PLUS VARIES

Vous pouvez confier à votre fleuriste un objet à fleurir parmi les plus inattendus.

• **Une bouteille de champagne** sera offerte avec originalité en remplaçant le paillon d'origine par des fleurs dont les tiges, égales à la longueur de la bouteille, seront maintenues tout autour par un laçage de rubans multicolores. Les fleurs apparaîtront bien entendu côté bouchon.

• **Un compotier, un légumier, une soupière,** autant de cadeaux utiles transformés par quelques fleurs en cadeaux décoratifs.

QUELQUES MOTS SUR...

Les jardins en bouteille

Ces cadeaux originaux, voire insolites, que nous proposent aujourd'hui certaines boutiques spécialisées, nous les devons à un savant américain qui a constaté que les plantes maintenues à l'abri des fluctuations de l'air continuaient à fabriquer leur oxygène et leur acide carbonique.

De cette constatation est née une nouvelle forme de culture très décorative réalisée en vase clos (bonbonnes, flacons, aquariums, cloches à fromage, etc.).

Les plantes choisies pour vivre en bocal sont celles qui aiment l'ombre et l'humidité. Leur croissance doit être lente et modérée.

Parmi les plus décoratives signalons les marantas et les calatheas, les petites fougères graciles, les crytamthus. Par prudence faites parvenir en même temps que votre séduisant cadeau, une ordonnance indiquant la manière de conserver ce curieux petit jardin en parfaite santé :

- faire prendre de temps en temps une goutte d'eau en hiver, une tasse en été ;
- éviter de fermer la bouteille ou le bocal trop longtemps : la condensation provoquant sur les parois une buée dissimulatrice ;
- en cas de flétrissure, couper aussitôt la feuille malade avec une lame de rasoir fixée à un bâton et, pour préserver la santé des feuilles saines, prendre bien soin de la sortir du récipient. C'est une opération difficile lorsqu'il s'agit d'un bocal à corps étroit : des pincettes seront nécessaires.

Les fleurs artificielles

Les fleurs artificielles ne remplacent jamais les fleurs naturelles, et vous n'enverrez en aucun cas de fleurs artificielles pour remercier, par exemple, d'un dîner ou d'une réception.

Elles s'offrent cependant de plus en plus comme cadeau entre amis, car il en existe de très jolies.

Vous pourrez surprendre une amie en lui offrant un bouquet composé de fleurs naturelles où seront glissées quelques fleurs artificielles. Si vous avez su choisir vos fleurs artificielles, il sera difficile d'y distinguer les vraies des fausses. En effet ce qui trahit généralement les fleurs artificielles ce sont leur tige et leurs feuilles. Si ces dernières sont mêlées aux vraies et cachées, l'illusion est parfaite.

• **Les fleurs de tissu.** On en fait de très ordinaires visiblement fausses. Mais il en existe aussi de merveilleusement imitées. Elles sont alors l'œuvre de véritables artistes. Celles qui fournissent généralement les grandes maisons de couture ou les boutiques de décoration.

Ces fleurs, le plus souvent en soie, ont la délicatesse, la fraîcheur, la finesse de détail, la transparence des véritables fleurs. Elles sont assez chères mais elles dureront des années si vous prenez quelques précautions pour leur garder tout leur éclat : comme tous les tissus, ces fleurs craignent le soleil et la poussière.

Vous choisirez dans cette catégorie la rose, le delphinium, le lupin, les pâquerettes.

Certaines fleurs plus modestes et plus abordables sont faites en coton. Elles sont moins brillantes, parfois tout à fait mates.

Vous choisirez : le prunus, les boutons-d'or, l'aubépine, le cosmos, la gaillarde.

• **Les fleurs en peau et en bois.** Il s'agit là de fleurs stylisées dont les couleurs n'ont rien de commun avec celles de la nature. Parmi ces véritables bibelots d'art, citons la fleur la plus célèbre actuellement : la rose de bois. Et citons Harpel parmi les créateurs les plus réputés à Paris.

• **Les fleurs en matière plastique.** Moins chères, elles sont plus grossières et d'effet très irrégulier. Certaines espèces imitées sont particulièrement bien réussies, d'autres sont tout à fait vulgaires.

Vous choisirez les pivoines, les crocus, certaines reines-marguerites qui donnent une illusion étonnante, mêlées à de vraies fleurs. Mais les lilas, les roses, les bleuets, les prunus, les iris sont à écarter.

Le grand avantage de ces fleurs en matière plastique est que l'on peut les nettoyer fréquemment à la brosse dans de l'eau savonneuse.

Elles constitueront un cadeau agréable plus amusant qu'un paquet de bonbons.

• **Les fleurs en papier.** Elles tiennent plus du gadget ou de l'objet décoratif que des fleurs. C'est la nouveauté de ces dernières années que l'on achète dans de nombreuses boutiques-cadeaux. Il y a les fleurs de papier très stylisées comme de petites lunes dentelées, groupées en mobile sur de légères tiges métalliques qui oscillent au moindre courant d'air. Elles sont très décoratives dans un appartement très moderne, car leurs couleurs sont tout à fait artificielles et très lumineuses. Elles n'ont aucune prétention à imiter les vraies fleurs.

L'on trouve aussi des fleurs géantes (de 1,50 m à 2 m de haut), reines-marguerites, coquelicots qui empruntent leurs proportions aux fleurs d'Alice au pays des merveilles. Elles sont amusantes à offrir à un couple jeune (pour leur entrée) ou à une petite fille (pour sa chambre).

Interflora

Interflora est une organisation internationale qui permet d'offrir des fleurs fraîches, quel que soit le lieu de résidence de la personne qui offre ou de celle qui reçoit. De Paris vous pouvez offrir des fleurs à des personnes habitant Lyon ou Marseille, Milan ou Londres, New York ou Québec. Ces personnes recevront exactement le bouquet que vous avez choisi pour elles, à l'heure même que vous désirez.

• **Comment procéder.** Chez un fleuriste faisant partie de cette organisation (la plupart des fleuristes indiquent actuellement Interflora sur leur vitrine), vous choisirez exactement le bouquet que vous désirez offrir : une douzaine de roses jaunes, des lis, des glaïeuls en coffret, en vasque, etc.

Vous indiquerez le nom et l'adresse du destinataire et réglerez votre propre fleuriste.

Celui-ci téléphonera à un fleuriste Interflora de la ville en question pour passer sa commande. Commande qui sera livrée en temps et en heure à l'adresse indiquée. Si vous devez envoyer des fleurs à quelqu'un habitant l'étranger, pensez en les choisissant que les coutumes de ce pays sont parfois différentes des nôtres. Ainsi, dans certains pays, les fleurs blanches sont signe de deuil et non de joie.

Interflora est une organisation très bien dirigée, à laquelle vous pouvez vous adresser en toute sécurité.

Soyez sûrs que la personne qui recevra ainsi un bouquet sera très sensible à cette attention. Le bouquet de fleurs est international. C'est un cadeau vivant qui, plus que tout autre, a le pouvoir de rapprocher deux êtres séparés

Cadeaux « attentions »

Ce qui est sûr, c'est que tout cadeau donne d'autant plus de joie qu'il est plus chargé d'intentions, d'attentions. Tout ce qui prouve que vous avez pensé à faire plaisir enrichit votre cadeau. Vous avez pensé que celui-ci chasse et que celui-là aime les livres d'art. Vous avez pensé que cette jeune femme est blonde et que le vert lui va à ravir. Vous vous êtes souvenue de tout ce qui concerne étroitement vos amis, et vous avez choisi, à la fois votre cadeau et le moment de l'offrir, en fonction de ce souvenir.

Alors, il n'est plus seulement un objet, un peu d'or finement ciselé, un peu de cuir finement cousu, un peu de verre finement soufflé, il devient un signe. Et le propre d'un signe c'est de n'être rien en dehors de ce qu'il contient, de ce qu'il porte : message, témoignage, garantie de complicité, de reconnaissance, de fidélité. Indépendamment de ce qu'il est, de ce qu'il a l'air d'être, il est riche car il signifie d'abord un peu de temps perdu, un peu de temps donné. Il y a, c'est vrai, les gens moroses, inquiets de nature qui sont surpris, déroutés, parce que ce n'est ni Noël ni la Saint-Sylvestre. Un jour comme les autres, en apparence. Mais en apparence seulement, puisqu'il y a justement ce petit cadeau venu à l'improviste. Pourquoi ce cadeau ? Pour rien. Pour faire plaisir. Parce qu'il fait beau. Parce qu'on est heureux. Ou bien parce qu'on veut les autres, l'autre, heureux. Parce qu'il est impossible d'attendre Noël ou le prochain anniversaire, ou la prochaine fête, pour dire que l'on aime, parce qu'on adore jouer les magiciens, faire surgir un tout petit peu de bonheur, comme le sourcier la source, avec sa mince baguette de coudrier.

TOUT SIMPLEMENT POUR FAIRE PLAISIR

• **Un élan du cœur.** Penser à faire plaisir, alors que rien ne vous y oblige, c'est dépasser le cadre des coutumes, des conventions, pour entrer dans le domaine infiniment riche, on pourrait dire illimité, des manifestations quotidiennes d'affection et de tendresse. Ce n'est pas ici l'importance du cadeau qui compte mais l'intention qu'il traduit : la joie qu'il procure est souvent hors de proportion avec la valeur qu'il représente. Parce qu'il n'est pas dû, qu'il ne répond pas à une attente, il marque mieux que tout autre l'élan spontané du cœur.

Savoir faire plaisir à longueur d'année, à longueur de vie, est assurément un don. Rien ne devrait pourtant être plus simple que de se laisser porter par l'attachement, l'amitié ou l'amour que l'on éprouve pour ceux qui vous entourent et de traduire en gestes ou en attentions cet attachement, cette amitié, cet amour. Il suffit d'être attentif, ouvert à ce qu'ils peuvent penser, ressentir, désirer, de ne pas vivre auprès d'eux sans éprouver cet intérêt, cette curiosité qui sont à la base de tous les échanges.

• **La mémoire du cœur.** Savoir faire plaisir, c'est, avant tout, savoir observer, se souvenir et deviner.

Pour être capable d'attentions, il faut savoir écouter, comprendre, percevoir parfois des détails, souvent des nuances, tout cet ensemble de petites choses qui forment la trame de la vie quotidienne et qui prennent, dans le domaine de l'affection, une signification si réelle.

Savoir faire plaisir c'est aussi se souvenir, au milieu de ses préoccupations quotidiennes, qu'un être existe avec ses propres problèmes, ses aspirations. C'est avoir cette mémoire du cœur — faite de souvenirs de réflexions, de conversations — qui note, enregistre une habitude, une préférence, un souhait, un regret.

Le simple fait de voir un objet, d'entendre parler d'un spectacle, de lire une critique de livre intéressante, déclenche en nous une sorte de déclic et nous fait immédiatement penser à quelqu'un de précis et nous donne l'occasion idéale de lui témoigner l'intérêt, la sollicitude qu'on lui porte.

Il suffit de réfléchir un instant pour se rendre compte de l'importance que nous attachons à une manifestation d'affection, à la délicatesse de sentiments qu'elle révèle.

• **L'intelligence du cœur.** Mais faire plaisir, c'est aussi, parfois, deviner, prévenir un désir. Les ressources de l'imagination, à cet égard, dépendent évidemment de la sensibilité et du sens psychologique de chacun. Il faut être particulièrement attentif pour sentir ce qui correspond à une attente, à un besoin inexprimé. Et de toutes les marques d'affection, c'est sans doute celle à laquelle nous attachons le plus de prix parce qu'elle exige une qualité rare : l'intelligence du cœur.

Le cadeau sans occasion « tout simplement pour faire plaisir » s'inscrit dans le cadre des rapports quotidiens. Il dépasse, à ce titre, le domaine de l'objet que l'on achète, des fleurs que l'on envoie. Il peut prendre la forme d'un geste, d'une attention. Et s'il touche plus profondément, c'est parce qu'il est dans les petites comme dans les grandes choses, l'expression la plus authentique de l'affection.

Les cadeaux « surprises »

• **Un peu de temps.** Ce sont toutes ces idées qui nous viennent, à tout moment de l'année, lorsque l'on sait faire taire ses soucis, ses préoccupations ou son égoïsme pour penser à ce qui intéresse, occupe ou distrait ceux qui nous entourent. C'est trouver le temps, entre deux rendez-vous, au cours d'une journée harassante, de faire un détour, d'écourter un déjeuner, de s'arrêter cinq minutes pour entrer dans une boutique. Trouver le temps d'aller chercher cet objet auquel nous avons pensé mais qui, après tout, n'a rien d'indispensable, représente souvent, de nos jours, un effort, une fatigue, un tour de force qui est, déjà, une belle preuve d'amitié.

● **Un peu de joie.** Il arrive aussi qu'un cadeau exprime le désir de faire partager une joie, un sentiment de détente ou d'euphorie : il fait beau, c'est le premier jour de printemps, on a conclu une affaire intéressante, on est délivré d'un souci, on se sent pour une raison ou pour une autre, plus proche d'autrui, plus ouvert à ce qu'il peut sentir ou désirer.

Ce désir irrésistible de faire plaisir nous pousse d'ailleurs, parfois, à acheter un objet complètement inutile, peut-être même saugrenu, qui n'en touche pas moins par ce qu'il manifeste d'élan et de spontanéité.

Chacun de nous conserve ainsi avec attendrissement certains de ces cadeaux improvisés, trahissant autant de maladresse que d'affection : la cravate que l'on portera deux fois mais que l'on ne jettera pas, le « gadget » inutilisable dont on sourit, le bibelot si éloigné de ses goûts que l'on conservera cependant dans sa chambre.

● **Un peu de folie.** C'est aussi ce besoin de faire plaisir qui vous conduira à faire « la petite folie », foncièrement déraisonnable, parce qu'il est bon, parfois, de ne pas céder à la voix de la raison : c'est l'hôtel de rêve où l'on s'arrête en vacances alors que la rentrée sera difficile, les fauteuils d'orchestre pour un concert unique alors que l'on a déjà du mal à boucler son mois, le meuble ou le tableau dont on est tombé amoureux d'un commun accord et que l'on achète alors que les traites de l'appartement sont déjà lourdes ; c'est la gerbe de roses que l'on rapporte dans un intérieur où manquent encore des objets essentiels. Il faut parfois avoir ce sens du superflu et savoir, au prix de quelques sacrifices ou de quelques acrobaties quotidiennes, échapper à l'obsession des comptes.

● **Un rien évocateur.** C'est sans cesse que l'on peut ainsi se laisser solliciter par les objets. Lorsqu'on sait entendre leur langage, ils évoquent immédiatement pour nous la personnalité d'un être cher. Le disque inédit que l'on entend à la radio nous fait penser à un ami mélomane auquel nous aurons la joie de le faire découvrir ; les kakis que l'on aperçoit à la devanture d'une épicerie, aux amis qui ont la nostalgie de l'Extrême-Orient ; ces roses odorantes et indisciplinées rappelleront à votre femme le jardin de son enfance ; ce bibelot curieux découvert chez un brocanteur fera le bonheur d'amis collectionneurs.

● **Beaucoup de charme.** Le charme du cadeau « surprise » c'est de faire plaisir bien au-delà de ce qu'il est.

Il peut n'être qu'une toute petite chose : une boîte d'allumettes, un flacon d'épices ou un panier de fraises, à condition d'avoir été choisi avec soin, avec recherche, avec amour parce qu'il a essentiellement une valeur symbolique, celle d'un message.

Les petites attentions et les grandes gentillesses

Le cadeau étant, par définition, ce que l'on offre, pourquoi ne pas considérer comme tel, certains gestes, certaines attentions traduisant tant de tendresse, d'affection ou de bonne volonté qu'ils marquent dans notre vie plus ou mieux qu'un véritable objet ? Car, à vrai dire, le souvenir d'une joie ou d'un moment heureux compte souvent plus pour nous que le cadeau le plus réussi.

Il est relativement facile de penser à offrir des fleurs. Il est déjà moins facile de se souvenir que les amis chez qui vous avez dîné se sont excusés de n'avoir pas de verres à whisky. Mais il est souvent plus difficile de faire le geste qui vous coûte un peu ou beaucoup.

• **De temps en temps :** proposer de garder les enfants de l'une de vos amies pour qu'elle puisse aller au théâtre ; emmener à l'improviste votre femme dîner au restaurant parce que vous la voyez fatiguée ou soucieuse, alors que vous auriez préféré rester chez vous.

• **Le plus souvent possible.** Faire l'effort d'écrire une lettre à votre mère alors que votre paresse épistolaire est légendaire ; donner un coup de téléphone à votre femme, au terme d'un voyage, pour annoncer que vous êtes bien arrivé.

• **Le dimanche,** servir à l'un ou à l'autre son petit déjeuner au lit alors que vous avez horreur de vous lever, inviter une tante solitaire et peu distrayante à passer la journée ou le week-end chez vous.

Encore faut-il, lorsqu'on fait un geste ou un cadeau « pour faire plaisir » être soi-même dans un état d'esprit qui permette de l'accompagner de toute la chaleur, de toute la gentillesse voulues.

La manière de donner

• **Savoir donner.** Il est parfois plus important de savoir donner que de donner. Si vous emmenez votre femme dîner au restaurant en ajoutant : « C'est bien pour te faire plaisir, parce que moi, personnellement, j'aurais cent fois préféré rester à la maison », vous détruisez en une phrase toute la joie ou l'agrément de cette sortie.

• **Bien donner,** c'est éprouver réellement de la joie à faire plaisir. C'est parfois entourer son cadeau de tout un cérémonial de surprise : faire livrer un objet dans le plus grand secret, user de subterfuges pour que personne ne se doute de vos intentions ou de votre projet, avoir l'air de ne pas entendre une allusion, un souhait pour réaliser votre idée en cachette. Il suffit de se rappeler certaines exclamations ravies : « Comment as-tu deviné ? » « Vous vous êtes souvenu que j'aimais cela ! » pour se rendre compte à quel point le plaisir de surprise ajoute à celui du cadeau.

Cadeaux accompagnés

A vos amis, à vos connaissances,
envoyez vos souhaits les plus colorés ;
choisissez des cartes de bon goût !

Composez un tableau trompe-l'œil
avec les plus jolies cartes – cadeaux de vos amis !
Vous les disposerez dans un désordre savant,
sur du velours pourvu de galons entrelacés.
Vous choisirez le cadre suivant votre ameublement.

(En vente chez Brentano's)

S'il est préférable de faire suivre d'une lettre
les cadeaux que l'on expédie,
on peut adopter pour ceux offerts directement
la solution carte de vœux.

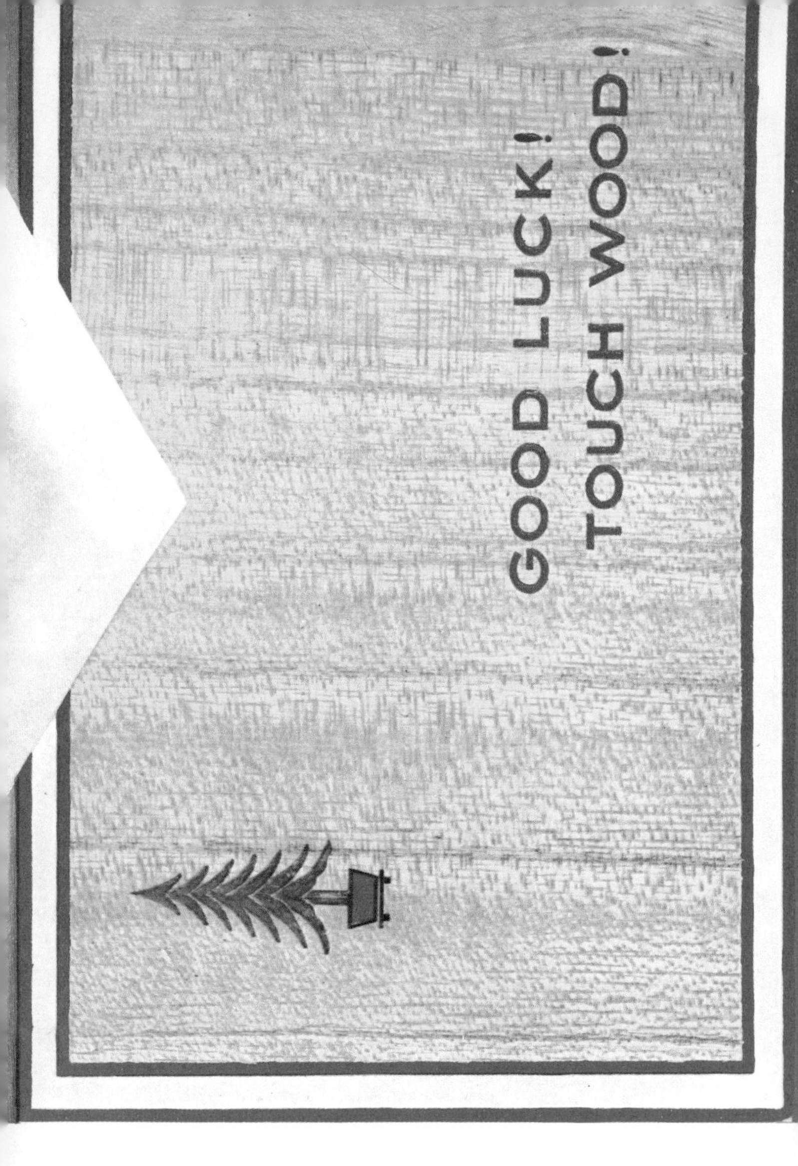

Dans tous les grands magasins,
dans toutes les boutiques à « gadgets »,
vous trouverez un immense choix de cartes,
des plus classiques aux plus originales.

POUR SE FAIRE PLAISIR

• **Non par égoïsme.** C'est un aspect des cadeaux qu'il ne faut pas négliger. Se faire plaisir en offrant un cadeau ne signifie pas nécessairement que l'on agisse par égoïsme, que l'on choisisse d'abord en fonction de soi et de ses goûts sans tenir compte des préférences d'autrui. Il peut, certes, arriver que l'on soit incapable de se mettre à la place de celui auquel on offre un cadeau, que l'on se dise en le choisissant : « Moi, cela me plairait » au lieu de : « Cela lui plaira-t-il ? », ou que l'on refuse délibérément de faire un cadeau que l'on désapprouve. Les présents faits dans cet esprit dénotent un manque d'intérêt pour autrui, une paresse à imaginer ses goûts, ses aspirations véritables. Ils atteignent rarement le but essentiel du cadeau qui est, avant tout, de faire plaisir au destinataire. On ne se fait pas, non plus, plaisir à soi-même ; en fait, dans ces cas-là on se contente de se débarrasser d'une corvée.

• **Par identification.** Le cadeau « pour se faire plaisir » peut être et doit être bien autre chose. C'est, bien compris, celui qui traduit le mieux la chaleur d'une affection, la force d'un amour. On s'identifie tellement à l'être cher que l'on éprouve une joie égale à lui offrir un cadeau qu'à le recevoir soi-même.

Il est ainsi certains objets auxquels s'attachent des souvenirs qui ont pour vous une valeur sentimentale toute particulière, et que vous préférez voir entre des mains qui vous sont chères plutôt que de les conserver. C'est le cas, par exemple, de tel meuble, tel bibelot, tel bijou de famille : vous savez que l'une de vos nièces ou l'une de vos petites-filles en prendra soin comme vous-même.

• **Par transfert.** Il est aussi certains voyages que vous ne pouvez plus faire, certains sports que vous ne pouvez plus pratiquer, certains vêtements que vous ne pouvez plus porter « parce que ce n'est plus de votre âge ».

Offrir a quelqu'un le voyage dont vous avez rêvé et que vous n'avez jamais fait, la robe de jeune fille à laquelle il vous faut renoncer, les leçons de tennis que vous n'avez jamais pu vous payer au même âge, et en éprouver une joie sans arrière-pensée, n'est-ce pas la plus charmante preuve d'affection ?

SOUS MILLE PRETEXTES « ATTENTIONNES »

Le cadeau à un malade

On est souvent embarrassé au moment de faire un cadeau à un malade ; faute de savoir quoi offrir on se résout à apporter des fleurs ou des bonbons, présents toujours agréables mais bien classiques. En fait, les fleurs s'étiolent dans les chambres surchauffées, les vases trop grands ou trop petits, sont rarement ce qu'il faudrait, ou il n'y en a pas assez et l'on se voit contraint de mélanger les anémones et les œillets. Les bonbons s'accumulent sur la table de nuit et le malade, écœuré, n'a aucune envie d'y goûter.

Il importe d'abord de distinguer entre deux catégories de malades : ceux qui se trouvent en clinique ou à l'hôpital pour une opération et qui n'y resteront que quelques jours, et ceux qui sont alités ou immobilisés pour de longues semaines, ou définitivement.

LA COURTE MALADIE, L'OPERATION

La première chose qui doit nous guider, en ce cas, c'est la nature de la maladie ou de l'opération. Un malade réagit, bien entendu, différemment, s'il a été opéré de la vésicule biliaire ou d'une fracture à la jambe.

● **Les friandises.** Il est évidemment absurde d'apporter des chocolats à un malade qui souffre d'une affection du tube digestif. En revanche, il se peut qu'il accueille avec joie les premières pêches que vous lui apporterez et qui ne figurent pas au menu de l'hôpital ou de la clinique. Le mieux est, dans ce cas, de se renseigner auprès de ses proches. Les malades ont parfois des envies subites et irraisonnées qu'il est facile de satisfaire.

● **Les livres.** Si la lecture ne le fatigue pas, vous apporterez un livre distrayant ; mais si vous ne l'avez pas lu, si vous ne savez pas ce qu'il contient — un titre est parfois trompeur — renseignez-vous auprès du libraire pour éviter de commettre un impair et d'offrir un récit morbide à quelqu'un qui n'est que trop enclin à la mélancolie ou facilement impressionnable.

Si la lecture fatigue le malade, vous choisirez plutôt un album de photographies ou un livre d'art.

● **Les jeux.** Pensez aussi à tout ce qui peut amuser un malade et le sortir de ses préoccupations. Les jeux offrent à cet égard d'inépuisables ressources. Le solitaire est un jeu presque mécanique qui détend et distrait sans fatiguer. L'auto-bridge passionnera celui qui est privé de ses parties hebdomadaires, ou permettra au débutant de se perfectionner. Un objet amusant, comme un kaléidoscope, un automate, une boîte à musique apporteront au malade un peu de féerie et une compagnie.

● **Les accessoires du bien-être.** Bien des objets peuvent aussi contribuer au bien-être d'un alité ; une eau de toilette fraîche et légère, une bougie odorante qui brûle en dégageant un parfum, un bâton de verveine ou de lavande solidifiée qui donne une agréable sensation de fraîcheur, une lampe Berger qui absorbe les fumées et les odeurs et, pourquoi pas ? un éventail, passé de mode mais si agréable.

LA LONGUE MALADIE

Ici, le cas est différent et il convient d'offrir des objets qui dureront et rendront service longtemps.

● **Pour le confort.** On peut naturellement offrir des vêtements de lit ou d'intérieur : pyjama, chemise de nuit, liseuse, châle, robe de chambre. On peut aussi offrir toutes sortes d'objets qui rendront la vie du malade plus agréable ou plus facile ; une couverture chauffante, un plaid, une chancelière, un plateau-table qui s'adapte au lit, un fauteuil-relax, un appareil à ozone qui assainit la pièce et dégage une odeur agréable, un ventilateur, si bien entendu un refroidissement n'est pas à craindre, une bouteille thermos en forme de pot qui conservera au chaud une infusion pour la nuit, un « verre d'eau » à la mode ancienne — carafon et verre — qui permettra au malade d'avoir toujours à portée de la main de quoi boire.

• **Contre l'isolement.** Dans les premières semaines d'une maladie, on est généralement très entouré ; puis, inévitablement, chacun est repris par ses occupations et les visites s'espacent ; le malade est parfois obligé de s'éloigner des siens pour une longue période de convalescence à la montagne ou à la campagne. C'est à ce moment-là, plus particulièrement, qu'il se trouve en proie à l'ennui, à l'inaction. Vous pouvez lui offrir, en prévision de ces heures de solitude, un objet qui lui rappellera quotidiennement votre affection, qui sera pour lui, à la fois un passe-temps et une compagnie.

L'appareil de télévision est, évidemment, le cadeau idéal pour une personne condamnée à l'immobilité. Si l'achat d'un appareil n'est pas dans vos moyens, n'oubliez pas que l'on peut louer un poste. Un poste de radio à transistors peut, plus modestement apporter une présence, un élément de vie dans la solitude. Les disques sont une source de joie infinie pour le passionné de musique.

L'abonnement à un journal ou à une revue est également une bonne idée, car l'attente du courrier joue un grand rôle dans la vie de certains malades.

Vous pouvez également offrir une visionneuse si vous avez une collection de photos que vous pouvez prêter au malade, ou si étant éloigné de lui vous pouvez lui en envoyer régulièrement pour lui faire partager votre vie. On trouve, d'ailleurs, des diapositives à acheter ou à louer dans certains musées, magasins spécialisés ou agences de tourisme, en France et à l'étranger.

• **Pour le distraire.** L'immobilité forcée est parfois l'occasion de s'initier à une activité nouvelle. Vous pouvez, par un cadeau judicieusement choisi, convaincre un malade de s'adonner à un violon d'Ingres, susciter chez lui un intérêt passionné pour un domaine qui lui était étranger. Il peut s'agir de la peinture, de la guitare, de la graphologie, de l'astrologie ou, dans un autre ordre d'idées, de la tapisserie, de la construction de modèles réduits d'autos ou d'avions, de la confection de bateaux en bouteille ou de l'étude des tarots.

Le choix à faire entre toutes ces idées dépend évidemment de la personnalité du malade, de sa condition physique, mais il vaut la peine d'être longuement pesé, car il ne souffre aucune erreur.

Le cadeau d'installation

Le cadeau d'installation est une idée charmante. Il est différent des cadeaux de pendaison de crémaillère, qui correspondent à une occasion, à une réception précise. Il n'a pas le caractère conventionnel du cadeau de mariage et peut se permettre beaucoup plus de fantaisie. Il ne fait pas non plus double emploi car on peut l'offrir en bien d'autres circonstances que celle du mariage. Dans quel cas peut-on offrir un cadeau d'installation ?

Il peut, tout d'abord, permettre de réparer une injustice à l'égard des célibataires. Jadis, une jeune fille qui ne se mariait pas restait généralement au foyer de ses parents et

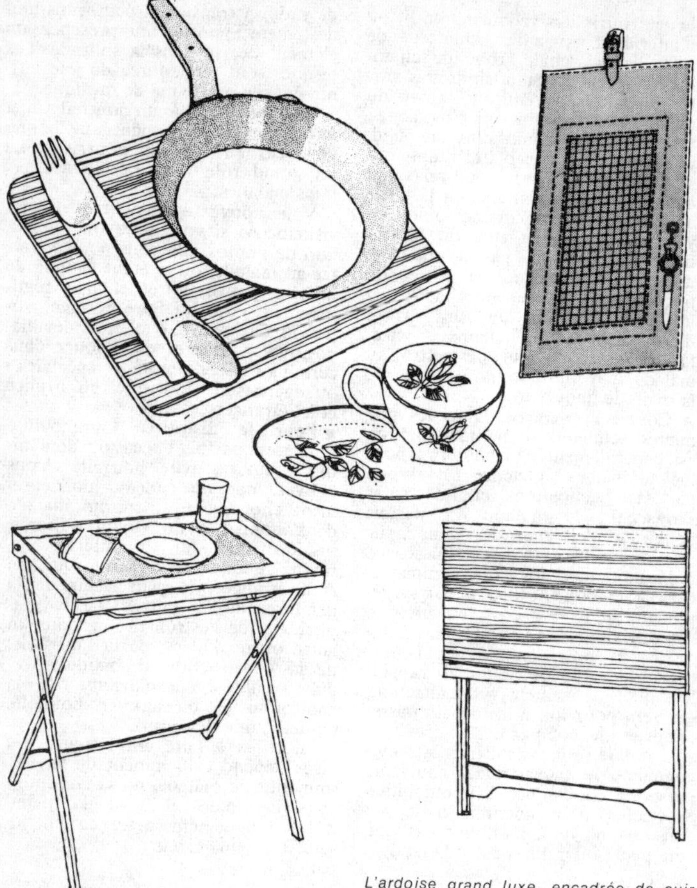

Cadeaux « maison » pour célibataires
Le service « deux œufs sur le plat », comprenant la poêle et les couverts présentés sur un épais plateau de bois faisant office, à l'occasion, de nappe, de set de table et de table tout à la fois (Boutique Fauchon).
Le déjeuner en porcelaine de Paris à décor de roses dont la soucoupe est remplacée par un plateau miniature destiné à recevoir les tartines (Raymond).
L'ardoise grand luxe, encadrée de cuir piqué sellier. Elle s'accroche dans l'entrée, se pose sur le bureau ou sur la table de cuisine pour indiquer à la femme de ménage son travail de la journée, pour rappeler les heures de rendez-vous de la semaine ou pour préciser les courses et les provisions à faire ou à rapporter (Garreau).
Le plateau d'acajou fixé sur un X pliant qui permet de prendre ses repas dans le coin salon du living ou dans la chambre, et disparaît aussitôt après dans un placard (Jacques Franck).

n'avait guère, personnellement, de problèmes matériels à résoudre. Les choses se présentent, de nos jours, tout à fait différemment. Dès l'âge de vingt ans, beaucoup de jeunes filles cherchent à gagner leur vie, à assurer leur indépendance : le premier rêve d'indépendance, c'est d'avoir un chez-soi.

• **Lorsqu'une jeune fille s'installe :** même si elle doit se marier quelques mois ou quelques années plus tard — et à plus forte raison, si elle ne se marie pas —, pourquoi ne pas lui offrir ces quelques objets de base qui lui rendront la vie plus facile et plus agréable, qui lui permettront de recevoir, ou ajouteront au charme de son intérieur ? En général, à moins d'avoir une fortune personnelle ou une famille qui l'aide, une jeune fille qui s'installe manque à peu près de tout et doit rogner sur son budget pour acheter l'essentiel. La gamme des cadeaux possibles est donc très vaste : des meubles — table, chaises, commode — au réfrigérateur, en passant par la vaisselle, la verrerie, le linge de maison, l'argenterie, le simple moulin à café, les casseroles même, on n'a que l'embarras du choix. Ce cadeau d'installation aux célibataires n'est pas encore passé dans les mœurs, mais il y aurait peut-être là une coutume à établir, pour réagir contre l'injustice dont ils sont les victimes.

• **Lors du nouvel emménagement.** Le cadeau d'installation se justifie aussi lorsqu'un ménage marié depuis quelques années et vivant à l'étroit, avec un ou deux enfants, dans un logement inadéquat ou inconfortable, s'installe dans un appartement plus grand.

Les meubles qui écrasaient le studio ou le deux-pièces sont perdus dans le nouvêau logement. La vie un peu bohème d'un tout jeune ménage ne convient plus au couple qui est appelé à recevoir. Les enfants grandissent et il faut leur installer une chambre. L'appartement que l'on vient d'acquérir grève lourdement le budget familial. Autant de problèmes difficiles à résoudre dans un début de carrière. Ici, encore, le cadeau d'installation peut être le bienvenu et aider un jeune ménage à franchir la période déprimante des murs nus, des fenêtres sans rideaux, des dîners où les tabourets de cuisine et les fauteuils bas sont les seuls sièges ; et où l'on hésite à inviter six personnes parce qu'il ne reste plus que cinq assiettes entières.

• **Pour l'installation d'une maison de campagne.** Il est, enfin, un autre cas où il est amical d'offrir un cadeau d'installation : celui où des amis ont acheté une maison de campagne. A moins d'avoir beaucoup de fortune, l'aménagement d'une seconde résidence pose généralement de sérieux problèmes financiers. On se contente, généralement, d'y faire les travaux essentiels en attendant d'y apporter tout le superflu qui rendrait la vie si agréable.

Connaissant les problèmes de vos amis, il vous est facile de leur offrir :

o *soit l'objet de première nécessité :*
- l'autocuiseur, qui simplifiera les tâches de la maîtresse de maison ;
- la douzaine de serviettes supplémentaire qui évitera le souci du blanchissage ;
- les casseroles de porcelaine à feu qui pourront être présentées directement à table ;
- le chauffe-plats qui épargnera les allées et venues à la cuisine ;
- les boîtes ou bocaux qui permettront d'avoir toujours quelques plats prêts au réfrigérateur.

o *soit l'objet pittoresque et charmant qui apportera une note de fantaisie dans un décor encore à l'état d'ébauche :*
- les vieux pots de cuivre ou d'étain qui agrémenteront la cheminée ;
- l'étagère à épices si charmante dans une cuisine ;
- une série de bocaux anciens qui mettront le sucre et la farine à l'abri de l'humidité ;
- une boîte à sel ou à allumettes comme au temps jadis ;
- des lanternes de fiacre pour éclairer un couloir ;
- une soupière ancienne qui ressuscitera les traditions ancestrales ;
- des chenets ou une panoplie de foyer : pelle, pincettes, balai, souf-

flet, le coin-de-feu étant la grande attraction de la campagne.

o *soit l'objet superflu mais combien agréable :*

- le barbecue, qui permettra d'organiser de sympathiques déjeuners de plein air ;
- Le réchaud à fondue pour égayer les soirées d'hiver ;
- le siphon pour fabriquer soi-même de l'eau gazeuse ce qui évite de transporter, chaque week-end, une demi-douzaine de bouteilles lourdes et encombrantes ;
- le samovar qui redevient à la mode et ressuscitera la tradition du thé et des longues soirées « à la russe ».

Mais il ne faut pas oublier, pour autant, les ressources qu'offre le jardin sur le plan des cadeaux. Nombreux sont les citadins qui se prennent de passion pour le jardinage et qui passent des heures à bêcher, sarcler, surveiller leurs plantations. Pourquoi ne pas leur offrir l'un de ces instruments perfectionnés que l'on trouve dans les magasins spécialisés et qui leur simplifieront la tâche :

- le sécateur qui permet de cueillir les roses sans se piquer ;
- le lampadaire de jardin qui éclairera un recoin obscur et mettra les feuillages en valeur ;
- la fontaine à mains où l'on ira se rafraîchir entre deux séances de jardinage ;
- le fauteuil relax où il fera si bon s'installer pour prendre un bain de soleil.

« Votre » casier aux semences
Vous le confectionnerez vous-même selon les mêmes principes de fabrication que ceux donnés pour l'étagère à épices dont vous trouverez les schémas et explications P. ... de ce livre, au chapitre « Cadeaux à réaliser vous même ». Vous l'offrirez garni de semences potagères, et de graines en sachets des plus jolies fleurs.

Pourquoi ne pas leur offrir, pour commencer leur jardin, ce cadeau auquel on pense rarement :

- un arbre qui sera le témoignage vivant et original de votre amitié ?

Le cadeau de vacances

Les vacances... Le Mois qui fait rêver tout au long de l'année. Le Mois de répit que l'on aborde dans l'euphorie des projets, des préparatifs, de la liberté retrouvée. Le Mois privilégié où l'on se permet, sans trop de remords, quelques petites folies. Il suffit parfois de peu de choses pour que des vacances soient réussies ou manquées ; un peu de liberté d'esprit, un budget un peu plus large, la possibilité d'oublier pour un temps les soucis financiers.

C'est généralement en fonction de son budget que l'on choisit tel mode de villégiature, telle catégorie d'hôtel, telle formule de location, et ce choix imposé par la nécessité ne correspond pas toujours aux préférences.

Un jeune ménage se verra parfois contraint de camper ou de louer un studio inconfortable et bruyant au lieu de séjourner dans une pension de famille où il aurait été libéré de tout souci.

Une famille nombreuse s'installera dans un appartement exigu où chacun se gênera, où tout deviendra un problème parce qu'elle ne peut s'offrir la villa où le repos et la détente auraient été plus faciles.

Une maîtresse de maison reviendra de vacances aussi fatiguée qu'à son départ parce qu'elle n'aura pu s'offrir le luxe d'une aide ménagère et qu'elle aura dû assurer, comme à l'ordinaire, les courses, le ménage et la vaisselle.

Les vacances sont une occasion idéale d'apporter à ceux qui nous sont chers, une vraie détente, un véritable plaisir. De belles vacances, c'est l'un des cadeaux les plus agréables que l'on puisse recevoir... et offrir.

● **L'aide financière :**

o *les parents ou les beaux-parents* pourront offrir à leurs enfants :
- la location d'une villa ou d'un appartement qu'ils n'auraient pas les moyens de payer ;
- le voyage à l'étranger dont ils rêvent et qui sera pour eux un second voyage de noces ;
- un séjour à l'hôtel qui aurait été foncièrement déraisonnable étant donné leur budget mais dont ils auraient cependant besoin pour se remettre d'une année particulièrement fatigante ou des suites d'une maladie ;
- la location d'une voiture qui leur évitera la difficulté d'un voyage par le train avec de jeunes enfants, leur facilitera les problèmes d'approvisionnement, leur permettra d'explorer une région et de faire quelques excursions inoubliables.

o *la grand-mère :*
- trouvera pour sa petite-fille une jeune fille au pair, qu'elle prendra en charge pendant les vacances, pour garder le bébé et décharger la maîtresse de maison de multiples tâches ;
- offrira de payer, chaque jour, quelques heures l'aide ménagère qui préparera les repas permettant à la jeune femme de s'attarder à la plage et de se détendre sans soucis ;
- offrira à ses petits-enfants un séjour à l'étranger qui leur sera utile dans la poursuite de leurs études.

● **La garde des enfants**

o *Un ménage qui a la chance d'avoir une villa ou une maison de campagne :*
- invitera les enfants d'un couple ami pendant une quinzaine de jours ou un mois, pour permettre aux parents de prendre un vrai repos ;
- prendra en charge, pendant les vacances de Pâques ou de Noël, un enfant dont les parents travaillent, ou qui a besoin d'un changement d'air.

Ces quelques exemples prouvent qu'il suffit souvent de regarder autour de soi pour que vienne l'idée de ces cadeaux de vacances qui peuvent apporter tant de joie à ceux que nous aimons.

Mais il est, en vacances, bien des petits détails qui ont leur importance et qui peuvent aussi nous donner des idées de cadeaux.

● **Le chèque-vacances.** Si l'on est invité chez des amis ou si l'on passe ses vacances avec des amis qui ont un train de vie supérieur au nôtre, on se sent parfois gêné de n'avoir pas la robe qui convient pour sortir le soir, ni la possibilité d'offrir un verre dans un endroit agréable ou un dîner dans le restaurant gastronomique de la région.

On souhaiterait pouvoir s'offrir, par un jour torride, une place à l'ombre pour une corrida, des billets pour un festival célèbre, une excursion en bateau, une inscription à un club de voile ou de tennis, un objet-bibelot, un vêtement caractéristique que l'on aimerait rapporter d'un voyage.

Le budget de vacances peut apporter le strict nécessaire mais interdire ce superflu dont on rêve et qui laisserait de si bons souvenirs.

Pourquoi ne pas offrir, avant le départ, un chèque-vacances destiné aux fantaisies, et qui permettra de céder à la tentation en toute liberté d'esprit, de se laisser aller sans scrupule à commettre une petite folie, de vivre en vacances, dans l'insouciance des vacances ?

● **Des cadeaux « équipement ». Les** vacances posent aussi, parfois, toutes sortes de problèmes d'équipement : vous êtes invité aux sports d'hiver : il vous faudra louer des chaussures, emprunter un anorak qui n'est plus imperméable, un pantalon démodé. Les amis chez qui vous passez vos vacances sont des passionnés de bateau : vous n'avez ni ciré ni caban. Votre maillot de bain n'est plus du tout ce qui se porte cette année-là et vous avez, à tort où à raison, l'impression que tout le monde vous remarquera sur la plage. Toutes vos amies portent de charmants pantalons à la dernière mode et vous ne possédez qu'un vieux blue-jean pour travailler chez vous. Autant de petits détails au fond sans importance, qui suffisent à vous rendre mal à l'aise pendant un séjour. Et autant d'idées de « cadeaux-vacances ». Pour certains, les vacances c'est aussi l'occasion de pratiquer un sport ou de s'y initier : ski, tennis, voile, pêche sous-marine, ski nautique. On aimerait s'acheter ou louer un équipement, prendre quelques leçons. Vous pouvez, par un cadeau judicieux, donner à un jeune un bon départ, le faire se passionner pour la pratique d'un sport qui sera pour lui, tout au long de la vie, un immense plaisir et peut-être une grande source de joie.

Les cadeaux de départ

Le moment le plus mélancolique d'une séparation est celui où l'on se retrouve seul, dans un appartement vide où tous les objets vous rappellent une présence chère, où un certain nombre d'habitudes prises en commun semblent tout à coup perdre leur raison d'être. Le but du cadeau de départ est, en quelque sorte, de prolonger votre présence par un objet durable ou régulièrement renouvelé. Vous pouvez le faire remettre après votre départ, ou le laisser subrepticement derrière vous, à votre place. Le plaisir de cette surprise, la joie de cette attention adouciront le premier choc de la séparation.

Vous pouvez aussi faire la surprise de téléphoner, à intervalles réguliers, à jours fixes, ce qui, lorsqu'on est à l'étranger représente le plus beau des cadeaux : entendre la voix d'un être cher qui se trouve à des centaines ou des milliers de kilomètres de distance, avec ses intonations familières, aussi nettement que s'il était à quelques mètres de vous, c'est une joie dont on se souvient longtemps.

● **Un cadeau vivant :** si vous devez être absent pendant de longues semaines et que votre femme a toujours rêvé d'avoir un chien, un chat, un oiseau, etc., pourquoi ne pas saisir cette occasion de lui faire plaisir : un petit animal est une présence si précieuse dans les moments de solitude.

● **Et un peu de vous :** n'oubliez pas, non plus, si votre absence se prolonge, si vous êtes en poste à l'étranger pour de longs mois, le plaisir que peut procurer à ceux qui sont loin de vous tout ce qui évoque, d'une manière vivante, le cadre de votre nouvelle vie, de vos occupations : les photographies, les films qui vous permettront d'être présent à une réunion de famille où votre absence sera mélancoliquement ressentie, les enregistrements de votre voix qui seront un moyen charmant d'être présent au milieu des vôtres.

Un souhait délicat
Le vrai sac de voyage de nos aieux, spacieux et confortable, avec un fermoir à l'ancienne. Il est en toile garni de cuir et se ferme à double tour (La Bagagerie).

Les cadeaux de retour

Le mot « retour » évoque immédiatement une atmosphère d'excitation. Plus que deux jours, plus qu'un jour : on a l'impression que les dernières heures d'attente s'étireront indéfiniment. C'est le joyeux branle-bas dans la maison pour accueillir le voyageur. On lui a préparé son plat préféré. Les enfants vivent dans l'impatience de lui communiquer les dernières nouvelles : l'un une bonne note, l'autre un exploit sportif. La maison prend un air de fête. C'est à qui montera la valise, le sac qui contiennent, on en est sûr, autant de trésors que la hotte du Père Noël.

Comment arriver les mains vides, alors que l'on sait combien on a manqué aux siens, combien aussi, ils vous ont manqué ?

• **Les cadeaux de voyage :** pas nécessairement de grande valeur, ils demandent cependant à être judicieusement choisis. On pense plus attentivement aux siens lorsqu'on est loin d'eux. Un détail de la vie quotidienne qui serait passé inaperçu vous semble tout à coup revêtir une grande importance.

L'éloignement vous fait prendre conscience de la personnalité de ceux que vous aimez. Parce que vous êtes dépaysé, hors de votre cadre habituel, vous vous rendez mieux compte de ce que vous pouvez leur apporter. Parce que vous avez des heures de solitude, vous pensez plus intensément à l'être, aux êtres chers. C'est un peu les retrouver que d'acheter un objet spécialement choisi pour eux. A qui doit-on rapporter des cadeaux ? Comment les choisir ? Autant de réponses individuelles.

o *Si vous êtes un grand voyageur* qui passe le plus chair de son temps dans le train ou en avion, il est évident que vous n'êtes pas tenu de faire une distribution générale après chacun de vos déplacements. Il faut tenir compte aussi de la durée du voyage : si vous allez passer deux jours à Lyon ou à Bordeaux pour affaires, vous pouvez vous contenter de rapporter une boîte de friandises, spécialité de la région.

o *Si vous passez une frontière :* le problème est déjà un peu différent. Les produits étrangers exercent toujours une sorte de fascination. Une paire de gants n'a pas le même prestige si elle est achetée à Paris ou à Londres.

Efforcez-vous dans votre choix de tenir compte des ressources du pays : le plaisir du cadeau est doublé par celui de recevoir un objet vraiment original ou un instrument très perfectionné introuvables en France.

Si vous avez tant soit peu le temps de flâner, l'esprit libre, vous ne manquerez pas de découvrir mille formules de cadeaux insolites et plaisants. (Voir ch. VII, les cadeaux « d'avance » de la p. 301 à la p. 311). Ici encore, ce sont les associations d'idées qui nous guident : lorsque notre cœur et nos pensées sont occupés par un être cher, la seule vue d'un objet joue comme un déclic et nous sentons presque infailliblement que nous lui ferons plaisir en le lui offrant.

o *Si vous avez fait un long voyage* dans un pays lointain, votre retour est vraiment un événement qu'il convient de célébrer comme une fête ou un anniversaire. La liste des cadeaux à faire sera plus longue.

En règle générale, on peut se contenter, après un bref voyage, de rapporter quelques menus souvenirs à ses proches : femme, enfants, qui ne comprendraient pas qu'on les ait oubliés, parents pour lesquels vous restez toujours « l'enfant » et qui attendent votre retour avec impatience.

Mais après une longue absence, il est gentil d'avoir un geste pour certaines personnes de votre entourage — amis intimes, surtout s'ils ont la nostalgie du pays que vous venez de visiter, collègues de bureau, la domestique qui est depuis si longtemps à votre service qu'elle fait partie de la famille — et de gâter particulièrement votre femme en lui faisant la surprise d'un cadeau longtemps désiré : collier de perles de Hongkong, bijou ou tapis d'Orient, manteau de fourrure du Canada ou d'Amérique, poste à transistors ou appareil de télévision portatif.

• **Chaque pays a ses spécialités** Le chocolat et les montres sont suisses ; les pull-overs et le thé sont anglais ; les gadgets, américains ; les soieries, italiennes ; les cristaux, tchécoslovaques ; les nappes brodées, portugaises ; les robes d'enfants et les vestes de daim, espagnoles ; les appareils photographiques, allemands ; les poteries et les couteaux, suédois.

• **Le « cadeau-retour » réparateur.** Les voyages sont, enfin, une excellente occasion de réparer un oubli, de marquer discrètement une attention. Vous êtes navré d'avoir laissé passer l'anniversaire de votre père : votre séjour à l'étranger vous permettra de lui rapporter un objet qui lui rappellera les années qu'il a passées dans ce pays.

• **Le « cadeau-retour » prétexte.** Vous souhaiteriez faire un geste à l'égard de quelqu'un pour lequel vous éprouvez une vive affection et que vous craignez de voir mal interprété : le voyage est, en ce cas, le prétexte très naturel que vous pouvez choisir.

Les cadeaux pour se faire pardonner

Ici, une question se pose. Peut-on réellement obtenir le pardon par un cadeau, si somptueux soit-il, lorsqu'on a blessé quelqu'un, que l'on a fait preuve de méchanceté, de lâcheté, qu'on l'a trompé, que l'on a failli aux lois de l'amitié ? on serait tenté, au premier abord, de répondre : non.

Certains êtres aiment assez profondément, d'une manière si totale, si absolue qu'ils sont prêts à tout absoudre, à tout comprendre, à tout accepter : pour ceux-là un cadeau ne changera rien, puisqu'ils ont, une fois pour toutes, donné leur amour ou leur amitié et que l'amour ou l'amitié c'est, pour eux, tolérer toutes les faiblesses, toutes les erreurs.

Pour les autres qui ont une conception intransigeante — et tout aussi valable — des valeurs humaines, de l'honneur et de la droiture, il n'y a pas de pardon : il ne reste qu'une immense déception ; quelque chose — amour, amitié — s'est définitivement brisé et ici encore, le cadeau si désiré, si touchant soit-il, ne peut rien réparer. Il y a cependant des cas bénins où le cadeau s'impose.

• **Une maladresse, une négligence :** vous avez laissé dans un taxi le livre ou le dossier que l'on vous avait prêté avec mille recommandations. Vous avez d'un geste maladroit brisé la lampe ou le vase auxquels vos amis tenaient plus qu'à tout leur mobilier. Il est arrivé un accident à la robe ou au fuseau que l'on vous avait prêtés : c'est très simple, vous devez réparer ce qui peut être réparé : acheter le vase ou la lampe de même style que l'objet brisé, remplacer le fuseau taché ou déchiré, trouver, quitte à faire quelques recherches chez les libraires, le livre que vous avez égaré. Si votre étourderie est irréparable, offrez, dans la mesure de vos moyens, un autre objet judicieusement choisi qui, vous le savez, fera plaisir à vos amis.

• **Un manque de courtoisie.** Il y a aussi des cas où la mauvaise humeur et la rancune ne résistent pas au cadeau charmant, à l'attention, au geste de bonne volonté. Il s'agit de toutes les circonstances où il nous arrive, plus par inconséquence que par méchanceté de peiner quelqu'un ou de lui causer un tort. Vous avez complètement oublié votre anniversaire de mariage ou la fête de votre mère ; vous vous êtes laissé aller dans le feu de la discussion à porter des jugements désobligeants qui dépassaient votre pensée. Vous avez accepté une invitation chez des amis mais vous avez oublié de la noter et de vous y rendre ; pris par d'autres obligations vous vous êtes décommandé au dernier moment.

Tout ceci n'est pas bien grave, en soi. Mais certaines personnes trop sensibles ou trop susceptibles prennent ombrage de ces petits manquements. D'autres en souffrent, s'interrogent sur ce qui a pu motiver vos gestes, vos paroles.

○ *En règle générale,* il ne faut pas attendre pour réparer. Ne laissez pas un malaise se créer, une équivoque planer sur vos relations avec autrui.

La meilleure façon de vous faire excuser, de reconnaître vos torts si une explication vous est difficile c'est, tout de suite, le jour même **si possible, sinon, dès le lendemain,** d'envoyer un cadeau accompagné d'un mot amical : ne dramatisez pas l'événement, mais exprimez avec esprit et humour votre confusion.

Le cadeau idéal, en ce cas, c'est le bouquet de fleurs. Les fleurs ont la valeur symbolique d'un message, elles savent exprimer les regrets, l'affection, la tendresse. Vous pouvez les charger d'exprimer bien des sentiments.

● **Un oubli. Si vous avez oublié par exemple un anniversaire, réparez en offrant un cadeau exceptionnel, un cadeau très désiré. Vous avez oublié l'anniversaire de votre mère, mais vous vous imposerez de l'emmener à un concert auquel elle rêvait d'assister.**

Vous étiez absent de chez vous ou préoccupé par des difficultés professionnelles et vous avez laissé passer l'anniversaire de vos dix ans de mariage : vous proposerez à votre femme de l'emmener faire un voyage qu'elle désirait depuis longtemps et qui avait toujours été différé.

○ *Les oublis ont parfois ce bon côté :* ils sont, pour nous, l'occasion unique de procurer une joie, un plaisir d'autant plus profonds qu'ils se sont fait plus longuement attendre. L'impression d'être en faute joue comme un aiguillon, nous donne des idées auxquelles nous n'aurions peut-être jamais songé, nous incite à nous pencher plus attentivement sur ce que peut souhaiter ou aimer un être cher.

● **Une dispute, une querelle :** mais il arrive que l'on ait à se faire pardonner des choses beaucoup plus graves qu'un simple oubli ou un manquement à la courtoisie : une dispute, par exemple, où sous le coup de la colère vous avez prononcé des paroles blessantes, fait des reproches injustes. On se sépare en claquant la porte, avec un sentiment d'irréparable. Deux heures plus tard, la **colère est tombée, vous avez réfléchi,** vous regrettez.

○ *Faites tout de suite un geste, non pas classique, mesuré, mais somptueux, extravagant, inhabituel.* Entrez chez le fleuriste le plus proche et faites envoyer non pas une, mais six douzaines de roses. Choisissez un très beau bijou, un objet rare, un magnifique livre d'art.

Il faut parfois laisser aux sentiments le temps de s'apaiser, aux blessures le temps de se fermer.

Rien n'empêche, pendant les quelques jours, les quelques semaines de silence nécessaires, de renouveler votre geste, de lui donner le caractère d'un message de fidélité : vous pouvez, huit jours durant, faire envoyer un bouquet, un télégramme, un témoignage quelconque de votre affection. Il faudrait une rancune bien tenace pour résister à des preuves **répétées de contrition, à des manifestations sans cesse renouvelées de tendresse.**

● **Une faute grave :** reste à savoir si dans les cas extrêmes, quand vous avez trompé un être cher, ou lui avez menti, quand vous avez failli à une longue amitié en commettant **une lâcheté, en refusant de soutenir quelqu'un pour ne pas vous compromettre ou en l'abandonnant après lui avoir promis votre soutien, un cadeau si magnifique soit-il est suffisant ou même opportun.**

A nos torts, n'ajoutons pas celui de manquer de tact. Mieux vaut, dans le doute, s'abstenir et affronter franchement une explication.

Les cadeaux de rupture

On touche ici à un sujet délicat. Le mot « rupture » évoque inévitablement l'idée de drame, de larmes, de scènes. Peut-on à ces moments-là envisager de faire un cadeau, qui est avant tout la marque de l'entente et de l'affection ?

Il y a cependant des cas où deux êtres ont assez de lucidité, de courage ou de loyauté pour envisager une rupture, non sans chagrin, mais, disons, avec élégance. On peut se séparer pour de multiples raisons qui n'enlèvent nullement l'estime et l'amitié que l'on éprouve l'un pour l'autre.

Rupture d'adolescents : il y a d'abord le cas des longues amitiés d'enfance et de jeunesse. On croit, à dix-huit ou vingt ans, qu'elles se termineront tout naturellement par le mariage. On est, de part et d'autre, de bonne foi. Puis il y a le service militaire, l'éloignement des études, l'évolution naturelle d'un être qui commence à vivre en adulte. On apprend à connaître des milieux nouveaux. Et quand on se retrouve, on a pris conscience de certaines réalités, on s'aperçoit que l'on s'est trompé, que l'on a vécu un rêve romantique d'adolescent. On songe à se marier, mais avec un autre ou une autre. Est-ce une raison pour ne pas préserver une amitié qui vous a apporté beaucoup de joies, de souvenirs heureux ? Pourquoi ne pas offrir, en gage de cette amitié, un cadeau charmant, choisi avec délicatesse ? Un disque que vous avez écouté souvent ensemble et qui vous appartient un peu à tous les deux ? Un bibelot curieux dont cet ami ou cette amie est amateur, un objet familier qui faisait partie de votre chambre d'adolescent, un livre rare auquel vous tenez.

Ce qui compte ici, ce n'est pas l'importance du cadeau — il peut être délicat, par exemple, si vous êtes fiancé, d'offrir un bijou à une jeune fille, fût-elle votre meilleure amie d'adolescence, car les bijoux prennent alors une valeur symbolique — mais bien l'intention que l'on y met.

• **Rupture de fiançailles.** Sur le plan juridique, la règle est simple. Les donations faites avant le mariage, par contrat ou en l'absence de contrat, par un fiancé à l'autre ou par des tiers sont présumées faites en faveur du mariage projeté. On applique, en conséquence, l'article 1088 du Code civil qui stipule : « Toute donation faite en faveur du mariage sera caduque si le mariage ne s'ensuit pas. » Les cadeaux devront donc, en principe, être restitués quelle que soit la cause de non-célébration du mariage.

Une jeune fille sera donc tenue de rendre la bague à son ex-fiancé et les cadeaux qu'elle a reçus des amis de la famille. Mais rien n'empêche un ex-fiancé, s'il s'agit d'une rupture élégante, de refuser que la bague lui soit rendue.

• **En cas de divorce :** on applique naturellement les dispositions du contrat de mariage ou, s'il n'y a pas eu de contrat, les règles de la communauté légale. L'article 952 du Code civil dispense cependant du rapport à la succession les « présents d'usage » entre époux. La jurisprudence les fait échapper également au principe de la révocabilité des donations entre époux.

Qu'appelle-t-on « présents d'usage » ? Ce sont non seulement les cadeaux de fiançailles ou de mariage, mais encore tous les cadeaux ou libéralités que peuvent se faire les époux à l'occasion de la naissance d'un enfant, d'un anniversaire, etc.

La jurisprudence tient compte cependant de l'importance du cadeau : il peut être considéré comme excessif par rapport à la situation de fortune du donateur et, à ce titre, soustrait à la catégorie des « présents d'usage ».

Il arrive aussi que parmi les bijoux donnés par un mari à sa femme, on exclue ceux qui sont de trop grande valeur pour entrer dans cette catégorie. Il a été jugé ainsi que les bijoux de famille de grande valeur remis à la future épouse par les époux La Rochefoucauld avant le mariage de leur fils devaient être restitués par celle-là après son divorce : « **Car il résultait des circonstances de la cause qu'il n'y avait pas eu donation à la future épouse mais au fils pour qu'il les prête à sa femme.** »

En revanche, a été considérée comme « présent d'usage » une voiture Mercédès offerte pour l'anniversaire de sa femme par un mari ayant des ressources importantes et déjà deux voitures.

Il a été jugé également que Sacha Guitry ne pouvait se faire rendre par Geneviève de Séréville, après divorce aux torts réciproques, un bracelet de diamants donné « après une année de bonheur, mon amour... » **qui, bien que de grande valeur, constituait un présent d'usage, eu égard** à la situation financière, au train de vie et aux habitudes du donateur.

Aux termes de l'article 229, alinéa 1er du Code civil, les donations faites à l'époux coupable, autres que les « présents d'usage » sont révoquées de plein droit. L'époux coupable peut d'ailleurs révoquer, lui-même, celles qu'il a faites. Telle est la loi.

Mais lorsque le divorce à lieu dans un climat d'estime réciproque et que les époux, tout en ne pouvant plus supporter la vie commune, restent en bons termes et continuent à se voir, il n'y a aucune raison pour **que l'ex-mari ou l'ex-femme ne fasse pas à son ex-conjoint un cadeau de rupture, gage d'amitié, qui marquera le regret de l'inévitable, le souvenir de moments heureux, la lucidité devant l'erreur ou l'incompatibilité d'humeur.** C'est un geste que l'on peut faire pour tourner une page sans amertume et avec élégance. Il ne faut pas que ce cadeau soit mesquin, il faut au contraire qu'il soit choisi avec un soin tout particulier. Seules les considérations psychologiques peuvent ici nous guider.

DES CADEAUX POUR RÉCOMPENSER

Quand l'un de vos enfants ou petits-enfants, votre filleul, a fourni un gros effort scolaire, s'est imposé une discipline sévère pour réussir un examen difficile, il est absolument normal de reconnaître cet effort et de le récompenser.

La bonne note

Certains parents récompensent systématiquement la bonne note, la place de premier, le tableau d'honneur, jugeant que « toute peine mérite salaire ».

D'autres, plus rigoureux, considèrent qu'il est légitime qu'un enfant **travaille, qu'il est mauvais pour lui** de prendre l'habitude d'être « payé » d'un effort normal au lieu d'être incité au travail désintéressé.

Il faut tenir compte, en pareil cas, de la psychologie de l'enfant, de son ardeur à apprendre ou de sa paresse, des facilités ou des difficultés qu'il rencontre dans ses études. La récompense peut être un encouragement nécessaire et se justifie, à ce titre, même si l'on applique les méthodes d'éducation les plus rigides.

Que peut-on offrir en récompense ?

• **L'argent de poche :** les enfants aiment généralement disposer d'un peu d'argent de poche à dépenser à leur guise : les uns thésaurisent, les autres gaspillent, tous avec une joie égale.

Certains parents remettent à leurs enfants, chaque semaine ou chaque mois, une petite somme d'argent pour leurs menues dépenses.

D'autres s'y refusent. La tirelire prend alors aux yeux des enfants une importance et une valeur toutes particulières.

La bonne note est une excellente occasion de glisser une pièce ou un billet dans la tirelire qui servira un jour à acheter l'objet dont on rêve et que l'enfant aura ainsi le sentiment d'avoir gagné.

• **Un livre, un abonnement à un magazine.** A l'enfant passionné de lecture, vous offrirez le dernier livre d'une collection qu'il aime, un volume d'une encyclopédie qu'il souhaiterait constituer et que vous lui permettrez de compléter à chacun de ses succès scolaires, l'abonnement à un journal qu'il attendra chaque semaine avec impatience.

• **Une sortie.** Vous pouvez également lui faire la surprise de l'emmener voir le film dont il a envie, de lui offrir sa première soirée au théâtre qui marquera dans sa vie, ou une place pour un spectacle de ballet ou de cirque.

• **Invitez chez vous des camarades,** parmi ceux qu'il préfère, en leur offrant un spectacle original dont ils se souviendront : projection de film ou séance de prestidigitation.

• **Offrez-lui un animal,** pourquoi pas ? Chien, chat, poisson, oiseau sera pour l'enfant une compagnie et lui donnera un certain sens de la responsabilité.

• **Un accessoire « mode »**
Dans une famille nombreuse, les cadets héritent généralement des vêtements de leurs aînés. Or les enfants attachent souvent une grande importance à la façon dont ils sont vêtus. La mode est, une année, aux blousons, une autre aux duffle-coats, une autre aux cabans. Une mère de famille n'a pas toujours la possibilité de tenir compte de ces considérations. L'enfant se sent frustré parce qu'il n'est pas habillé comme ses petits camarades. Vous pouvez à l'occasion d'un bon classement, d'une bonne note à une composition, lui offrir le vêtement dont il rêve et qui aura été choisi pour lui et par lui.

• **Une inscription à un club, à un cours.**
Certains enfants montrent très tôt des dispositions artistiques, des goûts pour tel métier manuel ou tel sport. Pourquoi, à l'occasion d'un succès scolaire, ne pas les encourager dans cette voie ? Les parents n'ont pas toujours le temps ou les moyens de s'occuper des loisirs du jeudi qui sont cependant une bonne occasion de s'initier à la pratique d'un art ou d'un sport. Vous pouvez inscrire un enfant à un atelier de peinture ou de dessin, une « académie de jeudi » où ses talents se révéleront peut-être, ou à un cours de danse ; ou lui offrir une paire de patins, un matériel de peinture, couleurs, brosses, chevalet que ses parents ne peuvent pas se permettre de lui payer. Vous pouvez aussi lui offrir des leçons de piano, de violon ou de guitare de plus en plus en faveur chez les jeunes.

• **Les enfants aiment avoir** dans la chambre qu'ils partagent avec leur frère ou leur sœur un coin à eux, qu'ils arrangent à leur guise : vous pouvez les aider à le créer en offrant des rayonnages, un bureau d'écolier, un coffre à trésors, des gravures de bateaux ou des planches de fleurs.

Les examens

Les examens sont, à une certaine époque de l'existence, des événements importants. Il couronnent une ou plusieurs années d'efforts. Ils sont le premier pas dans la vie d'adulte. Ils méritent, à ce titre, d'être célébrés, marqués par un geste, un cadeau exceptionnel.

Quel que soit le mode de récompense que vous ayez choisi, il est un principe auquel vous ne devez jamais vous dérober : il faut toujours tenir les promesses que l'on a faites. Les enfants supportent mal qu'on les déçoive.

• **A une jeune bachelière,** vous offrirez :
- son premier bijou : collier de perles, chevalière, minaudière qui accompagnera sa robe du soir ;
- l'abonnement chez un coiffeur, qui allégera son budget d'étudiante.

• **A un jeune garçon,** vous pouvez offrir :
- sa première montre d'homme, l'appareil photo ou la caméra dont il rêve ;
- le vélomoteur ou le scooter qui assurera son indépendance.

• **A l'un comme à l'autre,** vous pouvez procurer les premières vacances d'évasion :
- le séjour à l'étranger,
- la location d'un bateau pour les vacances d'été ou, si vous lui faites suffisamment confiance, la location d'une voiture pour faire un voyage avec des camarades.

Vous pouvez aussi :
- donner chez vous une soirée ou **une garden-party qui sera une façon** charmante de célébrer un succès à un examen.
- inviter pour les vacances le camarade ou l'amie inséparable dont la compagnie sera pour votre fils ou votre fille une grande joie.

• **Au futur étudiant,** vous pouvez offrir :
- le bureau sur lequel il aura la place d'étaler ses papiers et qui remplacera la table de l'ancien écolier ;
- la bibliothèque ou le classeur pour ranger livres et dossiers ;
- l'aménagement d'une chambre où il sera appelé à recevoir des camarades : vous pouvez vous cotiser pour offrir l'un, des fauteuils, l'autre une lampe de bureau, le troisième un pick-up.

Quel que soit le cadeau pour lequel vous optez : livres, instruments de travail, microscope, magnétophone, la table à dessin du futur architecte, le stéthoscope du futur médecin, l'équipement sportif que vous offrez au passionné de sports — raquette de tennis, paire de skis, bateau, vélo de course, bottes de cheval — il doit être choisi avec une attention toute particulière ; si vous hésitez, renseignez-vous auprès de l'intéressé ou de ses parents. Mieux vaut renoncer à faire une surprise que de risquer d'offrir **un cadeau qui manquera son but.**

Le succès à un examen constitue une étape de la vie, le début d'une carrière qu'il convient de marquer.

Cadeaux à réaliser vous-même

On revient toujours, par d'autres chemins, à la même signification profonde : le cadeau, de toutes parts, déborde l'objet qui constitue, en quelque sorte, son corps visible. Il y a comme une âme du cadeau. Subtile, parlante, agissante, indépendante du cadeau-objet et pourtant liée à lui.

Et quel autre cadeau mieux que celui confectionné de votre main peut être l'interprète fidèle de votre pensée et la preuve concrète de votre affection ? Ces cadeaux-là font presque partie d'un univers enchanté, celui des contes, celui de l'enfance, celui du mystère, celui du miracle, de l'inattendu. Grâce à eux vous devenez pour ceux qui les reçoivent l'un de ces personnages merveilleux qui se reconnaissent à un signe. Vous êtes pour toujours : la dame au miroir, la cousine au médaillon ou l'ami au kaléidoscope... Quelle délicieuse tentation ! et cependant vous hésitez...

Vous n'êtes pas très habile et guère plus ingénieux : parmi la liste des objets cadeaux à réaliser, il vous suffira de choisir « les plus faciles » à la portée de tous (et des plus maladroits).

Vous reprochez à ce type de cadeaux son caractère « bon marché » et craignez qu'il ne lui fasse du tort. C'est une erreur car le prix d'un cadeau n'est pas forcément et directement proportionnel à la joie qu'il peut donner. C'est justement aux personnes comblées par la vie, à qui il est difficile de faire des cadeaux, que ces objets simples plairont plus que tout, parce qu'ils jouissent d'un attrait sans prix : celui de l'originalité.

LES MARIONNETTES D'UN GUIGNOL

Vous les offrirez pour Noël à votre filleul ou à votre filleule. Elles seront confectionnées entièrement en feutrine et conçues selon le principe du sac.

Assemblez sur trois côtés deux bandes de tissu. Ménagez deux ouvertures pour les doigts (voir croquis A) qui constitueront les bras de la marionnette.

Si vous désirez ajouter des manches, taillez deux morceaux suivant le patron B. Elles seront cousues de la même façon que les côtés.

Le croquis C vous indique la position de la main à l'intérieur du sac.

La pose d'une doublure à l'emplacement de la tête, avec léger rembourrage de kapok ou d'ouate, donnera à cette partie du personnage plus de tenue, permettant ainsi de broder ou de coudre les traits du visage (croquis D).

La partie supérieure de ce sac peut être cousue et coupée suivant une ligne droite mais, également, arrondie ou pointue selon le personnage que vous désirez représenter.

Enfin, aux extrémités des manches, collez un petit morceau de carton ou de contreplaqué suivant la silhouette simplifiée d'une main.

Sur cette « forme » vous ferez apparaître la physionomie de chaque marionnette en collant ou en appliquant, tout d'abord, de la feutrine rose pour le visage avec des points

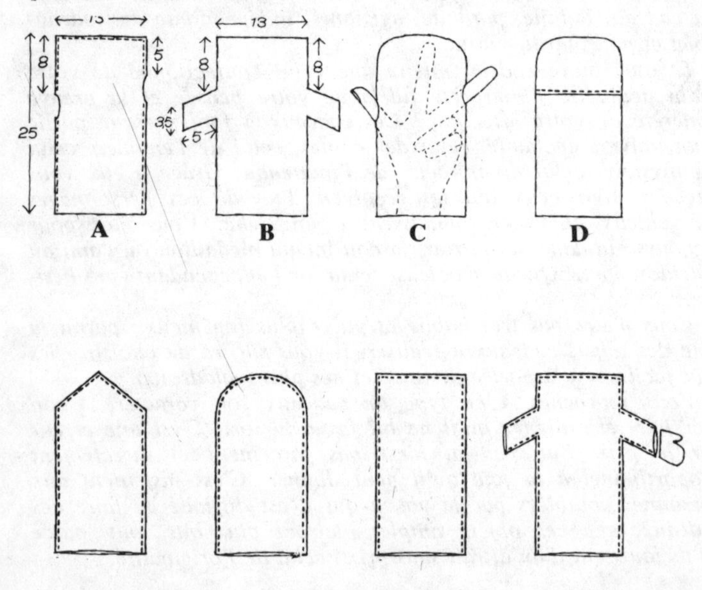

de broderie pour les traits ; des franges de laine pour les cheveux et des morceaux multicolores pour le col, le gilet, etc.

Enfin, vous coifferez la marionnette d'un chapeau de carton recouvert de feutrine de couleur différente.

LE CASIER AUX EPICES

Vous l'offrirez à la première occasion venue, à celle qui saura le mieux faire mijoter vos petits plats.

Ce casier peut être exécuté en contreplaqué de 1,4 cm d'épaisseur pour le châssis et de 1,2 cm pour les tablettes. Mais il serait préférable d'utiliser des planches en chêne massif car la tranche du contreplaqué n'est pas très esthétique et vous seriez obligé de teindre le bois avec un produit très sombre.

Il existe d'ailleurs du contre-plaqué de chêne qui sera bien supérieur au contre-plaqué normal en okoumé.

La silhouette de ce petit meuble étant constituée de lignes très incurvées, il est donc indispensable, pour découper le bois suivant ces formes, d'employer une scie spéciale. Si vous ne possédez pas cet outil (à bon marché et très utile, on le trouve dans tous les grands magasins) faites exécuter ce travail par un menuisier ou un marchand de bois.

Quelle que soit la méthode employée, tracez le panneau du fond et les deux côtés sur une feuille de papier d'emballage en suivant les données portées sur les grilles ci-contre. Avec ce patron vous reporterez sur le bois la forme des divers éléments.

Découpez également les tablettes aux largeurs notées sur le profil et fixez-les aux différentes hauteurs indiquées avec des clous sans tête (dits « tête d'homme »).

Si vous êtes patient et adroit vous pouvez orner les côtés et le fronton de motifs rustiques, soit gravés avec la pointe d'un canif ou mieux d'un ciseau à bois, dans le cas de planche en chêne massif, soit en pyrogra-

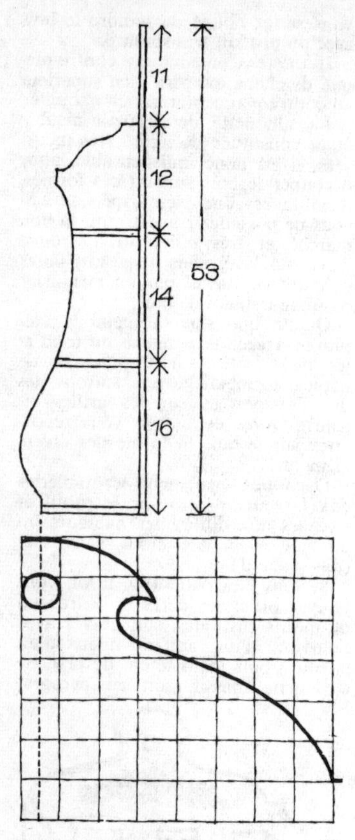

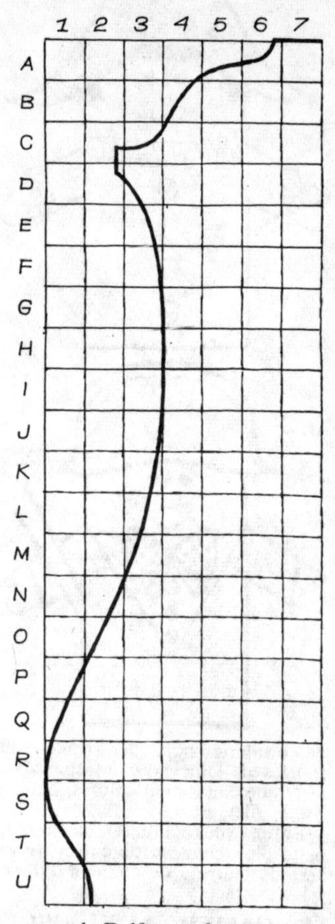

vure, avec un clou rougi au feu, pour le casier en contre-plaqué.

Pour terminer, teintez et vernissez le bois.

Les pots à épices peuvent être confectionnés avec des bocaux de petites dimensions comme ceux utilisés pour le café en poudre, ou même d'une taille un peu plus grande.

Passez une couche de peinture laquée blanche sur l'extérieur du verre et, après séchage complet, découpez un rectangle de plastique adhésif que vous collerez autour du récipient.

Une imitation en plastique des carreaux de Delft transformera votre bocal qui sera alors tout à fait en harmonie avec l'esprit rustique du casier. En choisissant des plastiques de marques différentes, vous pourrez constituer une collection de fausses faïences à peu de frais.

LE PORTE-REVUES

Vous l'offrirez pour Noël à votre grand fils pour sa chambre, à

votre frère, jeune marié, pour son « coin salon », ou à un ami pour son bureau.

La réalisation de ce porte-revues est extrêmement simple. Il s'agit d'une poche en *Buflon* dans laquelle on introduit une plaque métallique (tôle épaisseur 2/10) qui servira d'armature. Cette plaque donnera de la rigidité au porte-revues et permettra de le façonner suivant la forme d'un U (voir dessin A). Vous l'achèterez chez n'importe quel serrurier ou dans une maison spécialisée dans la vente des métaux ; les plaques d'aluminium vendues dans les grands magasins au rayon de la « quincaillerie pour éléments de cuisine » peuvent, également parfaitement convenir.

On peut ausi remplacer cette tôle par un rectangle de linoléum.

Pour confectionner la poche utilisez deux rectangles de *Buflon* imitant le cuir qui seront assemblés par une couture sur trois côtés à 0,5 cm du bord.

Effectuez, si possible, un point de sellier.

Au bas de ce rectangle, prévoir une double piqûre formant ainsi une coulisse dans laquelle vous passerez une tringle de cuivre terminée par deux boules en même métal (voir croquis B). Cette tige s'achètera au rayon des « tringles pour rideaux et voilages » dans les grands magasins.

Introduire la plaque de métal C dans la partie supérieure de la poche qui n'a pas encore été fermée par la couture. Elle sera de surface légèrement inférieure à la poche afin de pénétrer sans difficulté (faites un essai, avant de la couper, avec une feuille de carton qui vous servira de patron).

L'armature étant mise en place, piquez la quatrième couture fermant ainsi la poche et façonnez la plaque de métal entre les deux rectangles de *Buflon* de manière à obtenir la courbe indiquée par la vue de profil A.

Pour effectuer ce travail facilement, il suffira d'appuyer le rectangle sur un rouleau de carton qui servira de forme.

Pour terminer, reliez les angles du porte-revues deux par deux au moyen d'une chaînette en cuivre ou en laiton fixée, d'une part, aux boules de la tringle et d'autre part, à des anneaux de rideaux en cuivre. Ces derniers serviront à suspendre le porte-revues contre un mur.

Vous pouvez donner à ce cadeau des aspects aussi différents que décoratifs en employant pour sa réalisation : des plastiques faux bois, cannage, rabane et des tissus d'ameublement tels que le velours côtelé, le tweed, l'écossais.

Ce même objet peut enfin être

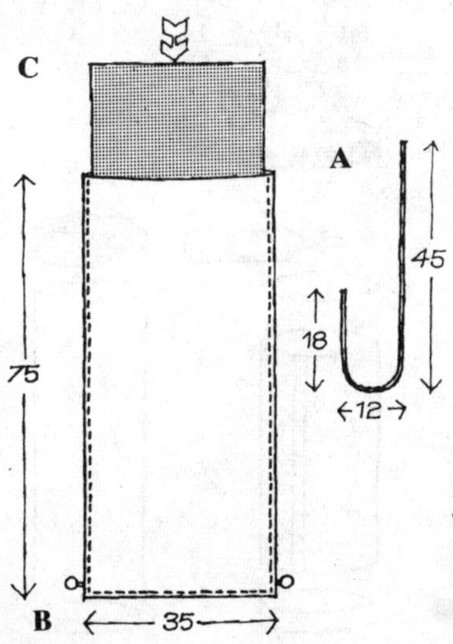

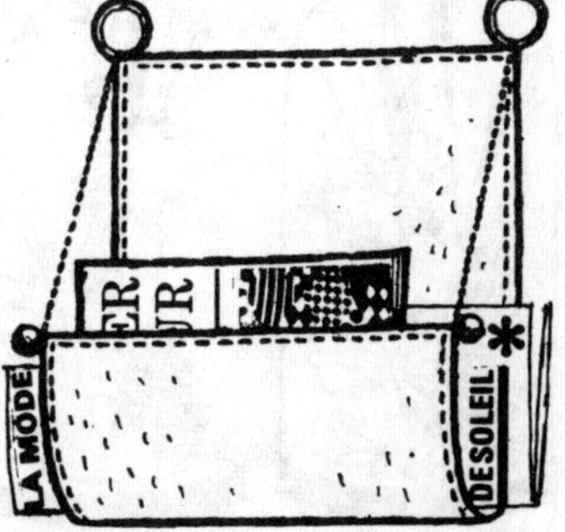

confectionné dans un esprit très moderne en utilisant seulement une plaque de métal.

Ce matériau sera simplement poli et protégé de l'oxydation par un vernis cellulosique incolore.

Si la plaque de laiton ou d'inox est suffisamment épaisse (1/10 de mm) les chaînettes reliant les angles deux par deux seront inutiles. Seuls des anneaux (ou parfois même deux trous) permettront de suspendre le porte-revues au mur.

LE BOUQUET DORE

Vous l'offrirez à votre fiancée pour sa fête ou à votre femme le jour anniversaire de votre première rencontre.

On trouve encore pour un prix modique chez les brocanteurs et les antiquaires des globes vides qui servaient, autrefois, à protéger les pendules ou les couronnes de mariée. Achetez-en un de préférence muni de son socle en bois et mettez « sous cloche » un bouquet plein de fantaisie composé par vos soins. S'il fait défaut, le socle sera découpé dans une planche de 3 cm d'épaisseur et recouvert d'un morceau de feutrine adhésive.

Pour le bouquet, vous rassemblerez feuillages séchés, graminées, épis, pommes de pin et toutes sortes d'herbes et de fleurs qui se conservent. Vous les trouverez au cours de vos promenades à travers champs, dans les bois... ou chez votre fleuriste.

Une boule de *Plastiline* jaune fixée sur le socle (en vente chez les marchands d'articles de dessin) vous servira de pique-fleurs pour composer votre bouquet (A). Son importance sera calculée en fonction des dimensions du globe.

Votre travail de fleuriste étant terminé, protégez le socle en le recouvrant d'une feuille de papier et projetez sur votre bouquet un vernis doré (B). C'est une opération qui demande quelques secondes, si vous employez un vernis spécial en bombe aérosol (type bombe insecticide, etc.).

Par ce procédé les plantes seront teintées dans leurs moindres détails.

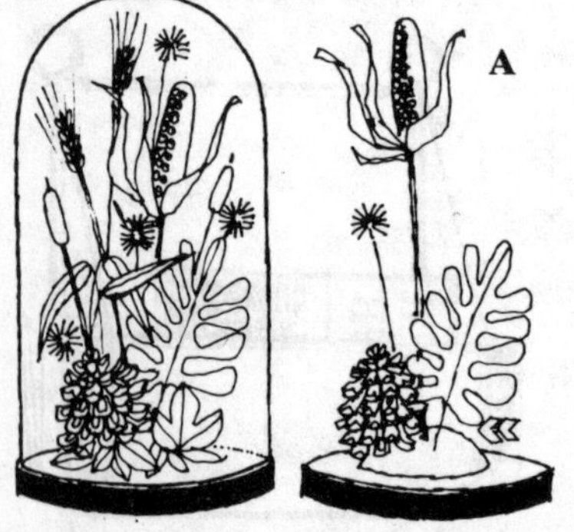

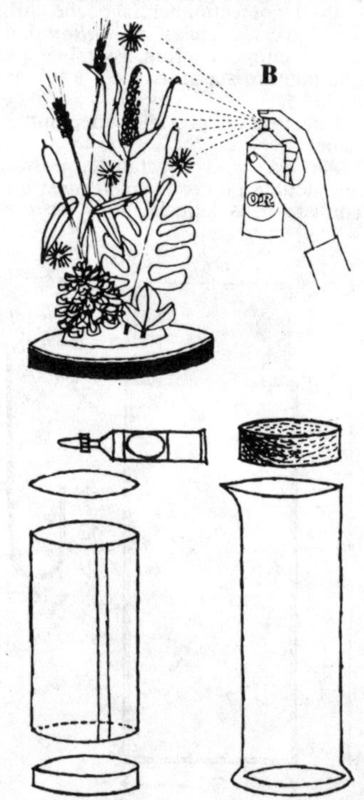

Un seul bidon de vernis permet de couvrir une grande surface et peut servir plusieurs fois (en vente au rayon « peintures » des grands magasins ou chez les droguistes).

Si vous avez à confectionner plusieurs bouquets, traitez-les en les plaçant les uns derrière les autres : le nuage de colorant en passant à travers les branches du premier bouquet commence déjà à imprégner le suivant et ainsi de suite. Vous perdez ainsi un minimum de peinture. Le séchage demande quelques secondes. N'effectuez pas ce travail à proximité du feu.

Pour une chambre d'enfants, le globe de verre sera remplacé par un simple manchon de rhodoïd formé d'un rectangle roulé et assemblé sur un côté au moyen d'un adhésif transparent. Fermez la partie supérieure de ce manchon par une feuille de rhodoïd maintenue par un filet de colle cellulosique translucide (colle *Limpidol, Scotch*, etc.).

Cette feuille, débordant largement au moment du collage, sera retaillée au ras du tube après séchage.

Le socle sera constitué par un couvercle de boîte ou une rondelle de bois recouvert de papier doré.

Vous pouvez également employer divers récipients transparents tels qu'une grosse éprouvette, un grand bocal à bonbons ou des boîtes en rhodoïd vendues dans les grands magasins au moment des fêtes.

Autre manière originale d'offrir votre bouquet doré : classiquement emballé de papier cristal. Autre destination : pour décorer des flambeaux, pour orner un chemin de table. Et enfin, dernière suggestion : laissés naturels, des bouquets de feuillages séchés peuvent être présentés sous globe, agrémentés de quelques papillons naturalisés. Chez des spécialistes on trouve les espèces les plus courantes, à très bon marché.

LA TABLE BASSE MUSIQUE

Vous l'offrirez à vos enfants, garnie de disques ou accompagnés de l'électrophone, pour fêter la réussite d'un examen ou tout simplement à vous-même, pour profiter, après la journée de travail, d'un coin « loisirs ».

Découpez les planches de contreplaqué de 1,50 m de long x 40 cm de large et 1,8 cm d'épaisseur.

Elles seront assemblées sur un côté avec une plinthe de 11 cm de large et 1,50 m de long **(A).**

Ces trois panneaux, qui constituent le casier à tiroirs de la table basse, seront recouverts au choix, de plastique adhésif, de plastique cuir, de *Skaï* ou d'étoffe.

Les bords pourront être soulignés de clous dorés.

Deux plaques de laiton (dimensions portées sur le croquis **B)** fixées à chacune des extrémités de votre assemblage, constitueront à la fois les pieds et les côtés de la table (laiton, chez Weber, 9, rue de Poitou, Paris).

Pour les tiroirs, disposez deux morceaux d'étoffe l'un sur l'autre et effectuez des piqûres suivant le cro-

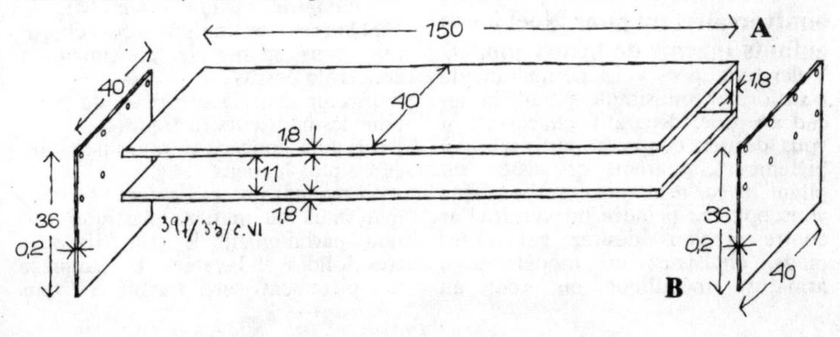

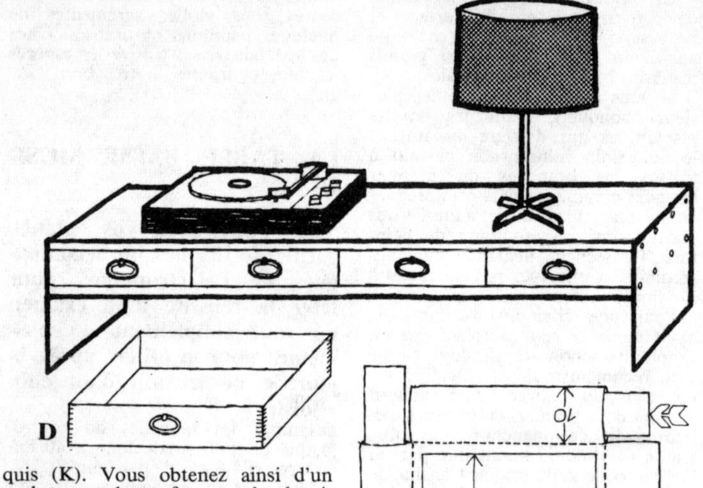

quis (K). Vous obtenez ainsi d'un seul tenant la surface totale du tiroir, fond et côtés.

Puis, glissez entre les deux étoffes des petits panneaux d'isorel correspondant à chacune des parties du tiroir.

Fermez les coutures, redressez les quatre côtés qui seront assemblés par quelques points aux angles (croquis D) et terminez en posant une poignée en cuivre montée sur une tige filetée.

LES PLIANTS

Vous les offrirez à vos amis, à l'occasion d'une nouvelle installation, à votre femme, pour son anniversaire, ou pour Noël à vos enfants (garnis de beaux jouets.

Voici huit idées vous permettant de transformer un simple pliant en un cadeau utile, décoratif, charmant. Si vous désirez conserver au siège son piètement apparent, choisissez un pliant avec armature en bois que vous pourrez peindre ou vernir. Par contre si vous désirez gainer les pieds, choisissez un modèle avec armature métallique ou, tout au

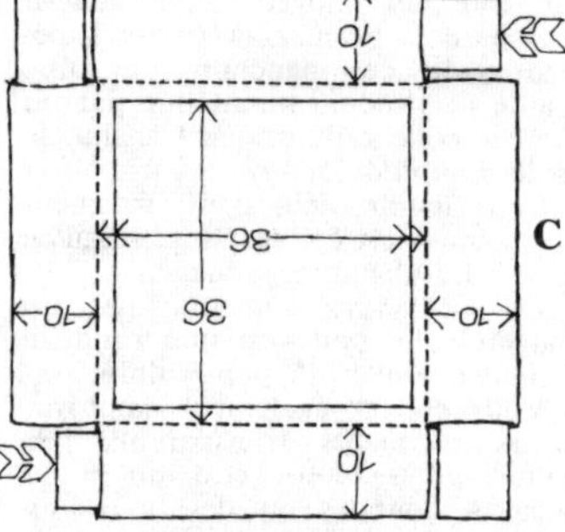

moins, avec des pieds assez minces pour supporter l'épaisseur du gainage sans alourdir la silhouette du meuble. La fixation aux montants sera exécutée avec des clous décoratifs ou de simples semences que vous dissimulerez sous un galon.

1. *Pour un intérieur jeune, qu'il soit moderne, rustique ou anglais.*

Selon sa destination vous choisirez, pour gainer le piètement et couvrir le dessus :

- un cuir clair, genre peau de porc, pour les intérieurs rustiques ;
- un cuir foncé ou noir pour un cadre plus luxueux.

Conviendront également certains matériaux ou matière plastique imitant parfaitement le cuir. Ils sont très solides et lavables. Le gaignage du piètement sera facilité si vous

démontez les rivets servant d'axes aux points de croisement.

Les coutures seront faites au point de sellier. Des anneaux dorés seront fixés aux quatre angles.

2. *Pour un intérieur ancien ou pour une salle de bains raffinée.*

Le dessus du pliant est ici recouvert d'un velours et garni d'un coussin en mousse de latex taillé aux dimensions du siège que l'on habillera du même velours. Une frange en soulignera le pourtour.

Les pieds pourront être laqués en blanc ou en noir, ou bien vernis ton acajou, ou encore gainés de velours.

Pour la salle de bains, vous choisirez un velours de nylon.

3. *Pour une chambre de jeune fille.*

Le pliant sera garni d'un coussin et recouvert d'une housse festonnée en piqué où seront brodés les initiales de la personne à qui l'on destine le cadeau.

Les pieds seront laqués en blanc ou dans une teinte pastel.

4. *Pour prendre place devant une coiffeuse.*

Les pieds du pliant seront masqués par un simple volant de toile ou de percale. Un coussin recouvert d'étoffe fleurie sera posé sur le siège.

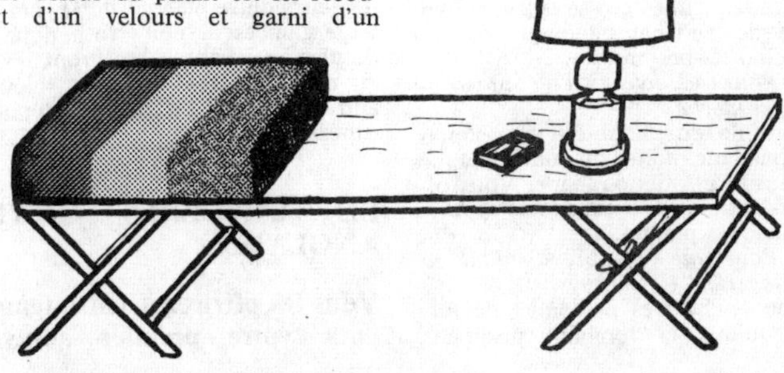

5. *Pour un salon de jeunes ou un « coin salon à la campagne ».*

Deux pliants cloués à chaque extrémité d'une grosse planche en sapin deviendront banquette ou table selon les besoins.

6. *Pour le living d'un appartement moderne.*

La toile du pliant est ici remplacée par une boîte en contre-plaqué gainée de plastique-rabane. Vous offrirez cette petite jardinière garnie de quelques plantes.

7. *Pour une chambre d'enfant ou une lingerie.*

Une poche très profonde, de forme cubique et tombant jusqu'aux traverses des pieds, transforme le tabouret en coffre à jouets, en sac à linge (prévoir un couvercle) ou en travailleuse.

8. *Pour une chambre ou un salon moderne.*

Entre les pieds croisés, trois tablettes en contre-plaqué de 1 cm de large gainées de cuir synthétique ou de plastique adhésif recevront revues et disques. Des traverses, clouées entre les pieds du pliant, supporteront les étagères.

LES ETAGERES « STYLE ANGLAIS »

Vous les offrirez à votre femme pour votre premier anniver-

saire de mariage, afin de réaliser l'un de ses grands souhaits : « meubler l'entrée. »

Deux volets de bois, hauts et étroits (de 1 m à 1,80 m de long sur 20 cm de large) sont à la base de cette petite construction.

Vous les achèterez : neufs dans des maisons spécialisées, telles que fournisseurs pour huisserie ou au rayon « portes et fenêtres » de certains grands magasins.

D'occasion, dans les entreprises de démolition ; par chance, chez les brocanteurs. Ils pourront être également réalisés sur commande chez un menuisier.

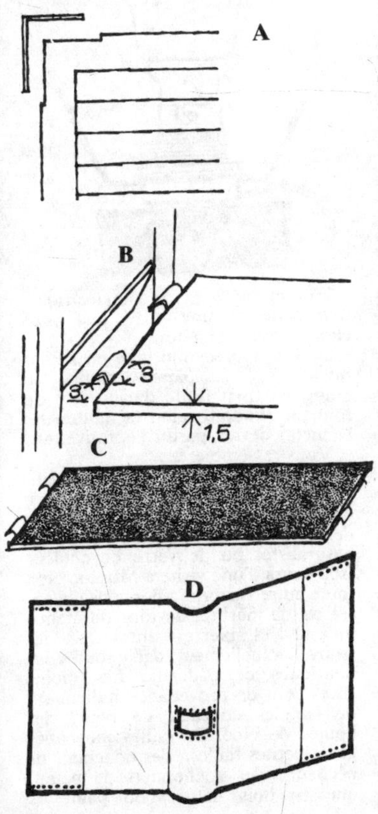

Vous les choisirez, selon vos moyens, en acajou véritable verni ou en bois blanc simplement teinté acajou (les volets d'occasion, généralement peints en blanc, seront décapés puis repeints).

Pour leur donner leur « petit air » anglais, des équerres de laiton seront vissées (choisir des vis dorées) aux quatre angles de chaque volet. Elles seront placées dans des encoches, taillées au préalable, d'une profondeur égale à l'épaisseur des branches métalliques (croquis A).

Fixez face à face les deux volets contre le mur, distants l'un de l'autre de 40 à 50 cm, au moyen de nouvelles équerres en laiton. Pour encastrer la plinthe, pratiquez deux encoches dans la partie basse de chaque volet sur une hauteur égale à celle de la plinthe et d'une profondeur égale à l'épaisseur de celle-ci.

Les tablettes-étagères seront réali-

sées en contre-plaqué de 1,5 cm d'épaisseur. Elles auront de 40 à 50 cm de long (suivant l'écartement adopté pour les montants) et seront légèrement moins larges que les volets (ménager un retrait de 2 à 3 cm). Les gainer de *Skaï* noir (très belle matière plastique imitant parfaitement le cuir) avant de les équiper de leur système de fixation, des pattes en laiton pliées convenablement suivant le croquis B. Ces pattes seront alors vissées sous chaque étagère et viendront enfin s'accrocher aux lamelles des volets (vous trouverez équerres et pattes en laiton chez Weber, 9, rue de Poitou à Paris ou au rayon « quincaillerie » des grands magasins). Selon la disposition, l'écartement et le nombre des étagères, ce petit meuble deviendra bibliothèque, vitrine, table téléphone ou, si vous le désirez, les trois à la fois (dans le cas de volets très hauts, il sera prudent de prévoir une étagère le plus près possible du sol, afin d'assurer un maximum de stabilité à l'ensemble).

Des couvre-annuaires, réalisés par vous, ajouteront une note élégante et colorée à ce cadeau utile et sérieux.

Vous les confectionnerez en *Skaï* rouge ou vert sombre, suivant le principe des protège-cahiers c'est-à-dire une bande rectangulaire qui se replie aux extrémités formant une poche dans laquelle on introduit les deux parties de la couverture. Découpez une fenêtre pour laisser le titre apparaître ou indiquez celui-ci avec des petites lettres dorées en relief que vous collerez (croquis D).

LA LAMPE EPROUVETTE

Vous l'offrirez à un couple d'amis, à l'occasion de leur mariage ou d'une pendaison de crémaillère.

La réalisation de cette lampe, à la portée de tous, est des plus simples. Peu de matériel, très peu d'outillage, un peu d'idée et de goût suffiront à assurer sa réussite.

Un magasin spécialisé dans l'équipement de laboratoires vous fournira une éprouvette d'un litre.

Dans un grand magasin, au rayon « éclairage », vous achèterez :

- un bouchon de liège du diamètre de l'éprouvette, équipé d'une douille (choisir celle-ci percée sur le côté afin de laisser passer le fil électrique à l'extérieur, vous évitant ainsi de perforer l'éprouvette à la base, opération plus risquée...).

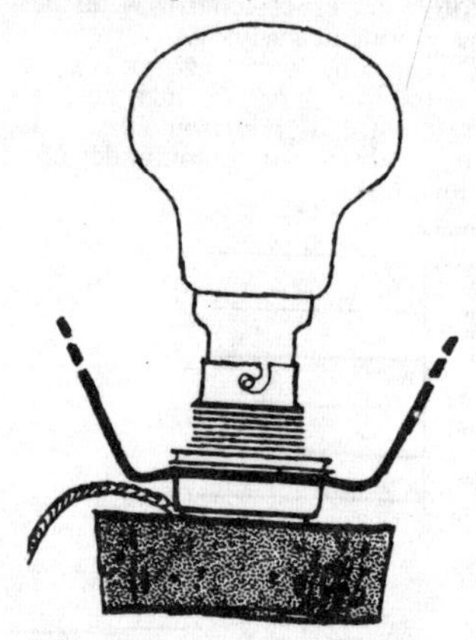

- 1,50 m ou 2 m de fil électrique, une prise et une olive que vous choisirez de même ton ;
- un abat-jour cylindrique en papier bristol fort, en papier velours, ou tendu de tissu (toile de lin, jute ou soie sur rhodoïd selon la nature des éléments devant garnir l'éprouvette).

Vous rassemblerez :

- des coquillages, des galets de petites tailles (souvenirs de vacances), des billes de verre multicolores ; des débris de quartz (achetés chez un naturaliste) ou de verre de couleur (souvenirs d'une visite à Murano ou à toute autre verrerie) ; des œufs d'albâtre ou de marbre, de tons différents, imitant les pierres dures (on les trouve actuellement dans toutes les boutiques de cadeaux. Les moins chers sont de provenance italienne) ; de simples copeaux de bois ; des boules de Noël de tailles moyennes et de petites tailles ; des bouchons de pêcheur ; des cochonnets de pétanque en bois naturel ou peint de

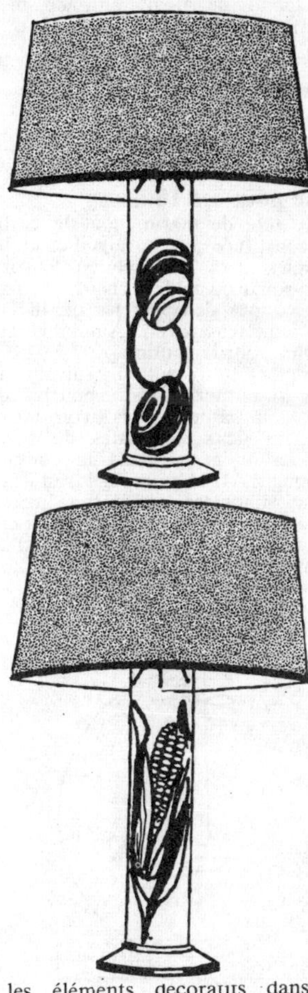

couleurs vives ; des fleurs en soie artificielle ; des têtes d'immortelles roses et orangées.

Un simple épis de maïs séché ou encore, sur son perchoir de bois, un oiseau naturalisé (oiseau des îles au plumage coloré, une perruche jaune et verte ou verte et bleue, ou même un joli serin jaune) transformeront l'éprouvette en un pied de lampe des plus charmants.

Vous placerez :

- les éléments décoratifs dans le tube gradué.
- le bouchon, en l'enfonçant régulièrement après avoir monté électriquement sa douille et adapté la prise et l'olive à son fil.
- l'abat-jour sur la lampe en le montant sur la douille en serrant la bague afin de l'immobiliser.
- l'ampoule que vous choisirez de puissance suffisante (surtout dans le cas d'abat-jour de couleur sombre

ou tendu de tissu) afin de bien mettre en valeur votre joli cadeau.

LE MARIN PELOTE A EPINGLES

Vous l'offrirez à votre grande sœur ou à votre meilleure amie pour ses 18 ans.

Cette tête de marin, dont la barbe est constituée par les aiguilles et les épingles, sera exécutée en feutrine brun-rouge ou couleur chair.

Découpez deux cercles de 18 cm de diamètre environ. Ajoutez 1 cm de plus pour la couture.

Piquez tout autour suivant le tracé rêtournez le tissu, bourrez de kapok et fermez, après avoir introduit les deux languettes du béret qui seront prises dans la couture (croquis A). Le bonnet est fait d'une silhouette en carton, recouverte de chaque côté d'un petit morceau de feutrine bleue et d'un pompon de laine rouge.

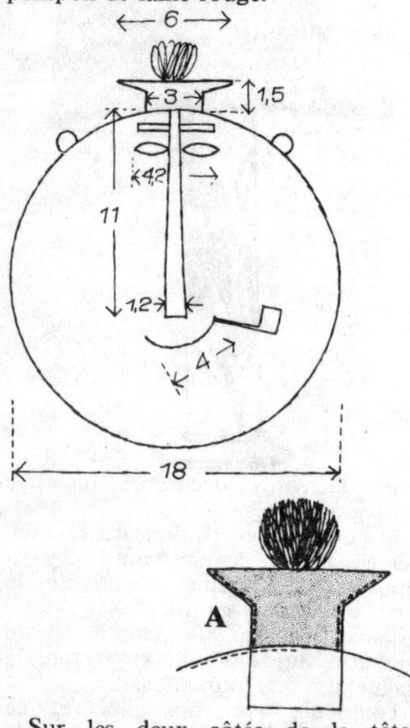

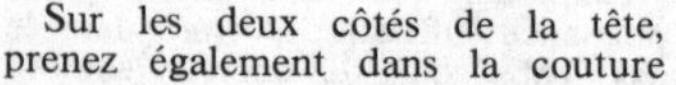

Sur les deux côtés de la tête, prenez également dans la couture

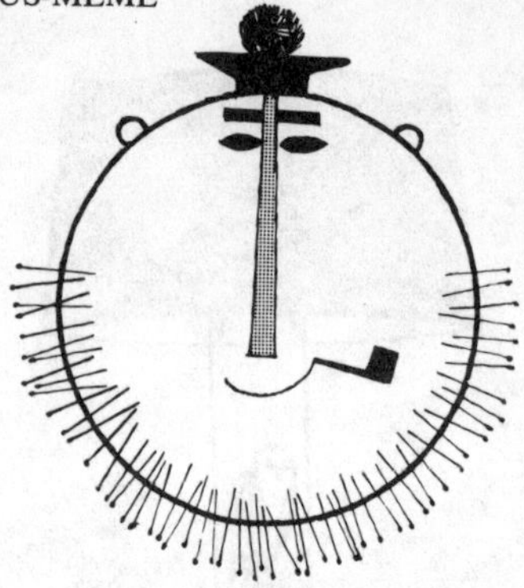

deux languettes de feutrine formant les oreilles. Découpez les extrémités en arrondi.

Les sourcils et les yeux noirs seront brodés ou en feutrine appliquée, ainsi que la languette marron foncé qui figure le nez. La bouche et la pipe seront brodées ou indiquées au crayon-feutre noir, après en avoir esquissé le tracé à la craie. Si vous avez utilisé de la feutrine couleur chair pour la tête, vous pouvez appliquer deux pastilles de feutrine rouge pour figurer les pommettes, ou, tout simplement, les dessiner au crayon de couleur.

Détail pratique : les applications de feutrine peuvent se faire soit avec une piqûre, soit avec une colle pour textiles (*Texticroche, Limpidol,* etc.) en vente dans les grands magasins.

LE KALEIDOSCOPE

Vous l'offrirez à votre neveu ou à votre nièce à l'occasion d'une bonne note ou de la réussite d'une composition.

Tout le monde connaît le principe du kaléidoscope qui permet de découvrir des formes géométriques complexes, colorées et toujours renouvelées.

Mais si vous adaptez cet instrument à l'observation des objets les plus hétéroclites qui nous entourent, vous serez émerveillés par l'incroyable diversité des formes que vous découvrirez.

Ce résultat est acquis par le reflet de chaque chose dans trois longs miroirs disposés à l'intérieur d'un tube de carton. N'importe quelle glace de toilette à bon marché pourra être utilisée. Vous la ferez découper par un marchand de couleurs en bandes de 3 cm de large sur 40 cm de long, qui seront réunies par un ruban adhésif à cheval sur les bords (voir croquis A).

Ce montage effectué, il sera glissé à l'intérieur d'un tube de carton (voir croquis B). Celui-ci recevra à une extrémité une rondelle collée, percée au centre d'un trou d'environ 8 mm de diamètre qui constituera l'oculaire. A l'autre bout, vous adapterez une lentille divergente, de même diamètre que le tube, coiffée d'un couvercle découpé sur le dessus le

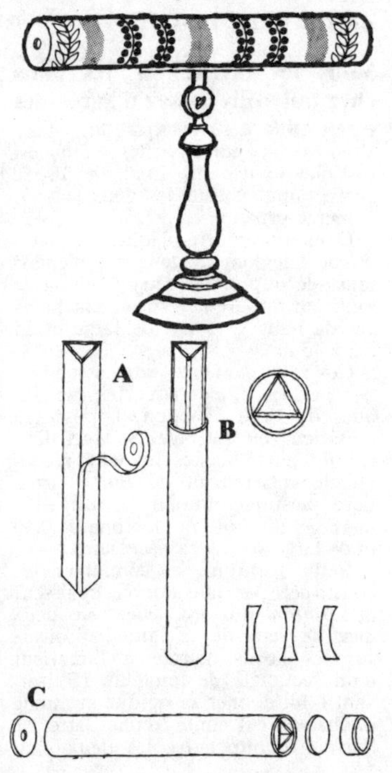

plus largement possible (voir croquis C) et qui maintiendra la loupe en place. Le kaléidoscope est terminé, mais pour le rendre plus attrayant il faut décorer le tube extérieurement avec la plus grande fantaisie.

Pour cela vous utiliserez des plastiques et des rubans adhésifs dorés ou de couleurs, unis ou à motifs ; des papiers imitant le bois, le marbre, etc., et surtout des papiers pour reliures aux dessins de la plus grande originalité (Rougié et Plé, 15, bd des Filles-du-Calvaire, Paris). Enfin, vous pouvez trouver chez un brocanteur un petit pied en bois tourné qui servira de support.

LE TABLEAU FICHIER

Vous l'offrirez à votre père pour son anniversaire, pour sa fête ou pour le jour de l'An.

Pour mettre en évidence fiches et notes il existe un panneau traditionnel, constitué par une plaque de liège permettant d'épingler les feuillets.

Ce tableau pratique, mais peu luxueux, peut être réalisé d'une façon différente grâce à l'utilisation de petits blocs aimantés.

Procurez-vous un grand rectangle de tôle d'environ 80 cm de long x 45 cm de haut. Cette plaque de métal de 5/10 de mm d'épaisseur se trouvera facilement, soit chez un serrurier, soit chez un marchand de métaux (Weber, 9, rue de Poitou, Paris).

A l'acquisition, contrôlez avec un petit aimant si l'attraction magnétique est effective.

Au bas de la feuille, et à 12 cm des angles, façonnez à la lime deux encoches de 6 cm de large et de 3 mm de profondeur (voir dessin A).

Ces encoches recevront et maintiendront à un bon écartement les deux courroies qui soutiennent le tableau.

Recouvrez la plaque de tôle d'un plastique adhésif imitant le cuir, en prenant soin de gainer également

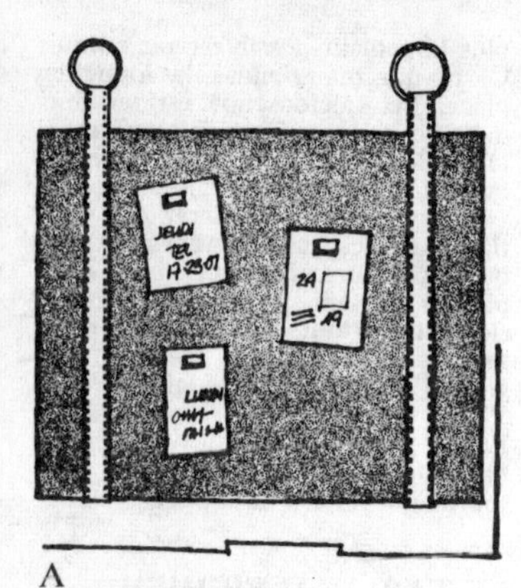

l'épaisseur du métal. Vous pouvez aussi dissimuler la tranche de la plaque sous un ruban adhésif doré.

Les deux courroies, en cuir véritable ou en plastique imitation cuir, seront bordées d'un point de sellier, équipées de gros anneaux de rideau et glissées dans les encoches, autour du tableau, à la façon d'une boucle (vue de profil B). Elles maintiendront ainsi le panneau parfaitement en place et permettront son accrochage à un mur.

Pour l'affichage des notes, vous utiliserez de petits aimants qui, placés sur la fiche de papier, les appliqueront au fond métallique (la présence du plastique adhésif ne gêne en aucune manière l'effet magnétique).

Ces aimants de faibles dimensions se trouvent dans le commerce chez des spécialistes d'équipement de bureaux, mais l'on peut tout simplement utiliser des éléments de fermetures magnétiques en vente dans tous les grands magasins ou chez les quincailliers d'ameublement.

Il est indispensable de disposer, sur un des côtés du tableau, une petite réserve d'aimants que l'on utilisera au fur et à mesure des besoins.

Réalisé ainsi, ce panneau pourra prendre place dans un bureau d'homme, mais il est possible, selon le même principe, de recouvrir tout un pan de mur ou un recoin de la pièce avec des plaques de métal, de fabriquer un tableau plus simple pour suspendre à l'intérieur d'un meuble (surtout dans une cuisine où les épingles du fichier classique sont à bannir).

En employant du vichy, de la cretonne, de la rabane plastique ou du papier bois, chaque tableau-fichier pourra présenter un aspect différent.

Une reproduction de faible épaisseur, fixée sur la plaque de tôle et encadrée comme une gravure, pourra être utilisée à deux fins : pratique et décorative.

Quant aux courroies de suspension, il sera facile de remplacer le cuir par de la sangle brodée ou du ruban fleuri (prévoir une armature de grosse toile à l'intérieur).

LES PORTE-BUCHES

Vous les offrirez à des amis chez qui vous passez d'agréables week-ends à la campagne.

Voici deux porte-bûches : l'un est rustique l'autre est luxueux. Ils se confectionnent tous les deux suivant le même principe.

Dans du contre-plaqué, du latté ou de l'aggloméré de 2 cm d'épaisseur, découpez les deux côtés et le fond qui mesurent respectivement 25 cm de haut x 45 cm de large et 35 cm x 45 cm.

Ces trois panneaux sont assemblés par des vis et des équerres métalliques de 10 à 15 cm (A), posées à l'intérieur du coffrage. Si vous désirez un porte-bûches luxueux recouvrez-le entièrement de *Buflon* (matière plastique imitant le cuir). Un métrage de 2,90 m de long x 0,50 m de large vous sera nécessaire.

Cette garniture en similicuir est constituée par une double épaisseur de *Buflon* qui est pliée en deux dans le sens de la largeur, cousue sur les bords, garnie à l'intérieur d'un rectangle de linoléum (B) servant à lui donner sa rigidité et munie à chaque extrémité d'une latte de bois introduite entre les deux ban-

Dites-le avec des fleurs

*Une des plus gracieuses « formes à cadeaux »
est certainement le jardin-coquillage.
Vous remplacerez la terre par de la mousse humide.*

Cadeau insolite et ventru... les jardins en bouteille.
Réalisez-les vous-même
dans des bocaux anciens
de laboratoire ou de confiserie.

(En vente Galerie Pequignot)

Offrez un bouquet-souvenir d'immortelles,
accompagné du seul vase capable
de bien le mettre en valeur,
un verre à pied, gravé à l'ancienne,
d'époque romantique.

(La Boîte à Musique)

*Une idée charmante pour une jeune mariée.
Faites-lui parvenir, en guise de corbeille,
l'un de ces bouquets sous globe d'autrefois
qui apparaissent aujourd'hui aux vitrines des antiquaires.*

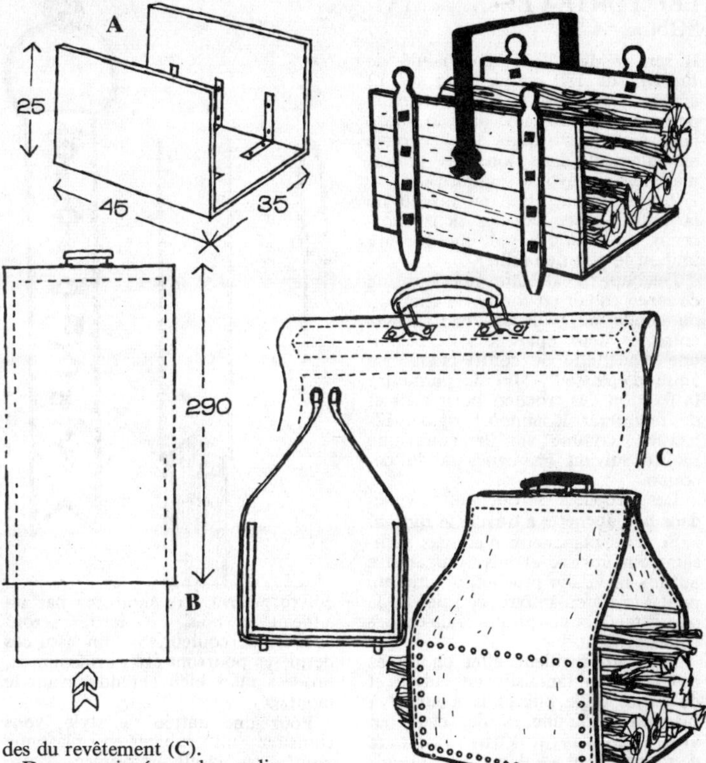

des du revêtement (C).

Deux poignées de valise ou mieux, deux poignées en cuivre seront vissées sur les lattes à travers le *Buflon.*

Pour la décoration et la fixation du gainage, vous utiliserez des clous dorés.

Achevez votre ouvrage par la **pose de quatre pieds.**

La couleur du *Buflon* sera choisie en harmonie avec le style de la cheminée et de la pièce.

Il est possible d'utiliser du plastique-rabane, une imitation de moire (pour une cheminée Louis XV) ou du *Skaï.*

Pour le porte-bûches rustique, remplacez le contre-plaqué par des **lattes de sapin de 50 cm de long x** 6 cm de large et 1,5 cm d'épaisseur assemblées à l'intérieur par des équerres. Coupez quatre lattes suivant la forme et les dimensions indiquées par le dessin.

Fixées deux à deux sur chaque côté avec des clous à tête carrée, elles assureront la rigidité de l'ensemble.

La poignée est un fer plat coudé à angles vifs. Chaque extrémité doit être un peu ouvragée ; n'importe **quel serrurier pourra exécuter** ce travail.

Le bois peut être laissé naturel ou teinté et verni mais il est aussi possible de le peindre et de l'orner de décors polychromes.

LE PORTE-CLEFS « MAISON »

Il sera réalisé dans une bande de *Buflon* de 180 cm de long sur 12 cm de large. Pliez la bande en deux pour introduire un anneau doré porte-serviettes que l'on trouve actuellement dans tous les grands magasins au rayon « sanitaire ».

Après l'avoir placé au niveau de la pliure, assemblez les deux morceaux de plastique par une couture imitant le point de sellier.

Découpez l'extrémité inférieure de ce large ruban en forme de chapeau de gendarme (voir croquis), glissez entre les deux épaisseurs de *Buflon* une planchette de contre-plaqué de 5mm d'épaisseur, afin de permettre la fixation des crochets porte-clefs et de maintenir le support rigide. Effectuez, comme sur le côté, une piqûre suivant les lignes de la découpe.

Les crochets seront enfin vissés dans la planchette à travers le *Buflon*.

Si cette planchette n'est pas suffisamment épaisse et laisse apparaître au dos la vis du crochet, ajoutez un petit écrou en cuivre et sciez à la scie à métaux ce qui pourrait encore dépasser.

Pour un meilleur effet choisissez des crochets fantaisie, en cuivre et de petite taille puisqu'ils n'auront à suspendre qu'une seule clef (en vente au rayon « quincaillerie d'ameublement » dans les grands magasins).

Au-dessus de chaque crochet inscrivez sur le plastique le nom des pièces correspondant aux clefs qui devront être suspendues.

L'utilisation de lettres en relief, dorées, de petites dimensions, qui se collent ou se piquent, donneront à votre cadeau un aspect raffiné. Il en existe de toutes les tailles chez les marchands de lettres pour enseignes (Moreau, 59, rue Blanche, Paris).

Cet objet qui est prévu, ici, en similicuir peut être interprété différemment suivant le lieu de son futur emplacement. Par exemple, pour une maison de campagne, utilisez de la rabane (plastique ou véritable) ou de la toile de jute. L'anneau de

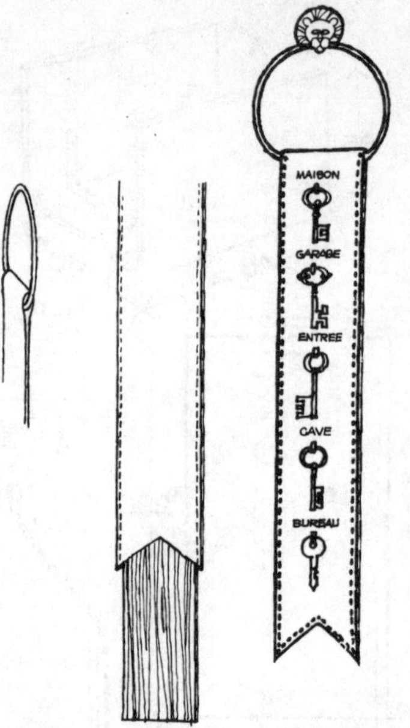

cuivre pourra être remplacé par un anneau en bois. Les lettres seront choisies de couleur. Sur un tissu ces dernières pourront être, évidemment, brodées mais bien entendu avant le montage.

Pour une entrée de style, vous choisirez un ruban en plastique moire, en étoffe imprimée, genre perse par exemple ou bien encore en vraie ou fausse tapisserie.

L'anneau et les lettres seront toujours choisis en harmonie avec la matière utilisée.

Ce porte-clefs mural deviendra à votre gré porte-montres anciennes ou porte-miniatures, si vous le réalisez en velours rouge, or ou bleu pastel. Les inscriptions deviendront alors inutiles. Les intervalles entre chaque crochet seront étudiés en fonction des objets à suspendre.

En remplaçant la planchette intérieure par un feutre épais et en supprimant les crochets vous obtiendrez un joli ruban mural, très utile dans un bureau féminin pour y piquer notes et cartes d'invitation.

LE GILET « PANOPLIE »

Ce gilet très pratique sera apprécié de tous les bricoleurs, car il leur évitera d'avoir à redescendre de l'échelle pour chercher un nouvel outil ou de faire des aller et retour constants au coffre à outils.

Il est exécuté en tissu de blue-jean sur le patron d'un classique gilet.

Sur le devant, appliquez de nombreuses poches taillées dans du cuir mince. Certaines, munies de rabats, seront destinées à recevoir le carnet de notes et l'indispensable paquet de cigarettes.

D'autres, compartimentées par une piqûre, recevront une série de tubes en plastique transparent contenant les vis, les clous, etc. (fournitures généralement vendues sous cette forme d'emballage).

Les compartiments inférieurs, plus larges, ne seront pas cousus à la base afin de permettre l'emplacement d'outils à manches longs tels que le marteau, les tenailles, les pinces, la clef à molette, le tourne-vis et le double mètre.

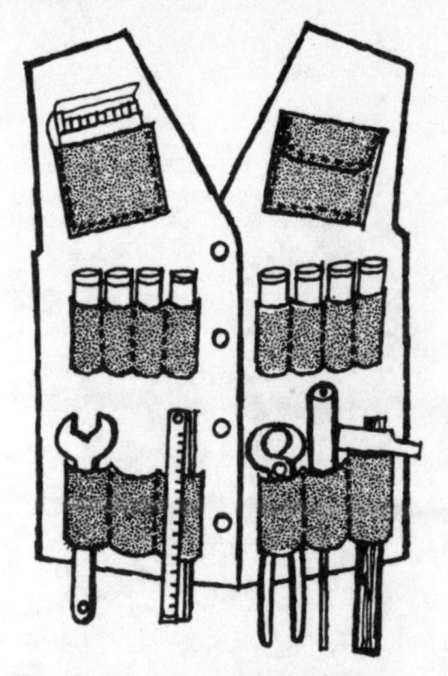

Ce vêtement peut être prévu pour différents types de bricolage bien déterminé : électricité, menuiserie, petite mécanique, entretien de la voiture et même jardinage.

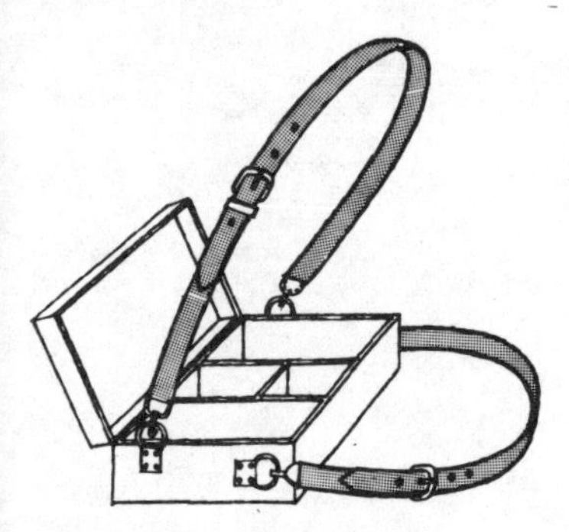

LA GIBECIERE A OUTILS

Cet accessoire a également pour but d'économiser les pas du bricoleur. Conçu sur le principe de la sacoche du facteur, il se présente sous forme de boîte munie d'un couvercle. Vous l'exécuterez en contre-plaqué suivant les dimensions du croquis ci-contre.

Deux sangles, l'une enserrant la taille et l'autre passée autour du cou, permettent de maintenir horizontalement la boîte ouverte devant soi afin d'y puiser à tout moment les outils nécessaires.

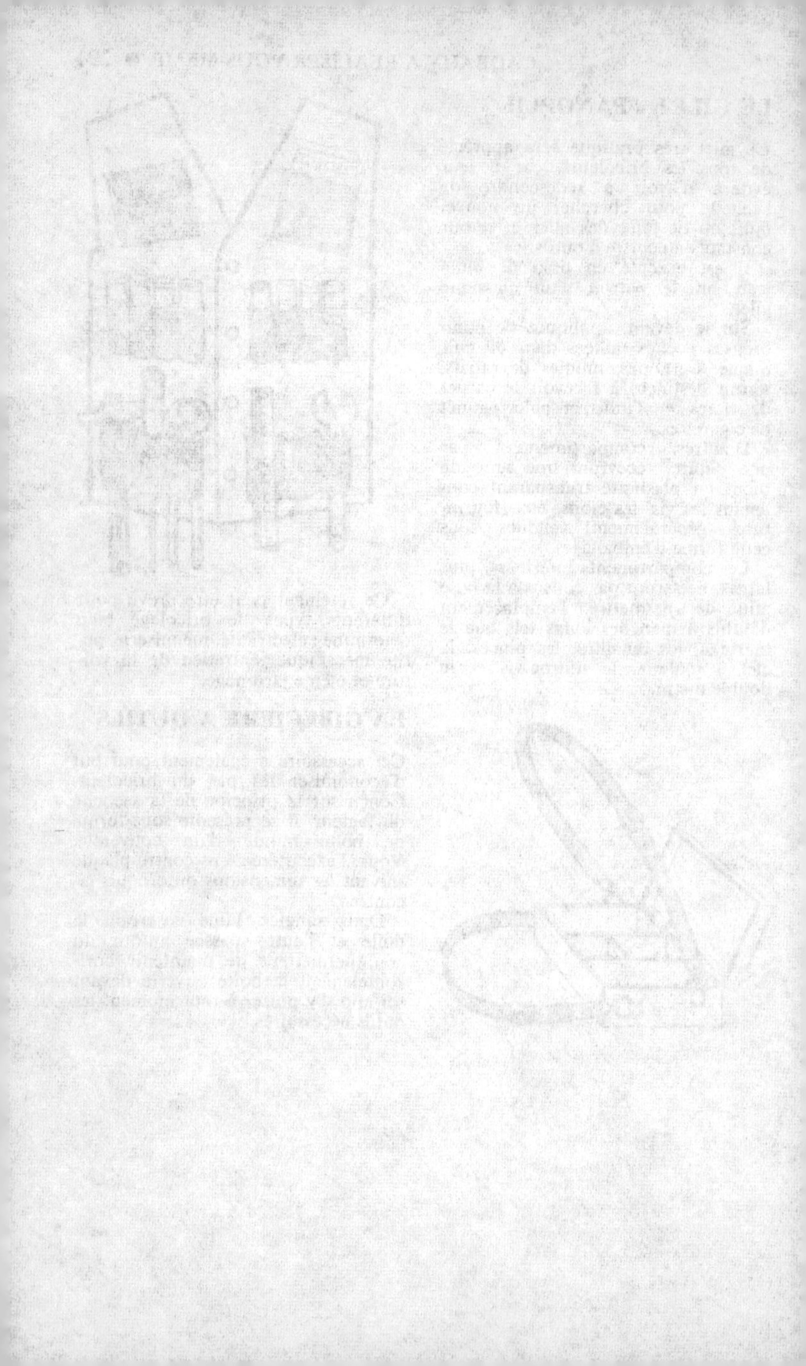

Cadeaux « d'avance »

Etes-vous de ceux qui se bousculent dans les magasins le 24 décembre à dix heures du soir ? Vous précipitez-vous pour acheter une écharpe pour votre mère, dans la boutique la plus proche, le jour même de son anniversaire ? Si vous êtes dans ce cas, ce chapitre vous concerne directement. La cohue des grands magasins juste avant les fêtes est odieuse, épuisante. On attend partout, on perd un temps fou et on achète, très cher, n'importe quoi, parce qu'on n'a plus le temps de choisir ni de comparer. Votre mère, qui a tant aimé la lampe, faite d'un gobe-mouche, que vous avez vue ensemble chez un antiquaire, aurait préféré en avoir une semblable pour poser sur sa table de chevet, plutôt que le nouveau foulard que vous lui avez offert. Seulement voilà. Il aurait fallu que vous achetiez le gobe-mouche, un dimanche où vous aviez le temps de faire un tour au marché aux Puces ; que vous pensiez aux fleurs artificielles le jour où vous vous trouviez dans un grand magasin, que vous choisissiez un abat-jour et que vous confiez le gobe-mouche à un électricien afin de le faire équiper et monter en lampe, une quinzaine de jours au moins avant l'anniversaire de votre mère...

Les cadeaux qui font vraiment plaisir sont pourtant ceux-là : les cadeaux pensés, réfléchis et soigneusement choisis en fonction des désirs et des besoins du destinataire. Pour devenir celui ou celle dont on dit : « Il fait toujours des cadeaux extraordinaires, originaux et pleins de délicatesse ». Rien de plus facile. Il vous faut seulement : un carnet, deux répertoires, une valise, un carton ou une malle. Un peu d'attention et beaucoup d'affection pour les bénéficiaires de vos cadeaux feront le reste.

S'ORGANISER

Les carnets « pense-bête »

Deux répertoires et un carnet sont à la base de tout le système.
- le premier sera destiné aux « cadeaux à faire »
- le second servira à noter les cadeaux que vous avez faits
- le troisième sera réservé aux « cadeaux possibles ».

● **Les cadeaux à faire.** Tout au long de l'année, au hasard de courses faites ensemble dans les magasins, de conversations, de commentaires sur les cadeaux reçus par d'autres, vos proches et vos amis vous disent :
- J'ai toujours eu envie d'un chandelier à cinq branches pour mettre au milieu de la table.
- Quelle bonne idée Monique a eue d'offrir un miroir-sorcière à Sylvie. C'est vraiment décoratif. Il faudra qu'un jour j'en achète un pour l'entrée.
- Dupont a un truc formidable. Il se rase tous les matins, dans sa voiture, pendant que le moteur chauffe, avec un rasoir électrique à piles.
- Il n'y a vraiment que les pots fermés par un bouchon de liège dans lesquels le tabac ne se dessèche pas.
- Au fond, je devrais acheter des draps de tergal pour la campagne. Bernard invite toujours du monde et il faut que je transporte chaque week-end des valises de linge. Tandis que des draps de tergal, je n'aurai qu'à les plonger dans l'eau, les mettre dans la buanderie sur une corde et je les retrouverai propres et secs le vendredi suivant.
- Maman m'a promis de me laisser mettre du vernis à ongles à partir de l'année prochaine.
- J'avoue que ma collection de sulfures est assez belle et que j'en possède quelques-uns, anciens, auxquels je tiens beaucoup et dont je suis assez fier.

C'est là qu'intervient le premier carnet. Vous y noterez « chandelier à cinq branches » au nom de belle-maman, « sorcière » à celui de Marie-Claude, « rasoir à piles » pour votre mari, « pot à tabac à bouchon de liége » pour votre neveu Bertrand, « draps tergal » devant le nom des Dubois chez lesquels vous allez souvent en week-end, « trousse de manucure et vernis » devant celui de la fille de vos amis Durand qui font chaque année cadeau d'un jouet somptueux à vos enfants, et « sulfure » au nom du monsieur grâce à la recommandation duquel votre mari a pu se présenter dans la firme qui l'emploie actuellement. Au moment de Noël, des anniversaires, des noces d'argent ou des premières communions vous ne serez plus prise, à la dernière minute, d'une affreuse anxiété en vous demandant : « Qu'est-ce que je pourrais bien lui acheter ? » Vous n'aurez qu'à consulter votre répertoire.

● **Les cadeaux faits.** Le second répertoire servira à noter les cadeaux que vous avez faits. Il vous évitera le risque d'offrir deux années de suite un seau à glace, un porte-cigarettes ou un décapsuleur à la même personne, ce qui est ridicule et affreusement gênant.

● **Les cadeaux possibles.** Le carnet, lui, sera partagé en six parties que vous titrerez « cadeaux à moins de 10 F », « cadeaux de 10 à 25 F », « de 25 à 50 F », « de 50 à 75 F », « de 75 à 100 F ».

Vous y noterez les idées de cadeaux avec l'adresse du magasin où vous les avez vus et leur prix.

COMMENT LES UTILISER

Lorsque vous aurez un cadeau à faire, vous consulterez le répertoire n° 1, celui des « cadeaux à faire ». Si vous n'avez rien noté au nom du destinataire vous chercherez une idée dans le carnet des cadeaux possibles, selon vos possibilités financières, et, enfin, vous vérifierez dans le répertoire nº 2, celui des cadeaux faits, si l'objet en question ne rappelle pas ce que vous avez offert auparavant

Cela peut vous sembler long, fastidieux et par trop méthodique, mais si vos carnets sont tenus bien à jour, il vous suffira de quelques instants pour les compulser, et cela n'exclut pas du tout le « cadeau coup de foudre » ; le bijou fantaisie que vous voyez en vitrine et que vous achetez pour votre sœur parce que vous la « voyez » bien avec, même si elle a déjà cinq autres colliers.

La malle aux trésors

Outre les deux répertoires et le carnet qui sont votre « mémoire à cadeaux », prévoyez un carton, une caisse ou une malle qui vous servira à ranger, soigneusement enveloppés et étiquetés, les objets que vous avez achetés tout au cours de l'année, souvent sans destination précise, mais parce qu'ils étaient jolis et avantageux.

Vous disposerez ainsi d'une réserve dans laquelle vous pourrez puiser en cas de besoin (par exemple quand, au réveillon que vous avez organisé et où vous avez prévu un petit présent pour tous les invités, deux convives inattendus s'annoncent à dix heures du soir).

Vous aurez en outre une moins grosse somme à débourser au moment des fêtes, votre budget-cadeau étant réparti au long de l'année.

Bien entendu la malle contiendra surtout de menus trésors : bibelots, bijoux à bon marché, gadgets, mouchoirs. Vous y rangerez aussi en permanence quelques rouleaux de papier décoré ou tout simplement du papier crépon de couleur vive, du scotch et du ruban de cellophane. Quand votre tante Berthe vous téléphonera pour vous demander s'il est toujours entendu qu'elle vient dîner le soir même, et ajoutera que c'est vraiment gentil à vous de l'inviter le jour de sa fête, vous n'aurez qu'à pêcher un flacon d'eau de Cologne dans la malle aux trésors, en faire un joli paquet et le produire, comme un prestidigitateur, au moment de l'arrivée de tante Berthe dont vous aviez évidemment oublié que c'était la fête.

Si vous disposez d'assez de place et si vous voulez perfectionner le système, vous pourrez utiliser plusieurs cartons ou vieilles valises et ranger les cadeaux par catégories : cadeaux pour coquettes, pour bonnes ménagères, pour fumeurs, pour automobilistes, pour maîtresses de maison modèles, pour propriétaires de maison de campagne, pour jeunes gens, pour enfants, pour sportifs, pour grands voyageurs, etc.

o *Sachez toutefois que certaines choses ne se conservent pas :* les chocolats blanchissent, les marrons glacés et les fruits confits se dessèchent, certains parfums « tournent » et se dénaturent, ainsi que les crèmes et produits de beauté. Les disques doivent être gardés rigoureusement à plat et ceux de variétés se démodent très vite pour les jeunes.

o *N'oubliez pas non plus* que tout ce qui est en laine ou en soie blanche jaunit facilement. Le métal argenté, lui, noircit, sauf si vous prenez la précaution de l'astiquer soigneusement, puis de l'envelopper de papier de soie noir.

OU ET QUAND S'APPROVISIONNER

Toute l'année : un « pique-boutique » attentif

Voici quelques idées d'objets que vous achèterez au hasard de vos courses. Ils constitueront la base même de vos réserves :
mouchoirs d'homme et de femme,
foulard de mousseline,
bas de plusieurs tailles,
savonnettes, sels de bains,
cravate unie, pipe, cendriers,
boutons de manchettes,
colliers fantaisie, fleurs artificielles,
étui à cigarettes, peigne de poche,
carnet, répertoire téléphonique,
crayons à bille décorés,
boîte de papier à lettres, coupe-papier,
porte-clefs, pince à billets,
décapsuleur, salières, torchons-décor,
bouchons amusants ou précieux,
sets de table, dessous de verre,
bougies sculptées, pierres dures,
vase miniature pour une fleur,
livres d'art.

De temps en temps : les joies de la brocante

Pour inaugurer ou pour regarnir votre malle aux trésors, organisez plusieurs fois dans l'année une expédition aux « Puces ». Presque toutes les villes importantes possèdent un marché d'occasions où l'on peut, à condition d'aimer fouiner et d'avoir un peu de goût, faire de temps en temps de bonnes affaires en s'amusant.

• **Attention :** une expédition aux « Puces » est une aventure. Ne l'entreprenez pas avec des idées préconçues. Ne partez pas avec l'intention bien arrêtée d'acheter un vase d'opaline ou un porte-parapluies 1900. Vous ne les trouverez probablement pas, ou bien alors vous les paierez plus cher que leur prix car les marchands sont de bons psychologues et s'apercevront facilement que vous avez envie de l'objet en question.

o *Voici quels sont les commandements de l'amateur éclairé des « Puces » :*

- allez-y de bonne heure, le samedi matin. C'est à ce moment-là que les professionnels s'y rendent et « raflent », évidemment, ce qui est le plus intéressant.
- emportez assez d'argent liquide pour payer les « bricoles » mais pas trop, car d'adroits pickpockets se mêlent parfois à la foule qui déambule. Prenez plutôt votre carnet de chèques au cas où vous voudriez effectuer des achats importants. Sachez aussi que les brocanteurs acceptent volontiers de garder quelque chose si vous leur donnez des arrhes.
- habillez-vous rationnellement : bonnes chaussures confortables, soli-

Les verres de « bistrot »
Grossiers, unis, torsadés, bosselés, aux fonds épais avec ou sans pied, l'on y servait à la belle époque le café chaud. Offerts par huit ou par douze, ils amuseront à peu de frais la table de vos amis. Les vins y seront bons, l'eau minérale buvable. Quant à leur solidité, elle est à toute épreuve.

des, car on piétine beaucoup et il y a souvent de la boue ; vêtements peu fragiles, sac à main fermant bien pour les femmes, filet à provisions en nylon pour rassembler les petits objets et enfin des gants pour éviter de toucher avec vos mains nues des objets d'une propreté douteuse.
- n'ayez pas honte de marchander. Beaucoup de marchands s'y attendent et annoncent leurs prix en conséquence.
- ne montrez pas trop votre convoitise devant un objet. Son prix s'en trouverait immédiatement majoré.
- sachez que si l'ancien a des charmes incomparables pour certains amateurs, il n'est, pour d'autres personnes, que du « vieux » tout à fait méprisable.

LES CADEAUX « BROCANTE » TYPES

Voici les objets que l'on est presque toujours sûr de trouver dans les marchés d'occasion.
o *Vaisselle dépareillée :* une assiette très jolie à fixer au mur ou qui servira à présenter les fromages, ou bien un petit déjeuner de porcelaine ancienne, destiné à un ou une célibataire, sont abordables et agréables.
o *Huiliers :* les flacons sont généralement cassés depuis longtemps ou dépareillés, mais en les remplaçant par des verres de couleur vous obtiendrez un vase double charmant pour de petites fleurs.
o *Paniers :* vous capitonnerez les grands et les garnirez de poches pour les transformer en paniers à ouvrage. Les tout-petits paniers dont le couvercle s'ouvre par le milieu et qui servaient autrefois aux enfants

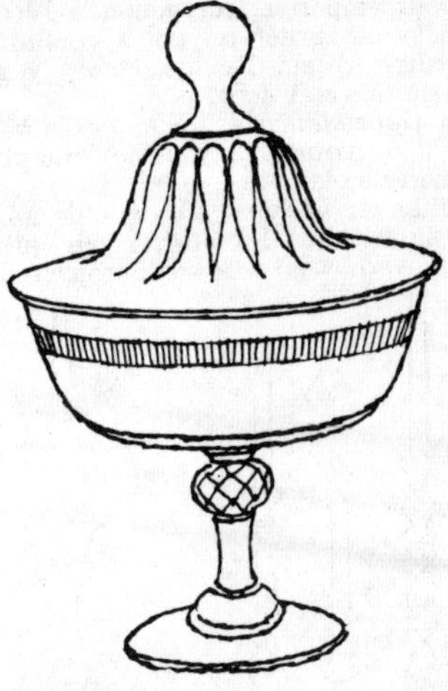

Les bocaux, les confituriers
Le plus souvent en verre, quelquefois en cristal, on les voyait autrefois aux vitrines des confiseurs. Vous les offrirez aujourd'hui à une amie pour sa salle de bains, remplis de sels de bains ou de cotons multicolores.

Les pots de pharmacie
Il en existe de toutes sortes, depuis le simple vieux bocal de verre blanc, brun ou bleu, aux inscriptions or, jusqu'aux pièces de collection en vieux Rouen ou Strasbourg. Vous les offrirez bourrés de pralines, de berlingots, de truffes au chocolat, de cigarettes ou de cigares. Ils serviront ensuite : à la cuisine de boîtes à épices, à thé ou à café ; au salon de pot à tabac.

pour emporter leur goûter à l'école peuvent abriter un pot à confitures rempli d'eau. Des anémones y seront très en valeur.

o *Gobe-mouches, bonbonnes et bouteilles baroques :* vous les transformerez en lampes.

o *Livres anciens :* s'ils ont de jolies reliures vous les offrirez tels quels. Mais vous pouvez aussi trouver des livres dont vous extrairez les gravures pour faire des sous-verres.

o *Coffrets de bois précieux :* vous les garnirez, pour les offrir, de cigarettes, cigares ou bonbons, selon leur taille et leur destinataire.

o *Perles au poids.* En verre ou en bois, elles vous permettront de faire vous-même, si vous disposez d'un peu de temps, des colliers ravissants

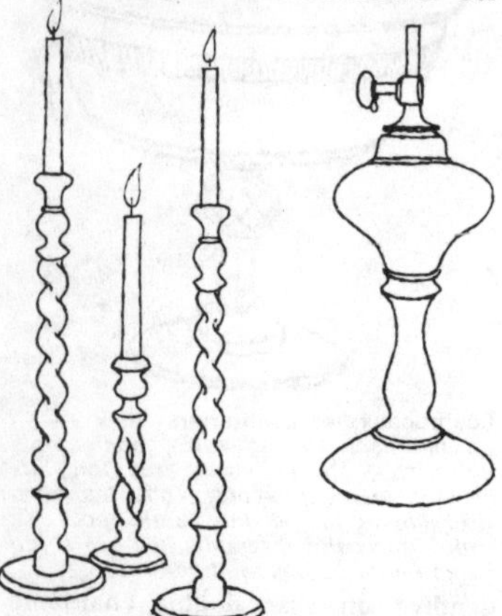

Les lampes à huile, à pétrole et les bougeoirs
Les plus abordables sont en cuivre ou en porcelaine peinte. Facilement adaptables à l'électricité, vous les offrirez avec un joli abat-jour.
Les bougeoirs romantiques, anglais ou français, en bois tourné pourront, eux, être offerts avant transformation, simplement éclairés de leur chandelle (objets et bibelots de chez Peneti, du Moulin de la Brocante, de l'Etagère).

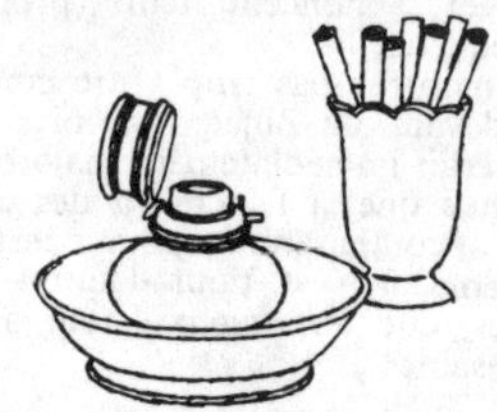

Les porcelaines blanches
Fabriquées en grande quantité par la Manufacture de Sèvres durant l'époque romantique, on les trouve encore facilement chez tous les brocanteurs. Les formes simples et charmantes des petits encriers, des tasses, des coquetiers et des pots à beurre en font de jolis objets à offrir.

Les pendules sous globe.
Les plus belles reviennent à leur place sur la cheminée comme au temps de nos grands-parents. Les plus rares sont animées d'automates.

La cave à liqueurs
Précieuse si le coffret est incrusté de nacre et les flacons en cristal, vous l'offrirez avec ses carafes emplies de porto ou d'un bon alcool.

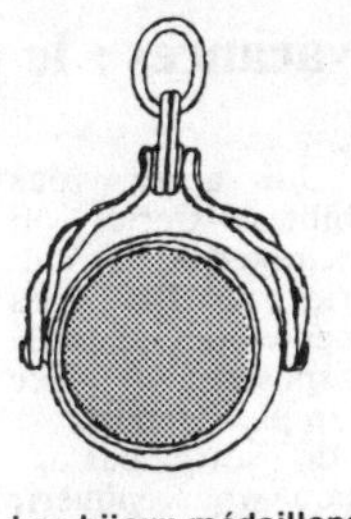

Les bijoux-médaillons
Bijoux romantiques par excellence. D'argent ou d'or, ils sont gravés ou incrustés de pierres fines.

Les cadres-médaillons
Ils sont très recherchés par les collectionneurs. Les plus typiques sont à décors de fleurs ou de paysages réalisés en cheveux.

Les cachets
Généralement monté sur métal précieux, le cachet était en pierre fine gravé aux initiales de son propriétaire. Aujourd'hui on le porte comme breloque à un bracelet.

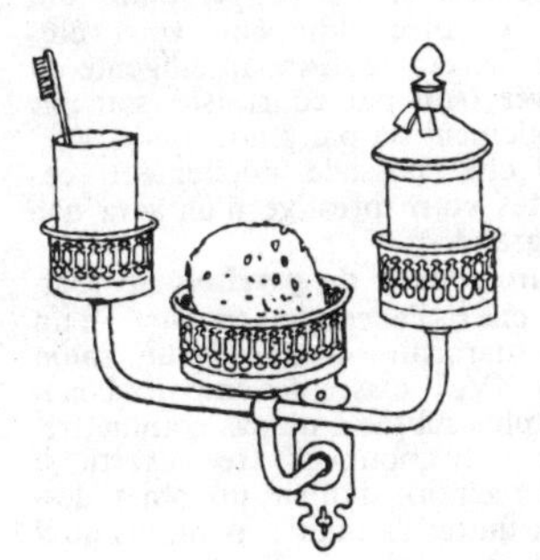

Les objets vieillots
Le porte-éponge et verre à dents 1900 en cuivre, l'ancêtre du téléphone et le vieux phonographe de grand-père constituent autant de cadeaux drôles qui raviront vos amis fantaisistes.

En vacances : le shopping au village

L'artisanat local, lui aussi, vous ouvre des possibilités. Certes on trouve partout des poteries de Vallauris, des verreries de Biot, des faïences de Quimper et des plats de Gien, mais vous disposerez sur place d'un choix beaucoup plus étendu.

Profitez donc de votre passage dans une région pour vous enquérir des ressources de l'artisanat et pour « piocher » dedans. Les droguistes de villages et les marchés des petites villes sont aussi un excellent terrain de chasse. Vous y trouverez, selon les régions, des poteries, des jarres, des écuelles, des terrines, des pots en terre cuite, des moules à beurre en bois, des claies d'osier, des moules à fromage, des paniers, des verreries faites à la main, des cotonnades, de la vaisselle rustique, des casiers à homards, des flotteurs de verre emprisonnés dans un filet, des filets de pêche, des lampes-tempête, des harnais, des fers à cheval, une multitude d'humbles objets utilitaires mais que vous paierez à leur véritable prix.

A l'étranger : la chasse au trésor

Les Français voyagent de plus en plus à l'étranger. Or il existe un phénomène bien connu : dès qu'on a franchi la frontière, on trouve tout mieux et à meilleur marché. Il faut se méfier de ce penchant qui peut finalement vous coûter cher, surtout au moment où les frontières économiques tendent à être supprimées et où vous risquez, quand vous offrirez un « objet typique » à votre tante Agathe, d'entendre votre petit cousin Paul s'écrier : « Oh ! j'ai justement vu le même jeudi dernier, dans un grand magasin, quand je suis allé acheter des chaussettes avec maman. »

Néanmoins il est amusant et parfois avantageux de rapporter des « souvenirs » de l'étranger. Certains produits purement artisanaux non seulement ne sont pas exportés mais encore ne se trouvent que dans une région précise, celle de leur origine.

• **Choisir l'objet-cadeau qui évoque l'Espagne, l'Italie ou la Grèce demande un esprit respectueux :**

○ *respectueux du pays* qui vous a accueilli, car il est son représentant auprès des foules sédentaires et admiratives qui le contempleront à votre retour.

Et comment pouvez-vous imaginer qu'un taureau en bois qui fait « meuh », évoque la culture ibérique, la terre qui a vu naître Cervantes, Goya et de Falla ?

○ *respectueux de la personne* qui recevra votre don car vous êtes censé la croire fine, intelligente et cultivée (soit par courtoisie, soit par aveuglement ou par amour).

Si elle possède réellement ces qualités votre prestige n'en sera que plus grand.

• **Faire preuve de psychologie.** Car, sans citer l'exemple grossier d'un pouf marocain destiné à un salon Louis XV, il existe des impairs beaucoup plus subtils à ne pas commettre.

Au collectionneur très averti, il est dangereux d'offrir un objet destiné à flatter sa manie. A moins qu'il ne s'agisse d'un souvenir rare et coûteux, votre amateur saura vite en déceler la banalité.

SAVOIR ACHETER : OU ET COMMENT

• **Faites-vous accompagner.** Pour acheter à l'étranger (excepté peut-être en Allemagne, en Angleterre et dans les pays nordiques où le marchandage est pratiquement inconnu), vous avez toujours avantage à vous faire accompagner par un autochtone. D'une part, il pourra éventuellement discuter à votre place si besoin est (à moins que vous ne parliez tout à fait couramment la langue du pays...), d'autre part, il connaît certainement mieux que vous les « bonnes adresses » et, enfin, son orgueil national le poussera à se donner du mal pour que vous ayez une bonne opinion de ses compatriotes et de leurs productions.

• **Livré à vous-même,** vous rechercherez vos cadeaux :

o *dans les magasins du Tourisme national.* En général, les objets sélectionnés par le gouvernement sont de bon goût, car ils sont créés dans un but de propagande culturelle et non commerciale.

o *chez les antiquaires.* Certains sont agréés par l'Etat et fournissent un certificat d'authenticité.

o *chez les artisans et dans les boutiques.* Là, beaucoup de discernement est indispensable car l'excellent côtoie le pire.

o *chez les quincailliers, les marchands de couleurs,* et tous ces petits commerçants jamais visités par les touristes mais où l'on peut trouver des objets usuels sans prétention, parfois fort beaux.

o *dans les marchés aux Puces.* Il en existe dans quelques capitales. Ils sont, généralement, moins importants que celui de Saint-ouen.

o *chez les habitants.* Certains objets de la vie courante faits par eux et pour eux constituent des souvenirs folkloriques très intéressants et enjolivés de la patine d'un usage quotidien.

o *enfin, dans la nature.* Tous les cadeaux gratuits qu'elle vous offre : pierres d'un torrent, feuillages étranges, coquillages, plumes d'oiseaux, peuvent être mis en valeur dans une boîte, un sous-verre, etc.

• **A noter.** Si, dans une boutique, vous payez en travellers chèques, vous avez droit à une détaxe. Gardez soigneusement les factures des objets dont vous aurez ainsi fait l'acquisition car vous devrez les déclarer à la frontière. En principe les produits achetés « sans taxes » sont même livrables directement à l'aéroport, au port ou à la frontière.

Toutes ces précautions oratoires étant prises, n'oubliez pas vos fameux carnets avant de partir et... bonne chasse !

• **Pour faciliter vos recherches,** nous avons établi un guide international de « shopping touristique » en nous limitant aux pays où les Français se rendent le plus volontiers.

EN ESPAGNE

Rien n'est plus amusant que de faire du lèche-vitrines en Espagne. Les magasins et les rues offrent un spectacle si pittoresque, si vivant, que c'est déjà un plaisir que de s'y promener.

En Espagne, de même qu'en Italie, il faut marchander fermement.

• **A Madrid,** ne manquez pas le marché aux Puces local. Il se trouve derrière la Puerta del Sol et il est aussi pittoresque que poussiéreux : on y voit de tout... y compris des costumes de toréador. Si vous cherchez des bijoux anciens, vous pourrez en trouver dans le *Rastro* qui correspond au quartier du quai Voltaire à Paris, c'est-à-dire qu'un grand nombre d'antiquaires y sont rassemblés. Les magasins d'antiquités de Madrid (et de Barcelone) sont des lieux de prédilection pour les amateurs de la Haute-Epoque.

Le choix des objets, bibelots, meubles est considérable. Vous trouverez des coffres en cuir, des armes, des épées, des armures et — plus facilement transportables — des flambeaux, des mortiers, des statues polychromes, des coupes, des livres anciens, des plats, des fers forgés, etc. A Madrid, comme dans toute l'Espagne d'ailleurs, vous achèterez des articles de cuir et d'acier damasquiné. Ces objets, fabriqués selon une technique héritée des occupants arabes et adaptée au goût européen, sont très soignés et beaucoup plus fins que ceux qu'on peut voir en Afrique du Nord.

La grande rue commerçante de la capitale espagnole est l'avenue José-Antonio. Chaussures, valises, sacs, portefeuilles, porte-monnaie y abondent, et à des prix intéressants.

Les lingeries et les broderies sont,

elles aussi, tentantes. Sachez que vous pouvez commander des nappes ou des mouchoirs brodés à la main et marqués au chiffre de leur destinataire. Votre commande sera exécutée dans un temps étonnamment bref. Achetez aussi à Madrid des mantilles de dentelle pour une femme élégante, sortant beaucoup le soir, des castagnettes, bien sûr, des livres anciens, aux somptueuses reliures de cuir, des ferronneries, des carreaux de céramique encadrés de fer forgé et portant des devises d'une philosophie pleine d'humour, et des poupées de collection aux costumes splendides.

• **De Tolède,** vous rapporterez des objets d'acier noir incrustés d'or, connus dans le monde entier. Les artisans castillans en font des colliers, des bracelets, des boutons de manchettes vraiment très abordables. D'autres bijoux, de filigrane d'or ou d'argent, sont aussi fort jolis. Vérifiez seulement que les soudures sont bien faites car la destinataire trouverait difficilement en France quelqu'un pour réparer la broche que vous lui aurez offerte si elle se cassait.

• **A Barcelone,** vous irez faire un tour aux *Els Encants,* c'est-à-dire au **marché aux Puces local où vous** trouverez, le dimanche, des livres anciens et, toute la semaine, de beaux meubles, fort à la mode en France. Les antiquaires de Barcelone, ville proche de la frontière, sont très organisés pour expédier en France. Il vous faudra seulement calculer le montant des droits de douane…

• **A Séville,** vous pourrez vous promener agréablement dans le quartier commerçant, celui de la *Calle de las Sierpes,* car il est interdit aux voitures. Vous y trouverez des éventails, des mantilles, des céramiques et des faïences.

• **Aux Baléares,** vous découvrirez des céramiques aux couleurs vives et des objets en fer forgé, produits par les artisans locaux, ainsi que des articles de raphia (chaussures et sacs) et d'osier. Il y a des paniers pour tous les usages, en particulier des paniers à provisions carrés, à fond de bois, solides et jolis. Enfin le linge brodé aux jolis dessins, fera la joie d'une maîtresse de maison aimant avoir une jolie table.

• **A Saint-Jacques-de-Compostelle,** vous trouverez des verreries de couleurs (jaune ou vert foncé), des coffres, des bijoux et des coupe-papier damasquinés, des bougies sculptées très décoratives.

DANS TOUTE L'ESPAGNE

Vous découvrirez les productions artisanales de chaque province, soit dans les petites boutiques de village rencontrées au hasard des étapes, soit dans les magasins des grandes villes (certains sous le contrôle de l'Etat) réunissant et offrant aux touristes une sélection des arts appliqués de la péninsule.

Sur l'étal des marchés vous choisirez vos cadeaux parmi des vanneries, des alcarazas dont certains en forme de coq sont d'une grande beauté et d'une grande pureté (région de Grenade), des plats en terre, des petits tapis de corde et un grand nombre d'objets usuels fort intéressants.

Les vitrines vous présenteront des cruches en forme de taureau noir ou jaune ocré ornées de fleurs ; des éventails peints, des peignes, des harnais de mule garnis de pompons, des banderilles, des muletas et des coiffes de matadors.

Les mantilles, les tapis en fibre végétale s'achètent chez le fabricant ainsi que les chaises paillées et les rocking-chairs. Pour ces derniers, *Palma de Majorque* semble particulièrement choisie. Ces sièges en bois naturel ou peint dans un ton vif sont d'un prix très accessible. Vous pourrez les faire expédier en France si vous avez la chance de découvrir le transporteur qui se chargera de l'acheminement.

Une bonne adresse : transports Minares, via Roma, à Palma.

• **Cadeaux gastronomiques.** Pour des amis dont la cave est renommée, les vins d'Andalousie (le Jerez, le Montilla, le Niebla), ceux d'Alicante et le célèbre Malaga apporteront avec eux toute la couleur espagnole.

• **Cadeaux gratuits.** Comme dans chaque pays, vous trouverez des objets typiques et inattendus qu'il suffira de récolter en vous promenant :
- les affiches de corrida et les billets d'entrée aux arènes.
- les herbiers composés de feuilles d'eucalyptus, d'amandier, de canne à sucre, etc.
- les palmes séchées de la semaine sainte que l'on trouve sur tous les balcons à Séville.
- les étiquettes de bouteilles demandées lors des visites chez les viticulteurs.
- les pièces de sellerie achetées chez le maréchal-ferrant.
- les poignées de portes et de meubles achetées chez le ferronnier.
- les plaques de chêne-liège, les souches d'oliviers aux formes sculpturales.
- les hippocampes séchés, etc.

o *Dans toutes les grandes villes d'Espagne, boutiques de l'artisanat espagnol sous le couvert du ministère du Tourisme : à Madrid : Mercados de la Artesania Española, calle Florida Blanco, 1.*

AU PORTUGAL

La frontière hispano-portugaise franchie, dès les premiers kilomètres, des paysages, des gens et des coutumes totalement différents de ceux de l'Espagne vous laisseront espérer une moisson de cadeaux bien typiques.

• **A Penacova,** on taille dans le bois de petits cure-dents acérés, ornés de franges de papier comme le manche d'un gigot, et qui font des pique-olive ou pique-sandwich très originaux pour une maîtresse de maison qui pratique le système des réceptions-buffets.

• **A Barcelos, Estremoz et Caldas da Rainha,** on cuit des poupées en terre vernissée qui feront la joie des collectionneurs de poupées folkloriques, et dans la montagne on peut encore trouver des dentelles faites à la main par des femmes qui manient leur crochet avec une agilité surprenante, tout en bavardant sans même regarder leur ouvrage.

• **A Castello Branco,** les femmes brodent les nappes de motifs compliqués rappelant les dessins persans.

• **A Nisa,** les poteries sont incrustées d'une mosaïque de petites pierres blanches ; celles de *Beira Alta* et de *Bragance* ont des couleurs sombres et des formes étranges.

• **A Coimbra,** les faïences sont décorées de fleurs et d'oiseaux ; à *Barcelos,* elles sont vernissées et à *Caldas da Rainha,* les motifs se détachent en relief (soupières, plats, légumiers, etc., en forme de feuilles, de fruits et de légumes... très pop'art).

• **A Nazaré,** vous remarquerez :
- les coqs polychromes, très stylisés, peints en rouge, noir ou blanc ; ces coqs, vous les retrouverez dans tout le pays (à *Barcelos* et à *Lisbonne* naturellement). Peu coûteux, de tailles variées, ils pourront orner la cuisine de campagne ou la table basse du living-room de style moderne ;
- des vanneries, réplique des paniers que les Portugaises portent sur la tête ; des barques ornées de l'œil caractéristique, modèles réduits de celles de Nazaré, des poteries vernissées et des azulejo. Ces carreaux de céramique à décors bleus pourront être utilisés comme dessous de carafe, pour garnir un plateau ou décorer une salle de bains ;
- les fleurs artificielles faites de papier enluminé, de plumes légères et de cuir travaillé, découpé, doré ; des images de papier découpé, se détachant sur fond noir, et qui feront des sous-verres originaux et charmants ; des lanternes de cuivre, de laiton ou de fer forgé.

• **A Evora,** dans l'Alemtejo, vous découvrirez tous les objets fabriqués avec le liège récolté en plaques dans les merveilleuses forêts de la région.

De nombreux éventaires, dressés tout au long des ruelles tortueuses, vous fourniront « le taro » (seau isothermique des bergers, très typique et très utile) ainsi que des couvertures de bouvier, de très jolies cornes sculptées, des harnais brodés, des santons, des heurtoirs de porte, des clefs anciennes, des chenets aux formes curieuses d'animaux.

• **A Lisbonne,** dans les magasins de la place Rossio, vous retrouverez toutes ces productions artisanales avec les broderies sur lin de *Viana do Castelo*, les dessus de lits d'*Obidos*, les filigranes de *Gondomar* et bien entendu les disques de fado.

Pour les tapis anciens et leurs copies, adressez-vous à la *Fundaçao Espirito Santo,* Largo das Portos do Sol ou à la *Casa sz S. Vicente*, Azurhaga das Veigas.

Aux environs de la capitale, au cours d'une promenade à la belle *Praia do Portinho da Arrabida*, les pêcheurs vous vendront pour quelques francs toute une collection de très jolis coquillages.

• **Cadeaux gastronomiques.** Vous achèterez des bouteilles de Porto, des gâteaux aux amandes, de la confiture de figues de la marmelade (pâte de coings) et des croquignoles.

o *Dans toutes les pousadas (auberges contrôlées par les services officiels du Tourisme), rayons d'articles de l'artisanat régional.*

EN SICILE

Bien qu'elle fasse partie de l'Italie, la Sicile nécessite cependant un paragraphe spécial. Son folklore bien personnel oriente le touriste vers des cadeaux caractéristiques, très différents de ceux que l'on peut acheter en Italie. De Sicile, vous rapporterez :

- des corsages et du linge de table brodés à la main de jours tout à fait particuliers ;
- des objets de paille et de raphia ;
- les inévitables charrettes siciliennes décorées comme un livre d'heures avec leurs chevaux empanachés. On en croise parfois encore dans les villages et sur les routes, mais la plupart se trouvent à l'état fragmentaire chez les antiquaires. Ces panneaux de bois peint représentant des scènes chevaleresques au trait naïf sont amusants et de prix abordables.

Mules et charrettes empanachées s'achètent également en modèles réduits (de toutes dimensions) un peu partout en Sicile. Elles feront un cadeau charmant pour la chambre d'un enfant.

• **Palerme** est célèbre pour son théâtre de marionnettes articulées, rutilantes et caparaçonnées.

Dans les magasins, vous achèterez des « pupi » de toutes tailles, vêtues d'armures moyenâgeuses. Elles pourront parfaitement compléter une collection de poupées.

Si vous avez de la chance et si vous parlez assez bien l'italien pour marchander âprement, vous découvrirez peut-être des « pupi » anciennes (leur invention remonte au Moyen Age) ainsi que d'autres trésors au marché aux Puces de Palerme près du Mercato Ucello. Car n'oubliez pas qu'ici on marchande ferme. Tout le monde demande toujours une « scompto » (rabais)... et l'obtient.

• **A Taormina,** les antiquaires du Corso Umberto sont situés les uns près des autres et leurs prix semblent très intéressants. Il est vrai que l'authentique voisine avec le faux, mais contentez-vous d'objets sans prétention comme ces colliers d'âne sculptés dont l'achat ne constitue pas une hardiesse financière nécessitant une expertise.

Sachez qu'en Sicile les bijoux d'or se vendent au poids. Le travail ne se compte pas et on trouve des bracelets ou des pendentifs ouvragés d'une façon très originale. Attention cependant de bien vérifier s'il s'agit d'or à 18 carats, car on emploie aussi l'or à 14 carats (le poinçon vous l'indiquera). Et n'oubliez pas de calculer le prix de la douane...

• **Cadeaux gratuits.** Pour vos amis collectionneurs vous prélèverez sur les pentes de l'*Etna*, à l'aide d'un petit marteau, les pierres ponces, les éclats de lave, les morceaux de soufre, etc. Présentez-les avec goût dans une boîte vitrée.

Ils ne coûtent rien et font plaisir à ceux qui les reçoivent ; surtout s'ils sont collectionneurs.

EN ITALIE

L'Italie a été, pendant des années, le paradis des touristes et des amateurs de « souvenirs » ; un paradis organisé en fonction du tourisme qui est une des ressources essentielles du pays. Les choses ont légèrement évolué et le coût de la vie, autrefois beaucoup plus bas qu'en France, l'égale à peu près maintenant. Mais on peut, de partout, rapporter de menus objets, jolis ou amusants, chaque région ayant ses spécialités.

L'ARTISANAT

Comme dans tous les pays, on en découvre les expressions au hasard des étapes, dans les boutiques des villes et sur les marchés de campagne.

Vous trouverez : les céramiques à *Arezzo, Bari, Faenza, Deruta, Urbino :*
- les étains à Brescia ;
- les tissus fabriqués à la main à *Capri* et *Bari* ;
- les tissus somptueux à *Gênes* ;
- les mosaïques à *Ravenne* ;
- les dentelles à la main à *Murano* (Vénétie), *Côme* et *Gênes* ; au fuseau à *Isernia* et *Cogne* ;
- les broderies, les corsages, les objets de paille et de cuir à *Florence* ;
- les bijoux à *Florence, Valenza* et *Rome* ;
- les objets d'écaille, de corail, les camées à *Naples* ;
- les albâtres à *Pise* ;
- les verreries à *Murano* (Venise) ;
- les objets en bois dans le Trentin et l'Adige (*Bolzano, Murano*).

En traversant la Calabre (une des rares régions de l'Italie où le tourisme n'ait pas encore pénétré), ne manquez pas de vous arrêter si vous passez dans un village un jour de marché. Vous y trouverez, à bas prix, des objets utilitaires mais dotés d'un certain charme : écuelles d'une poterie rustique, bassines et brocs de cuisine, gargoulettes, marmites en terre vernissée.

L'ANTIQUITE

Riche d'un très grand passé artistique, il est évident que l'Italie possède, dans chaque ville, de nombreux antiquaires dont les pièces de collection remontent jusqu'à l'Empire romain. La variété en est trop grande pour être exposée en quelques pages, mais vous pourrez porter votre choix sur des peintures, des sculptures, de la ferronnerie, de la céramique, des bijoux, de l'argenterie, des meubles, etc., dont le prix sera calculé en fonction de l'époque, de la rareté, de la qualité de l'objet. De votre budget dépendra donc votre choix.

• **Manifestations à signaler :**
- *à Florence :* la Biennale internationale des Antiquaires, les années impaires du 15 septembre au 15 octobre ;
- *à Milan :* la Foire à la Brocante, le vendredi et le samedi, place du Dôme ;
- *à Rome :* marché aux Puces le dimanche et les brocanteurs tous les jours, via del Coronari (près de la place Navoan) ;
- *à Turin :* marché aux Puces le samedi matin, place Palazzo.

• **Les antiquaires** sont groupés :
- *à Rome :* via del Babuino et del Governo Vecchio, etc.
- *à Milan :* via S. Spirito, via Montenapoléone, via S. André, etc.
- *à Florence :* via Maggio, via Cavour, via dei Fossi, etc.

SHOPPING

• **A Rome,** vous trouverez de la lingerie de soie, des cravates, des objets d'argent, des gants, des objets anciens dans la via del Babuino, entièrement occupée par les antiquaires. Autour de la piazza di Spagna, vous achèterez de très jolies gravures.

Si vous avez dans votre entourage des personnes pieuses, ne manquez pas d'aller au Vatican faire acquisition, pour elles, non seulement d'objets de piété, mais aussi de très beaux livres d'art sacré.

• **A Florence.** C'est la ville du cuir travaillé, de la paille et de la bijouterie. Sur le célèbre Ponte Vecchio et dans toutes les rues avoisinantes, vous découvrirez des maroquineries à faire rêver où, même si vous ne pouvez pas acheter une valise ou un sac, vous trouverez de jolis coffrets, des bourses et de petits objets ravissants. Ici on travaille la paille au crochet et une robe ou un manteau de paille font un cadeau somptueux et tout de même abordable.

Quant aux vitrines des bijoutiers, elles sont pleines de poudriers, boîtes à cigarettes, dés, glaces de poche, étuis à peigne et bibelots en argent gravé à des prix auxquels vous ne les trouveriez certainement pas en France. Les bijoux d'argent et les camées sont aussi des spécialités florentines.

• **A Milan,** grande ville industrielle cossue, les magasins de luxe regorgent de marchandises. On y trouve les plus belles soieries d'Italie, mais à un prix assez élevé. Allez aussi faire un tour à la Rinascente, le grand magasin qui se trouve à gauche lorsque vous êtes face au célèbre Duomo. Vous y trouverez tout, depuis le petit souvenir à quelques centaines de lires jusqu'au somptueux présent, en passant par les derniers gadgets nés en Italie, les jolies boîtes d'allumettes décorées ou les chocolats succulents.

• **A Venise,** il y a évidemment la verrerie. Les coupes, vases, services de verres de Murano (petite île de la lagune vénitienne vouée tout entière aux verriers) sont célèbres dans le monde entier. Vous pourrez même aller sur place voir travailler les souffleurs de verre. C'est fascinant. Mais à Murano on fait aussi — c'est plus original et beaucoup moins cher qu'en France — des sulfures, des cendriers et des coupes, le tout fait sur le même principe que les sulfures, et des colliers que vous ne trouverez nulle part ailleurs, dont les perles sont faites d'une espèce de mosaïque de verre opaque. Des colliers encore, de verre ou de cristal, par milliers, pendus à la porte des boutiques, en grappes épaisses, en particulier autour de la place Saint-Marc dans les « merceries » (on appelle ainsi les rues commerçantes) et sur le pont du Rialto, réservé tout entier à la vente des souvenirs. Là vous trouverez de tout, y compris des bibelots parfois affreux et de très jolies dentelles à la main, faites dans la pittoresque petite île de Burano.

• **A Naples.** Sont particulièrement intéressants les articles en corail, en écaille et les camées.

Deux fabriques installées à côté de Pompei se sont spécialisées dans cette production. Vous achèterez dans l'une des nombreuses boutiques « souvenirs » de la ville : broches, colliers, bagues, poudriers, porte-cigarettes, nécessaires de toilette, miroirs à main.

o Il existe un magasin de l'E.N.A.P.I. (Office National de l'Artisanat italien) dans toutes les grandes villes d'Italie : à Rome : via Victoria Colonna 39.

EN GRECE

Les dieux de l'Olympe ont doté la Grèce de trois charmes puissants : le ciel, le paysage et les antiquités.

Les deux premiers, s'ils vous captivent, ne se laissent pas facilement emporter. Quant aux antiquités il est utile de savoir qu'aucun objet de fouilles ne peut sortir de Grèce sans l'autorisation de la direction des antiquités : 2, rue Evangelistrias à Athènes. Retourner le sol de l'Attique ou du Péloponèse serait donc vain.

Il reste alors les antiquaires qui, munis du blanc-seing indispensable, vous procureront parfois le sujet de collection dont vous rêviez, accompagné d'un certificat d'authenticité.

Ces commerçants, si précieusement approvisionnés, se trouvent à Athènes dans la rue Pandrossou principalement aux numéros 44, 47, 49, 75 et 90, au 10, rue Edward Low et au 4, avenue Amalias.

• **Cadeaux-antiquités.** Il existe des copies de toutes sortes. On en trouve de remarquables, de fidèles et de peu coûteuses.

L'histoire de la Grèce ne se limite pas au siècle de Périclès. Et si l'on veut bien admettre sans dédain, dans le chapitre des antiquités, des objets vieux seulement d'une centaine d'années, le choix des cadeaux sera beaucoup plus vaste et les prévisions budgétaires plus rassurantes.

Naturellement plus d'athlètes bouclés ou de Vénus pudiques, mais des objets d'influence byzantine, vénitienne et surtout turque.

Des tapis, des icônes, des armes ; beaucoup de cuivre : des coupes, des plats, des lampes à huile, des coffres de bois sculpté, etc. Vous les trouverez à Athènes dans les rues Ifestou et Pandrossou (le marché aux « Puces » d'Athènes est ouvert le dimanche rue Ifestou).

• **Cadeaux pittoresques.** Vous les trouverez en fouillant dans le bric-à-brac invraisemblable des petits marchands d'Athènes égarés au marché aux Puces, le long des routes ou dans les foires provinciales :
- les balances à plateaux ;
- les brochettes à viande qui serviront au barbecue ;
- les fuseaux de fileuse, utilisés par les gardiennes de troupeaux ;
- les chapelets d'ambre, ceux que l'on voit égrener par les hommes ;
- les gourdes faisant penser aux coloquintes, qui serviront à garnir une corbeille à fruits ou une étagère ;
- les énormes éponges vendues par de petits marchands ambulants ;
- les petites chaises sculptées à la main.

• **Cadeaux folkloriques.** Des objets intéressants et simples, fabriqués spécialement pour les touristes, selon les vieilles et honnêtes méthodes artisanales, vous en découvrirez aux quatre coins des rues à Athènes, bien sûr, mais aussi dans toute la Grèce.

Parmi eux vous choisirez de préférence les coffres ornés de pierreries (fausses bien entendu), les fourre-tout en poil de chèvre, les cuivres et les bijoux (colliers, bracelets, etc.), les poignards, les moulins à café turcs.

• **Cadeaux en étoffe.** Dans la capitale sont réunies presque toutes les créations régionales, mais il sera plus amusant d'acheter ces tissus dans leur province d'origine où vous bénéficierez d'un plus grand choix.

o *Dans l'île de Mykonos* vous verrez confectionner sous vos yeux, sur de grands métiers à tisser : vestes, écharpes, sacs et couvertures.

o *A Heraklion,* vous choisirez des nappes anciennes, des fragments de costumes, également anciens, qui ont été découpés en petits morceaux (présentés sous verre comme une gravure, ils sont très décoratifs).

o *A Athènes,* vous ferez l'acquisition de tenues d'evzone (il en existe même pour les enfants) ainsi que d'innombrables tsarouchia (chaussons à pompon).

• **Cadeaux gastronomiques.** Le vin de Samos est considéré comme l'un des meilleurs muscats du monde.

Le raki et l'ouzo sont des alcools typiques et il est prudent de goûter avant de choisir votre bouteille-cadeau.

Comme friandise, le miel de l'Hymette connu depuis l'Antiquité. Il entre également dans la composition du fameux baklava, gâteau feuilleté et très sucré, qui voyage parfaitement grâce à un emballage spécial.

Vous achèterez aussi toutes les douceurs au parfum de sérail : confiture de rose, de pistache, des fruits confits et des loukoums.

• **Cadeaux « pour rien ».** Toutes les herbes et les cailloux ramassés sur les hauts lieux de la Grèce, présentés dans des boîtes de naturalistes et portant de petites étiquettes évocatrices indiquant le lieu et la date de leur découverte.

EN ANGLETERRE

• **Les vêtements.** Les trois quarts des cadeaux que l'on peut rapporter d'Angleterre sont en laine : pull-over de cachemire de chez Jeager, tweed écossais, twin-sets, écharpes, cravates et casquettes. Un kilt ou une jupe écossaise, par exemple, font un très joli présent pour une jeune fille. Si vous n'allez pas le chercher au fin fond de l'Ecosse dans les îles où l'on tisse encore à la main, vous le trouverez, sans quitter Londres, dans un magasin spécialisé de Knightsbridge.

Juste en face se trouve le très fameux *Harrod's* où vous avez une chance de rencontrer la princesse Margaret ou sa cousine Alexandra en train de faire leur shopping tout comme vous. C'est un magasin luxueux, donc un peu plus cher que ceux d'Oxford Street, mais il y règne une atmosphère feutrée, on ne s'y bouscule jamais et les vendeurs sont d'une courtoisie raffinée.

● **Pour la maison.** Toujours chez *Harrod's,* vous pourrez acheter de petits objets en porcelaine de *Wedgwood*, à dessins blancs sur fond bleu, des dessous d'assiettes et de verres représentant des scènes de chasse, de la coutellerie de *Sheffield,* des plaids extraordinairement moelleux et légers, de ces carrés de tapisserie à broder dont les dessins romantiques sont redevenus tellement à la mode.

Vous trouverez aussi des « nécessaires » à feu en cuivre comme il n'en existe qu'en Angleterre, d'odorantes eaux de lavande, des sels de bain et des savons, ainsi que de très jolis jeux de cartes.

o *Un tour chez les antiquaires,* dans le quartier de South Kensington ou au pittoresque marché aux Puces de Petticoat Lane vous permettra de découvrir des objets en argenterie et en particulier des théières, sucriers et pots à lait ; des bibelots venus d'Extrême-Orient au temps où l'Inde faisait encore partie de l'Empire britannique, ou des verres à whisky géants, en cristal épais, qui se vendent à la pièce et font des vases ravissants. Si vous avez de la chance vous trouverez même des gobelets en corne cerclés d'argent. Autrefois, on y buvait le whisky.

● **Pour le sport.** Enfin, si vous avez des amis golfeurs ou cavaliers, souvenez-vous que les meilleures cravaches — sans parler des selles coûteuses et encombrantes — sont anglaises, et que rien ne vaut, dit-on, les clubs et les balles de golf venant de leur pays d'origine.

● **Cadeaux gastronomiques.** Vous ne manquerez pas de rapporter un petit flacon de whisky pour un amateur de votre entourage, ainsi que du thé pour votre mère.

EN SCANDINAVIE

Nombreux sont les cadeaux que vous êtes tentés de choisir et qui se trouvent actuellement en France chez les marchands de meubles, dans les grands magasins, à la Boutique danoise avenue Friedland, à la Maison de Suède aux Champs-Elysées.

Les acquérir dans leur pays d'origine se justifie par un prix d'achat moins élevé et un choix plus grand.

Les Scandinaves, beaucoup plus sensibles que les Français aux créations modernes, ont donné un essor considérable aux arts appliqués. Ils utilisent le bois, le métal, le verre et la céramique avec une grande sûreté, un sens esthétique très sûr et un fini irréprochable.

● **Cadeaux d'aujourd'hui.** Choisissez vos cadeaux parmi les luminaires, les tapis, les bibelots, les coupes, les chandeliers, les sujets en paille, la coutellerie, l'argenterie, les services de table et la verrerie. A Oslo, Copenhague, Stockholm, de nombreuses boutiques luxueuses permettent un shopping facile et passionnant. Une visite dans les grands magasins vous fera découvrir une foule d'objets à tous les prix.

o *A Copenhague :* Exposition permamanente de vente (Den permanente) Vesterport
- Manufacture royale de Porcelaine
- Magasin, 13 Kongens Nytorv
- Illums Bolighus, Amagertorv 10

o *A Oslo :* Forum, Rosenkrantzgt 7
- Norway Designs, Stortingsgt 28

o *A Stockholm :* Hordisch magasinet.

● **Cadeaux folkloriques.** Dans les boutiques que nous venons de citer, parmi les objets contemporains, de nombreux sujets sont issus du folklore. Ils sont fabriqués actuellement mais ont gardé la fraîcheur des traditions provinciales dont ils sont inspirés :
- personnages, animaux en paille, chevaux en bois peint de Dalécarlie (Suède), cuillères de mariage et boîtes d'allumettes décorées (Norvège), chandeliers, rouleaux à pâte, poupées, etc.

● **Cadeaux anciens.** Chez les antiquaires, beaucoup plus rares qu'en France, avec un peu de chance et de gros moyens, vous pourrez trouver de merveilleux meubles peints.

Les coffres, les sièges et les bahuts sont d'une grande beauté et s'harmonisent avec tous les styles.

Cet art, la peinture à la rose, naquit vers le XVIIIe siècle. Les paysans soucieux de montrer leurs richesses firent, ainsi, décorer leurs armoires, leurs buffets et même les poutres et les murs de leurs habitations.

Aux environs des capitales scandinaves, des musées en plein air (villages composés d'habitations de différentes époques) exposent tout un mobilier polychrome d'une facture naïve et vous donnent une idée des objets à rechercher.

● **Cadeaux en étoffe.** Quel merveilleux cadeau pour un enfant si, à la place d'une panoplie de receveur d'autobus, vous lui offrez un costume régional scandinave. Les plus beaux de ces vêtements méritent d'être gardés sous vitrine.

Des pulls norvégiens, des vestes de daim, des fourrures de trappeur du Nordland, des après-ski compléteront votre shopping vestimentaire.

Les étoffes d'ameublement aux impressions contemporaines, ainsi que le linge de maison, les couvertures, etc. sont d'un graphisme recherché aux très fins coloris. On trouve d'ailleurs en France certains de ces tissages.

● **Cadeaux gastronomiques.** Ceux qui aiment la cuisine étrangère trouveront des boîtes de saumon fumé, une incroyable variété de conserves de harengs aux sauces les plus surprenantes, des poissons marinés et typiques. N'oubliez pas l'aquavit, cet alcool blanc qui les accompagne.

SHOPPING AU DANEMARK

C'est le plus proche, le plus accueillant des pays scandinaves et on y trouve un échantillonnage à peu près complet de ce qu'on peut acheter dans les autres pays nordiques. En premier lieu, il y a évidemment les objets en bois, ceux en métal poli et la verrerie.

Vous choisirez des objets faciles à rapporter, très à la mode et très coûteux en France.

● **Les objets en bois.** Saladiers, plats, assiettes, bols, couverts à salade, salières, tout se fait en bois sombre et veiné qui prend, avec le temps, une jolie patine. En bois encore, des « gadgets », brosses ou bouchons sculptés amusants, statuettes, minuscules Vikings à l'air farouche.

● **La verrerie.** Tentante mais dangereuse à rapporter : verres, vases, bougeoirs, photophores, boîtes, bocaux en verre irisé, léger comme un souffle, risquent fort d'arriver en morceaux s'ils ne sont pas très soigneusement emballés. En revanche, on trouve des coupes en verre épais de couleur, solides, fort jolies et, ce qui ne gâte rien, à très bon marché. Il existe aussi un grand choix de « bouteilles » à musique.

● **L'orfèvrerie.** Dans ce domaines, les Scandinaves ont imposé une nouvelle mode, celle des couverts en acier poli de forme moderne. L'argenterie danoise, en particulier celle de Georg Jensen, est de ligne très simple et très pure.

● **Les jouets.** Les Danois, qui sont fort gais, aiment les jouets. Ils en font beaucoup, très amusants et spécialement conçus pour satisfaire aux théories de la pédagogie actuelle. Ces jouets éducatifs n'ont rien de rebutant, au contraire, et seront très appréciés par les mères de famille aussi bien que par les petits auxquels vous les offrirez.

● **Les vêtements.** L'artisanat du Grand Nord, inspiré par les objets fabriqués dans les régions arctiques, offre des vestes et des bonnets faits en peau de phoque, allant des bottes au phoque miniature monté sur un anneau à clefs, en passant par les mocassins et les sacs.

● **Pour la maison.** La Manufacture royale de porcelaine de Copenhague reproduit des décors anciens (en particulier de très belles pièces de porcelaine blanche à dessins bleus) et crée de la vaisselle et des statuettes modernes.

Enfin n'oubliez pas d'acheter de petits animaux en paille et des boîtes d'allumettes géantes, venant évidemment de Suède. Elles sont joliment décorées. Il en existe une grande varété et elles seront très bien accueillies, en particulier par les possesseurs de cheminées, amateurs de feux de bois.

EN ALLEMAGNE

L'esprit ordonné, organisé des Allemands présente un avantage : les spécialistes d'une corporation ne manquent jamais de se grouper. Vous trouverez ainsi, dans chaque ville allemande, la rue des orfèvres, la rue des fabricants d'articles d'optique et le quartier des antiquaires.

• **A Berlin :**

o *les antiquaires*. Ils sont pratiquement tous groupés dans la Fasanenstrasse et la Keithstrasse. Vous y trouverez bijoux anciens, chopes d'étain, bibelots baroques et surtout des pièces de porcelaine en vieux *Meissen*.

Dans le quartier de Kurfürstendam, vous verrez des porcelaines de *Rosenthal* rendues très brillantes par un vernissage spécial qui les protège des rayures.

o *les jouets*. L'Allemagne est le paradis des jouets. Vous en trouverez un grand choix dans le quartiers de Kurfürstendam. Vous pourrez ainsi vous transformer en Père Noël. Pour les enfants de vos relations, et même pour un adulte passionné de trains électriques, achetez une locomotive ultra-moderne.

• **A Munich.** Vous trouverez la maison mère de la firme *Rosenthal* et tous les produits d'un artisanat très actif et d'une industrie folklorique :

o - *en bois sculpté*. Des objets fabriqués par les paysans de Bavière au cours des longues et froides soirées d'hiver : angelots, crèches, boîtes à musique, casse-noisettes.

o - *en étoffe*. Si les maris travaillent le bois, les femmes bavaroises, elles, tissent des nappes de lin brut, écru, de soie ou de laine que vous ne manquerez pas de découvrir.

o - *les chopes*. Munich est la terre d'élection des buveurs de bière. On y vend des chopes et des pots de tous genres. Ils viennent d'ailleurs, pour la plupart, de Rhénanie et sont en céramique vernissée, en étain, en verre, en bois serti d'étain ou de cuivre.

o *les bougies*. La Bavière étant en partie catholique, l'un des artisanats traditionnels du pays est la fabrication des cierges et des bougies. Les cierges d'anniversaire, divisés en 21 anneaux illustrés de dessins différents, sont destinés à être brûlés en 21 fois, jusqu'à la majorité.

• **La Forêt Noire :** peuplée de poupées en costumes populaires, parfois transformées en couvre-théière, couvre-œufs et gardant alors au chaud le thé ou les œufs à la coque, sous leur jupe matelassée.

DANS TOUTE L'ALLEMAGNE

Vous trouverez des poupées en tissu, lavables, appelées *Kruse*, et huit petits personnages pittoresques appelées poupées *Hummel*.

Inspirées des mêmes modèles, les figurines de porcelaine *Hummel* sont également charmantes. *Rosenthal, Spitzen, Meissen* sont les noms des figurines les plus connues et les plus recherchées.

o *Autre grande spécialité allemande :* les appareils d'optique. Jumelles, lorgnettes, objectifs pour appareils de photographie sont incomparables et nettement moins chers qu'en France.

AU MAROC

L'art islamique étant extrêmement typé, il est délicat d'envisager l'achat d'une pièce ou d'un meuble de ce style tel que : table de marqueterie, plateau en cuivre, pouf en cuir, etc., tous difficiles à intégrer dans un appartement européen.

En revanche, les tapis et quantité d'autres objets originaux pourront constituer autant de cadeaux appréciés.

Comme toutes les villes arabes, chaque cité du Maroc possède une médina. Citons celle de *Fez* qui est la plus pittoresque, la plus colorée et la plus grande.

Dans des ruelles étroites, d'innombrables boutiques (dont certaines ont la taille d'une armoire-penderie) se groupent par corporation : c'est là que vous ferez les achats les plus intéressants après un sérieux marchandage de rigueur.

• **Les tapis.** Ils constituent un cadeau somptueux si vous savez les choisir en harmonie avec la pièce pour laquelle ils sont destinés. Ceux d'origine berbère sont les plus sobres, les plus raffinés de tons et de dessins.

• **Les peaux** de mouton, agréables descentes de lit, s'achètent au Maroc pour presque rien. Mais attention, certaines peaux risquent d'avoir été mal tannées. Prenez tout votre temps pour choisir parmi les plus belles.

• **Les objets décoratifs usuels** sont faciles à se procurer dans les médinas ou les boutiques des quartiers européens. Vous trouverez des animaux en métal gravé : oiseaux, antilopes, etc., d'une ligne élégante et stylisée ; des armes : fusils de fantasia, poignards incrustés de nacre, d'une facture typiquement arabe ; des boîtes en marqueterie, des coffres anciens en cuir clouté ; des récipients et boîtes en cuivre ciselé, dont certains sont de lignes simples et de motifs discrets.

On trouve des poteries dans toutes les villes, mais celles de *Safi* sont réputées pour leur jolie teinte verte, et celles de *Salé* pour leurs belles couleurs bleues.

Dans le sud, à Taroudant, on achètera de petits animaux sculptés dans la pierre, d'une grande sobriété de ligne et d'une interprétation évoquant l'art moderne.

• **Cadeaux en étoffe.** Exposés sur les murs des médinas, les bonnets de laine tricotés par les Marocains créent des tableaux pittoresques par la variété de leurs teintes et de leurs motifs. Ils peuvent très bien être portés aux sports d'hiver.

Les djellabas simples et rustiques quant à la forme et la matière, très belles quant aux couleurs, sont utilisables en France comme robes de chambre et les babouches comme mules d'intérieur.

• **Les bijoux** sont très nombreux : colliers de perles de verre faciles à porter, de perles d'ambre, de médailles. Certains ornements berbères sont d'une grande beauté.

• **Cadeaux originaux.** Au hasard des étapes, si vous avez la chance de passer près d'un marché aux épices, ne manquez pas d'acheter quelques flacons remplis d'herbes ou de graines. Des petits végétaux que vous mettrez sous verre, des boîtes d'allumettes, des pièces de monnaie, des minéraux (sur la route *Marrakech-Taroudant*), des manches d'outils gravés et des écheveaux de laine teintée seront autant de petits cadeaux amusants.

• **Cadeaux gastronomiques.** La confiserie très sucrée comprend des dattes, des noix, des amandes fourrées, des gâteaux secs appelés ghriba et des « cornes de gazelle », ces derniers typiquement marocains amuseront beaucoup vos amis.

Vos cadeaux présentés

Enfin, vous avez choisi de les offrir joliment. Vous avez choisi de les offrir gaiement empaquetés, enrubannés, ornés, pimpants, avec cet air de fête qui est l'essence même du cadeau. S'il s'agit d'une brassière de bébé que vous avez brodée vous-même, vous avez pris le temps de l'envelopper dans un joli papier. Et vous ferez de même s'il s'agit d'un objet choisi chez un antiquaire qui, lui, ne se préoccupe pas de l'emballage. Dans les boutiques dites de « cadeaux » vous n'aurez pas ce souci. On y aura pensé pour vous. Car, c'est là une marque de notre siècle : on est sensible à la présentation.

Ce goût de la présentation, des écrins merveilleux, des enveloppes de soie, des étuis ornés, des gaines souples comme un gant, ce goût des enveloppes précieuses, n'est-il pas la traduction, dans les civilisations successives, d'un penchant, d'un choix, d'une disposition de la nature ? Est-il une merveille qui ne soit d'abord cachée, protégée soigneusement, amoureusement ?

Le papillon, léger, brillant et fragile n'est-il pas, avant que de naître, soigneusement gardé dans la double enveloppe de la chrysalide et du cocon ?

De même, le cadeau : protégé, il garde, à l'abri des yeux, le secret de sa beauté, jusqu'au moment rare où cette beauté, après une maturation lente, se débarrassant de ses enveloppes, éclate à tous les yeux.

Et sans le jeu extraordinaire d'enveloppes successives, le cadeau serait-il aussi précieux, attendu, espéré, savouré ? Les papiers sont tous plus jolis les uns que les autres. Ils rivalisent de charme. Les rubans, les ficelles dorées se nouent, les ganses s'enroulent, joyeuses comme le cadeau.

Plaisir des yeux. Plaisir du cœur. C'est la règle d'or du cadeau, la seule. Elle ne trompe pas.

FAITES DE JOLIS PAQUETS

Si vous déplorez, dès les fêtes terminées, la disparition des stands « emballage cadeaux » des grands magasins, si vous admirez le raffinement des paquets de chez Dior, de chez Hermès ou de certains grands confiseurs, lisez attentivement ces pages car elles vous permettront d'en réaliser d'aussi réussis, mieux personnalisés et plus originaux.

Le choix des papiers

Pour recouvrir vos paquets, un nombre incroyable de papiers est à votre disposition. Certains sont vendus dans le commerce uniquement pour cet usage. Les plus « mode » sont les imprimés vifs. Américains et Danois créent les plus originaux et les plus décoratifs.

Devant une telle variété d'ors, de rouges, de bleus, de verts, de rayures, de fonds noirs, que choisir ? La couleur d'un papier, ses impressions doivent s'accorder soit à l'objet soit à la personnalité de celui ou celle à qui vous le destinez. En règle générale, gardez les papiers à fond vif, les papiers très gais, très frais, pour les cadeaux d'enfants et les jouets, les papiers « sérieux » à fond sombre pour les cadeaux aux grandes personnes, les papiers précieux métallisés or ou argent pour les cadeaux de valeur.

Pour les cadeaux volumineux, achetez du papier en rouleau de préférence au papier plié en pochette, qui risque de donner des faux plis inesthétiques au paquet.

Les jouets et les friandises paraîtront encore plus désirables présentés sous un papier cellophane de couleur, transparent. Vous achèterez d'autres papiers dans toutes les maisons spécialisées pour articles d'étalages. Ces matériaux seront sélectionnés en fonction du cadeau qu'ils dissimulent, du style de celui-ci et de la personne qui le recevra.

Ainsi, ils seront à volonté, précieux, champêtres, amusants, cocasses, étonnants... Vous pourrez employer : tous les papiers peints, les papiers de reliures servant aux pages de garde, marbrés, tachetés, etc. (Vous les trouverez chez Rougie et Plé, 13, boulevard des Filles-du-Calvaire à Paris). Les papiers-matières qui imitent : l'étoffe (écossais, toile, tweed, vichy, moire, soie, velours), le bois (dans toutes ses essences), le marbre (dans toutes ses couleurs), le cuir, l'ardoise, la pierre, la brique, la tuile, la fourrure, la ferronnerie, la dentelle, la broderie, la paille, l'herbe, la mosaïque, les carreaux de faïence décorés, les bambous, le filet, le treillis, etc.

Outre ces papiers décoratifs vendus au mètre ou en rouleaux, vous pourrez utiliser : des cartes géogra-

Papiers trompe-l'œil pour vrais cadeaux
Parmi les papiers imitant matières et tissus, le plus élégant est le papier léopard (Myriam). Réservez-le à la présentation des cadeaux « mode »

phiques (on en trouve à bon marché sur les quais), des cartes routières, des affiches, des gravures, des partitions musicales, des pages d'illustrés.

Enfin, tous les papiers que l'on décorera soi-même à la gouache, à l'aquarelle, au pochoir ou au tampon.

Le choix des rubans

Leurs aspects sont aussi variés que nombreux. Comme pour les papiers, vous les choisirez en fonction du cadeau mais surtout en fonction du papier qui recouvre le paquet.

o *En règle générale :* Mettez un ruban de cellophane transparent sur les papiers particulièrement décoratifs qui se suffisent à eux-mêmes.

Pour un paquet précieux, utilisez un ruban dentelle or ou argent, ou un chou tout fait en harmonie avec le style du paquet.

Utilisez des rubans de couleurs différentes sur un même paquet.

FACILES A TROUVER OU A FAIRE

• **Les rubans de tissus.** Les rubans du commerce, en soie, en velours, en dentelle, brodés, etc. Les rubans d'ameublement imprimés, toutes les étoffes découpées en bandes : tissu-fourrure, tissu à cravate, tweed, sangle, etc.

Les rubans-papiers, que l'on peut découper dans du papier-bois, du papier peint, du papier-marbre, du papier métallisé, du papier rabane, du papier crépon, du papier ondulé (au fer à friser tiède) et même dans du papier journal, dans du papier doré, etc.

• **Les rubans adhésifs.** Tous les plastiques adhésifs à motifs ou unis découpés en bandes. Les rubans adhésifs vendus en rouleaux dans le commerce, de couleur, blancs, transparents, dorés unis ou à motifs.

• **Les rubans synthétiques.** Découpés dans un plastique imitant le cuir, la moire, la rabane, etc., le rhodoïd, la cellophane blanche ou de couleur.

• **Les rubans en métal.** En feuilles de laiton ou d'aluminium (1/10 de mm d'épaisseur) taillées en bandes, ou bien des cornières d'entourage pour meubles, dorées ou argentées avec des motifs gravés à damiers, à filets, etc.

Certains de ces matérieux, assez rigides, comme le métal, le rhodoïd, ou très cassants, comme certains papiers peints seront exclusivement utilisés comme entourage de paquets et non pour la confection des nœuds.

A FAIRE VOUS-MEME

• **Des rubans en papier crépon.** Les rubans d'étoffe, de soierie ou de velours sont trop coûteux pour entourer de volumineux paquets, aussi est-il préférable de les remplacer par un joli ruban de papier. Le crépon est tout indiqué pour cet usage. Il sera indispensable de lui faire subir un petit traitement pour le déplisser et lui donner plus de tenue.

Commencez par découper dans la feuille de crépon, des bandes de 5 à 10 cm suivant la largeur désirée du ruban. En saisissant chaque extrémité, étirez au maximum le papier. La bande ainsi maintenue sera repassée à sec, au fer tiède, bien entendu. Le papier ainsi traité aura une souplesse comparable et même supérieure à celle d'un tissu. On le choisira de préférence dans des coloris vifs.

La technique du paquet

Elle varie selon les formes et les proportions des boîtes ou des objets-cadeaux. Un conseil : avant d'entreprendre l'emballage définitif selon les indications ci-dessous, il sera prudent de faire un premier essai avec une feuille de papier ordinaire afin de mieux comprendre ces croquis.

• Paquets carrés ou rectangulaires : Première méthode

1. Commencez par placer la boîte sur une feuille de papier disposée dans le sens de la longueur (si celle-ci est rectangulaire) ; rabattez ensuite les deux bords les plus longs sur le couvercle.

Aux extrémités, les parties dépassantes (A) doivent avoir la même dimension que la hauteur du paquet (B).

La partie (D) recouvrira le couvercle aux trois quarts. L'autre partie (C) le recouvrira entièrement.

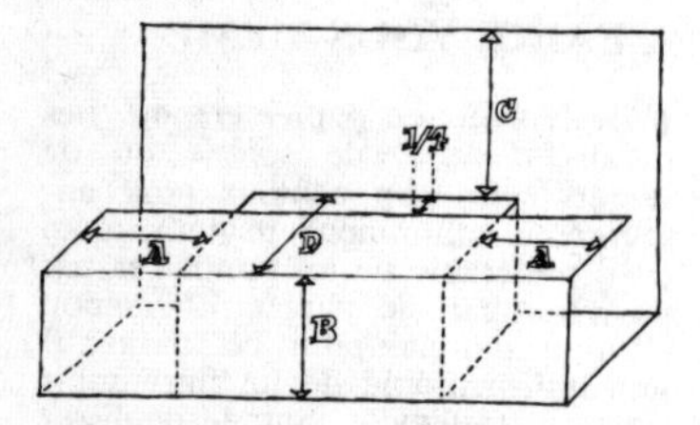

2. Repliez cette dernière sur elle-même deux fois au milieu du couvercle dans le sens de la longueur (voir détail E).

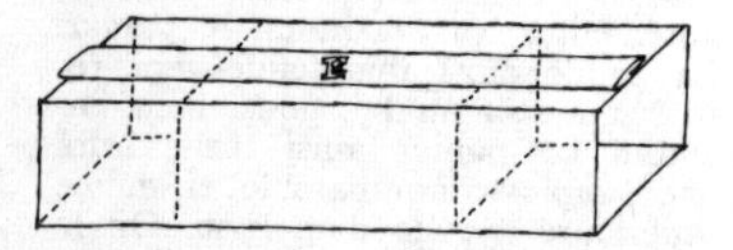

3. A l'une de ces extrémités, le papier dépassant de la partie supérieure (F) sera rabattu sur le côté de la boîte.

Effectuez ensuite la même opération avec les deux côtés (G).

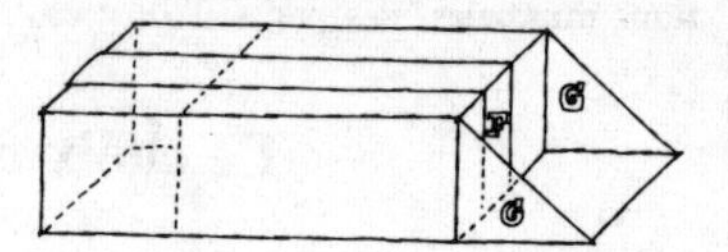

4. Il restera donc un triangle (H) qui sera à son tour appliqué sur le côté de la boîte. L'empaquetage terminé d'un côté, exécutez pour l'autre la même opération.

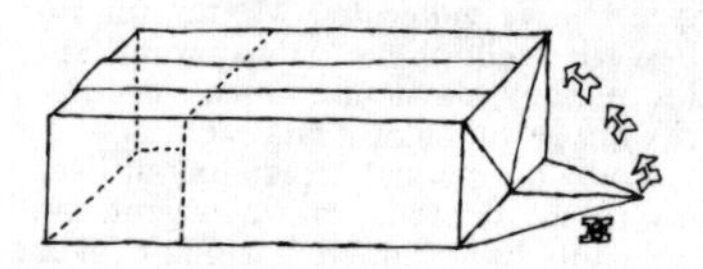

• Seconde méthode

5. Comme précédemment, entourez le carton d'une feuille de papier en réalisant un double pli sur le dessus. La partie dépassante (A) doit être là aussi égale à la hauteur (B). Appuyez ensuite sur les deux côtés (I) de l'emballage.

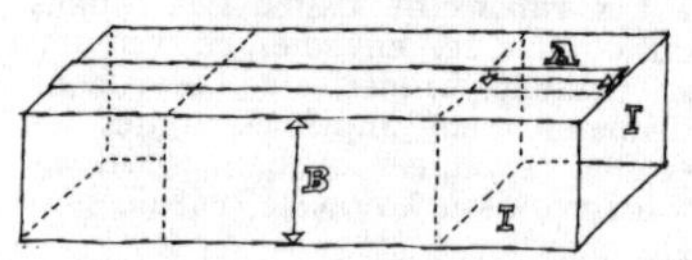

6. Vous obtiendrez un pliage suivant le croquis ci-contre.

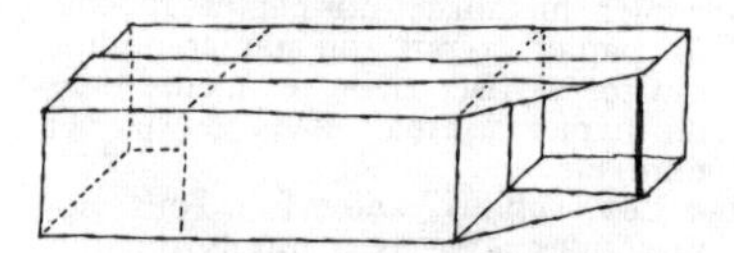

7. Les deux pointes triangulaires (J) obtenues seront appliquées l'une sur l'autre, sur le côté du paquet.

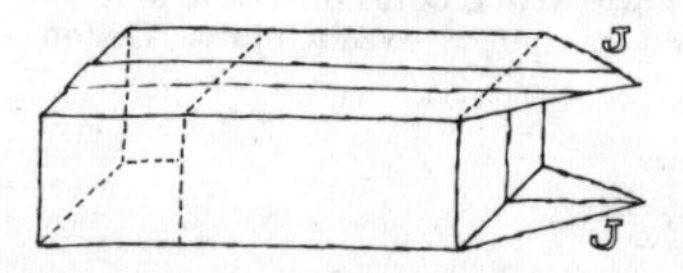

8. L'aspect de l'empaquetage terminé rappellera celui d'une enveloppe. Procédez de la même manière pour l'autre extrémité de la boîte.

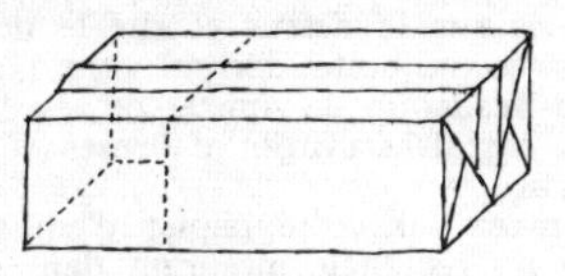

● Les paquets plats

9. Entourez le coffret d'une feuille de papier, comme pour les paquets précédents, dépassant largement à droite et à gauche. Suivant les lignes marquées par des croix, tracez des plis qui vous serviront à rabattre le papier (K) contre le bord (L) dans la direction des deux flèches.

10. Un des deux côtés déjà replié vous montre le processus de l'opération.

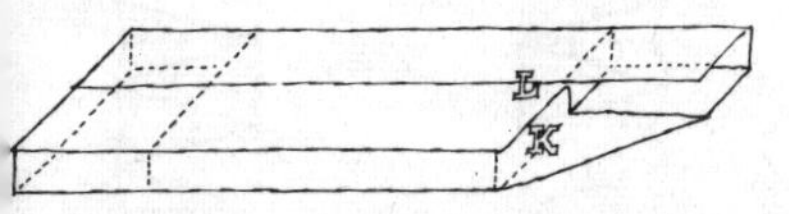

11. Les deux feuilles appliquées forment alors un triangle (M).

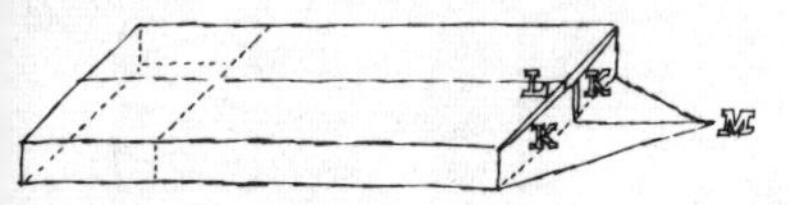

12. Retournez celui-ci sur le fond de la boîte. Il ne reste plus qu'à procéder de la même manière à l'autre bout pour terminer le paquet.

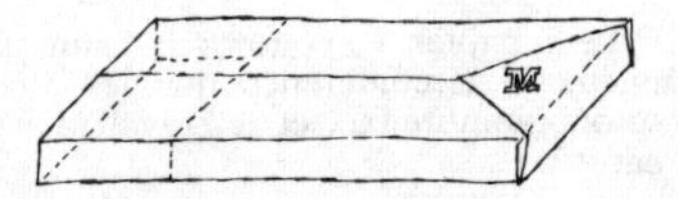

● Les paquets cylindriques

13. Le cadeau est entouré d'une bande de papier dépassant au-dessus et au-dessous d'une largeur égale au rayon du cylindre (A = B).

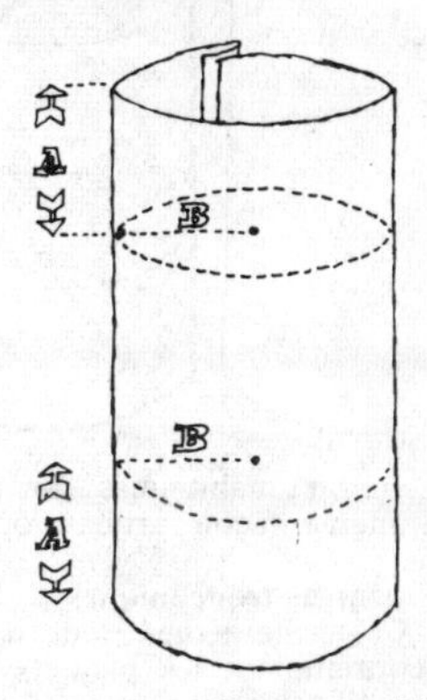

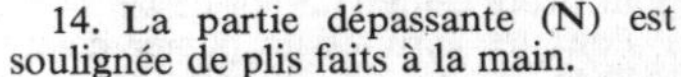

14. La partie dépassante (N) est soulignée de plis faits à la main.

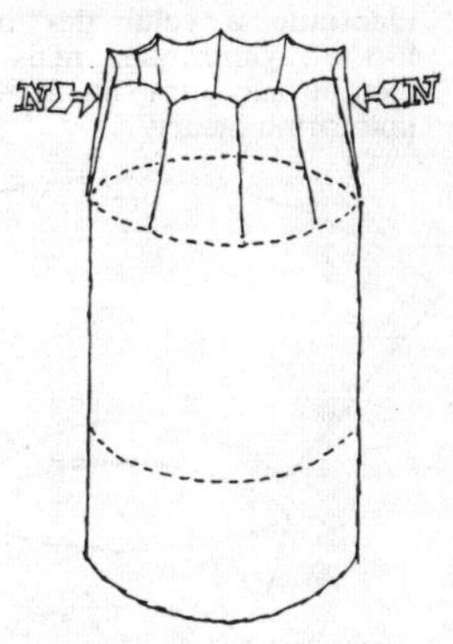

15. Ces derniers ont pour but de permettre facilement le repliage du papier sur le dessus de la boîte. Au centre, une pastille (O) ou un ruban recouvrira et maintiendra en place ces plis. Effectuez la même opération pour le dessous de la boîte.

16. Si vous avez quelques difficultés à réaliser ce pliage, vous rabattrez plus aisément le papier sur la boîte en découpant en languettes (P) la partie dépassante de l'entourage.

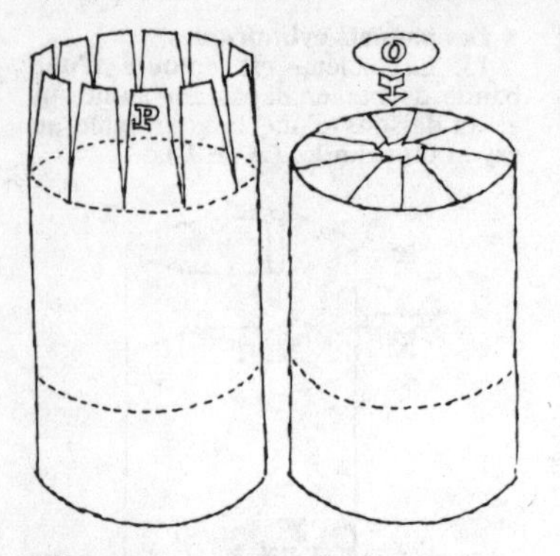

Elles seront maintenues au centre de la même façon : ruban ou pastille.

• Les paquets tronconiques

17. Ce terme géométrique désigne plus couramment les paquets ayant pour profil celui d'un pot de fleurs.

Pour les garnir d'un papier d'emballage, le travail à effectuer est identique à celui des paquets de forme cylindrique, mais la bande d'entourage aura, au développement une forme incurvée.

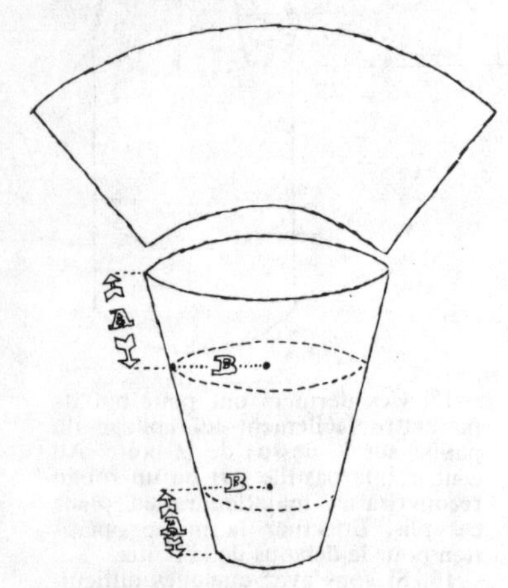

Les parties excédentaires seront toujours égales au rayon du dessus ou du dessous qu'elles devront recouvrir (A ═ B).

• Les grands paquets cylindriques

18. Lorsqu'il s'agit d'une boîte de grande taille, profonde ou plate, l'empaquetage sera le même que celui indiqué plus haut, mais les plis formés sur le dessus et sur le dessous de la boîte doivent être faits avec beaucoup de soin et de régularité, car ils serviront d'élément décoratif.

Tracez sur votre papier d'emballage un rectangle mesurant dans sa longueur le pourtour de la boîte plus une marge de collage et, dans sa hauteur, celle de la boîte (C) plus deux fois le rayon du cercle (A ═ B).

Sur cette feuille divisée alors en trois bandes horizontales, dessinez sur les deux parties (A) une série de dents de scie en traçant une médiane. Elles indiqueront les plis en creux (pour les pointillés) et en relief (pour les traits) que vous exécuterez au préalable à la main.

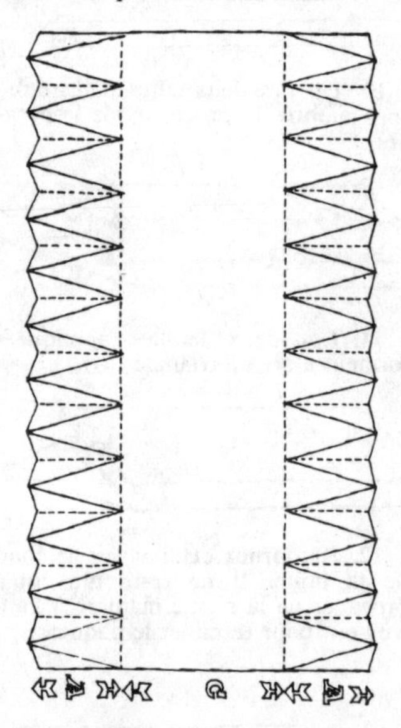

Le papier épousera d'autant mieux la circonférence que les plis seront nombreux... et le travail délicat !

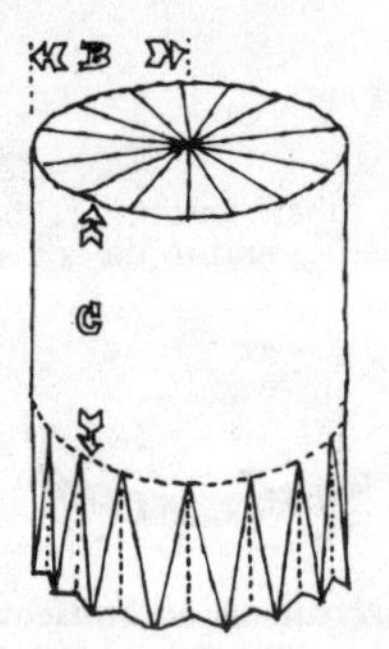

19. La feuille d'emballage, ainsi préparée, est disposée autour de la boîte. La bande centrale appliquée sur le pourtour, les parties déjà pliées seront rabattues vers le centre du couvercle et du fond circulaire où elles se rejoindront en formant une étoile.

PAQUETS SPECIAUX

La forme de certains objets ne permet pas l'utilisation des méthodes précédentes. Si l'on veut cependant éviter de les présenter dans une boîte, il faudra obligatoirement utiliser des papiers particulièrement souples, du crépon par exemple, qui épousera les formes de l'objet, le drapant comme dans une étoffe.

● **Les formes cylindriques.** Le tube ou la boîte sont recouverts, également, d'un ruban bobiné en biais

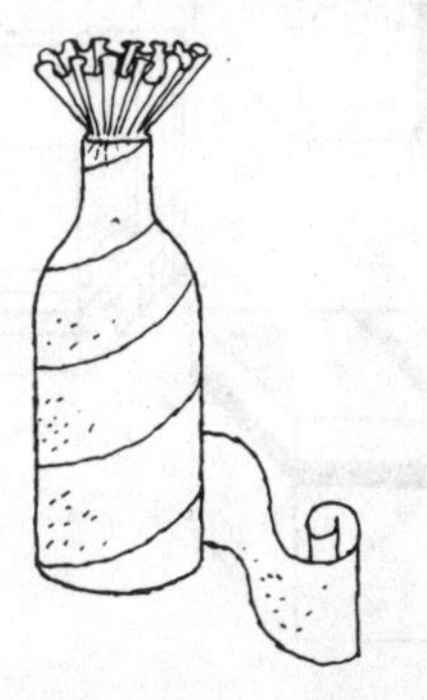

comme un mirliton avec, aux extrémités, une finition en éventail.

● **Les formes irrégulières.** Dans le cas d'un jouet, d'une bouteille, etc., une large bande de papier crépon suivra fidèlement formes et contours.

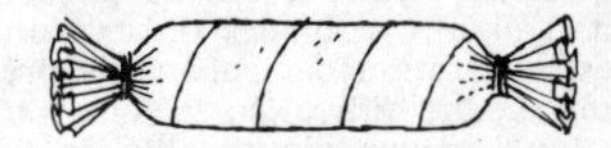

● **Les formes sphériques.** Les extrémités du papier gainant la boule sont réunies sur le dessus et maintenues par une ligature. La partie dépassante est écartée en éventail.

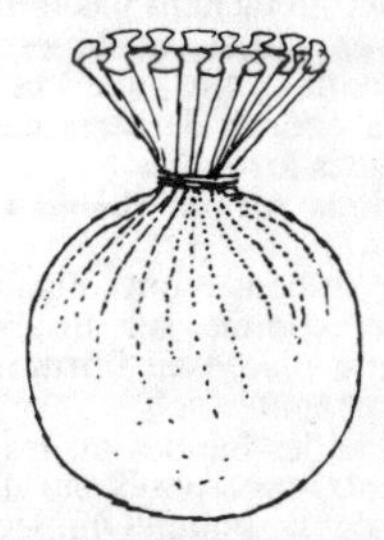

● **Les formes tronconiques.** Comme précédemment, la boîte est entourée d'un carré de papier dépassant largement au-dessus, de manière à pou-

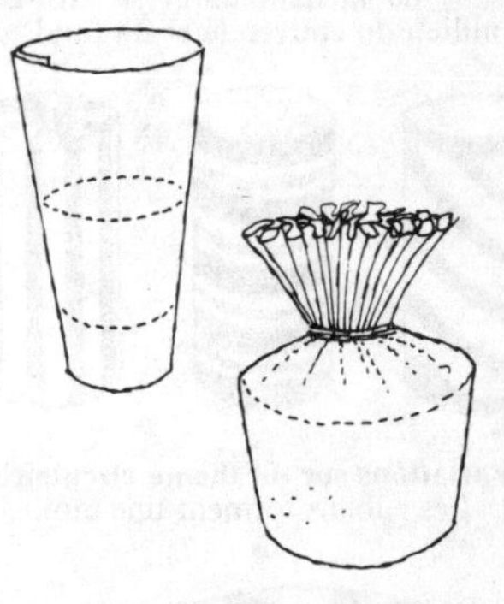

voir nouer un ruban. Pour le dessous ; repliez le papier comme pour l'exécution de l'empaquetage d'un cylindre (voir figure 17).

L'art « d'enrubanner »

LA DISPOSITION DES RUBANS

Un conseil : dans le cas de paquets rectangulaires, cubiques ou cylindriques, la fixation des rubans ne présente aucune difficulté ; si vous voulez faire preuve d'originalité en les disposant... vous aurez beaucoup plus de mal à les maintenir en place si vous ne prenez pas la précaution de les doubler d'un ruban plastique adhésif, double face, parfaitement invisible et ne tachant pas le tissu.

Prévoyez aussi quelques pinces dans l'étoffe afin que la bande épouse la courbe de certaines surfaces ou lignes arrondies.

• Variations sur un thème cylindrique

1. Les rubans sont disposés en diagonale, comme sur un mirliton. Une bande placée en bordure souligne les extrémités.

2. Placer les bandes ou les rubans en anneaux superposés sur toute la hauteur de la boîte. On peut aussi intercaler entre les anneaux une autre série de rubans de plus petite largeur.

3. Les rubans sont ici placés dans le sens de la hauteur et se croisent au milieu du couvercle et du fond.

• Variations sur un thème circulaire

4. Les rubans forment une étoile.

5. Un ruban entoure la boîte. Il se place à la jointure du couvercle et du fond.

6. Deux rubans se croisent sur le dessus du couvercle formant une croix légèrement décalée de chaque côté. Une pince sera nécessaire pour que le ruban épouse bien la ligne courbe que fait la boîte à cet endroit.

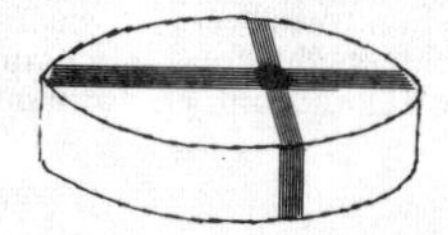

• Variations sur un thème cubique

7. Les rubans entourent la boîte deux par deux et sont tressés sur le dessus à l'endroit du croisement.

8. Deux rubans très étroits encadrent un autre plus large.

9. Deux rubans croisés sur le côté, l'un entourant verticalement le paquet et l'autre horizontalement.

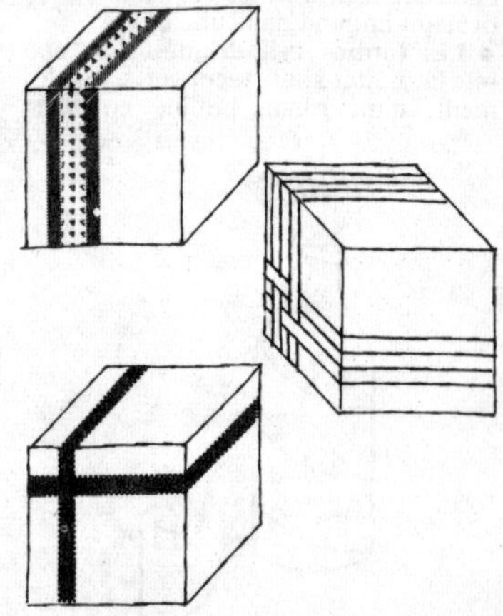

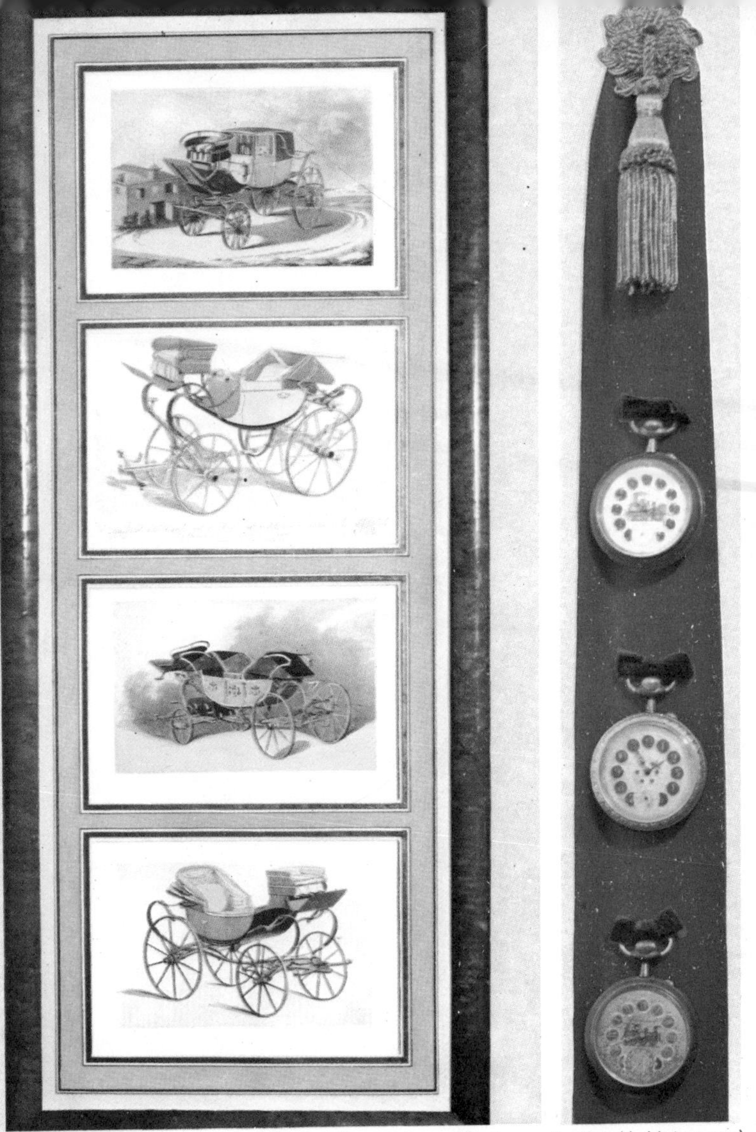

(Jean-Claude Edréï, Village Suisse - Montres, collection M. Lintermans)

Pour les amateurs de vieilles choses

Pour les amateurs de gravures anglaises,
ces quatre ravissantes images anciennes
encadrées de bois d'érable blond.

(Richard Ginori)

Un « faux » à glisser dans une collection de « vrais ». Le responsable de cette élégante supercherie présente, dans sa boutique, tout un choix d'objets de faïence italienne ressemblant à s'y méprendre à des pistolets des XVIe, XVIIe et XVIIIe siècles.

Le bar-mappemonde, cadeau luxueux par excellence, symbolise très exactement le second aménagement que l'on voudrait moins précaire que le précédent. C'est un cadeau d'une élégance rare.

(Exclusivité Richard Ginori)

(Richard Ginori)

Offrez-lui une petite voiture pour sa collection.
Celle-ci, entièrement faite en cuir,
ne ressemble pas à celles qu'il possède déjà.
Elle trouvera sa place dans un bureau de style anglais.

● **Variations sur un thème rectangulaire**

10. Rubans en diagonale.

11. Deux rubans parallèles placés dans le sens de la largeur.

12. Les rubans se croisent sur le couvercle, ils sont disposés deux par deux : un large et un plus étroit.

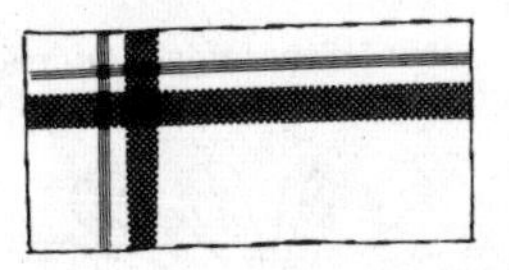

● **Variations sur un thème sphérique**

13. Les rubans encerclent le paquet apparaissant comme des tranches de melon.

● **Variations sur un thème conique**

14. Les rubans sont posés en biais sur les côtés et s'entrecroisent jusqu'au sommet.

15. Ou bien entourent le paquet en partant de la base jusqu'à la pointe, pour venir se croiser sur le fond.

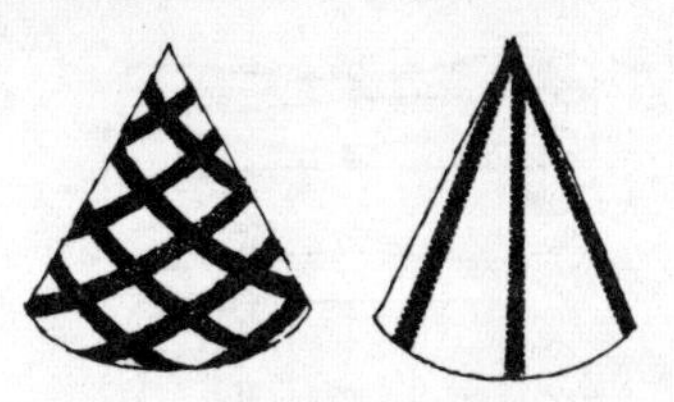

LA CONFECTION DES NŒUDS ET EVENTAILS

Suivant la tradition, votre cadeau enrubanné sera garni d'un joli nœud. La méthode la plus simple consiste à le réaliser avec les deux extrémités du ruban. Mais par souci de perfection ou d'originalité, vous pourrez lui donner mille autres formes plus parfaites, plus inattendues, plus élégantes, plus décoratives.

Les modèles que nous vous indiquons ici seront faits séparément pour être ensuite montés sur le ruban d'entourage.

● **Le nœud double**

1. Vous pouvez le réaliser par morceaux qui seront assemblés et réunis ensuite par une couture. Vous obtiendrez ainsi des coques parfaitement régulières et éviterez les fronces inesthétiques au centre du nœud.

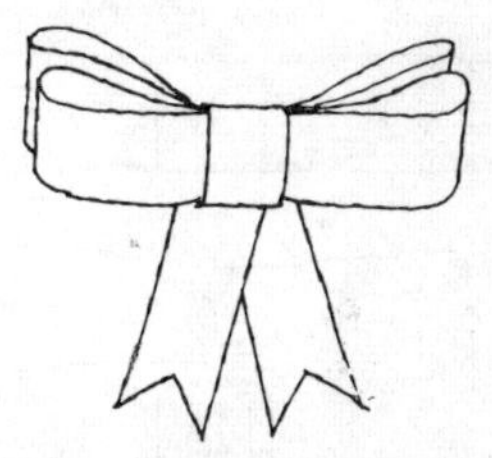

S'il est de grande dimension, il sera nécessaire de soutenir les coques par un petit fil de laiton fixé à l'intérieur au moyen d'un ruban adhésif.

Réalisez les quatre boucles deux par deux, puis rattachez les deux bouts de manière à obtenir un anneau que vous pincerez au milieu (A). Dissimuler cette piqûre par une boucle centrale (B) placée par-des-

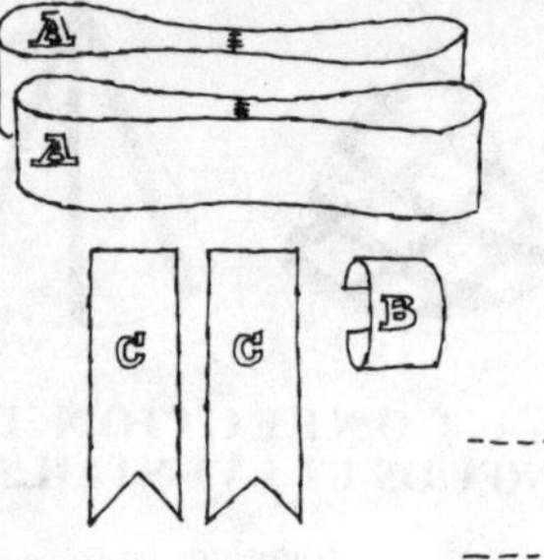

sus, au centre du nœud. Pour terminer vous ajouterez les deux pans (C).

De la soierie, du velours, de la dentelle et du papier souple (crépon) pourront convenir à sa confection.

• **Le nœud plat**

2. Ce nœud, beaucoup plus strict que le précédent, sera exécuté de deux façons : droit ou froncé.

Dans le premier cas, les coques au nombre de deux ou de quatre sont réalisées sur le modèle (1) au moyen d'un bracelet (D) aplati et recouvert en son milieu d'une boucle centrale (E). Le tout sera cousu sur le ruban d'entourage. Toutes les largeurs des bandes (F) seront ici identiques.

Dans le second cas, même technique mais les coques seront réalisées avec un ruban plus large que celui de l'entourage (G) et du centre (H), tous deux choisis de mêmes dimensions. Le bracelet sera également aplati au milieu mais aussi resserré par un fil de fronce à cet endroit (I).

Les mêmes matériaux que ceux utilisés pour le nœud classique pourront servir à la réalisation de ce modèle.

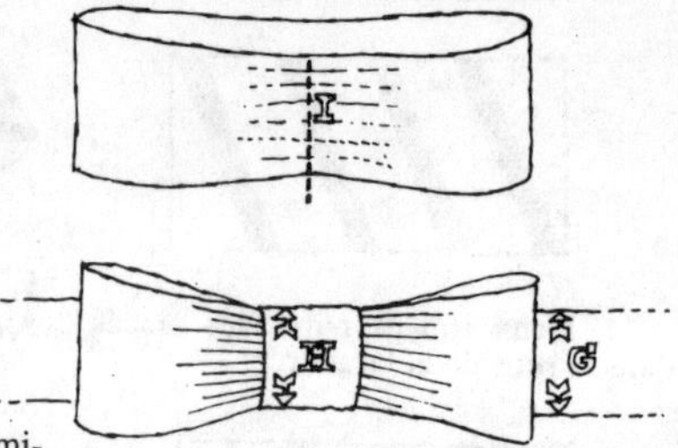

• **Le nœud à boucles multiples**

3. Il sera exécuté avec un mince ruban de cellophane garni d'un fil de laiton.

Pour obtenir de nombreuses boucles, faites du ruban un écheveau que vous pincerez au centre par une ligature (J) également en cellophane. Le fil d'armature en laiton permettra l'écartement des boucles en éventail.

Le ruban d'entourage du paquet **sera obligatoirement assortit au nœud.**

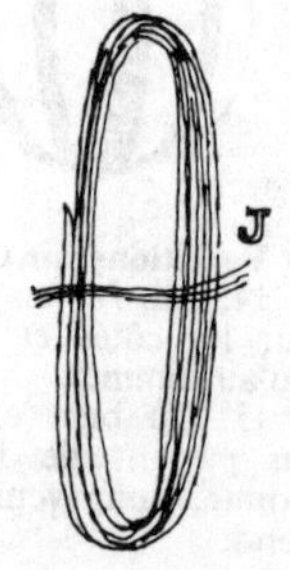

• **L'éventail en ruban**

4. Selon le principe de la bande assemblée par les extrémités formant bracelet que vous aplatirez au milieu, confectionnez cet éventail de boucles en superposant un grand nombre de ces bracelets cousus ensemble par le milieu (**K**). Placez ensuite ce nœud sur le ruban d'entourage de la boîte.

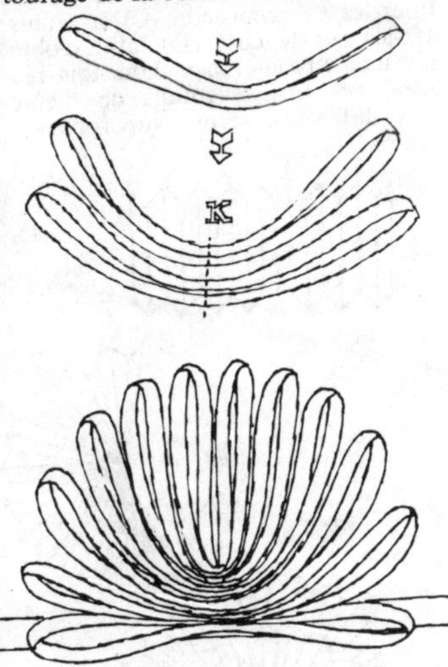

Ce modèle peut être exécuté soit en papier, soit en ruban. Tous les modèles présentés ici, exécutés soit en ruban de tissu, soit en ruban de papier devront pouvoir être vus recto verso (l'intérieur des boucles est apparent. Les rubans ayant une couleur différente sur chaque face produiront un effet décoratif très joli.

• **L'éventail en papier**

5. Vous le réaliserez en rhodoïd ou en métal très mince (1/10 de mm) dans lequel vous découperez une bande. Cette bande sera pliée en accordéon (L). Sur l'un des côtés, passez un fil qui servira de coulisse (fil de laiton pour l'éventail en métal par exemple). Serrez et écartez les branches. L'éventail sera enfin fixé sur un ruban d'entourage de même matière.

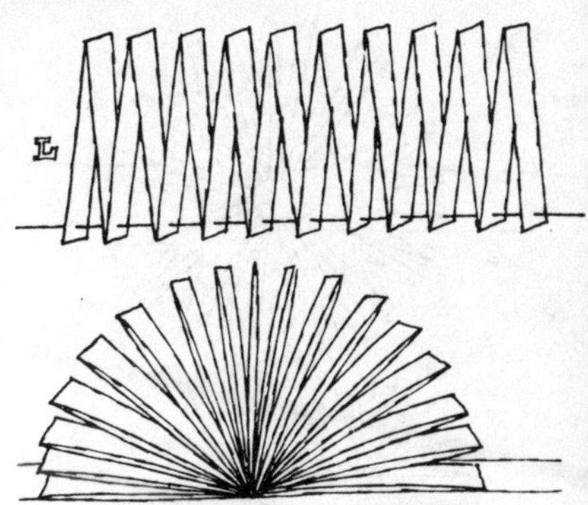

• **Le nœud à pointes doubles**

6. Même modèle que précédemment à réaliser avec des matériaux similaires. Cependant, lorsque vous plierez la bande en accordéon, prévoyez un pli plus court entre deux plis normaux (M). Coulissez la base avec un fil de laiton ou un fil de nylon. L'éventail métallique sera fixé sur la boîte au moyen de deux attaches parisiennes placées aux extrémités du nœud et passant à travers le couvercle.

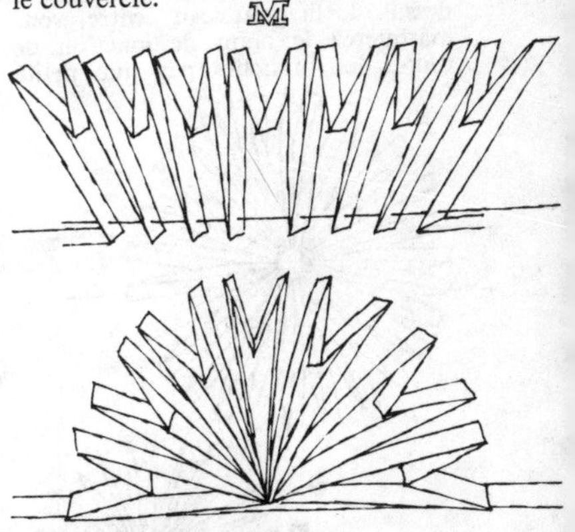

LA REALISATION DES ROSACES, DES COCARDES ET DES POMPONS

• **Les rosaces à pointes doubles**

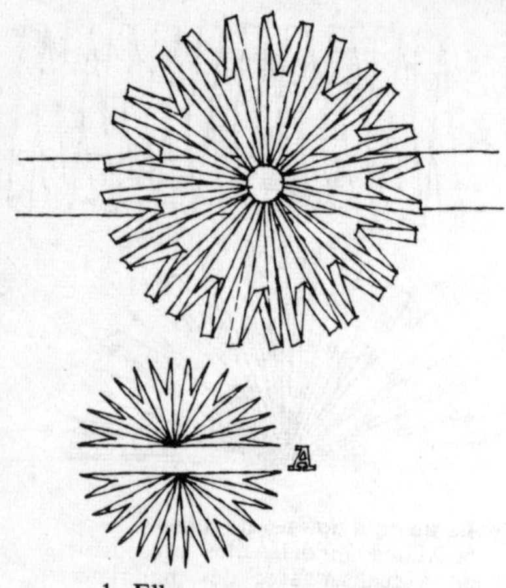

1. Elles seront exécutées exactement de la même façon que le nœud-éventail à pointes doubles (voir explications p. 323). **Le motif faisant un** demi-cercle, il faudra cependant en façonner deux (A), ou plier une bande en accordéon beaucoup plus grande, de manière à réaliser une circonférence complète.

La rosace sera fixée à plat sur le dessus de la boîte. Au centre, vous masquerez le point de jonction de toutes les branches par une petite rondelle assortie au nœud.

A faire en rhodoïd, en papier ou en métal.

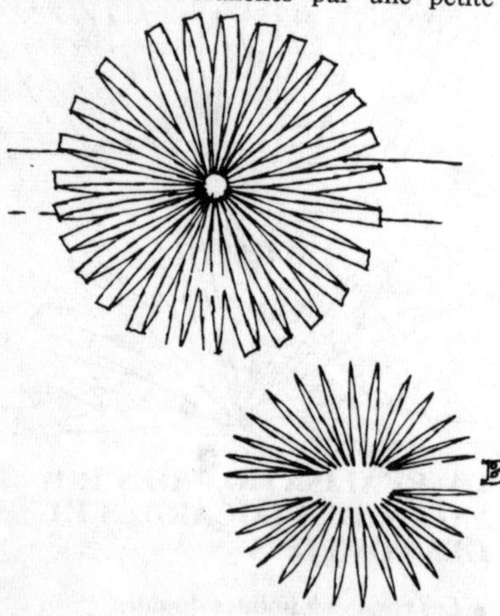

● Les rosaces-éventails simples

2. Ce modèle est réalisé à partir de deux nœuds-éventails (B) assemblés et posés à plat.

● Les cocardes en papier

3. Découpez trois bandes de différentes largeurs et de coloris variés. Pliez-les en accordéon (C) et réunissez-les sur le côté (D), afin d'obtenir une circonférence. Une fois réalisés, ces trois éventails de diamètres différents, seront superposés et collés.

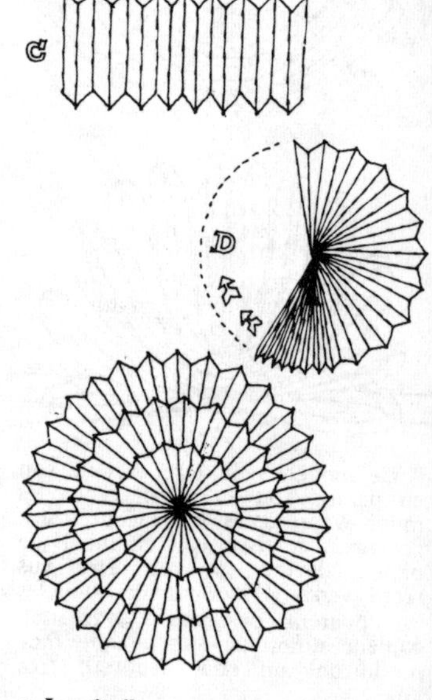

● Les étoiles

4. Réalisées en papier, en rhodoïd ou en métal très mince, elles se confectionnent comme la cocarde précédente, mais il faut une seule bande pliée en accordéon. Découpez ensuite suivant le grisé du croquis (E).

Pincés à la base, les plis seront ensuite écartés afin d'obtenir une étoile au nombre de branches que vous désirez.

● Les cocardes en tissu

5. Les trois rosaces sont confectionnées chacune avec une bande d'étoffe froncée par un fil passé sur le côté (F). Réunissez les deux extrémités et écartez le tissu sur les bords pour obtenir un cercle.

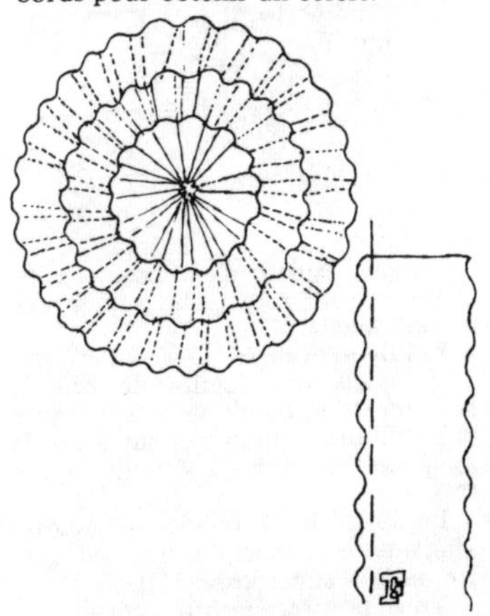

● Les pompons

6. Pour leur réalisation, découpez deux rondelles de carton de 5 à 10 cm de diamètre en ménageant un trou au centre. Superposez ces formes et bobinez tout autour de la laine. Coupez ensuite celle-ci sur les bords (C), passez une ligature entre les deux feuilles et déchirez les cartons.

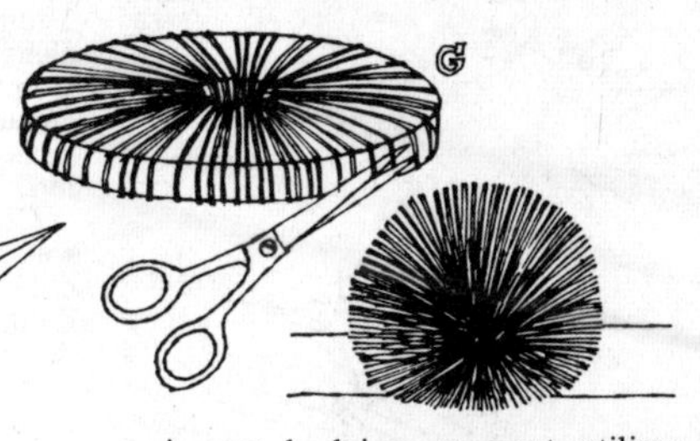

A part la laine, on peut utiliser du raphia lorsqu'il s'agit d'une boîte gainée de papier-bois ou de grosse toile, ou encore de la cellophane, matière brillante qui donnera un air de fête à votre paquet.

Pour réaliser un pompon en cellophane, faites l'acquisition de feuilles servant à couvrir les pots de confiture. Découpez-les en bandes de 5 cm de large. Une fois torsadées et repliées dans le sens de la longueur, il ne vous restera plus qu'à entourer les deux rondelles de carton comme précédemment. Plusieurs bandes mises bout à bout seront indispensables. Faites la ligature au moyen d'un fil de laiton. Vous utiliserez enfin, comme ruban d'entourage, du rhodoïd ou un ruban de cellophane de même couleur.

● Les fleurs de papier

7. Vous les confectionnerez avec des papiers métallisés brillants ou mats, du papier bristol, du papier peint, du papier-velours, etc. Découpez toute une série de rondelles de plus en plus grandes dont vous taillerez le pourtour en dents de scie (H).

Frisez chaque pointe en la passant entre le pouce et une lame de couteau (I). La courbure de chaque pétale sera dirigée vers le bas sauf au centre de la fleur où ces pétales

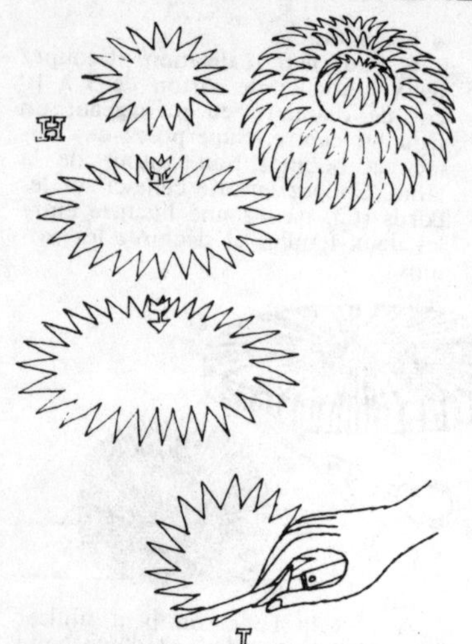

prendront la direction contraire.

Superposez et collez par leur centre ces différents cercles de papier.

● **Les rosaces**

8. Sur une feuille de papier mince, tracez une circonférence (J) indiquant le pourtour de la fleur.

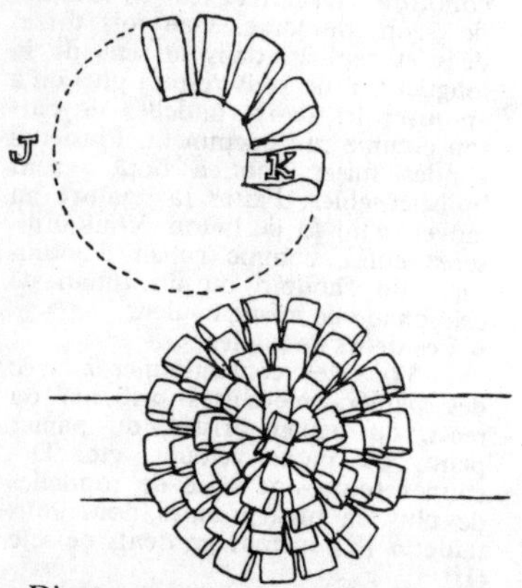

D'autre part, avec un ruban étroit, une bande de papier ou de rhodoïd, préparez un grand nombre de petites boucles (K) que vous collerez sur le cercle en commençant par le bord extérieur pour terminer au centre. Déchirez enfin les parties visibles du papier.

● **Les fleurs en copeaux**

9. Pour une boîte recouverte de papier-bois, de grosse toile ou de rabane, vous utiliserez, pour confectionner une fleur, de vulgaires copeaux. Ils devront avoir été taillés dans une même latte de bois de 1 à 3 cm de large de manière qu'ils aient tous la même dimension. Comme pour la rosace, tracez un cercle sur une feuille de papier qui vous servira de guide pour les coller.

Cet assemblage peut être exécuté soit en disposant les copeaux sur le côté (L) soit à plat (M), disposition donnant à la fleur un aspect très différent.

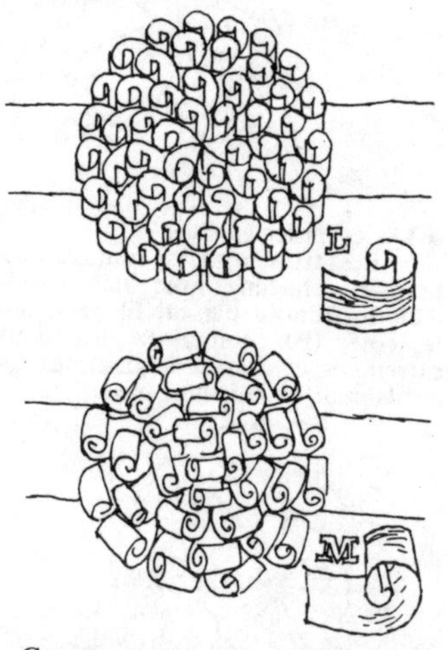

Comme ruban d'entourage, vous utiliserez un ruban de papier-bois ou une sangle.

● **Les fleurs-franges**

10. Dans une feuille de bristol, découpez une bande de 2 à 5 cm de large. Bobinez autour et sur toute la longueur de la laine ou du raphia (N).

Le long de la bande, au centre, effectuez à la machine trois ou quatre piqûres superposées (O).

Vous pourrez déchirer ensuite fa-

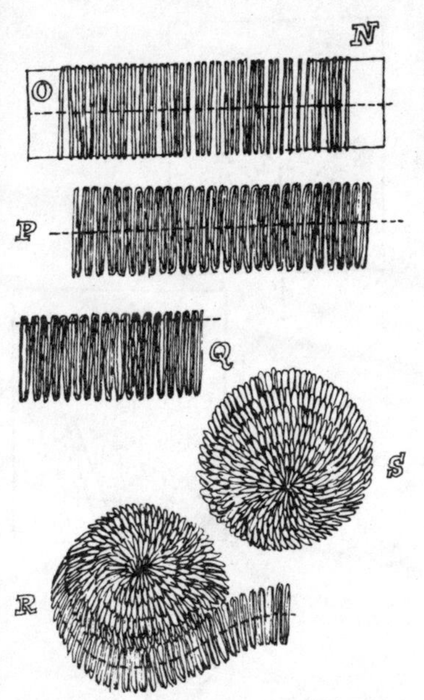

cilement le papier afin d'obtenir une frange montée sur un fil (P).

La laine sera choisie très fournie et ses brins seront présentés côte à côte pour que l'effet soit décoratif.

Vous obtiendrez une frange d'aspect différent en exécutant la piqûre sur l'un des côtés de la bande, donnant ainsi des mèches très courtes d'un côté et plus longues de l'autre (Q). Vous pourrez couper la laine (ou le raphia) aux extrémités, mais il sera préférable de les laisser en boucles si vous voulez faire de votre fleur une rose pompon, un dalhia, etc. La frange sera enfin cousue en spirale (R) pour devenir une ravissante fleur en bouclettes (S).

● **Les roses**

11. Procurez-vous une balle de ping-pong (T) à travers laquelle vous

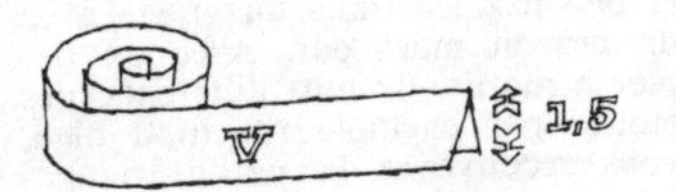

passerez une tige de laiton (U). D'autre part, préparez le cœur de la fleur en pliant une bande de papier en deux (V) dans le sens de la longueur, que vous enroulerez en spirale. Les pétales (W) plus étroits vers le centre (3 cm 1/2) et plus larges vers la tige (5 cm) seront découpés dans une simple feuille de papier.

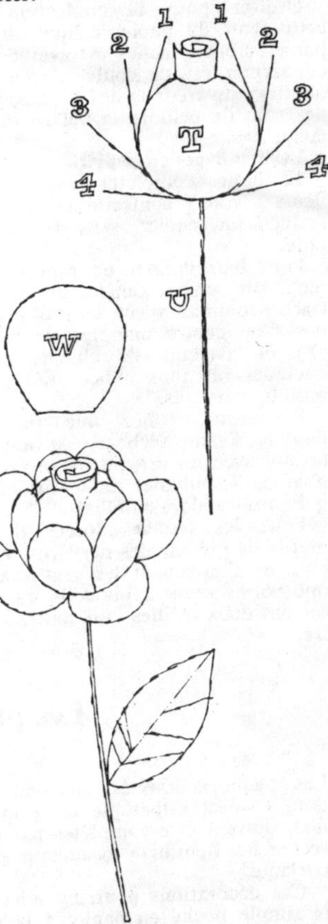

Façonnez légèrement à la main chaque pétale pour lui donner une forme bombée.

Posez le cœur déjà préparé et les pétales sur le sommet de la balle de ping-pong, fixés par un filet de colle à la base, en commençant par ceux du haut, suivant les indications et l'inclinaison du schéma ci-contre (X).

Pour terminer quelques gouttes de colle (limpidol) déposées sur les pétales imiteront la rosée. Vous pourrez aussi parfumer la rose en la vaporisant d'un agréable parfum.

Utilisez pour la confection de cette fleur du papier calque ou du papier crépon faciles à travailler. Si ce dernier est de couleur, avant le montage du cœur et des pétales, prenez soin de peindre la balle dans le même ton.

● Les feuillages en papier

12. Pour compléter toutes ces fleurs, vous confectionnerez des feuilles en papier vert, blanc ou doré.

Pour leur donner un aspect plus réel, sur un rectangle de papier tracez sommairement le profil, disposez au centre une tige de laiton (Y) et, partant de chaque côté, quelques fils plus minces (Z) pour faire les nervures.

Par-dessus, collez une seconde feuille. Avant séchage, suivant la forme, avec un crayon ou la pointe d'un canif soulignez toute l'armature qui paraîtra alors en relief.

Pour les feuilles dorées il est inutile de prévoir des nervures. Vous pourrez simplement les graver avec une pointe après avoir collé les versos des deux feuilles l'un contre l'autre.

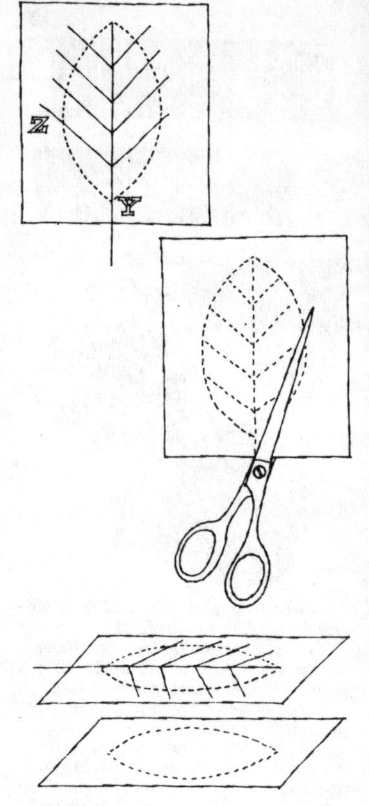

Les paquets-jouets

Les paquets destinés aux enfants, dont l'aspect esthétique est primordial, doivent être complétés par une recherche figurative beaucoup plus parlante.

Ces décorations pourront aller de la simple poche en papier à la métamorphose du paquet classique.

● Avec une poche de papier

Un sac de forme rectangulaire sera transformé de la façon la plus simple puisqu'il suffit de plier les angles à la partie supérieure, suivant le pointillé, pour obtenir une silhouette que vous pourrez habiller de différentes façons.

o *Pour cette tête de clown,* prenez un sac de teinte rose. Au crayon de couleur, posez le rouge sur les joues et dessinez les traits du visage avec un crayon marqueur. Avec un papier à motifs, de tons différents, des étoiles par exemple sur fond bleu, vous recouvrirez la partie triangu-

laire figurant le bonnet pointu. Vous ajouterez des pompons en frange de papier et une barbe ou une collerette en même matière, en bas du sac.

o *La maison* sera traitée dans des tons très vifs et si possible non conventionnels. Par exemple : la teinte du sac déterminera celle des murs (blancs, rouges, verts, bleus, etc.), vous collerez un triangle à la partie supérieure sur lequel vous tracerez des lignes imitant les tuiles ou les ardoises. Sur le sac vous appliquerez des rectangles qui figureront les pôrtes, les fenêtres et les volets ainsi que des plantes grimpantes découpées dans du papier vert.

● Avec des tubes de carton

Ces tubes qui servent aux expéditions postales peuvent être utilisés pour la confection de nombreuses boîtes cylindriques.

Avant de les recouvrir de papier, vous collerez une rondelle de carton ou de contre-plaqué pour le fond et placerez un couvercle en bois.

o *Cette Tahitienne* très stylisée est réalisée en recouvrant le tube de papier ou de feutrine ocre. Sur le dessus, fixez un très gros pompon en laine-mèche noire. Ajoutez deux anneaux dorés pour les boucles d'oreilles et indiquez les yeux et la bouche par du tissu ou du papier collé, des boutons ou un point de broderie. Posez un collier marron, en perles de bois ou en verroterie et, au-dessous, une grande frange en raphia.

o *Le horse-guard* est fait d'un tube recouvert de feutrine adhésive de couleur.

Une bande rose pour la tête ; au-dessous : une bande rouge pour le corps, et pour terminer : une bande noire pour le pantalon. Sur le visage, avec un stylo marqueur très fin ou une plume et de l'encre de Chine, dessinez les yeux, le nez et la bouche ; indiquez les joues au crayon rouge et ajoutez une bande de papier doré ou noir imitant la jugulaire. Le col est découpé dans un second morceau de feutrine de même teinte collé par-dessus celle de la veste.

Sur le devant, des pastilles en papier doré imiteront les boutons. Vous ajouterez sur les côtés deux bandes de carton dont l'une sera coudée pour figurer les bras. A recouvrir, également, de feutrine. Taillez le fusil dans un petit morceau de bois. Sous le horse-guard ajoutez deux planchettes dont l'extrémité arrondie dépassera et représentera les chaussures. Enfin le bonnet sera façonné dans un tissu-fourrure noir.

Il s'agit, simplement, de deux profils assemblés suivant le croquis (B). Il servira de couvercle à la boîte.

o *Ce chien* est réalisé avec le même tube disposé horizontalement. Fermez une extrémité par une rondelle de contre-plaqué et à l'autre bout fixez un cornet de carton (C). Recouvrez le tout de feutrine, de papier ou de tissu-éponge. Ajoutez un petit manteau écossais ; les quatre pattes faites de clous ou de bâtons collés ; les deux oreilles pendantes ainsi que la langue. Noircissez le museau et l'emplacement des yeux. Et terminez votre animal par une petite queue en fil de fer recouvert de tissu, et ajoutez une laisse.

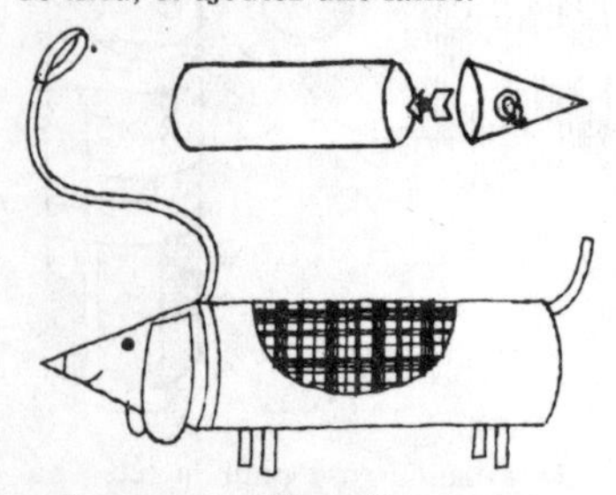

● **Les paquets silhouettes**

Ces silhouettes d'animaux seront réalisés dans du nouveau papier de couleur. Vous les prévoierez suffisamment larges pour pouvoir y glisser vos cadeaux : sucettes, friandises, pyjama, chemise de nuit, petit jupon, pull, bonnet, etc.

Ces formes d'un faible relief, constituées par deux feuilles assemblées par une couture, ne pourront être utilisées que pour la présentation de cadeaux de peu d'épaisseur.

Pour le dessin de ces animaux, inspirez-vous de ceux illustrant les albums d'enfants.

Tracez sur un rectangle de papier le profil de l'animal et découpez largement autour.

Placez par-dessus une seconde feuille identique et effectuez la piqûre à larges points, suivant votre dessin. Laissez une ouverture suffisante pour y introduire l'objet et, ensuite, retaillez la forme à 1/2 ou 1 cm des points, suivant la taille du sujet.

o *Le lion* est confectionné dans un papier ocre (kraft ou papier-velours) ; la crinière est faite dans une bande pliée en deux dans le sens de la longueur et crantée comme une frange. Vous la collerez en plusieurs épaisseurs autour de la tête du lion. Le museau, les yeux et la queue ornée d'un pompon, seront façonnés à part.

o *Le zèbre* est réalisé dans un papier rayé. La silhouette est animée par deux pastilles pour les yeux, une frange et des oreilles en papier ainsi qu'une queue et des sabots noirs dessinés à l'encre de Chine.

o *Le coq* doit être très coloré. Sur le corps collez des bandes festonnées en les superposant (commencez en partant de la queue) ; ensuite, ajoutez les ailes, la crête, etc.

• **Avec des boîtes rectangulaires**

o *Faites une maison* d'une boîte à chaussures. Vous obtiendrez facile-

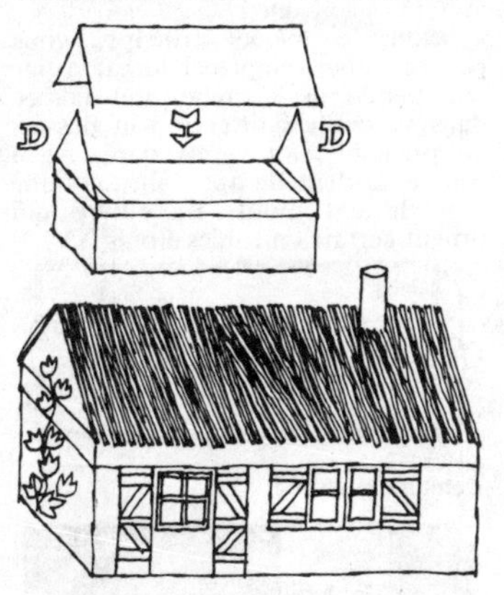

ment ce résultat en fixant sur le couvercle deux triangles (D) qui supporteront le toit formé d'une bande de carton pliée en deux et que vous recouvrirez de paillons de bouteille pour évoquer une chaumière. Posez un petit tube de carton (un tubino de simili) pour imiter la cheminée et ajoutez des morceaux de papier découpé sur les côtés figurant les portes et les fenêtres.

Si à l'intérieur vous offrez des poupées régionales, cette boîte deviendra leur maison, à condition de prévoir des ouvertures dans le carton, et de les garnir au verso d'un rodhoïd. Dessinez sur celui-ci les travers des fenêtres.

o *Cette locomotive* est également une boîte en carton à base rectangulaire, entourée de papier métallisé de couleurs différentes très rutilantes.

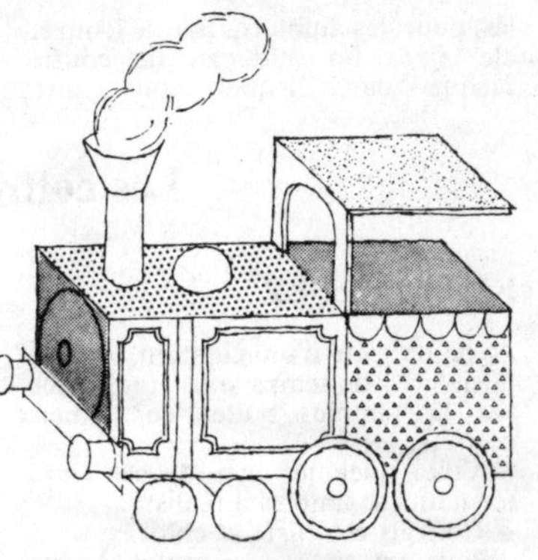

Des rondelles de contre-plaqué fixées sur des tasseaux de bois collés sous la boîte serviront de roues. Vous les recouvrirez de papier doré imitant la silhouette des bielles, des pistons, etc. Ajoutez un tube pour la cheminée, une demi-balle de ping-pong à côté et une planchette pour la cabine du mécanicien et du chauffeur. Sans oublier la fumée.

o *Pour un trois-mâts,* une boîte plate sera complétée à chaque extrémité par une bande de carton pliée en deux et aux côtés légèrement arrondis (E) de façon à imiter la proue et la poupe d'un navire. A ce dernier endroit posez le gouvernail et recouvrez le tout d'un papier-bois foncé ou de couleur, avec des pastil-

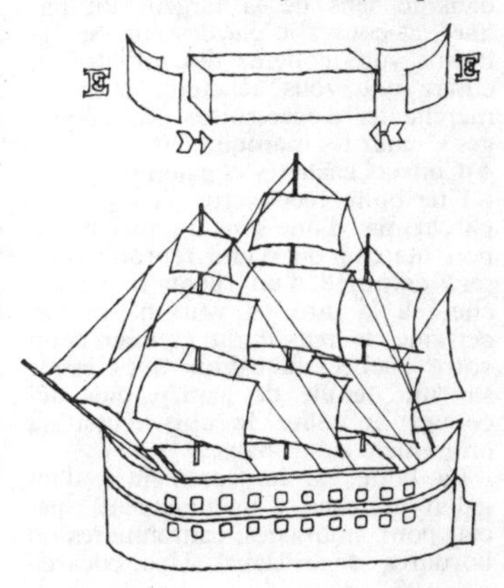

les pour les hublots. Sur le couvercle, fixez un morceau de contreplaqué dans lequel vous aurez planté des mâts en bois qui recevront les voiles de papier blanc et les cordages.

Les coffrets-cadeaux

EMBELLISSEZ

Avec un peu d'imagination, de fantaisie et... de temps vous transformerez de simples boîtes en luxueux coffrets.

Voici quelques-unes de ces transformations, simples à réaliser.

● Coffrets ceinturés et chiffrés

- Pour un cadeau masculin, le cartonnage est recouvert soit d'un papier-cuir (on en trouve chez les marchands de fournitures pour relieurs), soit de papier imitant la fourrure ou de tissu-fourrure.

Il existe, aussi, les cuirs-plastiques (Buflon, etc.) dont les bords, après collage, seront soulignés par un point de sellerie vrai ou faux.

Le ruban habituel sera remplacé par une courroie en cuir (ou simili) avec une jolie boucle.

- Pour un cadeau sérieux, vous entourerez d'un ruban très large une boîte rectangulaire très longue, recouverte de papier-bois, de papier-fourrure ou de simili-cuir. Disposez ce ruban légèrement sur le côté et dans le sens de la largeur du paquet, et cousez-le par-dessous. Sur le dessus vous collerez des initiales en cuivre que vous achèterez chez les marchands d'accessoires pour étalages et chez les maroquiniers.

● Coffrets cachetés et galonnés

- Une boîte recouverte d'un papier-parchemin, d'une gravure ancienne à bon marché ou d'une reproduction, sera entourée d'un ruban rouge cacheté à la cire. Si vous n'êtes pas certaine de réussir du premier coup votre cachet, faites quelques essais sur une feuille de papier, puis découpez et collez le plus réussi au croisement des rubans.

- La boîte est ici agrémentée d'un galon imprimé d'ameublement, spécial pour embrasses, cantonnières ou bordures de rideaux. Une cocarde réalisée en même étoffe (selon les indications p. 325 complète la garniture du coffret. Choisissez pour son gainage une matière convenant au style du galon (feutrine adhésive, papier imitant la soie, etc.)

Selon le même principe, vous pourrez aussi remplacer le galon par une bande de dentelle, soit laissée dans sa teinte d'origine, soit passée, au préalable, au vernis doré. Ainsi traitée, la dentelle apparaîtra comme l'un de ces motifs de cuivre qui ornent certains meubles Louis XV.

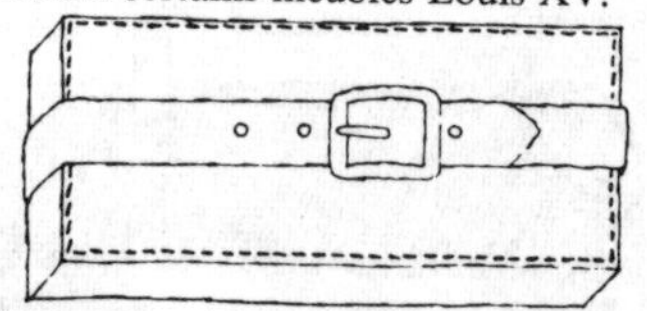

Ceinturé et chiffré

Cacheté et galonné

Fleuri

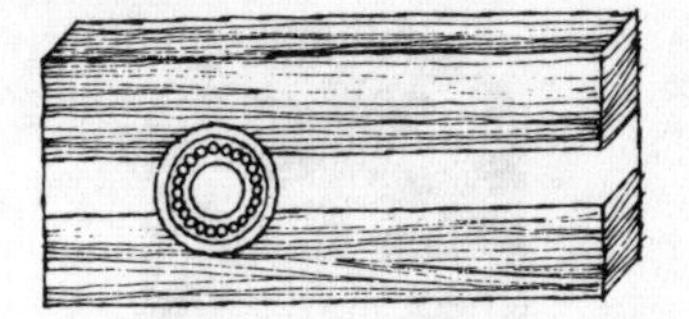

Boutonné

• Coffrets boutonnés et fleuris
- Achetés chez les antiquaires de campagne ou chez les brocanteurs, les coffrets en acajou ou en bois verni de style Napoléon III sont d'un prix relativement abordable. Ils serviront à présenter vos cadeaux précieux. A défaut de ces coffrets, vous utiliserez une simple boîte de carton ou de contre-plaqué que vous recouvrirez d'un papier-bois véritable. Dans l'un et l'autre des cas, remplacez le ruban traditionnel par une bande de métal doré de très faible épaisseur.

En guise de nœud, fixez ou collez une rosace dorée servant à décorer les façades de tiroirs, de portes, etc., que l'on trouve chez tous les quincailliers d'ameublement (et dans tous les styles).

- pour un coffret rustique recouvert de papier-bois, de papier-paille japonais, de rabane ou de toile de jute, vous remplacerez le ruban classique par une sangle unie de ton écru, ou à motifs noirs et blancs.

A la place du nœud, fixez par quelques points de colle un petit bouquet de feuillage séché tel que monnaie-du-pape, épis, pommes de pin, etc.

DECOREZ

Sur ces coffrets-cadeaux, si vous êtes tant soit peu artiste, vous aimerez créer un décor qui soit vôtre, ajoutant une note toute personnelle à votre cadeau.

• A la peinture : utilisez, de préférence, une boîte en bois que vous peindrez à l'huile dans la teinte de fond de votre choix. Après séchage vous exécuterez des motifs au pinceau : frises, bouquets, etc., pouvant s'inspirer, par exemple, de ceux que l'on admire sur les meubles peints scandinaves ou autrichiens.

• Avec des feuilles mortes : vous les collerez côte à côte sur la totalité de la surface comme des écailles ou disposées de manière à créer des figures.

• Avec des timbres-poste sans valeur découpés et collés pour former des passages comme les tableautins d'autrefois.

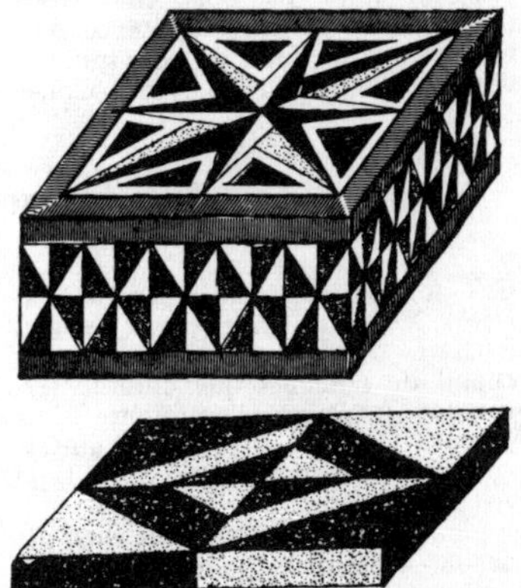

• Avec du papier d'aluminium : vous pouvez aussi transformer la plus ordinaire des boîtes de carton en coffret précieux. Garnissez la boîte et le couvercle de papier d'aluminium, intérieurement et extérieurement. Sur le dessus, collez quelques paillettes et petites perles de couleurs.

• En réalisant de la marqueterie et de la mosaïque en papier : sur un fond seront collés les éléments, taillés à part, d'après une esquisse crayonnée au préalable.

- Avec du papier-bois véritable ou imitation bois, vous exécuterez un petit chef-d'œuvre de marqueterie.

Suivant le même principe, collez sur le fond vos éléments tout préparés. Sur un fond de bois clair vous placerez des éléments d'essence plus foncée. Sur un fond de bois sombre, des éléments d'essence claire. Collés et séchés, fond et éléments seront alors cernés.

- Si le coffret est de grande taille, vous utiliserez du papier-marbre en jouant le contraste : marbre clair et marbre foncé. Le dessin géométrique sera épuré afin de laisser apparaître toutes les veinures.
- Le décor de la boîte est ici réalisé avec des papiers de reliures. Les motifs géométriques sont faciles à reproduire. Sur le gainage de base, déjà mis en place, tracez légèrement l'emplacement de chacun d'eux.

Triangles et losanges seront coupés et collés en place (saisissez-les avec une paire de pinces de philatéliste afin de les manipuler plus aisément). Ce décor, pour être réussi, doit être très fourni et constitué d'au moins quatre ou cinq papiers d'impressions différentes. C'est un travail simple qui ne demande... qu'un peu de patience.

Les formes à cadeaux

Ces formes sont extrêmement variées. Vous les trouverez un peu partout, aussi bien chez le marchand de couleurs que chez le ferronnier ou chez l'antiquaire. Les unes se vendent en série, les autres, vous les découvrirez au hasard de vos promenades.

Généralement accessoires aux cadeaux, ces objets pourtant peuvent être considérés comme cadeau principal, le contenu n'étant plus alors qu'un prétexte.

Pour les bonbons et les chocolats par exemple, ne vous limitez pas aux paquets ou aux boîtes classiques. Transformez en bonbonnière provisoire une foule d'objets : un coffret en bois ancien, un coffret en pierre dure, une boîte à bijoux, un vase, un grand verre de cristal ou d'opaline, un bocal de pharmacie, une petite marmite en terre, une casserole en porcelaine de Paris, etc.

• **Formes en métal**

- Dans une vieille mesure en étain, vous présenterez des crayons de couleur, des pointes feutres multicolores, des fusains, des pinceaux, etc.
- Un tube en duralumin ou en laiton de 8 à 10 cm de diamètre et de 50 à 60 cm de long (Weber) sera fermé à chaque extrémité par un large bouchon ou par une rondelle de contre-plaqué recouverte de Skaï noir ou de daim. S'y mettront à

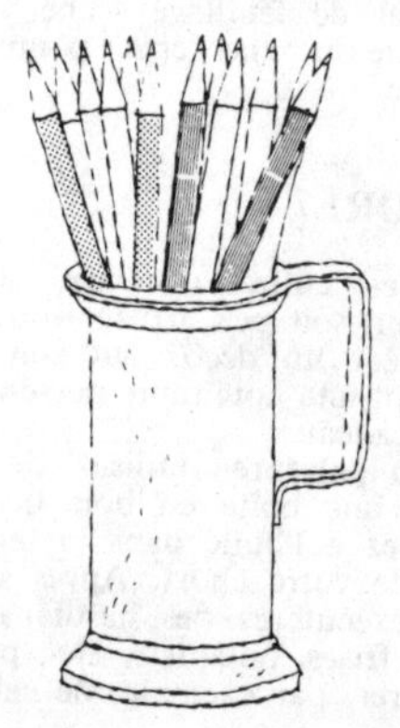

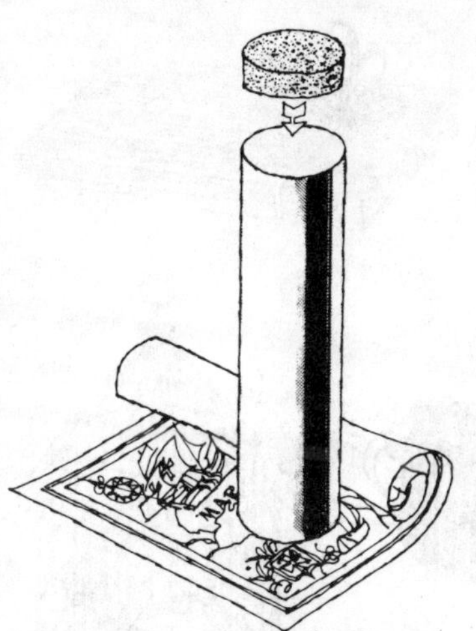

l'abri, des gravures anciennes roulées, des cigares, des paquets de cigarettes, un foulard, etc. Cet objet pourra servir, ensuite, à la présentation d'un bouquet japonais (placez alors à l'intérieur un petit récipient de verre).

- Dans un arrosoir que vous aurez peint et décoré, vous offrirez, s'il est de petite taille : des bonbons, des sachets de graines de fleurs ; s'il est plus important : des oignons de tulipes, de jacinthes, etc.

- Ces très grands sucres d'orge en forme de canne, ces immenses sucettes semblables à des pinceaux multicolores se présenteront, disposés en gerbe dans un véritable camion de peintre, aux savantes taches de couleurs.

● **Formes en verre**

Chez les antiquaires ou chez les brocanteurs, on trouve assez facilement de très beaux bocaux à confiserie de la fin du siècle dernier. Certains sont relativement peu coûteux (20 à 50 F). Vous les offrirez garnis de bonbons, de pâtes de fruits ou de chocolats.

Dans les rues avoisinant les facultés de Médecine ou de Sciences, il existe des boutiques équipant les laboratoires. Les lignes élégantes des cornues et des éprouvettes conviendront parfaitement à de petits objets

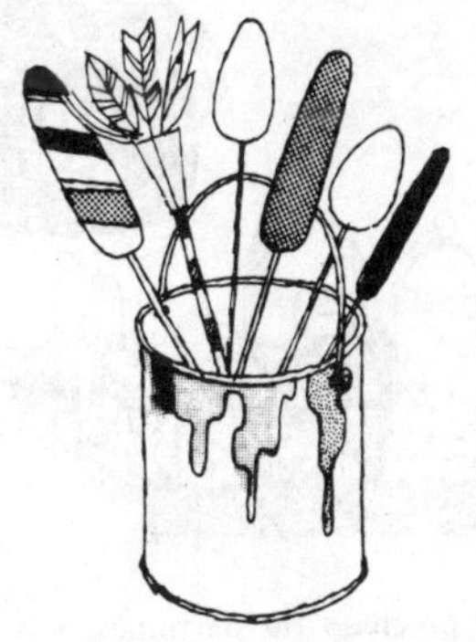

Pour les bonbons, les chocolats : un truc

Quand l'objet choisi est vraiment trop grand pour pouvoir être rempli entièrement de confiserie, garnissez le aux 2/3 ou aux 3/4 avec du papier de soie blanc froissé, posez par-dessus une couche de papier d'aluminium et finissez de remplir avec les bonbons chocolats ou marrons glacés.

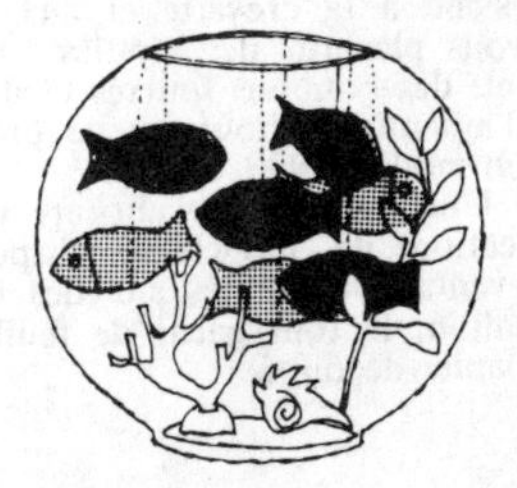

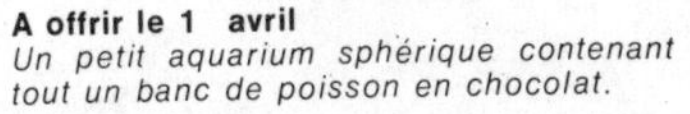

A offrir le 1 avril

Un petit aquarium sphérique contenant tout un banc de poisson en chocolat.

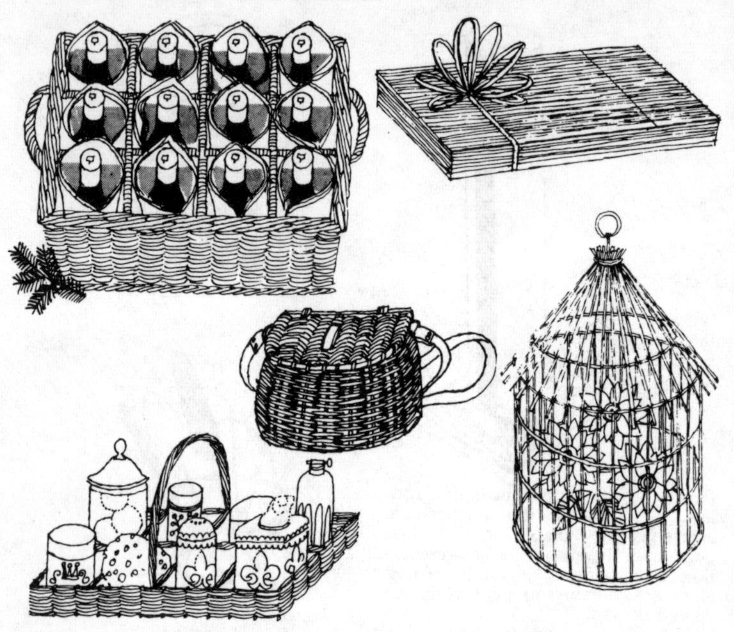

brillants, précieux ou parfumés, tels que colliers fantaisie, perles et fleurs de soie, sels de bains multicolores.

Le pichet classique du marchand de couleurs sera rempli de fruits confits ou de marrons glacés qui pourront aussi être répartis dans les verres accompagnant ce petit service « de tous les jours ».

● Formes en vannerie

- Dans un panier typique de la pêche à la crevette et aux moules, vous placerez des moules en chocolat, des bonbons fourrés et des pâtes d'amandes. Choisissez de préférence un modèle 1900.
- Une cage d'osier abritera une collection de mouchoirs disposés en éventail et montés sur des tiges de laiton, le tout garni de feuillage en papier découpé.
- Le panier-casier à verres avec anse deviendra un plateau de beauté, facile à transporter de la coiffeuse à la salle de bains, si vous le garnissez avec de jolis flacons d'eaux de toilette, de boîtes pour le coton, pour les crèmes, etc.
- Dans un panier en cannisse, typique de la Côte d'Azur, présentez des cadeaux qui évoquent le Midi : des citrons, des oranges et de la lavande, ou encore un foulard, un chemisier ou une robe fleurie.
- Dans un vrai panier de livreur en osier offrez douze bonnes bouteilles d'un vin que vous ferez venir directement de chez le viticulteur. Enveloppez chacune d'elle dans des serviettes de Sopalin rouges et vertes qui raviveront les tons de la vannerie.

QUAND ET COMMENT LES FAIRE PARVENIR

Un cadeau fait très plaisir lorsqu'il est bien choisi, mais aussi lorsqu'il arrive à temps. La « fête » passée, l'excitation d'ouvrir un paquet, de se battre avec les ficelles, de plonger à la découverte de ce cadeau annonciateur de réjouissances est déjà bien atténuée.

Savoir offrir à temps

C'est avant tout respecter certaines règles de savoir-vivre vous indiquant, selon les circonstances, à quel moment remettre votre présent.

- **La fête du prénom :** elle se souhaite la veille du jour indiqué sur le calendrier. Vous offrirez votre cadeau soit au début du repas, soit au dessert.
- **L'anniversaire :** cette fois c'est le jour anniversaire même de la naissance que les cadeaux sont offerts. Le moment de les offrir se situe aussi bien le matin au réveil qu'au début du repas ou au dessert (déjeuner ou dîner).
- **La Sainte-Catherine :** le 25 novembre, les jeunes filles qui ont eu 25 ans dans l'année vont généralement danser. Si vous êtes invitée chez des amis qui ont organisé une petite réception en l'honneur d'une catherinette, n'oubliez pas que la jeune fille est l'héroïne de la fête. Apportez-lui un cadeau, que vous lui remettrez discrètement en arrivant, ou, si vous savez qu'une « surprise » doit lui être faite au cours de la soirée par tous les invités, offrez votre cadeau aussitôt après.
- **La fête des Mères :** c'est le dernier dimanche de mai dès le réveil de votre mère, que vous lui offrirez votre cadeau, pour que cette belle journée qui lui est consacrée commence le plus tôt possible. Mais vous pouvez aussi offrir votre présent au début du déjeuner ou au dessert.
- **La fête des Pères :** procédez de la même façon que pour la fête des Mères.
- **La Saint-Valentin :** fête des amoureux. Ils s'offrent mutuellement un cadeau le 14 février, au moment même où ils se retrouvent.
- **Le cadeau « professionnel » :** pour fêter une nomination, à l'occasion d'un départ, le cadeau est également offert au cours de la réception-cocktail ou de « l'arrosage » traditionnel.
- **La pendaison de crémaillère :** que le cadeau soit collectif ou individuel, il est apporté le jour même de la réception.
- **Noël :** les très jeunes enfants reçoivent leurs cadeaux généralement très tôt le matin du 25 décembre.

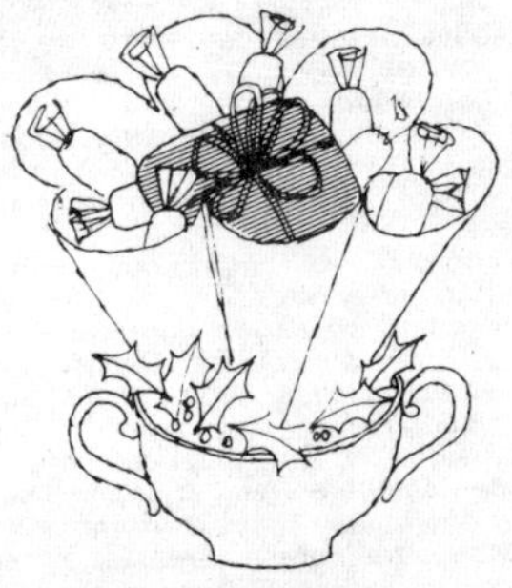

Pour l'offrir joliment, à table *placez votre cadeau dans la tasse à bouillon ou dans le verre du héros en le dissimulant dans un cornet formant corolle, que vous réaliserez vous-même en découpant et en assemblant plusieurs médaillons d'un papier peint à motifs.*

Les grandes personnes et les enfants qui ne croient plus au père Noël peuvent cependant grouper les leurs au pied de l'arbre. Certains préfèrent échanger leurs cadeaux le soir du Réveillon. Des cadeaux s'offrent encore l'après-midi du 25 au cours de visites entre amis et parents.

● **Le Jour de l'An :** comme pour Noël, les cadeaux s'offrent aussi bien au cours du Réveillon, le soir du 31 décembre, que le 1er janvier — tôt le matin en famille, au début du déjeuner ou l'après-midi pour les amis et les parents moins proches.

Les « étrennes » du facteur doivent lui être remises lorsqu'il apporte le calendrier, généralement quelques jours avant Noël. Celles de votre concierge doivent lui être offertes le lendemain du Jour de l'An (ou dès votre retour si vous partez aux sports d'hiver pour les vacances de Noël).

La fausse cheminée

L'âtre, pour les petits comme pour les grands, est le symbole même de Noël et le premier endroit où l'on s'attend à voir disposés les cadeaux. Aussi, si votre appartement ne possède aucune cheminée, devenez ingénieux : créez-en une pour ce soir-là. Un petit buffet à deux portes fera l'affaire à condition que vous puissiez justement les retirer. Gainez l'intérieur du meuble d'un papier fausse pierre (Myriam). Masquez ses côtés par des guirlandes de feuillage ou de sapin, et les pieds, par une bande de carton. Vous utiliserez pour ces camouflages du ruban adhésif et des fils de nylon invisibles qui ne risquent ni de détériorer ni de tacher le bois.

A l'intérieur du buffet ou plutôt de l'âtre, disposez des chenets légers ou des chenets en carton dont vous aurez découpé les silhouettes. Cachée parmi de vraies bûches, une petite lampe électrique peinte en rouge au vernis cellulosique ou une ampoule de photographe simulera feu et flammes. Le buffet-cheminée placé en milieu de panneau sera enfin chargé de sa hotte en carton peint en blanc ou recouverte du papier-matière de votre choix. Placez à l'avant du buffet, représentant alors le dessus de cheminée ou la partie basse de la hotte, en avancée, deux flambeaux véritables ou réalisés en branchages autour de silhouettes en fil de fer.

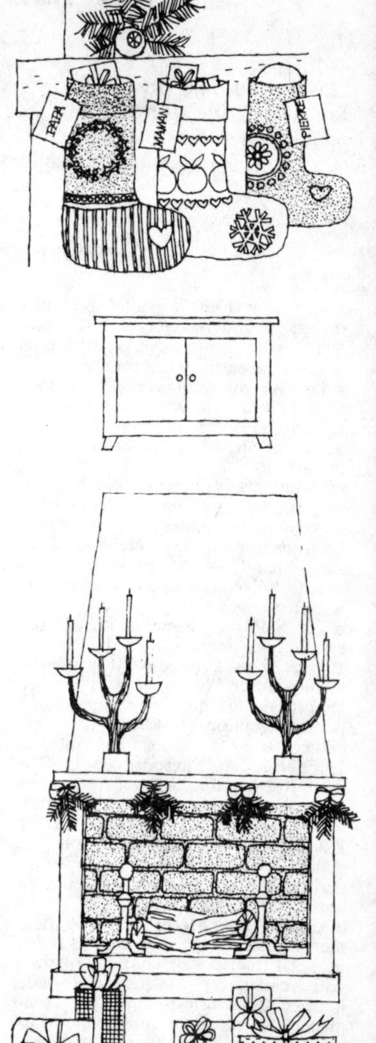

Les bottes « à la suédoise »
amusantes et de prix raisonnables, elles sont en toile imprimées de dessins naifs aux couleurs vives. Vous les suspendrez à la cheminée ou à l'arbre remplies de bonbons ou de colifichets pour chacun. Elles deviendront ensuite à la cuisine de ravissants « porte-herbes ou arômes » (Bon Marché).

L'arbre de mai
Procurez-vous un bâton de 4 cm de diamètre d'une hauteur égale à celle de la pièce (protégez sol et plafond par deux rondelles de feutrine collées à chacune de ses extrémités). Un cerceau ou un hula-hop que vous enrubannerez ou recouvrirez de feuillage. Des rubans multicolores que vous fixerez au sommet du bâton et qui serviront à suspendre le cerceau. Et enfin, et surtout, des cadeaux...

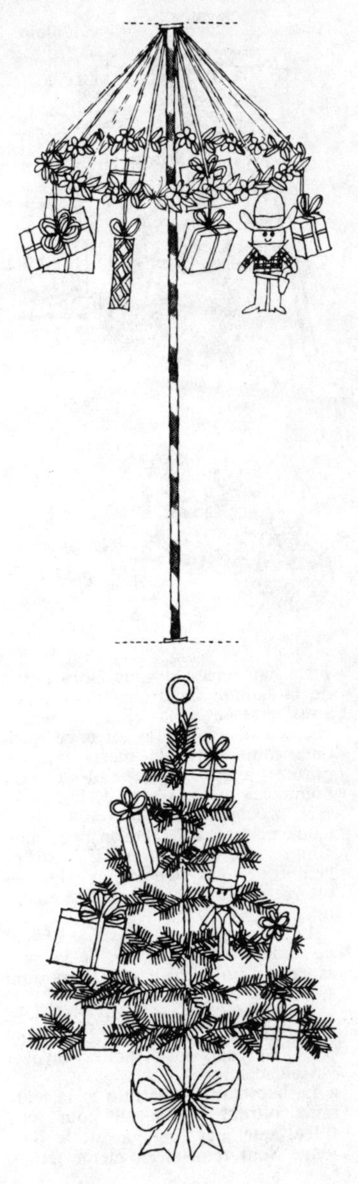

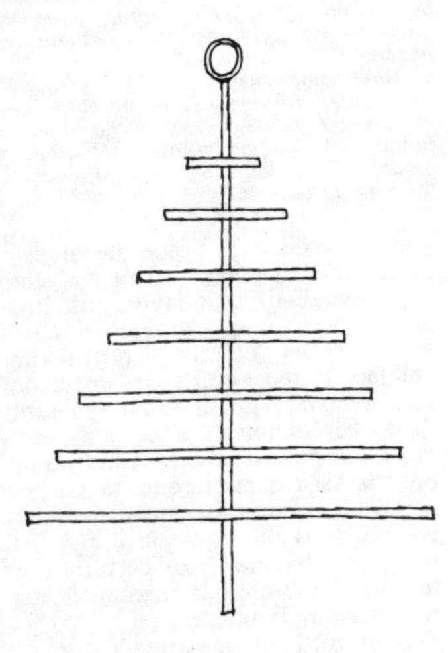

Le Noël parisien
L'armature en bois (voir croquis) sera peinte en blanc, en vert ou en or, selon que vous la recouvrirez de branches de sapin naturel, ou floquées blanc ou or. Un gros anneau doré, fixé au sommet, servira à suspendre au mur cet arbre schématique.

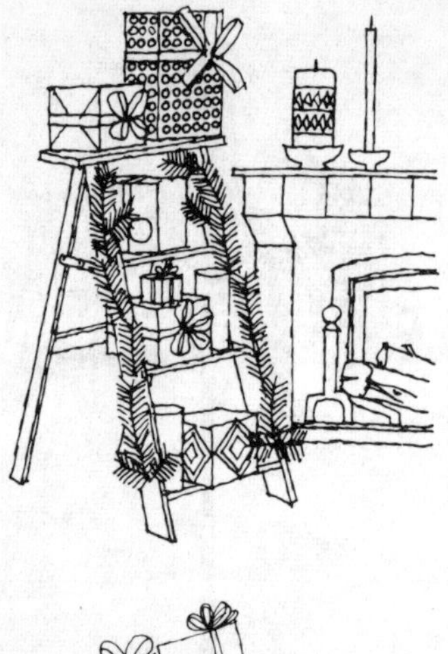

Le Noel de Cendrillon
Une citrouille achetée au marché que vous aurez évidée pour protéger l'emballage de vos paquets, placez à l'intérieur du gigantesque légume un papier métallisé or ou argent.

Le Noël familial
Les nombreux cadeaux prendront moins de place disposés ainsi sur l'escabeau de cuisine que vous aurez pour la circonstance peint en or, en rouge ou envert.

Le Noël campagnard
Une vraie brouette « avancera » les cadeaux pour la distribution. Vous l'aurez peinte à la bombe aérosol, décorée et empanachée, tapissée de papier, de feutrine ou de velours.

● **La naissance :** si vous faites partie de la famille ou des amies intimes, vous pouvez à la clinique rendre visite à la maman et au bébé quelques jours après la naissance. Apportez alors votre cadeau. Un homme, à moins d'être de la famille très proche, attend le retour de la jeune maman à la maison pour aller admirer le nouveau-né. Ce qui ne l'empêche pas d'envoyer, dès les premiers jours, des fleurs à la maternité.

Le parrain et la marraine offrent un cadeau dès l'annonce de la naissance — un cadeau plus important sera remis avant le baptême.

Si vous n'êtes pas une amie intime, attendez de recevoir le faire-part de naissance pour envoyer votre cadeau.

● **Le baptême :** le parrain et la marraine offrent le cadeau pour leur filleul quelques jours avant le baptême. Sont remises en même temps, par le parrain, les boîtes de dragées destinées à la maman, à la marraine ainsi que celles réservées aux invités. A leur tour, la maman et la marraine les offriront aux invités pendant la réception et les enverront aux membres de la famille absents de la cérémonie et à certains amis qui n'ont pu être invités. C'est au début de la réception que le parrain offrira à la marraine un cadeau accompagné d'une boîte de dragées. Il n'oubliera pas non plus de faire porter des fleurs chez la maman le matin même du baptême.

L'offrande et les dragées seront données au prêtre par le père ou le parrain (encore lui !) dès la fin de la cérémonie.

● **La communion :** les cadeaux ne doivent pas être donnés pendant les trois jours de retraite qui précèdent la cérémonie, mais le jour même de la communion après la cérémonie ou encore quinze jours avant.

Après la cérémonie, l'enfant offre une image-souvenir aux personnes invitées à la réception. Il en envoie à ses amis et à la famille qui n'a pu assister à la cérémonie. Il en offre également au prêtre qui lui a fait faire sa communion et à ses camarades de classe.

Ses parents peuvent offrir un cadeau (à caractère religieux) au prêtre à la fin de la cérémonie.

● **Les fiançailles :** la bague. Le fiancé garde la bague chez lui jusqu'au jour des fiançailles officielles. Ce jour-là il apporte la bague dans un écrin blanc en cuir ou en tissu (velours, moire). Certains écrins luxueux de fine peau blanche sont frappés aux initiales de la jeune fille.

Le jeune homme offre la bague à sa fiancée en tête à tête, avant le déjeuner traditionnel, après la messe s'il y en a une. Les invités doivent féliciter le fiancé pour le choix du bijou que la jeune fille fait admirer tour à tour.

La corbeille du fiancé est envoyée le matin de bonne heure chez la jeune fille. Les cadeaux des personnes invitées à la réception se font porter quelques jours auparavant et les fleurs, le matin même, bien entendu.

● **Le mariage :** les cadeaux sont aujourd'hui très rarement exposés avant la cérémonie. Ils sont offerts à partir de l'annonce du mariage, pendant les fiançailles, dès réception du faire-part ou encore dans les jours qui suivent la cérémonie par les personnes qui, habitant loin, n'ont pu se déplacer.

Tenir compte des délais de livraison

● **Dans un grand magasin.** En temps ordinaire faites vos achats de 4 à 6 jours à l'avance à Paris, et de 10 à 15 jours en province. Doublez les délais à Noël pour éviter les mauvaises surprises.

o *Attention !* Les délais de livraison ne sont pas les mêmes dans tous les magasins.

● **Par poste.** En temps ordinaire, un paquet postal ne met pas plus de trois jours pour être délivré dans une localité française. Il voyage dans ce cas par le train, normalement. Si vous êtes pressée vous pouvez gagner du temps en le faisant partir par avion en « urgence » « par exprès ». Mais au moment des fêtes de fin d'année, le trafic est considérablement accru et les paquets souffrent de retards parfois très longs. Expédiez-les avant le 15 décembre.

o *Pour l'étranger,* soyez plus prudent. Ne les postez pas après le 10 décembre pour les Etats-Unis et même le 1er décembre pour l'Espagne.

● **Par train, par bateau, par avion.** Tous les paquets que la poste ne prend pas à cause du poids trop important de leur contenu voyagent par train ; train puis bateau ou avion.

o *Pour l'étranger.* Les paquets sont tous ouverts par la douane, ce qui retarde leur livraison et empêche toute précision quant aux délais. En temps normal cependant, on peut envisager par exemple : trois semaines par bateau pour l'Angleterre et de huit à dix jours par avion. Pour les paquets de Noël il est prudent de les expédier longtemps à l'avance, dès la fin du mois d'octobre.

o *Pour la France.* Les délais de livraison sont évidemment plus courts. Par le train il faut compter ordinairement de un à quatre jours.

En choisissant la solution « exprès » (mais il faut porter le paquet directement à la gare et non pas dans un bureau de ville) les délais sont de quelques heures à vingt-quatre heures seulement.

Si vous voulez accélérer au maximum votre envoi : vous pourrez faire prendre votre paquet directement à la gare une demi-heure après l'arrivée du train.

Envisagez, pour vos cadeaux de Noël, les mêmes délais supplémentai-

res que pour les paquets postaux.
• **Par route.** Le transport est plus rapide que par le rail. Vingt-quatre heures au lieu de trois ou quatre jours. Mais attention également à la période surchargée de fin d'année. Prévoyez une semaine de plus environ.

Attention à la douane !

Lorsque vous expédiez un paquet à l'étranger, n'oubliez surtout pas de coller à l'extérieur une ou plusieurs étiquettes spéciales « douane », de couleur verte. Vous pouvez aussi glisser une déclaration en douane, à l'intérieur. Naturellement, remplissez-les correctement, sans fraude. Presque tous les paquets sont ouverts par les services de douane et vous risqueriez une amende sérieuse et bien des ennuis !

N'oubliez pas non plus de vérifier sur la liste que nous vous donnons si votre cadeau est accepté par les règlements douaniers du pays où vous l'expédiez. Certaines interdictions vous sembleront peut-être incompréhensibles et même un tant soit peu ridicules. Riez-en mais respectez-les et ne trichez surtout pas.

INTERDITS ETRANGERS

• **Allemagne (République démocratique).** Interdits : les moyens de paiement et les valeurs émises dans la République démocratique allemande, les billets de loterie, les illustrations ayant un caractère de propagande pro-fasciste ou subversive, les envois dont le contenu est dirigé contre la démocratie et le maintien de la paix, l'encre sympathique, les codes, la sténographie, les timbres-poste, les disques, les bandes soumises à un enregistrement sonore, les films, les plaques et les papiers photographiques, les images, les cartes géographiques, les récipients hermétiquement clos, les médicaments (les textiles et les chaussures usagés doivent être accompagnés d'un certificat de désinfection).
• **Allemagne (République fédérale).** Interdits : les envois de fleurs et de plantes (sauf s'ils sont accompagnés d'un certificat d'importation et d'un certificat de santé), les billets de loterie, les publications, les enregistrements, les illustrations ou les reproductions subversives, l'absinthe, les armes et les munitions.
• **Etats-Unis d'Amérique.** Interdits : les animaux vivants, les spiritueux et les liqueurs enivrantes, les billets de loterie, les films de luttes pugilistiques, l'or (d'une valeur supérieure à 100 dollars), les substances radioactives, les plantes et les produits de plantes, les cartouches métalliques (tout objet de fabrication étrangère, même les revues périodiques, doit porter ainsi que son emballage une mention telle que « printed in... » indiquant le pays d'origine).
• **Australie.** Interdits : les spiritueux, l'absinthe, les billets de loterie, les pièces de monnaie contrefaites, les imitations de billets de banque.
• **Autriche.** Interdits : les billets de loterie étrangère, les armes et les munitions, les billets de banque autrichiens, les timbres-poste autrichiens valables pour l'affranchissement (l'importation des timbres-poste non autrichiens est subordonnée à l'autorisation de la Banque nationale autrichienne si la valeur est supérieure à 500 schillings). De même l'importation de nombreuses marchandises est subordonnée à l'agrément des autorités autrichiennes.
• **Belgique.** Interdits : les cartes ornées de mica et de verre pilé, les billets de loterie, les journaux et les publications de nature à nuire à la sécurité publique, les fac-similés de timbres-poste, les armes, les monnaies de bronze, cuivre et nickel n'ayant pas cours en Belgique (à l'exception des objets de collection), les absinthes et les liqueurs à l'absinthe.

• **Brésil.** Interdits : les envois recommandés contenant des métaux précieux ou des bijoux, les abeilles vivantes, les billets de loteries, les publications anarchistes, les armes et les munitions, les armagnacs et les cognacs contenant plus de 5 g d'impuretés toxiques sur 1 000 g d'alcool à 100°, l'absinthe.

• **Bulgarie.** Interdits : les timbres-poste (sauf s'ils sont importés par le « service philatélique postal »), les envois de cadeaux par des firmes étrangères, les échantillons de marchandises, les boîtes hermétiquement fermées dont le contenu n'est pas visible, le linge et les vêtements usagés non accompagnés d'un certificat de désinfection.

• **Canada.** Interdits : les spiritueux, les vins, les affiches et les prospectus décrivant des scènes de crimes et de violences, les billets de loterie et les monnaies contrefaites, les médicaments, les armes et les munitions, le celluloïd.

• **Chili.** Interdits : l'absinthe, les billets de loterie, les envois recommandés contenant des pièces de monnaie, des billets de banque, des valeurs au porteur, des objets précieux.

• **Chine (Taïwan).** Interdits : les appareils pour jeux de hasard, le cuivre, les billets de loterie, les billets de banque établis en nouveaux dollars de Taïwan, les pièces de monnaie, les billets de banque, les métaux, les pierres et objets précieux (sauf si la valeur n'excède par 25 dollars des U.S.A. et s'ils sont insérés dans des paquets avec valeur déclarée).

• **Colombie.** Interdits : les animaux vivants, le café, les boissons, les monnaies d'argent, de cuivre ou de nickel, les timbres-poste colombiens, les publications communistes ou athées. Les envois de revues et de livres commerciaux doivent être accompagnés d'une facture numérotée, attestée et signée par l'expéditeur (une copie de cette facture doit être adressée au bureau destinataire et les paquets revêtus d'une annotation indiquant le nombre de livres, le poids, et le nombre de paquets composant l'envoi). L'importation en Colombie de marchandises de toute espèce est soumise avant l'expédition à l'enregistrement auprès de l'« Oficina de registro de Cambio » à l'exception des envois contenant des livres et revues ou des objets d'une valeur inférieure à 20 dollars.

• **Cuba.** Interdits : les fruits, les semences, les billets de loterie, les plantes vivantes ou parties de plantes, les poisons.

• **Danemark. Ile Féroé, Groenland.** Interdits : les armes et les munitions, les abeilles, les almanachs (sauf s'ils sont expédiés un à un), les tabacs, les billets de loterie, les alcools (sauf si un permis a été préalablement délivré par la douane danoise), la monnaie danoise et les valeurs (sauf autorisation).

• **Egypte.** Interdits : les vers à soie, les abeilles, les tabacs, l'absinthe, le haschisch, les billets de loterie, les métaux précieux, les bijoux, les pièces de monnaie, les armes et les munitions.

• **Espagne, Baléares, Canaries.** Interdits : les cartes à jouer, les briquets, les produits pharmaceutiques non soumis aux lois sanitaires espagnoles, les livres et les imprimés en langue espagnole, les monnaies mauresques en cuivre, les tabacs, les billets de loterie, les armes et les munitions, les bijoux et les objets précieux (sauf avec permis d'importation). Les envois contenant des vêtements usagés doivent être accompagnés d'un certificat de désinfection.

• **Finlande.** Interdits : les cartes postales munies de paillettes ou de mica, les billets de loterie, les matières alcooliques.

• **Grande-Bretagne et Irlande du Nord.** Interdits : les billets de loterie, les monnaies contrefaites, les imitations de timbres-poste, les armes et les munitions, le celluloïd, les cartes à découvert ornées de mica ou de verre pilé. L'importation des billets de banque, titres et bons du Trésor britannique est soumise à la production d'une autorisation de l'Office de contrôle des changes.

• **Grèce.** Interdits : les lettres, les cartes à jouer, la saccharine, le tabac, le papier à cigarettes (l'importation des valeurs-papiers ou des obligations est subordonnée à une autorisation spéciale), les pièces de monnaie, les métaux précieux, les pierreries, les bijoux et objets précieux, les armes, les objets vieux et usagés non désinfectés.

• **Haiti.** Interdits : les bijoux, les poisons.

• **Hong-kong.** Interdits : les liqueurs enivrantes, les billets de loterie, les imitations de timbres-poste.

• **Hongrie.** Interdits : les publications, les films (sauf autorisation spéciale), les timbres-poste oblitérés ou non (sauf ceux des envois postaux portant l'adresse de la commission d'échange des timbres « Budapest 70, VII Verseny u. 12 », et le nom du destinataire), les oranges et les mandarines.

• **Inde.** Interdits : le celluloïd, les armes, les munitions, les billets de loterie, le tabac, les matières d'or et d'argent, la bijouterie, la soie, les plantes, la monnaie contrefaite, la quinine. Sont admis avec une autorisation spéciale : les pierres précieuses, les liqueurs, les stylos, les montres, les cartes à jouer, la saccharine, les briquets, le tabac, la confiserie, les parfums.

• **Indonésie.** Interdits : les feuilles de coca, l'absinthe, les munitions, les pièces d'argent, la monnaie contrefaite, les timbres-poste contrefaits, les billets de loterie, les amulettes, les livres et les périodiques en langue indonésienne imprimés et édités à l'étranger.

• **Irak.** Interdits : les armes et les munitions, les billets de loterie, la monnaie contrefaite. L'or et les monnaies nationales ou étrangères peuvent être importés avec l'autorisation de l'Office de contrôle des changes étrangers ; les diamants aussi s'ils ont un permis d'importation et une attestation d'origine.

• **Iran.** Interdits : les monnaies et objets précieux, les billets de la banque nationale de l'Iran, les billets de loterie, les armes et les munitions, le sucre.

• **Irlande.** Interdits : les billets de loterie, les échantillons de tabac, d'alcool, de vin, de thé et de fruits secs, les monnaies, les timbres contrefaits, les toiles cirées.

• **Islande.** Interdits : les abeilles, les vers à soie, le tabac, les vins, les liqueurs, les monnaies et les billets de banque islandais ainsi que les obligations ou valeurs payables en monnaie islandaise.

• **Israël.** Interdits : les objets séditieux, les armes et les munitions, la monnaie contrefaite, les billets de loterie, les billets de banque israéliens, les billets de banque ayant eu cours durant le gouvernement mandataire de la Palestine, les bons d'emprunt de l'Indépendance, les envois de plantes, semences, non accompagnés d'un certificat du ministère de l'Agriculture.

• **Italie.** Interdits : les médicaments, les produits chimiques, la saccharine, les éthers pour liqueurs et parfums, la quinine, l'ambre, la parfumerie, le sel, le thé, la vanille, le tabac, les vêtements usagés, les billets de banque, les chèques et toutes les valeurs, les monnaies, les métaux précieux, les bijoux, les pierres précieuses, la maroquinerie, les chaussures, les montres, l'ivoire, les jouets, les films, les stylos, les cartes à jouer, les pipes, les billets de loterie, les armes et les munitions, les appareils pour allumer (y compris les pierres à briquet). La mercerie et les tissus sont admis en faible quantité. L'alcool, le café, le chocolat, le lait condensé, le sucre et les biscuits sont admis en quantité supérieure à 100 g). Formalités spéciales pour les timbres-poste.

• **Japon.** Interdits : les correspondances concernant la conversion des fonds japonais à l'étranger, leur transport ou leur camouflage.

• **Jordanie.** Interdits : les billets de loterie, les armes et les munitions, les abeilles, les vers à soie, les plantes vivantes non accompagnées d'un certificat sanitaire ; les métaux précieux, les bijoux.

• **Libye.** Interdits : les monnaies, les bijoux et objets précieux, les valeurs au porteur, les armes et les munitions, les imprimés nusibles à l'ordre public, le tabac, le thé.

• **Mexique.** Interdits : les billets de loterie, la confiserie susceptible de se décomposer, les monnaies d'argent étrangères ou mexicaines, les billets de banque ou valeurs au porteur, les produits médicaux et de beauté (sauf autorisation du ministère de la Santé publique). Les paquets de cigarettes et de cigares avec un timbre fiscal mexicain, les bonbons et les confitures contenant du chocolat (toutes les marchandises de plus de 200 pesos, sauf autorisation de la « secretaria de Economia nacional »).

• **Norvège.** Interdits : les billets de loterie, de banque, les pièces de monnaie et les titres norvégiens (sauf autorisation de la Banque nationale).

• **Pays-Bas.** Interdits : les billets de loterie, l'absinthe, le raisin, les munitions, les timbres-poste, les devises et les moyens de paiement non autorisés par la Nederlandsche Bank.

• **Pérou.** Interdits : les animaux vivants, l'absinthe, le café, les tabacs, les briquets, le linge usagé non désinfecté, les imprimés communistes, les cartes à jouer, les monnaies, les billets de banque, les valeurs au porteur, les métaux et les objets précieux.

Pologne. Interdits : les billets de loterie, l'héroïne, les tissus et les papiers teints avec une base d'aniline, les armes et les munitions, la monnaie contrefaite, les imprimés, photographies, films, de nature à troubler l'ordre public.

• **Portugal, Açores, Madère.** Interdits : les billets de loterie, l'amadou, les tabacs, la saccharine, les armes et les munitions

• **Roumanie.** Interdits : les billets de loterie, les timbres-poste, les objets séditieux (seuls les colis postaux sont autorisés pour les marchandises).

• **Suède.** Interdits : les billets de loterie non autorisés en Suède, les cartouches, les vins et les spiritueux (sauf s'ils sont envoyés à des diplomates ou à des personnes autorisées par la Régie).

• **Suisse.** Interdits : les billets de loterie, les horoscopes, l'absinthe et ses imitations, le vin et le cidre artificiels.

• **Tchécoslovaquie.** Interdits : les métaux précieux n'ayant pas le titre légal, les imitations de billets de banque, les billets de loterie, la monnaie allemande, les timbres-poste tchécoslovaques, les timbres-poste en cadeaux pour moins de 200 couronnes (de 200 à 2 000 couronnes, demandez l'autorisation de S.A. Artia : au-dessus, celle du ministère du Commerce extérieur). Interdits aussi les produits enfermés dans des boîtes hermétiques (sauf les médicaments). Les envois-cadeaux expédiés par des entreprises commerciales, les envois d'habillements usagés sans certificat de désinfection.

• **Turquie.** Interdits : les billets de loterie, les monnaies d'argent et toutes les espèces monnayables (sauf l'or), la saccharine, les tabacs, les alcools, les cartes à jouer, le thé, les envois recommandés contenant des pièces de monnaie, des billets de banque, des valeurs au porteur, des métaux précieux, des pierreries et des bijoux, le sérum antitétanique, le sérum contre le charbon symptomatique, les armes et les munitions, les plantes (y compris les fruits secs ou frais) sauf si elles sont accompagnées d'un certificat d'origine et sanitaire. Les médicaments, les outils et autres objets destinés au travail agricole peuvent être admis avec l'autorisation du ministère de l'Agriculture.

• **U.R.S.S.** Interdits : les objets de valeur marchande, les documents nuisibles à l'U.R.S.S., les billets de loterie, les obligations et les valeurs de l'U.R.S.S., les denrées périssables, les denrées et les boissons dans des récipients en verre, les boissons alcooliques, les conserves hermétiquement fermées, les semences, les plants, les matières premières animales, les coupons d'étoffe, les montres, les appareils photographiques, le fil. Les médicaments non accompagnés d'ordonnances de médecins d'établissements de cure soviétiques.

• **Uruguay.** Interdits : les animaux vivants, les billets de loterie, les monnaies, les valeurs au porteur, les métaux précieux et les bijoux, les envois contenant plus de 5 cartes illustrées (cartes de visite et gravures), les armes, les vêtements usagés non accompagnés d'un certificat de désinfection.

● **Venezuela.** Interdits : le papier à cigarettes, la monnaie métallique, la monnaie de papier, les chèques au porteur, les livres, les revues communistes. L'absinthe, les produits pharmaceutiques sans autorisation.

● **Yougoslavie.** Interdits : la monnaie yougoslave, les médicaments sans autorisation, les billets de loterie, les jetons ressemblant à de la monnaie, le papier à cigarettes, les armes et les munitions, les envois de plantes sans certificat sanitaire.

INTERDITS FRANCAIS

● **De nombreux pays** (départements ou territoires d'outre-mer et pays aujourd'hui indépendants) appliquent la réglementation française : Andorre, le Cameroun, les Comores, la Côte française des Somalis, le Dahomey, la Guadeloupe, la Guyane française, le Laos, Madagascar, la Martinique, la Mauritanie, le Niger, la Nouvelle-Calédonie, les Nouvelles-Hébrides, la Polynésie française, la Réunion, Saint-Pierre- et- Miquelon, le Sénégal, les Terres australes et antarctiques, la République togolaise, la Haute-Volta et Wallis et Futuna.

Interdits : les matières explosives, inflammables, dangereuses, la poudre à tirer, les cartouches de guerre et de chasse, les films et les pellicules photographiques non placés sous double emballage (fer blanc et bois), les médicaments non libellés en français, les biberons à tube, les tétines et les sucettes non en caoutchouc pur, les animaux vivants ou morts, les œufs à couver, les plants et les boutures de vigne, peuplier, châtaignier, les agrumes, les autres plantes et les fruits sans certificat sanitaire, le tabac sans autorisation (pour plus de 10 kilos par an et par personne), les cigares, cigarettes (pour plus d'un kilo), les allumettes, les urnes funéraires, les briquets à gaz butane, les livres étrangers en langue française ne portant pas le nom et l'adresse de l'éditeur, les conserves de légumes, viande, poisson, sans marque d'origine, les vins, les liqueurs, les alcools étrangers sans autorisation, le vermouth titrant plus de 18° d'alcool, les spiritueux anisés de plus de 45°, les fausses marques françaises. Les objets en or démunis du poinçon du revendeur français.

● **Quelques pays** font une exception pour le tabac qu'ils admettent : la République centrafricaine, le Congo (Brazzaville), la Corse et la République gabonaise.

● **Algérie.** Interdits : comme pour la France, mais de nombreux produits doivent être munis d'une autorisation d'importation (formule A 2 F). Vous pouvez en consulter la liste dans les bureaux de poste ou de la S.N.C.F.

● **Cambodge.** Interdits : comme pour la France, avec en outre les publications communistes, les imitations de billets de banque, de timbres-poste, de monnaie, les monnaies hors cours, les pistolets tirant à blanc et ayant l'apparence de pistolets automatiques, la saccharine, l'absinthe, l'opium, les livres.

● **Côte d'Ivoire.** Interdits : comme pour la France, avec en outre les appareils dits de défense.

● **Guinée.** Interdits : comme pour la France, avec en outre les envois recommandés contenant des pièces de monnaie, des métaux précieux, des pierreries, des bijoux, des objets précieux (les disques aussi, sauf autorisation).

● **Mali.** **Interdits : comme pour la** France avec en outre les abeilles.

● **Maroc.** Interdits : comme pour la France avec en outre les billets de loterie, les monnaies et les billets de banque non importés par la banque d'Etat et les établissements agréés.

● **Tchad.** Interdits : comme pour la France mais le tabac est admis (les armes, avec l'autorisation du chef de l'Etat).

● **Tunisie.** Interdits : comme pour la France avec en outre les billets de banque tunisiens sans autorisation, l'or en pièces, en lingots, en barres.

● **Vietnam.** Interdits : comme pour la France avec en outre les envois recommandés contenant des pièces de monnaie, des métaux précieux, des bijoux ou autres objets précieux.

Vos cadeaux accompagnés

Cadeaux remis aux empereurs de Chine et du Japon par les ambassadeurs de Louis XIV : « Lettres d'introduction et salutation écrites sur parchemin en lettres dorées... Placées dans des boîtes d'or artistiquement travaillées, curieusement émaillées... ornées de petits diamants en dedans... portées dans des cassettes revêtues de toile d'or... le tout enveloppé dans un beau drap écarlate... ».

Dans ce chapitre consacré au savoir-vivre du cadeau, nous ne retiendrons de cet exemple royal que la magnifique leçon de courtoisie et de « savoir-faire » que donne ici l'histoire à chacun d'entre nous, hommes du XXe siècle, plus volontiers disposés à régler nos affaires (même celles de cœur... !) par un brutal « coup de téléphone » que par une lettre aussi courte soit-elle.

Certes, il s'agissait de Louis XIV, d'empereurs de Chine et du Japon... Mais le but même de ces soins attentifs, c'est-à-dire assurer la réussite du cadeau, n'est-il pas semblable à celui que vous voulez atteindre ?

Sans « accompagnement » qu'est-ce qu'un cadeau ? Une marchandise, un achat parmi tant d'autres, un simple objet bien anonyme. Seuls quelques mots bien présentés peuvent traduire le message dont vous l'avez chargé : message affectueux, reconnaissant ou respectueux, variant selon les différents prétexte, circonstances et personnalités. Là est justement toute la difficulté. « Quand et comment vais-je donner ou faire porter ce cadeau ? » s'enquièrent ceux qui redoutent « l'impair ».

« Ma carte de visite conviendra-t-elle ? » s'interrogent les inquiets soucieux de bien faire. « Que faut-il mettre ? » implorent ceux pour qui « écrire » est synonyme de « souffrir ». Pour ceux-là voici, classés et circonstanciés, des règles, des conseils, des formules et des canevas capables de leur venir en aide.

LA « FORME » DE VOS SOUHAITS

- **Cartes ou lettres ?**

Joignez toujours une carte aux cadeaux que vous apportez vous-même ;
- pour ceux que vous expédiez, une lettre est préférable lorsque vous vous adressez à des amis intimes et aux membres de votre famille avec lesquels vous êtes très lié ;
- choisissez la solution carte dans tous les autres cas ;
- pour remercier d'un cadeau reçu, c'est une lettre que vous devrez obligatoirement écrire, même si le cadeau n'est accompagné que d'une carte.

La carte de visite

Elle accompagnera les cadeaux adressés à des personnes que l'on connaît peu. Si le choix du format, de la gravure, vous rend perplexe, demandez conseil au graveur. Mais avant tout, rejetez ce qui est trop original, car seule la simplicité est de bon goût en la matière.

LES DIFFERENTS STYLES DE CARTES

- **Le format.** La carte de visite d'une femme peut être plus petite que celle d'un homme ou d'un couple.

Vous avez le choix entre plusieurs formats mais les plus courants sont le « 92 » (95 x 70 mm) et le « 42 » (105 x 67 mm). Le « 42 » est plus élégant, le « 92 » convient aux noms très courts.

- **Le papier.** C'est le bristol blanc qui est utilisé aujourd'hui, de préférence au ton crème à la mode il y a une trentaine d'années. Par contre, les cartes de visite féminines très raffinées se font toujours sur du papier opaline, légèrement translucide (absolument proscrit pour les cartes masculines et celles qui sont réservées au couple).
- **L'emplacement du nom.** La carte de visite classique est gravée au centre. Celle spécialement destinée à recevoir quelques lignes manuscrites l'est en haut, près du bord.
- **Les caractères.** Vous avez le choix entre la carte imprimée ou gravée. Les cartes les plus élégantes sont gravées à la main donnant ainsi aux caractères un certain relief. Elles seront utilisées pour toute correspondance officielle.

Plus chères que les cartes imprimées, elles nécessitent l'utilisation d'une planche de cuivre.

o *A signaler* cependant qu'un procédé nouveau permet au graveur d'utiliser indéfiniment votre plaque, même dans le cas d'un changement d'adresse.

Si vous n'avez pas les moyens de vous offrir des cartes gravées, faites-les imprimer mais surtout ne choisissez jamais la solution « à bon marché » de la fausse gravure, toujours de mauvais goût (utilisez-la à la rigueur pour vos cartes professionnelles). Vos correspondants ne s'y tromperont pas, car le relief est plus rugueux, empâté et trop brillant.

Les caractères droits en « bâton » ont un aspect un peu commercial. Pour vos cartes personnelles vous choisirez plutôt l'« anglaise », cartes féminines exclusivement ou, très raffinée et classique, « la capitale grise » ou « grise perlée ».

LA COMPOSITION DE LA CARTE

- **La carte du couple** peut porter Monsieur et Madame en abrégé M. et Mme, le prénom du mari, puis le nom de famille. Le prénom n'est jamais indiqué après le nom de famille. Exemple : M. et Mme Albert Dupont. Le grade militaire peut être signalé, ainsi : général et Madame Lenoir. Un titre : docteur et Madame Legris, ou Cte et Ctesse Hubert de Kersuzan, pour les descendants ; sur la carte du chef de famille le prénom est omis : Cte et Ctesse de Kersuzan. Les couronnes en haut et à gauche du nom sont très démodées.

• **La carte masculine.** Elle comprend le prénom et le nom de famille (Jacques Dupont), le grade militaire (général Lenoir), le titre (comte Hubert de Kersuzan). Mais « docteur Legris » est réservé aux cartes professionnelles.

o *Interdit :* le titre nobiliaire pour les jeunes gens célibataires âgés de moins de 21 ans ; Monsieur, abrégé ou non, avant le prénom.

• **La carte féminine.**

o *La femme mariée* fait inscrire Madame, le prénom et le nom de famille de son mari (Madame Jacques Dupont). Quand elle est titrée (Comtesse Hubert de Kersuzan), elle supprime le prénom si son mari est l'aîné de la famille.

o *Une femme divorcée* fait inscrire Madame, son prénom et son nom de jeune fille (Madame Isabelle Durand).

o *Veuve :* elle fait faire la même carte (bordée deuil) que du vivant de son mari (proscrire absolument le mot veuve).

o *Célibataire :* elle suit le modèle masculin : prénom et nom (Isabelle Durand).

o *Interdit :* les cartes de visite pour les jeunes filles âgées de moins de 18 ans.

• **A noter.** Sous le nom (excepté sur les cartes des femmes, célibataires ou non) un couple et un homme peuvent faire mettre l'adresse de leur résidence principale et (s'ils y passent plusieurs mois par an) celle de leur maison de campagne, la première étant toujours à droite.

o *A proscrire :* l'abréviation « n° » pour le téléphone mais le faire inscrire en entier, de même que l'indication de la profession, sous le nom (strictement réservée aux cartes professionnelles).

o *Les lignes manuscrites :* lorsque les caractères sont placés au milieu de la carte, n'écrivez jamais au-dessus. Jamais au dos de la carte non plus. Employez obligatoirement la troisième personne. Ne signez jamais. Votre encre sera d'une couleur classique, noire ou bleue. Evitez les fantaisies toujours de mauvais goût. Préférez le stylo à plume

La lettre

Elle accompagnera les cadeaux adressés à tous ceux que l'on aime, amis et famille. N'oubliez pas que même pour la correspondance familiale le bon goût est de rigueur.

• **Tout présent mérite au moins une lettre.** Sachez que si vous pouvez parfois transmettre par téléphone vos vœux de nouvelle année à quelques intimes ou à votre proche famille, vous ne devez en aucun cas utiliser ce moyen d'expression pour remercier d'un cadeau reçu.

SON ASPECT

• **Le format.** Le papier à lettres féminin le plus courant et le plus élégant est l'in-6. Pour les hommes c'est l'in-quarto. Mais les maîtres graveurs peuvent aussi proposer d'autres formats élégants qui leur sont personnels.

• **Le ton.** Les femmes peuvent choisir, à part le blanc et le gris toujours classiques et de bon goût, des tons pastels, du turquoise par exemple. Convient aussi à des personnalités très féminines, le papier gris ou blanc bordé d'un liseré de couleur. Mais le papier à lettres masculin ne peut être que blanc ou gris très foncé.

• **L'emplacement de l'adresse.** Celle-ci peut être gravée ou imprimée (solution moins élégante) en haut et à droite sur le papier à lettres d'un couple ou d'un homme ; elle est acceptable aussi sur le papier personnel d'une femme. Les femmes d'affaires en revanche la feront toujours inscrire sur leur papier professionnel.

• **Les caractères.** Ils sont (très élégamment) gravés en capitales grises ou gris perle comme sur les cartes de visite. (Ces caractères ne doivent pas être imprimés car ils « rendent » alors très mal.) La capitale noire se fait aussi mais son allure est assez masculine. La gravure des blasons, des armoiries pour les personnes titrées peut être sans couleur, en gaufrage ou d'une seule couleur (gris, sépia, gris bleuté).

• **Le bloc ou la feuille double ?** L'utilisation de la feuille détachable est admise aujourd'hui. Elle sera cependant évitée lorsqu'il s'agit de relations importantes que vous connaissez mal. Attention à l'ordre de vos pages. Par égard pour votre correspondant, vous prendrez soin de toujours numéroter vos feuillets. Si votre lettre est très longue, sa lecture en sera grandement facilitée.

• **Des habitudes de très mauvais goût.**

Parfumer son papier à lettre écrire à l'encre verte ou à l'encre rouge ;
- écrire dans tous les sens : si une feuille ou une carte ne suffisent pas, ajoutez-en une autre.

• **L'enveloppe.** On la choisira du même ton que le papier à lettres, avec doublure blanche de préférence (elle est très élégante et raffinée). Avant tout, évitez les fleurs ou autres dessins qui sont tapageurs et de mauvais goût.

SA COMPOSITION

o *Ecrivez de préférence* votre lettre avec un stylo à encre noire ou bleue. Le stylo à bille est trop familier et la machine à écrire est à proscrire dans presque tous les cas. Utilisez-la seulement dans les relations épistolaires parents-enfants (et jamais enfants-parents) et si vous avez une écriture vraiment illisible. Cela est valable en France notamment. (En effet, les correspondants américains dactylographient leurs lettres personnelles).

Pour qu'une lettre soit agréable à lire, certaines règles devront être respectées.

o *Inscrivez* la date sous l'adresse ou encore à la fin de la lettre, sous la signature. Celle-ci comporte le prénom entier ou son initiale puis le nom de famille (le prénom ne doit jamais suivre le nom). La jeune fille signe toujours de son prénom entier et de son nom de famille, ainsi que la femme divorcée. La femme mariée écrit l'initiale de son propre prénom puis le nom de famille de son mari. Une veuve agit de même.

o *La marge* doit être assez importante (le premier tiers gauche de la page). A droite en bout de ligne, coupez les mots le moins souvent possible.

o *Abréger* les mots n'est pas indiqué et écrire obliquement peu recommandé. Ce sont là deux signes de négligence qui vous feraient très mal juger par vos correspondants.

o *Veillez* à ce que la formule finale de politesse ne se trouve pas écrite toute seule sur une nouvelle page.

o *Evitez enfin* les paraphes gigantesques compliquant votre signature. Signez simplement. Votre correspondant est peut-être un graphologue averti.

LES FORMULES DE POLITESSE

• **Certains cas spéciaux** posent des problèmes quand il s'agit de rédiger correctement les en-têtes et les quelques mots de politesse qui terminent la lettre.

o *Pour un religieux*. En-tête : Monsieur l'Abbé (ou Monsieur le Curé...). Final : Veuillez croire, Monsieur l'Abbé, à mes respects filiaux (lettre d'homme) ou à mes sentiments très respectueux (lettre de femme). Les mêmes formules seront valables pour tous les religieux, sauf pour les titres suivants :
- un archevêque, un évêque. En tête : Monseigneur ou A Son Excellence. Final : J'ai l'honneur d'être,

Monseigneur, de Votre Excellence, le très respectueux serviteur (ou la très respectueuse servante) ;
- un cardinal. En-tête : Son Eminence Révérendissime. Final : J'ai l'honneur d'être, avec le plus profond respect, de Votre Eminence, le très humble serviteur (ou la très humble servante).
o *Pour un chef d'Etat*. En-tête : Excellence (ou Monsieur le Président). Final : Veuillez agréer, Monsieur le Président (ou Excellence) les assurances de notre respectueuse considération.
o *Un ministre*. En-tête : Monsieur le Ministre. Final : même formule que pour un chef d'Etat mais au singulier (l'assurance).
o *Un amiral*. En-tête : Amiral (une femme écrira Monsieur l'Amiral). Final : Veuillez agréer Monsieur (ou Monsieur l'Amiral) mes sentiments très respectueux (une femme : l'assurance de ma considération distinguée).
o *Un officier supérieur (du lt-colonel)*. En-tête : Mon général. Une femme : Monsieur. Final (formule classique) : Je vous prie d'agréer, mon général, l'assurance de mes respects (une femme écrira : Recevez je vous prie, Monsieur, l'expression de mes sentiments distingués).

LE LIBELLE DES ENVELOPPES

Si le cachet de cire a disparu, certaines règles de savoir-vivre restent toujours en vigueur.
• **Le nom.** Ecrivez Monsieur, Madame et Mademoiselle en toutes lettres.
- Pour un couple, Monsieur doit toujours précéder Madame.
- Pour une femme veuve ou mariée, non divorcée, il faut inscrire le prénom de son mari (Madame Jean Dupont).
- Pour une célibataire : Mademoiselle, le prénom et le nom de famille. Seule l'adresse de l'aînée ne porte pas de prénom (Mademoiselle Durand).
- De même pour un homme ou un couple, pas de prénom s'il s'agit de l'aîné de la famille. Un homme qui écrit à une personne titrée (pour toutes les femmes et seulement pour un homme âgé) écrit : Madame (ou Monsieur) la comtesse (ou le comte) de Kersuzan. A un homme jeune : le comte de Kersuzan.
- De même une femme inscrira Monsieur ou Madame avant le titre pour une femme ou un homme titrés âgés.
• **L'adresse.** Sous le nom et sur une seule ligne, inscrivez tout d'abord le numéro de la maison ou de l'immeuble, puis le nom de la rue. Dessous, souligné, le nom de la ville. Le département ou l'arrondissement se placent un peu en retrait à droite, entre parenthèses ou non.

Attention, vous allez être obligé de changer vos habitudes : vous n'inscrirez plus le nom du département — Seine par exemple —, mais ses chiffres correspondants — 75 en l'occurrence —, les mêmes que ceux des automobiles.
• **Quelques cas spéciaux :**
o *un abbé :* Monsieur l'abbé Dupont ;
o *un curé :* Monsieur le curé de Desvres ;
o *un abbé mitré :* Révérendissime Père Dupont, Abbé de Desvres ;
o *un archevêque :* A Son Excellence Monseigneur Dupont, Archevêque de Desvres ;
o *un cardinal :* A Son Eminence Révérendissime Monseigneur le Cardinal D... ;
o *un chanoine :* Monsieur le chanoine Dupont ;
o *un évêque :* Son Excellence Monseigneur l'Evêque de Desvres ;
o *un pasteur :* Monsieur le pasteur Dupont ;
o *un évêque anglican :* Monseigneur X, Evêque de Cambridge ;
o *un nonce apostolique :* A Son Excellence Monseigneur X, nonce apostolique auprès du gouvernement de la République ;
o *le pape :* Sa Sainteté le Pape Paul VI, Palais du Vatican, Rome (Italie) ;
o *une religieuse :* Sœur Rita ou Révérende mère Perpétue ou Révérendissime mère Pauline Abbesse de l'abbaye de St-X ;
o *un religieux :* Frère Paul ou Révérend père Jean ;

o *un amiral :* Monsieur l'amiral L...
o *un maréchal :* Monsieur le maréchal Legris (pour la femme : Madame la maréchale Legris). Pour le couple : Monsieur le maréchal et Madame la maréchale Legris ;
o *un général :* Général Legris (pour sa femme : Madame Legris). Pour le couple : le général et Madame Legris ;
o *un commandant, un capitaine de corvette :* Commandant Legris (pour sa femme : Madame Legris). Pour le couple : le commandant et Madame Legris) ;
o *un officier :* comme pour un commandant ;
o *un académicien :* Monsieur Dupont, de l'Académie française...
o *un chef d'Etat :* Monsieur le Président de la République ;
o *un ministre :* Monsieur Dupont, ministre de la Santé publique ;
o *un avocat, un notaire ou un avoué :* Maître Dupont (pour sa femme : Madame Dupont). Pour le couple : Monsieur et Madame Dupont) ;
o *un médecin :* Docteur Dupont (pour sa femme : Madame Dupont). Pour le couple : le docteur et Madame Dupont.

La carte-lettre, la carte de correspondance

Si elle n'est admise que pour la correspondance familiale, la carte de correspondance (plus importante que la carte de visite) peut être adoptée pour accompagner tous les cadeaux. Elle donne la possibilité de mieux développer une pensée amicale. La 3e personne n'est pas de rigueur ici.

Vos propres cartes

Une carte de bristol épais servira de fond aux motifs décoratifs, aux papiers découpés, aux gravures qui la décoreront.

• **Avec votre carte de visite :**

o *Une bande de papier-dentelle blanc ou doré,* de 2 à 3 cm de large, vous servira à confectionner un petit cadre que vous présenterez collé autour de la carte avec de la colle de bureau.
o *Roulez votre carte de visite en cornet.* A la pointe de celui-ci collez une petite boule de papier rose et quelques brins de laine, indiquez les yeux et la bouche ; dans le dos ajoutez des ailes. Disposez le petit ange sur un socle garni d'ouate ou de papier-dentelle et fixez-le au paquet par quelques points de colle.
o *Découpez votre carte de visite en cercle avec des bords festonnés.* Tout autour ajoutez plusieurs épaisseurs de pétales en crépon. Montez une tige en fil de laiton recouvert de laine, ajoutez des feuillages en papier vert et plantez cette rose ou cette marguerité dans un pot.
o *Façonnez un petit sapin* avec votre carte de visite roulée en cornet (réunissez les deux bords à l'intérieur avec un ruban adhésif). Découpez le bas du cône en festons ; collez, à l'intérieur, un bâton fixé sur une rondelle de carton servant de socle. Présentez ce petit sapin collé sur votre paquet.
o *Découpez votre carte de visite en forme d'étoile.* Au verso du découpage collez un flot de rubans et ajoutez une couronne en cheveux d'ange. Une fois terminée cette comète viendra illuminer le paquet contenant votre cadeau.
o *Choisissez des papiers rubans collants aux teintes vives ou or* que vous découperez dans le sens de la longueur, de façon à obtenir des filets très fins de 2 à 3 mm de large. Collés en encadrement de votre carte de visite, ils lui donneront un petit air de fête.

(Modèles Guy François - Exposition : Pub Renault et chez Patrix)

Pour les collectionneurs

Au collectionneur de « vieux tacots », offrez ces pièces uniques, réalisées entièrement à la main. C'est un cadeau de qualité à mettre « en vitrine ».

(Gourmette et breloques anciennes de chez Geller)

L'argent donne au porte-clefs sa première noblesse ;
viennent ensuite les gadgets animés et publicitaires,
et enfin, les plus riches, en or et ornés de pierreries.
La gourmette-anniversaire s'offre le jour de la naissance ;
on y ajoute une breloque chaque année.

Poupées provinciales et folkloriques, aux riches costumes, poupées-gigognes peintes à la main ou automates cocasses et ingénieux : poupées éternelles !

Ornée d'une pierre bleue, cette montre ne sonne que pour distribuer ses petites pilules.
(Richard Ginori).

(Pierres dures de la Galerie Michel Cachoux)

De quoi faire rêver amateurs et collectionneurs !
Un monde minéral formé de pyrites, de malachites,
d'améthystes mauves et de quartz rosé,
peuplé d'une multitude d'œufs taillés à la main
dans les jades et les marbres les plus précieux.

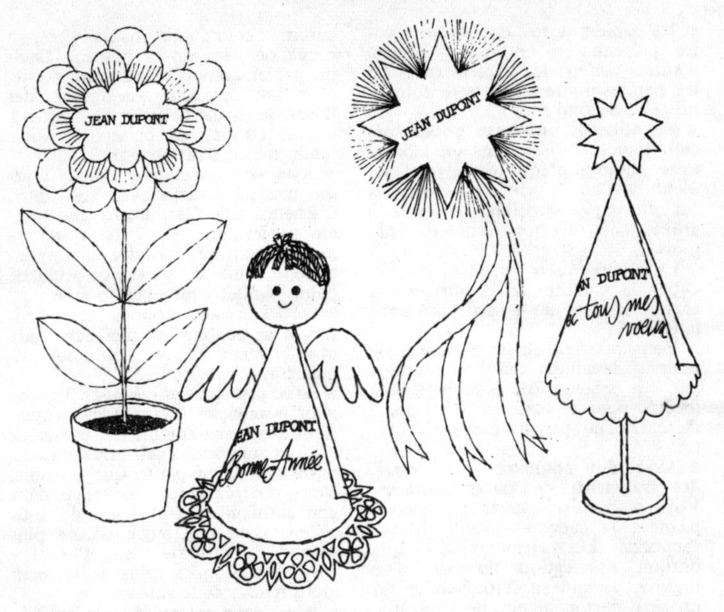

○ *Des feuilles de carbone doré* (on en trouve chez les papetiers et principalement chez les marchands d'articles de dessin) vous permettront de rédiger des souhaits en « or » : pour cela il suffit de disposer la feuille sur le bristol et d'écrire normalement.

● **Avec des gravures anciennes.** Sur les quais, chez certains antiquaires spécialisés, vous trouverez à des prix extrêmement modiques d'anciennes gravures charmantes. Elles serviront à la confection de cartes de vœux très originales.

Vous découvrirez ainsi des images d'Epinal, des eaux-fortes, des gravures de botanique, des cartes marines, des pages enluminées, etc., que vous collerez délicatement sur un carton afin que votre correspondant puisse ensuite les utiliser en sous-verre.

● **Avec de jolis caractères.** Vous découperez des lettres ou des mots aux caractères décoratifs dans des magazines ou revues de luxe. Vous les collerez ensuite côte à côte de façon à former une phrase dans le style d'une lettre anonyme.

En harmonisant leurs caractères, leurs tailles, leurs coloris d'impression, vous pourrez ainsi réaliser une composition graphique pleine de fantaisie ou de distinction, selon vos désirs.

● **Avec des lettres pour étalagistes.** Dans les grands magasins au rayon des accessoires pour vitrines ou dans les boutiques spécialisées, il existe des jeux d'alphabet de très faible épaisseur en papier ou en matière plastique qui pourront servir à la composition d'une carte de vœux.

Vous les présenterez, collés sur un bristol blanc ou de couleur, sur un carton doré ou recouvert de toile de jute, de feutrine adhésive.

● **Avec des papiers-matières.** Vous pourrez écrire avec des encres de couleur, à la plume, au pinceau, au carbone doré, etc., sur tous les papiers-bois, papiers-tissus, marbre, cuir, etc., collés sur carton. Certains d'entre eux, comme les papiers-bois et les papiers-stores, donneront à votre présentation un style japonais, d'autres comme les papiers rayés ou les papiers-moire : une note romantique ou Second Empire.

• **En utilisant un tirage photo spécial.** Faites réaliser dans un laboratoire photographique un agrandissement de l'un de vos clichés favoris sur du papier sensible, cartonné à grains, dans des tons sépia ou chamois.

La photographie ne devra pas occuper la totalité de la surface du carton, laissant un espace libre pour le texte.

Vous pourrez aussi, si l'image le permet, demander que l'on pratique par un système de « cache » une fenêtre pour le texte dans un angle du cliché ou parfois même au centre.

• **Avec des étiquettes de voyage, des fragments de cartes routières.** Vous réaliserez la carte qui accompagnera le cadeau-souvenir de vos vacances. Les éléments découpés portant l'indication du lieu d'où provient le cadeau seront collés sur un petit carton blanc que vous attacherez au paquet par une ficelle de couleur.

• **Avec du papier blanc et des papiers de couleur,** vous réaliserez un double-cœur que vous offrirez à votre maman pour la fête des Mères.

Prenez un carton mince, blanc de préférence, et dessinez deux cœurs identiques, accolés de façon à pouvoir les plier l'un sur l'autre. Tout autour, collez du papier crépon rouge ou vert, en le plissant. Dans un papier crépon d'une autre teinte, rose par exemple, découpez des fleurs que vous collerez sur l'un des cœurs. Offrez vos baisers et votre tendresse sur l'autre cœur.

• **Avec une enveloppe longue.** Glissez une jolie carte avec vos vœux. Cachetez, et collez dessus une fleur en papier que vous ferez de la manière suivante : roulez en serpentin une bande de papier de 4 cm de haut. Collez sur l'enveloppe, et, avec des ciseaux, coupez et ébouriffez le serpentin. La tige sera faite avec le même papier, tordu sur lui-même.

• **Avec plusieurs enveloppes.** Encore pour la fête des Mères, vous présenterez vos vœux sur un joli papier de couleur que vous cacherez dans une enveloppe aussi petite que possible. Vous mettrez cette enveloppe dans une autre un peu plus grande. Puis celle-ci dans une autre encore plus grande, et ainsi de suite. Plus il y aura d'enveloppes, plus votre petit mot prendra de la valeur.

• **Avec deux mètres de papier.** Inscrivez vos bonnes résolutions pour l'année (bien se tenir à table... se lever le matin au premier appel... cirer ses chaussures tous les jours...) sur une feuille de papier de 2 mètres de long, obtenue en collant plusieurs feuilles l'une au bout de l'autre. Roulez, attachez avec un ruban piqué d'une fleur comme s'il s'agissait d'un parchemin.

Les vœux sans cartes

• **Ecrivez sur des étoffes.** Il existe chez les marchands d'articles de dessin, des encres, des stylos, des marqueurs de différents coloris permettant d'écrire sur du tissu.

Grâce à eux vous formulerez vos souhaits sur un petit foulard à bon marché, sur un set de table, sur une pochette de serviette, sur un coussin, etc.

• **Ecrivez sur des rubans.** Avec ces mêmes crayons, décorez les rubans entourant la boîte. Composez des phrases assez longues ou des répétitions, de manière que le texte coure le long de la bande d'étoffe.

Le ruban pourra aussi être attaché à une ligne au bout de laquelle est suspendu un poisson en papier, ou encore enroulé et introduit dans un œuf en matière plastique pour raccommodage, décoré extérieurement.

• **Ecrivez sur le paquet même.** En

collant sur le papier d'emballage (uni) des lettres découpées (comme pour la carte de vœux) ou en les réalisant avec un pochoir.

S'il s'agit d'une caisse importante vous adopterez pour vos caractères le style S.N.C.F. : « HAUT » et « BAS » en choisissant des coloris différents pour chaque caractère ou en employant l'inverse du pochoir, c'est-à-dire le procédé cache : découpez ces lettres dans du plastique adhésif de préférence. Collez-les sur la caisse. Passez un nuage de peinture (bombe-aérosol). Après séchage, décollez les lettres. Vous faites alors apparaître la surface des caractères sans peinture.

Ce procédé peut s'appliquer sur le carton, le bois, le tissu, etc.

Les idées les plus fantaisistes

• **La main en papier découpé.** Dans une feuille de papier-velours rose, de papier doré ou argenté ou bien dans un morceau de feutrine adhésive, découpez la silhouette d'une main ; elle doit être très élégante avec des doigts longs et fins. Collez ce motif sur un carton ou un bristol retaillé suivant ce contour ; ajoutez une manchette en papier-dentelle, en ruban, strass, etc., et des bagues en papier métallisé, cheveux d'ange ou clinquants.

Entre les doigts, fixez l'enveloppe de votre carte de visite et collez ce motif sur le paquet ou dans un bouquet.

• **L'abat-jour.** Achetez une petite lampe de chevet recouverte d'un abat-jour en papier uni blanc ou de couleur. Des signatures, des souhaits, un poème, inscrits en bandes parallèles, en spirales, en diagonales ou quelques mots d'amitié disposés en semis constitueront un motif décoratif inattendu et charmant.

• **Les bûches.** Pour accompagner vos cadeaux de Noël, faites découper une bûche de bois en rondelles d'environ 1 cm d'épaisseur.

Sur un point du pourtour enfoncez un clou ou un crochet qui vous servira à accrocher un petit bouquet de houx, de sapin ou une petite pomme de pin, un nœud de ruban, etc. Au centre du disque de bois, pyrogravez ou dessinez au pinceau tous vos meilleurs vœux.

• **La bande de magnétophone.** Si votre correspondant possède cet appareil, enregistrez dans une boutique spécialisée un texte tendre ou humoristique que vous expédierez ensuite joliment empaqueté. Vous pourrez de la même manière faire enregistrer vos vœux sur des disques que vous offrirez à vos amis.

• **Les silhouettes d'animaux.** Dans des albums à bon marché, ou des reproductions de gravures, découpez des figurines représentant des animaux, des oiseaux par exemple. Le motif collé sur un bristol de même forme devra tenir la carte de visite. Il faut donc que le dessin se prête à cette attitude.

Vous suspendrez le motif avec un fil de nylon que vous accrocherez au ruban du paquet ou à une fleur du bouquet.

• **Les langes de bébé.** Pour accompagner un cadeau de naissance, emmaillotez un petit baigneur en celluloïd avec une bande de feutrine blanche qui déroulera vos souhaits et compliments inscrits au crayon marqueur pour tissus.

• **Le disque de stationnement.** Remplacez le cercle des heures par un carton sur lequel vous écrirez des souhaits pour chaque instant de la journée.

• **Un chèque** vous permettra d'envoyer un million de baisers, etc.

• **La carte de laine.** Pour offrir un pull, une boîte à ouvrage, etc., découpez un carton ayant la forme d'une carte de laine, sur laquelle vous présenterez vos souhaits. Ils seront dissimulés par endroits au moyen de quelques brins de laine enroulés sur le carton.

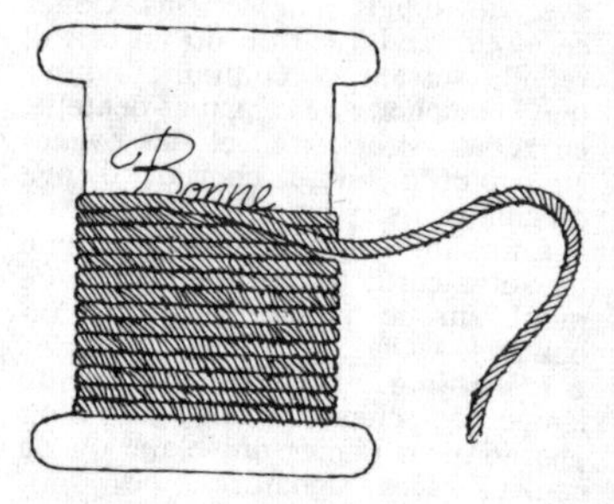

Les cartes de vœux

Pour certaines circonstances (Noël, fêtes et anniversaires par exemple), vous trouverez à acheter des cartes tout spécialement décorées. Réservez-les toutefois à votre famille et à vos amis.

Parmi l'immense variété des cartes ainsi éditées, certains modèles dits « commerciaux » sont d'un goût très discutable. Mais on trouve aussi et de plus en plus un grand nombre d'impressions de qualité : reproductions d'œuvres célèbres (peintres contemporains, primitifs, etc.), joliment entourées de bristol de luxe ou de papier gravé ; vitraux imprimés sur rhodoïd transparent, cartes en papier-bois que l'on peut faire imprimer, reproductions de gravures anciennes (estampes persanes, japonaises, hindoues), etc.

Notons, dans la catégorie « humour » des cartes postales pleines d'esprit ayant pour auteurs des dessinateurs satiriques connus.

Une charmante coutume anglo-saxonne
Dès le 1er janvier, présenter sur le dessus de la cheminée toutes les cartes de bons vœux reçues la veille.
On les épingle sur le fond vert sombre du sapin traditionnel silhouetté sur un carton et appliqué contre la glace.

FORMULES ET CIRCONSTANCES

Evénements, cérémonies

• **Pour une naissance, un baptême.** La carte n'est pas obligatoire si vous apportez vous-même votre cadeau ; elle l'est seulement si vous le faites porter ou si vous l'expédiez. Pour les relations, une carte de visite et quelques mots de félicitations sont toujours préférables.

o *Libellé de la carte du parrain, de la marraine :* ... Pour un filleul déjà bien aimé.

... Avec tous mes vœux de bonheur pour notre petit Philippe.

... Que Claudine devienne aussi charmante que sa maman.

o *Libellé de la carte de la famille :* ... De ses grands-parents, avec toute leur affection et leur admiration.

... Avec toute la tendresse et la fierté d'une nouvelle grand-mère.

... A notre nouvelle nièce, très affectueusement.

... Pour le plus beau des neveux. Tante Marie.

... Avec tous nos souhaits de bonheur pour notre cher petit neveu.

o *Libellé de la carte des amis :* ... Tous nos compliments pour la maman et nos vœux pour l'enfant.

... Toutes nos pensées pour Charlotte et nos meilleurs vœux de bon rétablissement pour sa maman.

... Avec mes amicales pensées, ma chère amie, et mon affection pour ta petite fille.

o *Libellé de la carte des relations :* ... M. et Mme Y félicitent la maman et présentent leurs vœux les plus sincères pour le nouveau-né.

... M. et Mme Y avec leurs compliments.

... M. et Mme Y avec leur plus cordial souvenir vous expriment leur joie sincère.

• **Pour une communion.** Quelques lignes pour accompagner le cadeau seront certainement appréciées par le jeune communiant. Quelques mots et une carte seront indispensables si vous n'assistez pas à la réception.

L'enfant y répondra par une lettre à laquelle il joindra une image souvenir.

o *Carte de la famille, du parrain, de la marraine :* ... Toutes nos prières te suivent, mon cher enfant. Affectueusement. Oncle Jean et Tante Yvonne.

... A mon petit Paul avec toutes les pensées pieuses de marraine.

... Tes grands-parents s'unissent à toi par la pensée et par la prière en ces moments bénis.

... Nous prierons bien fort afin que ce jour soit l'un des plus beaux de ta vie.

o *Carte des amis, des relations :* ... Toutes nos pensées sincères accompagneront Christian aujourd'hui.

... Avec notre affectueux souvenir, ma petite Christiane.

... Toutes mes prières et mon affection pour toi et tes parents.

... Pour Jacqueline, avec les amitiés sincères de son amie Agnès.

• **Pour des fiançailles, un mariage.** Une carte accompagne toujours les cadeaux offerts par les personnes invitées à la réception ; une lettre est jointe à ceux des amis, des membres de la famille, des relations qui n'ont pu s'y rendre. Pour les relations, une carte de visite et quelques mots amicaux suffiront.

o *Carte de la famille, du parrain, de la marraine :* ... Avec tous mes vœux affectueux pour Micheline et François. Tante Estelle.

... Toutes mes pensées t'accompagneront aujourd'hui, ma chère enfant pour un bonheur sans fin, avec ton jeune époux. Marraine.

... Toutes mes félicitations car ta jeune femme est charmante. Affection de ton vieux parrain.

o *Carte des amis :* ... Avec mes souhaits de bonheur. Amitiés. Jeanne et Paul.

... Toutes mes pensées amicalement sincères. Pascale.

... Mille souhaits amicaux pour une

journée merveilleuse suivie de nombreuses années de bonheur.

... Nous serons près de vous par la pensée en ce grand jour. Amitiés.

o *Carte des relations :* ... Vœux sincères de bonheur.

... Toutes nos félicitations et nos vœux pour le jeune couple.

... M. et Mme Y vous adressent ainsi qu'à Suzanne et à son fiancé leurs meilleures pensées.

o *Carte réponse :* ... Chère Madame, Nous avons été très touchés de votre si aimable attention. Suzanne vous remerciera elle-même dès son retour à Paris.

o *Carte collective des collègues de bureau :* ... Tous nos vœux de bonheur pour notre charmante collègue et son heureux époux. Ou encore : Nous nous associons tous à votre bonheur.

• **Pour une pendaison de crémaillère.** Une simple carte avec quelques mots sera jointe au cadeau que l'on fait porter le jour même, ou que l'on apporte. Les remerciements seront faits de vive voix.

... Avec nos souhaits sincères pour un grand bonheur dans le plus joli des cadres, puisqu'il est vôtre.

... Pour votre « chez vous », ce vase à tulipes que j'ai trouvé amusant.

• **Pour accompagner les cadeaux collectifs ou personnels.** Une carte sera jointe aux cadeaux qui sont toujours offerts au cours d'une réception. Les remerciements sont faits de vive voix.

o *A l'occasion d'une nomination.* Carte collective : ... Toutes les félicitations chaleureuses de votre ancien bureau pour votre promotion bien méritée.

Carte personnelle : ... Mon cher Yves, rien ne pouvait me faire plus plaisir que d'apprendre ta nouvelle promotion. Amitiés.

... Toute ma joie pour votre promotion.

o *A l'occasion d'un départ.* Carte collective : ... Après nos regrets sincères de ne plus vous compter parmi nous.

Carte personnelle : ... Ton changement de poste me fait plaisir pour toi qui le désirais depuis si longtemps, mais tu vas me manquer beaucoup. Amicalement.

... Votre départ me navre et me réjouit tout à la fois, puisque votre nouvelle résidence vous plaît davantage. Sincèrement à vous.

o *A l'occasion d'une retraite.* Carte collective : ... En reconnaissance de votre gentillesse et de votre compréhension pendant ces années.

Carte personnelle : ... Mon cher ami, tu vas goûter à présent un repos bien mérité. Sache que je regretterai longtemps l'homme que j'ai tant estimé durant notre carrière commune.

... Avec mes regrets de ne plus vous retrouver comme chaque jour au bureau, et mes vœux pour une nouvelle vie, paisible et heureuse.

o *A l'occasion du départ d'un professeur.* Carte collective : ... Avec les regrets et la sympathie de toute votre classe de 3e.

Carte personnelle : ... Monsieur, je suis désolé de votre départ. J'avais fait tant de progrès grâce à vous. Vous nous manquerez beaucoup à tous mes camarades et à moi-même. J'espère que vous vous plairez dans votre nouveau poste. Mes parents se joignent à moi pour vous exprimer toute notre sympathie.

Noël et Jour de l'An

Sur les cartes et les lettres accompagnant vos cadeaux, n'oubliez pas de présenter vos vœux du Nouvel An.

• **Cadeaux adressés aux enfants.** Cartes ou lettres n'accompagnent naturellement que les cadeaux offerts aux enfants qui ne « croient » plus au Père Noël. Toute fantaisie est permise quant au choix du décor de la carte.

o *Carte des parents et grands-parents :* ... Avec tous les baisers de ton Père Noël attitré, et ses vœux de bonheur pour une très très heureuse nouvelle année.

... Joyeux Noël, ma chérie. Que 1967 soit pour toi l'une des nombreuses années heureuses de ta vie, c'est le vœu le plus cher de tes parents.

... Pour Patrick et Monique, un jeu d'échecs qui leur rappellera leur vieux Père Noël de grand-père.

... Beaucoup de joies et de bonheur, mon cher enfant, en ces jours de fête et pour toute l'année qui s'annonce.

o *Carte de la famille, du parrain, de la marraine :* ... Tous les vœux de ta marraine pour un joyeux Noël et une bonne année.

... Heureux Noël, mon vieux. Ne casse pas trop vite cette montre. Elle doit marquer toutes les heures de 1967. Parrain.

... Dans la hotte du Père Noël, ma chérie, ta marraine a choisi cette poupée. Te plaît-elle ? Tous mes vœux et mille baisers affectueux.

o *Carte des amis :* ... Ma petite Cécile, passe un joyeux Noël, et que 1967 te soit très favorable.

... Tous mes souhaits pour Noël et l'année nouvelle.

... Que tout ce que tu désires se réalise au cours de cette nouvelle année.

... Pour toi, ce paquet avec mes vœux de bonheur pour tous les trois.

... Tous mes souhaits sincères pour un Noël joyeux et une heureuse année.

• **Cadeaux adressés aux parents, beaux-parents et proches.** Comme pour le Noël des enfants, les cartes seront gaiement décorées. Une lettre sera jointe au cadeau chaque fois que le destinataire se trouvera éloigné.

o *Libellés de cartes pour les parents, grands-parents et beaux-parents :* ... Avec tous nos vœux, chère maman.

... Tous nos souhaits affectueux pour 365 jours de bonheur.

... Avec ce présent, toutes nos promesse de sagesse pour l'année nouvelle.

o *Libellés de cartes pour frères et sœurs :* ... Je te souhaite une tirelire bien garnie, un prince charmant agréable et du succès à ton examen.

... Joyeux Noël et une montagne de succès en 1967.

... Affectueusement à toi pour un heureux Noël.

o *Libellés de cartes pour tantes, oncles :* ... Chère tatie, que ce Noël prochain et cette nouvelle année soient très heureux pour toi.

... Pour vous deux, tous mes vœux affectueux.

... Avec mes pensées sincères pour d'heureuses fêtes de fin d'année.

• **Cadeaux adressés aux amis, aux relations.** Pour les amis intimes, les souhaits que l'on formule ressemblent à ceux que l'on adresse aux membres de sa famille.

Pour les relations mondaines, pour les supérieurs professionnels, etc., ils seront libellés avec plus de réserve et présentés sur une carte de visite.

o *Libellés de cartes pour les amis :* ... Joyeux Noël et tous nos vœux, de nous deux à vous deux.

... Nos affectueuses pensées, lointaines mais très proches aussi. Nous pensons tous beaucoup à vous et nous vous souhaitons une excellente nouvelle année.

o *Libellés de cartes pour les relations :* ... M. et Mme X vous adressent leurs meilleurs vœux.

... M. et Mme X et leurs vœux sincèrement cordiaux pour 1967.

... Suzanne Dupont vous exprime ses meilleurs vœux pour 1967. Ou encore : Suzanne Dupont, avec tous ses vœux respectueusement sincères pour la nouvelle année.

... Meilleurs vœux et souhaits sincères pour 1967.

... Je vous prie de bien vouloir agréer pour la nouvelle année mes meilleurs vœux auxquels s'ajoute ma respectueuse gratitude.

o *Libellés de cartes réponses :* ... Tous nos remerciements et tous nos vœux.

... Remerciements et meilleurs vœux pour 1967.

... M. et Mme Y vous remercient et vous adressent leurs vœux pour 1967.

... M. et Mme Y, très touchés de vos vœux, vous adressent les leurs pour 1967.

• **Cartes accompagnant les étrennes traditionnelles.** Une carte n'est pas nécessaire lorsque vous remettez vos étrennes au facteur. A votre concierge, par contre, il est plus aimable de glisser dans l'enveloppe contenant ses étrennes une petite carte portant quelques mots. De même pour vos employés de maison, pour une personne à votre service depuis très longtemps, vous pouvez vous montrer plus chaleureuse.

o *Libellé de la carte adressée à la concierge :* ... Meilleurs vœux pour 1967.

... M. et Mme Y, bonheur et santé pour 1967.

o *Libellé de la carte adressée à une employée de maison :* ... Ma bonne Sophie, tous mes souhaits pour l'an nouveau.

... Meilleurs vœux pour une heureuse année.

Fêtes et anniversaires

• **Cadeau adressé aux parents.**

o *Les enfants sont encore des adolescents ou sont plus jeunes encore :* le cadeau est souvent collectif et la carte signée par tous les frères et sœurs. Seuls ceux qui sont au loin, en pension par exemple, écriront une lettre affectueuse. Une carte dessinée par l'enfant lui-même fait toujours plus de plaisir qu'une très belle carte achetée. Libellé de la carte : ... A notre maman chérie.

... Bonne fête (bon anniversaire) papa chéri, avec toute mon affection.

... Pour ta fête (pour ton anniversaire), ce cadeau mais aussi la promesse d'être désormais gentil, affectueux et studieux.

o *Les enfants sont adultes :* une lettre est indispensable pour accompagner les cadeaux que vous faites parvenir à des parents qui vivent loin de vous.

Les cartes illustrées ne doivent être choisies que si l'on a l'habitude de les employer pour la correspondance familiale. Libellé de la carte : ... Tous mes vœux maman chérie (ou papa chéri), pour un heureux jour de fête.

... Pour ta fête (pour ton anniversaire) maman chérie (ou papa chéri), avec nos baisers les plus affectueux.

... Bien chère maman (ou papa), Pierre et les enfants se joignent à moi pour te souhaiter une bonne fête (un bon anniversaire).

• **Cadeau adressé aux amis.**

o *Pour les amis intimes* une carte dessinée peut être jointe au cadeau, une longue lettre aussi.

o *Pour les nouveaux amis* une carte blanche ou une carte de visite sont plus indiquées. Libellé de la carte : ... Avec nos meilleurs vœux pour une heureuse fête (pour un heureux anniversaire).

... Avec toutes mes bonnes pensées.

... M. et Mme X, avec leurs vœux amicaux.

... Jean et moi te souhaitons une heureuse fête (un anniversaire).

Anniversaires de mariage

• **Carte des enfants :** Pa-Man chéris, nous vous souhaitons d'être heureux encore pendant de très nombreuses années.

... Avec notre admiration et tout notre amour.

... Votre bonheur a fait le nôtre. Avec tout notre amour et notre gratitude.

• **Carte de famille** (parents, grands-parents, oncles...) : Mes chers enfants, je me réjouis de vous savoir toujours heureux.

... Que de nombreuses noces, de bronze, de fer blanc et surtout d'or et de diamant, vous soient permises !

... Avec tous nos vœux de bonheur

pour une longue vie commune.

… Soyez toujours unis comme aujourd'hui, c'est notre désir le plus cher.

• **Carte d'amis :** … Votre bonheur nous fait envie.

… Avec toutes nos pensées amicales pour vos noces d'argent.

… Toutes nos félicitations pour cette belle et si parfaite union.

… Recevez, avec ce petit souvenir, l'expression de notre vive sympathie.

La Sainte-Catherine

C'est une fête un peu délicate à souhaiter, car bien des jeunes filles préfèrent « oublier » qu'elles ne sont pas encore mariées. Une simple carte accompagnera le cadeau que seuls les amis et les camarades présents à la réception offriront.

• **Carte des amis et collègues :** … Pour la plus jolie des Catherinettes.

… Tous nos vœux pour un grand bonheur futur.

… Ma petite Françoise, nous te souhaitons le Prince Charmant de tes rêves.

… Avec notre affection et nos amitiés sincères.

• **Carte d'une amie intime :** … Ma chère Françoise, ne sois pas trop pressée de te marier. Une célibataire a une vie si agréable. Tu as bien raison de rechercher l'amour avec un grand « A ». Bonne chance.

Fêtes des Mères et des Pères

Elles sont souhaitées par les enfants exclusivement, quel que soit leur âge. Ceux qui sont éloignés de leurs parents se doivent d'écrire une longue lettre affectueuse.

Libellé de la carte : … Maman chérie (ou Papa chéri), tes enfants qui t'aiment te souhaitent une bonne fête.

… Avec toute notre tendresse et la promesse d'être sages jusqu'au 30 mai prochain (ou 20 juin).

… Pour toute ta gentillesse et ton amour vigilant, notre affection reconnaissante.

… Tu es notre mère chérie (ou père chéri) et nous t'embrassons très fort comme nous t'aimons.

Avec les cadeaux-remerciements

o *Pour un déjeuner ou un dîner en famille ou chez des intimes,* vous pouvez apporter vous-même votre cadeau, sans carte d'accompagnement.

o *Pour une invitation chez des amis ou des relations* (dîner, cocktail…). Dès le lendemain, faites porter, avec votre carte, fleurs, cadeau ou friandises.

Libellé de la carte : … Votre soirée était fort réussie ma chère amie, Pierre et moi avons passé des moments bien agréables en votre compagnie. Amitiés.

… Nous regrettons d'avoir dû partir si tôt, votre soirée était un succès et nous avons été très heureux des moments passés ensemble. Amicalement.

… Chère Madame, tous mes remerciements pour la charmante soirée à laquelle vous avez eu la gentillesse de me convier (ou la bonté… plus cérémonieux).

o *Si vous avez passé un week-end ou des vacances chez des amis,* votre cadeau sera nécessairement accompagné d'une lettre.

○ *Pour un goûter d'enfants.* Libellé de la carte : ... Chère amie, Madeleine s'est beaucoup amusée au goûter de votre fille et elle n'a cessé de babiller pendant tout le retour. Merci de l'avoir invitée. Amitiés.

... Mes compliments chère Anne. Votre goûter était très réussi. Jacques en éloges est intarissable. Amitiés.

Apprendre à recevoir

Apprendre à donner est une chose. Apprendre à recevoir en est une autre.

○ *Il faut apprendre à devoir quelque chose à quelqu'un,* apprendre à être redevable sans être humilié ni blessé. Cela s'apprend très jeune. Cela s'apprend en famille. C'est le rôle des petits cadeaux.

○ *Il faut apprendre à recevoir avec naturel, avec spontanéité, à cœur ouvert.* Sans le sans-gêne de l'égoïsme. Mais aussi sans la gêne qu'éprouvent certains orgueilleux. Au fond, il faut savoir recevoir avec bonheur : c'est le plus grand merci que l'on puisse dire à celui qui donne.

• **Enfin, une dernière grande règle de politesse :** lorsque vous recevez un cadeau, ne différez jamais l'envoi de vos remerciements.

Au-delà d'une semaine, rien n'est plus décevant pour le donateur que d'attendre la confirmation de la bonne réception du paquet, et l'assurance que le cadeau a fait plaisir. En matière de « savoir-vivre » l'empressement est toujours de rigueur.

INDEX

D

E

I

J

K

L

M

SOURCES DE L'ICONOGRAPHIE

Les pages d'illustration hors-texte sont comptées de 1 à 48 ; elles proviennent de l'édition originale **Culture, Art, Loisirs, Paris (C.A.L.)** et ont pour origine : Etienne Hubert : pl. 20a, 41b. — Studio Hollenstein : (Duffas) pl. 1, 3 ; (Yves Jannès) 9 ; (Yves Souillard) 21.— Jean-Louis Seigner : pl. 2, 4, 6, 7, 8, 10, 11, 12, 13, 14, 15, 18, 19, 20b, 22, 23, 24, 25, 26, 27, 28, 29, 30, 31, 32, 33, 34, 35, 36, 37, 38, 39, 40, 41a, 42, 44, 45, 46c, 47b, 48. — Geneviève Servent : pl. 5, 17, 46ab.— Les dessins de Luis Camps sont également repris de l'édition originale **Culture, Art, Loisirs, Paris.**

TABLE DES MATIERES

DES PRESSES DE GÉRARD & Co
65, rue de Limbourg, Verviers (Belgique)
D. 1967/0099/133

NOS GRANDES SERIES

ENCYCLOPÉDIE UNIVERSELLE
8 volumes de 384 pages dont 32 pages d'illustrations hors-texte en noir et en couleurs et plus de 100 dessins ou schémas in-texte.

HISTOIRE UNIVERSELLE
12 volumes de 384 pages dont 32 pages d'illustrations hors-texte en noir et en couleurs et de nombreux dessins, cartes et tableaux synoptiques in-texte.

ENCYCLOPÉDIE DU MONDE ANIMAL
7 volumes de 240 pages entièrement illustrées en noir et en couleurs.

marabout service

32★★★★ **Le guide Marabout des chiens,** J. FREYDIGER.

Voilà vraiment un guide pratique et complet, qui rendra de véritables services. Il doit se trouver dans la bibliothèque de tous les cynophiles, mais également des amateurs...

« La Vie Canine »

33★★★★ **Le guide de l'enseignement en France,** P. DRAN.

35★★ **Le guide Marabout du magnétophone,** C. G. NIJSEN.

36★★★ **Le guide Marabout du savoir-vivre,** G. D'ASSAILLY et J. BAUDRY.

Voilà un livre très utile dans chaque maison. On y traite du savoir-vivre chez soi et en dehors de chez soi, des relations sociales dans leur aspect 1966, correspondance... et téléphone. Un index alphabétique permet un repérage rapide.

« Marie-Claire »

37★★★ **La santé de vos cheveux,** I. I. LUBOWE.

Véritable manuel d'éducation sanitaire qui sera d'une aide appréciable pour chacun.

« La Croix de Lorraine »

38★★★ **Jim Clark** par JIM CLARK.

Pour les sportifs et les amateurs de l'automobile, un « Jim Clark » par lui-même aussi passionnant à lire qu'un roman. Avec ce livre, le lecteur entrera dans les coulisses des grandes compétitions internationales.

« L'Echo de la Vente »

39★★★★ **Le guide Marabout de tous les jeux de cartes,** F. GERVER.

40-41★★★★ **Le guide Marabout de la femme (Tomes 1 et 2).**

Un guide dont les principales qualités sont la diversité, la clarté et la multiplicité des problèmes envisagés... un véritable dictionnaire qui ne sera jamais consulté sans que l'on en retire avantage et profit.

« Elle »

44★★★ **Mes joies terribles,** ENZO FERRARI.

47★★★ **Art et confort (Tome 1) : La chambre à coucher.**

48★★★ **Des Cobra aux Ford du Mans,** CARROLL SHELBY.

Agrémenté de nombreuses photos, cet ouvrage se lit comme un roman, tant les péripéties et les aventures sont contées par Shelby lui-même avec un humour typiquement texan.

« Racing Revue »

49★★★★ **Le guide Marabout de la pâtisserie,** A. GENERET et Y. LINE.

51-52★★★★ **L'encyclopédie des parents modernes (Tomes 1 et 2).**

53★★★★ **Le guide Marabout du poisson, des crustacés et des mollusques (choix et préparation),** NINETTE LYON.

Plus qu'un livre, c'est une somme ! Quelle érudition et quelle patience pour épuiser en un peu moins de 400 pages tout ce qu'on doit savoir sur le poisson, sur ses origines, sur les façons de le choisir et de le préparer...

« Aux Ecoutes »

marabout service

54*** **Les secrets de la formule I,** MICHAEL COOPER-EVANS.

55*** **Savoir recevoir entre soi,** MAPIE DE TOULOUSE-LAUTREC et GISELE D'ASSAILLY.

56-57**** **L'encyclopédie de la décoration (Tomes 1 et 2).**

60-61**** **L'encyclopédie culinaire du XXe siècle (Tomes 1 et 2).**

64*** **Le guide Marabout de l'Aïkido et du Kendo,** T. THIELEMANS.

65*** **Le guide Marabout de la correspondance,** GIS. D'ASSAILLY.

ÉCONOMIE MODERNE

31*** **L'organisation pratique du bureau,** K. STEFANIC-ALLMAYER et R. ZEEGERS.

34** **La formation culturelle des cadres et des dirigeants,** JOSEPH BASILE.

Un technicien belge, qui est en même temps homme de réflexion et de culture, a eu l'excellente idée d'écrire ce petit volume alerte, entraînant, une sorte de guide intellectuel à l'usage des chefs d'entreprise et de bien d'autres... Tout cela est chaleureux, sympathique. « Les Nouvelles Littéraires »

42-43-45-46*** **L'économie contemporaine (4 vol.),** F. BAUDHUIN.

... On lit ce cours comme un roman, si j'ose dire, parce que sans cesse on s'interroge sur les causes et qu'à peine s'est-on posé une question, on obtient la réponse et elle est souvent, pour le profane, inattendue... J. Valschaerts - « Le Rappel »

50*** **Le représentant d'aujourd'hui,** R. ZEEGERS et D. LIPPENS.

Axé sur les aspects humains du métier (cet ouvrage) se lit comme un roman et contient de nombreux conseils pratiques qui seront certainement utiles aussi bien aux représentants qu'à ceux qui les dirigent dans les entreprises. « Fabrimétal »

58**** **Le marketing, nouvelle science de la vente,** MICHEL BISCAYART.

59**** **Les placements,** F. BAUDHUIN.

62**** **Comment réussir dans le commerce de détail,** JO BAPTIST et GEORGES DE GREEF.

63**** **Le travail au féminin,** ROBERT GUBBELS.

66**** **La direction scientifique des entreprises,** F. W. TAYLOR.